ANDREW SCULL

O ISTORIE CULTURALĂ A NEBUNIEI

De la Biblie la Freud, de la casa de nebuni la medicina modernă

Andrew Scull, *Madness in Civilization: A Cultural History of Insanity from the Bible to Freud, from the Madhouse to Modern Medicine*

Published by arrangement with Thames and Hudson Ltd, London

This edition first published in Romania in 2017 by Editura POLIROM, Iași

Pe copertă: Francisco Goya, *Casa de nebuni* (1808/1812, detaliu)

www.polirom.ro

Editura POLIROM
Iași, B-dul Carol I nr. 4; P.O. BOX 266, 700505
București, Splaiul Unirii nr. 6, bl. B3A, sc. 1, et. 1,
sector 4, 040031, O.P. 53

Descrierea CIP a Bibliotecii Naționale a României:

SCULL, ANDREW

O istorie culturală a nebuniei: de la Biblie la Freud, de la casa de nebuni la medicina modernă / Andrew Scull; trad.: Anacaona Mîndrilă-Sonetto. – Iași: Polirom, 2023

ISBN: 978-973-46-9389-4

I. Mîndrilă-Sonetto, Anacaona (trad.)

616.89

Printed in ROMANIA

ANDREW SCULL

O ISTORIE CULTURALĂ A NEBUNIEI

De la Biblie la Freud, de la casa de nebuni la medicina modernă

Traducere de Anacaona Mîndrilă-Sonetto

Cu 128 de ilustrații, din care 44 de planșe color

POLIROM
2023

„Nebunia", din The Anatomy and Philosophy of Expression, as Connected with the Fine Arts, *de sir Charles Bell (1844)*

Cuprins

Pentru Nancy și pentru nepoții noștri născuți și care urmează încă să se nască

Comme quelqu'un pourrait dire de moi que j'ai seulement fait ici un amas de fleurs étrangères, n'y ayant fourni du mien que le filet à les lier.

[Așa cum s-ar putea spune despre mine că am făcut aici doar un buchet din florile altora, fără să pun de la mine decât firul care le leagă.]

Montaigne

Mulțumiri

O istorie culturală a nebuniei este, în multe privințe, produsul celor peste patruzeci de ani ai mei de activitate în domeniul istoriei nebuniei. În acest răstimp am devenit îndatorat mai multor oameni decât aș putea să enumăr aici. În plus, cu această carte îmi propun o sarcină de o îndrăzneală excepțională și, ca atare, sunt îndatorat în mod inevitabil lucrărilor scrise de nenumărați alți cărturari – îndatorare recunoscută parțial, deși insuficient, în notele și bibliografia care însoțesc textul meu.

Totuși, mai multe persoane s-au arătat extraordinar de amabile și de generoase prin ajutorul pe care mi l-au dat pe parcursul scrierii cărții de față, astfel că mă încântă prilejul de a le mulțumi aici. Deși e doar o răsplată săracă pentru tot ce au făcut pentru mine, aș dori mai întâi să le mulțumesc celor cinci oameni care au avut bunăvoința de a citi întregul text și de a-mi trimite comentarii detaliate și sugestii de îmbunătățire. William Bynum are puțini egali în ce privește cunoștințele de istorie a medicinei și m-a ferit de o multitudine de păcate, oferindu-mi totodată foarte necesare încurajări pe parcurs. Prietenii mei Stephen Cox și Amy Forrest au citit cu atenție și înțelegere fiecare capitol. Au făcut numeroase sugestii pătrunzătoare în chestiuni de stil și substanță și nu au șovăit să-mi indice punctele în care scriitura mea s-a poticnit ori argumentele mele au părut să apuce pe căi greșite. Nu le pot mulțumi îndeajuns. Fiecare scriitor ar trebui să cunoască norocul de a avea prieteni atât de generoși. Colin Ridler, minunatul meu redactor de la Thames & Hudson, a fost genul de editor la care visează toți autorii: inimos, nemărginit de serviabil și plin de entuziasm pentru proiect. Colega sa, Sarah Vernon-Hunt, mi-a redactat și ea manuscrisul final cu o grijă și atenție excepționale. Priceperea ei ca redactor mi-a adus nenumărate beneficii. După cum pot să confirme toți acești cititori, uneori sunt încăpățânat și, cu toate că în multe cazuri le-am ascultat sfaturile înțelepte, câteodată am refuzat să o fac. Așadar, nici unul dintre ei nu poate fi socotit răspunzător în vreun fel de erorile sau omisiunile care au rămas în text. Le revin însă o mare parte din meritele pentru posibilele lui calități.

Și alții au citit bucăți consistente din diferite capitole ori au răspuns la felurite întrebări insistente. Doresc să le mulțumesc în mod special cumnatului meu, Michael Andrews, și colegilor și prietenilor mei Emily Baum, Joel Braslow, Helen Bynum, Colin Gale, Gerald Grob, Miriam Gross, David Healy, John Marino și Akihito Suzuki. Le sunt recunoscător, de asemenea, diferitelor organizații a căror contribuție a făcut posibilă scrierea acestei cărți. Senatul academic al Universității California a asigurat în numeroase ocazii fondurile care mi-au permis să petrec timp în arhive îndepărtate. Acest ajutor a fost de neprețuit pentru un om interesat de trecutul nebuniei, căci sursele principale pe care am avut nevoie să le consult sunt rareori disponibile în sudul Californiei, în ciuda reputației lui actuale de cămin al ciudaților. De-a lungul anilor, bursele și sprijinul din partea Fundației Guggenheim, a Consiliului American al Societăților Erudite, a Societății Filosofice Americane, a Fondului Commonwealth-ului și a Centrului Shelby Cullom Davis pentru Studii Istorice din cadrul Universității Princeton, precum și două burse Presidential Humanities pentru studii avansate, oferite de Universitatea California, mi-au susținut financiar porțiuni majore de cercetare. Le sunt profund recunoscător tuturor, întrucât toată munca anterioară în arhive a contribuit deopotrivă la detaliile și ansamblul lucrării sintetice reprezentate de volumul de față.

La editura britanică Thames & Hudson, o întreagă echipă în afara persoanelor mai sus menționate mi-a oferit un ajutor neprețuit la pregătirea cărții, aici incluzându-se personalul de la design, producție și marketing, care mi-a transformat textul și imaginile brute într-un volum atât de atrăgător. Vreau să le mulțumesc tuturor. Îi datorez o deosebită recunoștință lui Pauline Hubner, redactorul meu de grafică. Pauline m-a ajutat să găsesc și să obțin permisiunea de a folosi imaginile care completează și îmbogățesc în foarte mare măsură textul și analiza care urmează. Îmi face de asemenea o mare plăcere faptul că, pe continentul nord-american, Peter Dougherty și Princeton University Press mi-au publicat încă o carte. Peter e un director-model de editură științifică și a vădit un profund interes personal față de succesul cărții. Doresc să mai mulțumesc revistei *History of Psychiatry* și lui German Berrios, de mult timp editorul ei, pentru permisiunea de a retipări unele texte care au fost publicate pentru prima oară în numărul aniversar de la 25 de ani al revistei și care formează acum o parte a capitolului 11.

Îmi place foarte mult să scriu și dedicația acestei cărți reflectă cât de îndatorat îi sunt soției mele, Nancy, pentru tot ce a făcut ca să creeze condițiile care mi-au permis să scriu de-a lungul anilor. Mai important, îi datorez mai mult decât îmi stă în putere să exprim pentru dragostea și tovărășia ei de-a lungul multor decenii. Cei care au nepoți știu ce bucurie aduc aceștia; cartea de față le este dedicată, de asemenea, celor cu care Nancy și eu am fost deja binecuvântați, ca și celor pe care sperăm să-i primim cu brațele deschise și să-i prețuim în anii ce vor veni.

Andrew Scull
La Jolla, California

Capitolul 1

Față în față cu nebunia

Nebunia *în* civilizațiile lumii*? Dar nu e nebunia însăși negarea civilizației? În fond, gânditorii iluminiști susțineau că Rațiunea este însușirea care deosebește ființele umane de animale. Dacă lucrurile stau astfel, atunci, de bună seamă, Iraționalul reprezintă ceea ce e absolut inacceptabil, corespunzând într-un anumit sens punctului în care civilizatul devine sălbatic. Nebunia nu *aparține* civilizației, ci este un lucru cu totul în afara ei și străin de ea.

Totuși, dacă reflectăm, chestiunea nu e chiar atât de simplă. În mod paradoxal, nebunia nu există doar în opoziție cu civilizația sau strict la periferia ei. Dimpotrivă, a constituit o preocupare centrală pentru artiști plastici, dramaturgi, romancieri, compozitori, teologi, precum și pentru medici și oameni de știință, ca să nu mai spunem cât de intim ne afectează pe aproape toți – fie prin propriile noastre întâlniri cu perturbările rațiunii și afectivității, fie prin cele ale rudelor și prietenilor noștri. Prin urmare, nebunia este, în privințe importante, o parte permanentă a civilizației, nu situată în afara ei. E o problemă care ne invadează cu insistență conștiința și viața cotidiană. Așadar, este în același timp liminală și câtuși de puțin liminală.

Nebunia reprezintă un subiect tulburător, unul ale cărui mistere continuă să ne pună în încurcătură. Pierderea rațiunii, sentimentul înstrăinării de lumea simțului comun în care noi, ceilalți, ne imaginăm că locuim[1], tulburările emoționale devastatoare ce pun stăpânire pe unii dintre noi și refuză să ne dea drumul: aceste lucruri fac parte din experiența umană comună de-a lungul secolelor și în toate culturile. Nebunia obsedează imaginația omenească. Ne fascinează și ne înspăimântă în același timp. Puțini sunt imuni la spaimele ei. Ne amintește insistent cât de firav poate să fie câteodată propriul nostru contact cu realitatea. Pune sub semnul întrebării percepția granițelor a ce înseamnă să fii om.

Subiectul pe care îl discut este nebunia în civilizațiile lumii. Relația dintre nebunie și civilizație și interacțiunile complexe și

---

* Titlul original al volumului este *Madness in Civilization* (n.ed.).

plurisemantice dintre ele sunt ceea ce intenționez să explorez și să înțeleg în aceste pagini. De ce *nebunie*? Acesta e un termen ce pare anacronic și sugerează chiar o desconsiderare nepăsătoare a suferințelor celor pe care ne-am deprins să-i numim bolnavi psihici, făcând un apel cel puțin nepoliticos la un vocabular deopotrivă stigmatizant și jignitor. Nu am nici pe departe intenția de a-i împovăra pe nebuni cu noi suferințe, amplificând stigmatul care i-a marcat de-a lungul epocilor. Durerea și suferința pe care pierderea rațiunii le aduce victimelor sale, apropiaților acestora și societății în general sunt lucruri pe care nici un om care întâlnește acest subiect nu poate sau nu ar trebui să le ignore ori să le minimalizeze. Aici se găsesc cele mai profunde forme ale suferinței omenești – tristețe, izolare, alienare, suferință și moartea rațiunii și a conștiinței. Și atunci, din nou, mai apăsat de această dată: de ce nu aleg un termen mai blând – să zicem boală psihică sau tulburare psihică –, în loc să folosesc intenționat cuvântul pe care am ajuns să-l considerăm mai dur, „nebunie"?

Psihiatrii, autoritățile recunoscute actualmente de noi în ce privește misterele patologiilor psihice, văd adesea în folosirea unor astfel de termeni o provocare, o respingere a științei și a avantajelor aduse de aceasta, pe care ei pretind că le exemplifică. (În mod straniu, tocmai din acest motiv „nebunie" este un cuvânt adoptat sfidător de cei care resping sus și tare pretențiile psihiatriei și se opun etichetei de „pacient psihiatric", preferând să se considere „supraviețuitorii psihiatriei".) Și atunci, faptul că am ales acest termen indică îndărătnicie sau e un semn că, asemenea unor autori influenți – ca, de exemplu, regretatul Thomas Szasz –, consider boala psihică un mit? Câtuși de puțin.

După părerea mea, nebunia – perturbarea amplă și persistentă a rațiunii, intelectului și afectivității – este un fenomen întâlnit în toate societățile cunoscute, unul care ridică probleme profunde, atât de ordin practic, cât și de ordin simbolic, pentru alcătuirea societății și pentru însăși ideea de ordine socială stabilă. Afirmația că e strict o chestiune de constructe sau etichete sociale este, după mine, o mare absurditate romantică sau o tautologie inutilă. Cei care pierd controlul asupra afectivității lor, fie în direcția melancoliei, fie în cea a maniei; cei care nu împărtășesc realitatea bunului-simț pe care o percepem cei mai mulți dintre noi și nici universul mental în care locuim, care halucinează ori fac afirmații privind existența lor pe care oamenii din jur le declară absurde; cei care se comportă în maniere ce se deosebesc profund de convențiile și așteptările culturii lor și sunt nepăsători la măsurile corective obișnuite pe care le mobilizează comunitatea lor pentru a-i determina să înceteze; cei care vădesc extreme ale extravaganței și incoerenței sau care prezintă viața psihică grotesc de despuiată a demenților: aceștia formează nucleul celor pe care îi considerăm iraționali și reprezintă populația socotită de milenii nebună sau denumită printr-un termen analog.

De ce scriu o istorie a „nebuniei" sau a „bolii psihice"? De ce să n-o numesc o istorie a psihiatriei? La astfel de întrebări am un răspuns simplu. Acel gen de „istorie" n-ar fi deloc o istorie. Intenționez să prezint întâlnirea între nebunie și civilizație de-a lungul a mai bine de două milenii. În cea mai mare parte a acestui răstimp, termenul „nebunie" și cei înrudiți – sminteală, demență, manie, melancolie, isterie și alții asemenea – au fost cei aflați în uzul general, nu doar în rândul maselor și nici măcar în rândul claselor educate, ci universal. Indiscutabil, „nebunie" n-a fost doar termenul cotidian întrebuințat pentru a ajunge la o înțelegere cu Iraționalul, ci și termenul adoptat de acei medici care au căutat să-i explice ravagiile în termeni naturaliști și, ocazional, să-i trateze pe alienați. Chiar și primii doctori de nebuni (căci așa își spuneau și erau cunoscuți de contemporanii lor) foloseau fără șovăială cuvântul, care a continuat să fie utilizat în vorbirea cultivată, pe lângă alți termeni, până aproape de sfârșitul secolului al XIX-lea, devenind doar treptat un tabu lingvistic.

În ce privește cuvântul „psihiatrie", el și-a făcut apariția abia în secolul al XIX-lea, în Germania. A fost respins cu înfocare de francezi (care au preferat termenul lor, *aliénisme*) și de lumea vorbitoare de engleză, care a început, așa cum am arătat în paragraful anterior, prin a-i numi „doctori de nebuni" pe medicii care se specializau în tratarea nebunilor. Abia mai târziu, când ambiguitățile și disprețul implicit – insulta cuprinsă în acel termen – au ajuns să pară prea mari, proto-profesia a adoptat, fără o preferință clară, o gamă întreagă de alternative: „director de azil", „psiholog medical" sau (în semn de aprobare adresat francezilor) „alienist". Singura etichetă pe care specialiștii în tulburări mintale vorbitori de engleză nu au putut-o suporta și cu folosirea căreia s-au luptat până în primii ani ai secolului al XX-lea (când a ajuns, în sfârșit, să fie termenul preferat) a fost cea de „psihiatru".

În linii mari, apariția unui grup mai conștient de sine și mai organizat de specialiști care să pretindă autoritatea asupra tulburărilor psihice și care să primească un anumit mandat social pentru pretențiile lor este în mare măsură un fenomen aparținând perioadei din secolul al XIX-lea încoace. Nebunia este privită acum cu precădere printr-o prismă medicală, iar limbajul preferat de psihiatri a devenit mijlocul aprobat oficial prin care majoritatea oamenilor (deși nu toți) vorbesc despre aceste chestiuni. Însă acesta este rezultatul schimbărilor istorice și, dintr-o perspectivă mai amplă, o evoluție relativ recentă. Crearea unor astfel de specialiști, limbajul acestora

TYPES OF INSANITY,
FROM PHOTOGRAPHS TAKEN IN THE DEVON COUNTY LUNATIC ASYLUM.

„Tipuri de alienare mintală”, frontispiciul Manualului de medicină psihologică *(1858) semnat de John Charles Bucknill și Daniel Hack Tuke, unul dintre primele manuale de diagnoză și tratare a alienării mintale folosite la scară largă. Asemenea altor alieniști, Bucknill și Tuke credeau că nebunia îmbracă forme diferite și că acele tipuri distincte de alienare mintală pot fi citite pe chipul pacienților lor.*

și intervențiile preferate de ei sunt fenomene pe care le vom discuta și vom încerca să le înțelegem. Însă ele nu sunt și nici nu ar trebui să fie punctul nostru de pornire.

Așadar, rămânem la „nebunie”, termen pe care chiar și în prezent puțini oameni întâmpină dificultăți să-l înțeleagă. Întrebuințarea acestui cuvânt străvechi prezintă avantajul suplimentar că reliefează o altă trăsătură extrem de semnificativă a subiectului nostru pe care perspectiva pur medicală o neglijează. Nebunia are relevanță mult mai largă pentru ordinea socială și culturile din care facem parte și are rezonanță în lumea literaturii, a artelor plastice și a credințelor religioase, ca și în domeniul științelor. Totodată, presupune un stigmat, iar stigmatul a fost și rămâne un aspect regretabil a ceea ce înseamnă să fii nebun.

Chiar și în zilele noastre, răspunsurile categorice cu privire la condiția respectivă rămân aproape la fel de greu de găsit ca oricând. Granițele înseși care îi despart pe nebuni de cei sănătoși mintal sunt prilej de controversă. Asociația Psihiatrilor Americani, al cărei *Manual de diagnostic și clasificare statistică a tulburărilor mintale* (DSM) a dobândit o influență mondială, nu în ultimul rând datorită legăturilor lui cu revoluția psihofarmacologiei, și-a supus biblia la reluări și revizuiri aparent fără sfârșit. Și totuși, în ciuda acestor felurite eforturi de a se ajunge la formulări decisive, DSM-ul rămâne învăluit în controverse, chiar și la cel mai înalt nivel al profesiei înseși. În funcție de maniera de a socoti, a ajuns în prezent la a cincea sau a șaptea revizuire, iar publicarea ultimei sale încarnări a fost întârziată de ani de discuții aprinse și controverse publice privitoare la conținut. Pe măsură ce listele sale de diagnostice și „boli” se îmbogățesc, eforturile acerbe de a diferenția un număr tot mai mare de tipuri și subtipuri de boli psihice ajung să pară un joc ascuns sub o mască elaborată. În definitiv, în ciuda puzderiei de afirmații că boala psihică își are rădăcinile în biochimia cerebrală defectuoasă, în deficitul sau surplusul de cutare sau cutare neurotransmițător, ori că este produsul geneticii, urmând să poată fi identificată într-o bună zi cu ajutorul anumitor markeri biologici, etiologia majorității bolilor psihice rămâne neclară, iar tratamentele care le vizează sunt predominant simptomatice și, în general, cu o eficacitate îndoielnică. Cei care suferă de psihoze grave alcătuiesc unul din cele câteva segmente ale societăților noastre a căror speranță de viață a scăzut în ultimul sfert de secol[2] – un indiciu grăitor al prăpastiei dintre pretențiile psihiatriei și rezultatele ei. Cel puțin în acest domeniu, încă nu am învățat să găsim clasificările potrivite și să operăm eficient cu ele.

Ideea că vom obține rezultate practice lăsând nebunia în seama îngrijirilor medicilor a fost un pariu care a înregistrat unele succese – cel mai remarcabil în situația sifilisului terțiar, o boală cumplită, răspunzătoare de circa 20% din cazurile de pacienți bărbați internați în aziluri la începutul secolului al XX-lea. Totuși, în cea mai mare parte, e un pariu care încă nu ne-a adus câștiguri. Lăsând la o parte entuziastele declarații periodice care afirmă contrariul, cauzele schizofreniei sau ale depresiei majore rămân învăluite în mister și confuzie. Și câtă vreme nici o radiografie, RMN sau tomografie și nici o analiză de laborator nu ne permit să declarăm fără doar și poate că cutare persoană e nebună și cutare persoană e sănătoasă psihic, granițele dintre Rațiune și Irațional rămân schimbătoare și incerte, contestate și controversate.

Ne asumăm riscuri enorme de a înțelege greșit istoria atunci când proiectăm asupra trecutului categorii diagnostice și explicații psihiatrice contemporane. Nu ne putem angaja la diagnosticări retrospective fără teama de a greși nici măcar în cazul bolilor ale căror realități și identități contemporane par să fie mult mai ferm stabilite decât cele ale schizofreniei sau tulburării bipolare – ca să nu mai amintim o sumedenie de alte diagnostice psihiatrice și mai controversate. Observatorii din epocile anterioare au consemnat ceea ce au socotit *ei* relevant, nu ceea ce am putea dori *noi* să știm. În plus, manifestările nebuniei, semnificațiile ei, consecințele ei, unde să fie trasată granița dintre sănătatea psihică și boala psihică – atunci și acum – sunt chestiuni influențate profund de contextul social în care iese la iveală și în care este izolată nebunia. Contextul contează, și nu putem obține de niciunde o perspectivă arhimedică, dincolo de subiectivitățile prezentului, din care să putem examina complexitățile istoriei într-o manieră neutră, imparțială.

Nebunia scapă capacității de cuprindere a medicinei și în alte privințe. Ea rămâne un izvor de fascinație recurentă pentru scriitori și artiști plastici și pentru publicul lor. Romane, biografii, autobiografii, piese de teatru, filme, picturi, sculpturi – în toate aceste domenii și în altele, nebunia continuă să obsedeze imaginația și să iasă la iveală în maniere viguroase și imprevizibile. Toate încercările de a o înfrâna și stăpâni, de a o reduce la o anumită esență unică par a fi condamnate să ducă la dezamăgiri. Nebunia continuă să ne contrarieze și să ne pună în încurcătură, să ne sperie și să ne fascineze, să ne provoace să-i sondăm ambiguitățile și ravagiile. Prezentarea făcută de mine va fi una care urmărește să-i recunoască medicinei psihologice meritele care-i revin, însă nu mai mult; una care subliniază cât de departe ne aflăm și astăzi de o înțelegere mulțumitoare a rădăcinilor nebuniei și cu atât mai mult de niște răspunsuri eficiente la suferințele aduse de ea; și una care recunoaște că nebunia are o pregnanță și o însemnătate socială și culturală care eclipsează orice set de semnificații și practici.

Așadar, să începem!

Capitolul 2

Nebunia în lumea antică

Nebunia și poporul lui Israel

Nimeni n-ar trebui să subestimeze cât de periculos este să trezești nemulțumirea unui Dumnezeu sălbatic și gelos. Să ne gândim la tradiția ebraică. Atât Saul, primul rege al israeliților, cât și Nabucodonosor, puternicul rege al Babilonului, l-au ofensat pe Iahve și au primit o pedeapsă cumplită pentru crima lor de lezmaiestate. Au înnebunit.

Cu ce a greșit Saul? În definitiv, a fost în multe privințe un personaj eroic. Iahve îl alesese să fie primul rege al evreilor, ipostază în care îi înfrânsese pe toți dușmanii poporului lui Israel, cu excepția filistenilor. În plus, când David, urmașul lui, a învins acel ultim adversar puternic, a făcut-o în mare măsură datorită armatei create de Saul. Totuși, Saul a arătat o singură dată nesupunere față de Dumnezeul lui și atunci pedeapsa a fost rapidă și dură.

În Palestina antică, dușmănia între israeliți și tribul nomad al amaleciților data din vremea Exodului din robia din Egipt. Când au fugit, evreii au traversat Marea Roșie și au străbătut Peninsula Sinai, unde au fost atacați. Amaleciții „au ucis în urmă pe toți cei slăbiți”[1]. Și nu a fost ultima oară când amaleciții i-au atacat pe evrei. Dimpotrivă, în tradiția poporului evreu, amaleciții au ajuns chiar să fie dușmanul său arhetipal. În cele din urmă, Iahve, Dumnezeul evreilor, s-a săturat. A dat poporului său ales porunci simple: „Mergi acum și bate pe Amalec [...] și nimicește toate ale lui. [...] Să nu-i cruți, ci să dai morții de la bărbat până la femeie, de la tânăr până la pruncul de sân, de la bou până la oaie, de la cămilă până la asin.”[2] Omoară-i pe toți!

În prima carte a lui Samuel vedem că Saul nu urmează întocmai instrucțiunile barbare ale Domnului său. Într-adevăr, Saul și oștirea lui „pe popor l-au ucis tot cu sabia [...]. Dar Saul și poporul au cruțat pe Agag [regele amaleciților], pe cele mai bune din oi și din vitele cornute, mieii îngrășați și tot ce era bun și n-au vrut să le piardă”[3]. Care au fost urmările? Prorocul Samuel, care îl unsese pe Saul regele lui Israel, îl mustră cu asprime. A nesocotit porunca Domnului, faptă ce nu se iartă, iar pocăința vine prea târziu[4].

La scurt timp după aceea, Domnul l-a părăsit pe Saul și a trimis un duh rău să-l chinuie. Chinurile aveau să continue până la sfârșitul domniei lui. Când înfricoșat, când apucat de furie, când pornit pe omor, când deprimat, Saul a fost cu intermitențe victima unor tulburări psihice intense în perioada care i-a rămas de petrecut pe tron. În bătălia cu filistenii, ultimul dușman pe care-l mai aveau israeliții, Saul a fost părăsit de Dumnezeul lui. Trei dintre fiii lui au fost măcelăriți, el însuși a fost rănit și, când dușmanii necircumciși au strâns încercuirea ca să dea lovitura fatală, s-a aruncat în propria sabie. Duhul rău trimis de Domnul îl distrusese[5].

În fața enigmei reprezentate de nebunie, evreii, asemenea multor popoare din Antichitate, au apelat la ideea posedării de către spirite rele pentru a explica ravagiile înfricoșătoare abătute asupra nebunului. Dumnezeul răzbunător căruia i se închinau nu întârzia niciodată să abată astfel de orori asupra celor care Îi trezeau nemulțumirea sau Îi puneau la îndoială măreția. Într-adevăr, israeliții putuseră să fugă din robia egipteană numai după ce Iahve revărsase zece urgii asupra faraonului și a poporului acestuia. Moise, conducătorul israeliților, și vrăjitorii egipteni se înfruntaseră căutând să evidențieze puterile zeilor celor două popoare: urgia sângelui, a broaștelor, a țânțarilor, a tăunilor, moartea în masă a vitelor, buboaiele care nu se vindecau, grindina, lăcustele și întunericul n-au avut nici o influență asupra faraonului, dar, într-un final, Iahve a pus la cale moartea primului născut al tuturor oamenilor și animalelor din Egipt, ceea ce a făcut să i se îngăduie, în sfârșit, lui Moise să-și elibereze poporul din robie. Însă Dumnezeu nu terminase nici atunci cu egiptenii: după ce a despicat Marea Roșie pentru a-i ajuta pe israeliți să o traverseze, a făcut apele să năvălească înapoi, înecând armata egipteană care îi urmărea (**pl. 5**).

Credința evreilor că nebunia lui Saul era un blestem de la Dumnezeu reiese limpede din versetele cărții lui Samuel. Natura exactă a nebuniei lui e mai puțin clară, deși știm unele lucruri despre manifestările ei externe. Unele surse descriu că „se sufoca", iar relatările lui Samuel menționează schimbări rapide de dispoziție, de la o stare de depresie și închidere în sine la suspiciune patologică, delir și episoade de violență[6], între care un atac criminal asupra propriului său fiu, Ionatan[7]. Flavius Josephus (37 – aprox. 100 d.Hr.), istoric roman de origine evreiască, scriind pe baza izvoarelor orale, ne spune că Saul „era hărțuit de boli ciudate și duhuri rele care îi provocau accese de sufocare atât de cumplite, încât doctorii, negăsind nici un remediu, n-au putut decât să poruncească să fie căutat cineva având puterea de a alunga duhurile prin farmece"[8].

Băiatul păstor David e cel care reuşeşte din când în când să farmece duhul rău cu care Dumnezeu l-a blestemat pe Saul. Fireşte, o face cu muzică, ciupind corzile harpei şi liniştind temporar duhul rău, deşi nu reuşeşte niciodată să înlăture cu totul sursa suferinţei lui Saul[9]. Iar eforturile lui nu erau întotdeauna eficace. O dată, „a căzut duhul cel rău de la Dumnezeu asupra lui Saul şi acesta prorocea în casa sa, iar David cânta cu mâna sa pe strune, ca şi în alte zile; Saul avea în mână o lance. Şi a aruncat Saul lancea, cugetând: «Voi pironi pe David de perete!». Dar David s-a ferit de două ori de Saul"[10] – lucru oportun, date fiind circumstanţele.

Samuel a fost, desigur, numai unul dintr-un şir lung de proroci evrei, bărbaţi care serveau drept emisari ai divinităţii. Personalităţile de felul acesta nu erau câtuşi de puţin lipsite de omologi în alte vremuri şi locuri, inclusiv în rândul triburilor din Palestina cu care israeliţii se războiau atât de des. Însă personalităţile ca Samuel au jucat un rol însemnat în istoria evreilor de-a lungul multor secole. Când Samuel spune că Saul „prorocea", cuvântul e folosit într-un sens larg, căci, aşa cum ne-a amintit George Rosen, istoric al medicinei, cuvântul ebraic care înseamnă „a se purta ca un proroc" poate să însemne şi „a vorbi aiurea", „a se purta ca unul scos din minţi" sau „a se purta într-un mod necontrolat"[11]. Cu altă ocazie, de exemplu, ni se spune că Saul s-a comportat ca un proroc timp de o zi, mergând la Rama, unde „s-a dezbrăcat de haine şi a prorocit înaintea lui Samuel şi toată ziua aceea şi toată noaptea a şezut dezbrăcat. De aceea se zice: «Au doară şi Saul este printre proroci?»"[12].

Un Isaia, un Ieremia, un Ilie sau un Iezechiel: aceştia erau oameni cu influenţă disproporţionat de mare asupra israeliţilor şi oameni a căror conduită părea adesea să creeze confuzie între cel inspirat şi cel nebun, cel doar excentric şi cel ţicnit de-a binelea. Extatici, ciudaţi, priviţi adesea ca posedând şi exercitând puteri magice (Iosua, de exemplu, opreşte soarele pe boltă), prorocii aveau puterea de a ghici viitorul şi, dacă erau proroci adevăraţi, rosteau cuvintele Domnului. Pe lângă aceasta, aveau halucinaţii, intrau în transe, spuneau că le apar viziuni şi aveau perioade de comportament exaltat când susţineau că a pus stăpânire pe ei duhul Domnului[13].

Spusele şi faptele lor nu numai că prevesteau primejdia, ci o şi atrăgeau. Batjocura şi izolarea le erau sortite de cele mai multe ori, însă asupra lor se puteau abate şi rele mult mai mari. Când a anunţat distrugerea iminentă a Ierusalimului, Ieremia a fost declarat cu dispreţ trădător, bătut şi pus în butuc[14]. Ulterior s-a încercat uciderea lui: a fost aruncat într-o groapă ca să moară de foame, apoi în temniţă, fiind eliberat din această captivitate numai după ce cucerirea Ierusalimului de către Babilon, pe care o prorocise, a devenit realitate[15]. Urie a avut şi mai puţin noroc. Regele Ioiachim l-a denunţat pentru că „a prorocit împotriva cetăţii acesteia şi împotriva ţării acesteia" şi Urie a fugit în Egipt, însă a fost trimis înapoi la regele iudeilor, care l-a ucis cu sabia[16]. Ideea că Dumnezeu îi vorbeşte omului prin profeţii săi nu era una de care israeliţii să se îndoiască. Însăşi identitatea lor de popor ales izvora din astfel de credinţe şi dintr-un legământ special cu Dumnezeu, particularitate în interpretarea căreia prorocii au jucat un rol însemnat. Însă falşii profeţi abundau, iar reproşurile şi plângerile acelora care ridicau pretenţii la statutul de proroci aduceau rareori cu ele popularitate.

Este foarte posibil ca unii proroci să fi fost socotiţi nebuni (şi cu siguranţă unii psihiatri din secolul al XX-lea au fost tentaţi să-i respingă ca exemple de psihopatologie)[17]. Totuşi, pentru contemporanii lor, care credeau într-un Dumnezeu gelos şi atotputernic, care vorbea în mod curent prin instrumente umane şi avea tendinţa de a abate cele mai drastice pedepse asupra celor ce Îl sfidau, trebuie să fi existat mereu motive de îndoială. Recunoşteau nebunia, însă prorocii care vădeau unele din trăsăturile nebuniei puteau foarte bine să fie animaţi, în realitate, de inspiraţia divină.

Faraonul egiptean nu a fost ultimul conducător străin care a pus la îndoială puterea lui Iahve şi, potrivit tradiţiei ebraice, a plătit scump. După câteva secole, în anul 587 î.Hr., Nabucodonosor, regele Babilonului, a cucerit Ierusalimul, i-a distrus Templul şi i-a dus pe evrei în exil – şi toate acestea, se pare, fără să provoace mânia divină. Imunitatea lui n-a durat. Mândru nevoie mare de cuceririle sale, se laudă cu „tăria puterii mele", însă o voce din ceruri îl acuză că huleşte. Înnebunind, „a mâncat iarbă ca animalele şi trupul lui era udat de rouă până când părul i-a crescut ca penele vulturilor şi unghiile ca ghearele păsărilor" (**pl. 2**)[18]. Biblia spune că, după şapte ani, blestemul a fost ridicat. Judecata i-a revenit. Şi-a recăpătat tronul şi şi-a regăsit puterea şi fala de odinioară.

Într-o lume orânduită de o divinitate, în care capriciile naturii, nenorocirile ţării şi primejdiile vieţii de zi cu zi erau învestite cu semnificaţie religioasă ori supranaturală, transformările pricinuite de nebunie celor sănătoşi la minte erau atribuite cu uşurinţă nemulţumirii divinităţii, vrăjilor sau posedării de către duhuri rele. Percepţiile de felul acesta au fost durabile. La aproape şase secole după moartea lui Nabucodonosor, Hristos înviat i se arată întâi Mariei Magdalena, „din care scosese şapte demoni"[19], ni se spune – act pe care îl înfăptuise în prezenţa ucenicilor lui şi cu alte prilejuri. Să ne amintim, de exemplu, cum Iisus a vizitat ţinutul gadarenilor, unde a venit la el imediat „un om cu duh necurat", atât de greu de stăpânit, încât nici măcar cătuşele şi lanţurile la mâini şi la picioare nu-l puteau înfrâna. Sătenii, speriaţi, îl lăsaseră să cutreiere printr-un cimitir, să urle şi să se automutileze, însă, văzându-l pe Iisus, nefericitul a dat fuga să i se închine. Iisus l-a întrebat:

> Care îţi este numele? Şi I-a răspuns: „Legiune este numele meu, căci suntem mulţi". [...] Iar acolo, lângă munte, era o turmă mare de porci, care păştea. Şi duhurile L-au rugat, zicând: „Trimite-ne pe noi în porci, ca să intrăm în ei". Şi El le-a dat voie. Atunci, ieşind, duhurile necurate au intrat în porci şi turma s-a aruncat de pe ţărmul înalt, în mare. Şi erau ca la două mii şi s-au înecat în mare[20].

Povestea porcilor gadarenilor scoate la iveală alte aspecte ale tratamentului aplicat nebunilor în Palestina din vechime. Bărbatul posedat fusese stăpânit de demoni vreme îndelungată. Trăia sub cerul liber, fără adăpost şi fără îmbrăcăminte. Vecinii lui speriaţi încercaseră să-l lege cu lanţuri şi cătuşe. În furia lui nebună, le-a rupt şi Diavolul l-a mânat în sălbăticie. Dar sătenii, deşi se temeau foarte tare de el, au continuat să-i dea de mâncare[21]. N-avea să fie nici pe departe ultima oară când nebunia era văzută ca un afront adus existenţei civilizate şi asociată cu goliciunea, lanţurile şi cătuşele şi cu plasarea nebunului la periferia societăţii. Dimpotrivă, aceasta va continua să fie soarta multora dintre demenţi, secole la rând.

Lumea elină

Judecând după o abundenţă de surse literare, ideea originii divine a suferinţelor psihice omeneşti era larg acceptată şi de grecii antici[22]. Zeii lor nu se dădeau niciodată în lături de la amestecul în treburile omeneşti, iar cauzele religioase ale bolilor psihice constituiau o parte însemnată a culturii clasice[23] – interpretare ce a căpătat şi mai multă forţă când creştinismul a devenit religia oficială a Imperiului Roman. De asemenea, corelaţiile între nebunie şi maşinaţiile zeilor constituie un element central al teatrului şi poeziei greceşti, în atât de mare măsură, încât, după milenii, Sigmund Freud avea să facă apel la mitologia greacă atunci când a numit „complexul Oedip" acea traumă psihică despre care a susţinut că lasă o amprentă de neşters asupra întregii specii umane. Şi „panică" e un cuvânt derivat din greacă: *panikon*, aparţinând lui sau referitor la Pan, un zeu cunoscut pentru groaza pe care o răspândea.

Iliada şi *Odiseea*, cele mai vechi scrieri care au supravieţuit în literatura occidentală, au fost transmise iniţial printr-o îndelungă tradiţie orală şi, în acest sens, precedă civilizaţia care a fost Grecia clasică. Majoritatea savanţilor cred acum că epopeile au fost create în secolul al VIII-lea î.Hr. din belşugul de mituri greceşti preexistente şi transmise oral până la inventarea alfabetului grecesc. Ele au format baza, fundamentul culturii greceşti, fiind naraţiuni familiare tuturor cetăţenilor educaţi din Grecia clasică şi din afara graniţelor ei şi sursa de inspiraţie a mai multora din piesele de teatru ale lui Eschil, Sofocle şi Euripide, marii dramaturgi ai epocii clasice (şi ale multor altora ale căror opere nu au supravieţuit) din secolul al V-lea î.Hr. Şi toate aceste opere sunt străbătute de o fascinaţie literară şi artistică faţă de nebunie care va persista de-a lungul întregii civilizaţii occidentale ulterioare.

Peţitorii care o asaltează pe Penelopa în anii absenţei lui Ulise (pe care acesta îi va răpune la întoarcere până la unul) se adună la un ospăţ. Atena (zeiţa înţelepciunii) intervine ca să stârnească veselie şi lacrimi şi, în scurt timp, conduita mesenilor depăşeşte în asemenea măsură graniţele cuviinţei, încât ei par să se piardă în nebunie. Zeiţa „trezi un râs la peţitori, un hohot nepotolit; ea le scrântise mintea, de tot râdeau parcă din fălci străine. Mâncau din cărnuri crude şi cu sânge, şi ochii lor erau muiaţi de lacrimi şi toţi erau porniţi pe tânguire”[24]. N-au decât să se tânguiască! Li se prefigurează pieirea.

Poate cea mai frecventă situaţie în care întâlnim nebunia la Homer e în focul bătăliei, când luptătorii devin exaltaţi, îşi pierd stăpânirea de sine, vorbesc fără noimă, se poartă ca nişte posedaţi. Diomede, Patrocle, Hector, Ahile, toţi sunt descrişi căzând pradă unei nebunii temporare în toiul luptei. După ce-l ucide pe Patrocle, Hector îi scoate armura şi o îmbracă el. Pe dată, „cumplitul Ares, zeul războiului, a pătruns în el şi membrele i-au fost inundate de forţă şi tărie”[25]. Jalea şi dorinţa de a se răzbuna pe Hector îl înnebunesc pe Ahile, furia turbată a bătăliei fiind urmată de o luptă pe viaţă şi pe moarte între cei doi. Nici măcar când pune piciorul pe pieptul duşmanului înfrânt, furia clocotitoare a lui Ahile nu se potoleşte. Hector imploră nu să i se cruţe viaţa, ci să-i fie tratat cu respect trupul după moarte, însă Ahile, scos din minţi, i-o retează: „Furia, turbarea mă împing acum să-ţi fac carnea bucăţi şi s-o mănânc crudă, atât de mari chinuri mi-ai pricinuit”. Şi într-adevăr, după ce l-a târât legat de carul său de luptă, „iar i-abătu să-i facă necinste lui Hector. Trupu-i trânti el cu faţa prin pulbere aproape de patul unde Patroclu sta mort”[26].

Oamenii care populează *Iliada* sunt adeseori, deşi nu întotdeauna, la mila zeilor şi a sorţii. Forţele supranaturale există pretutindeni. Zeii, sirenele, Furiile stau în aşteptare, distrugându-i pe simplii muritori, răzbunându-se, pedepsindu-i, jucându-se cu ei. Mânia divină este omniprezentă, iar personajele lui Homer îi cad victime adesea.

În dramele ateniene, câteva secole mai târziu, apare o lume psihologică mai bogată și, pe lângă intrigile zeilor, chinurile vinovăției și responsabilității, conflictele iscate de datorie și dorință, efectele implacabile ale durerii și rușinii, cerințele onoarei și impactul dezastruos al hybrisului complică tabloul. Însă explicațiile supranaturale ale originii nebuniei, ce par să fi fost adoptate de oamenii fără știință de carte de pretutindeni, continuă să domine.

Pe jumătate om și pe jumătate zeu, rodul aventurii adulterine a lui Zeus cu Alcmena[27], Heracle este, inevitabil, obiectul urii zeiței Hera, căci simpla lui existență e o dovadă a infidelității soțului ei. Homer descrie pericolele și suferințele cu care ea îl potopește, iar povestea are atâta forță, încât la ea revin ulterior și alți scriitori, greci și romani deopotrivă, dezvoltând-o. În istorisirile ulterioare, cum ar fi cele ale lui Euripide, Hera îl face pe Heracle să înnebunească: „Abate nebunia asupra acestui om, tulbură-i mințile și fă-l să-și ucidă fiii! Fă-i picioarele să înnebunească; mână-l, îmboldește-l și întinde pânzele morții!”[28]. În delirul lui, Heracle crede că-i atacă pe copiii dușmanului său de moarte, Euristeu. Cu spume la gură, cu ochii ieșiți din orbite, cu venele umflate de sânge și râzând ca un apucat, îi măcelărește pe toți, ca să descopere când nebunia trece că și-a omorât propriile odrasle (**pl. 4**). De aici, cele douăsprezece munci ale lui Heracle (sau Hercule, cum preferau romanii), de la răpunerea leului din Nemeea până la aducerea monstrului Cerber din Tărâmul Umbrelor, pe care este silit să le îndeplinească pentru a-și ispăși fapta.

În piesa de teatru eponimă a lui Euripide, Medeea, deopotrivă cea mai mare victimă și cea mai mare criminală, își iese din minți când Iason o părăsește și o trădează. Privind-o cu dispreț ca pe o barbară după ce ea l-a ajutat să dobândească Lâna de Aur și i-a născut doi copii, Iason a ales să se însoare cu Glauca, fiica regelui Creon. Medeea se răzbună. Mai întâi o ucide pe femeia care i-a luat locul în inima lui Iason, trimițându-i Glaucei o mantie din fir de aur otrăvită care, odată îmbrăcată, o face pe rivala ei să moară în chinuri; după aceea le face seama propriilor ei fii, desfătându-se cu durerea lui Iason. În alte legende, Oreste, Penteu, Agave, Oedip, Fedra și Filoctet sunt înfățișați și ei cu mințile rătăcite – cu halucinații vizuale, confundând un obiect cu altul, violenți și ucigași[29].

Putem presupune o simplă corespondență între reprezentările nebuniei în poezie și teatru și natura credințelor populare? Firește că nu. Ar fi o naivitate să acceptăm o astfel de omologie fără a sta pe gânduri. Miturile și metaforele au o anumită legătură cu „realitatea”, dar, prin însăși natura lor, nu sunt totuna cu ea. Nevoile melodramatice ale scenei și intrigii motivează în mod inevitabil alegerile autorilor și, cu toate că operele trebuie să rezoneze cu publicul și să fie comprehensibile, ele ar putea fi departe de a oglindi convingerile și atitudinile omului de pe stradă. Tragediile vorbesc despre lucrurile care se abat de la cursul firesc, iar nebunia se numără neîndoielnic printre ele; așadar, poate n-ar trebui să trezească mirare rolul central jucat de ea în această formă literară – pe lângă posibilitățile teatrale pe care le oferă astfel de devieri de la convenție. Trebuie totuși să ne amintim rolul central al tragediei în viața și cultura Atenei, ce nu-și găsește analogie în lumea modernă. Viața se oprea la propriu pentru piesa de teatru. Publicul își abandona toate îndeletnicirile, zile la rând, pentru a vedea reprezentate, în condiții ce impuneau ele însele un disconfort fizic considerabil, durerea, necazurile și precaritatea existenței omenești – și condiția ei de simplă jucărie a zeilor[30].

Istorisirea de povești era liantul care unea comunitatea, atât elita ei, acum pe deplin cultivată, cât și *hoi polloi*, printre care cititul și scrisul erau mai puțin sigure și practicate chiar și când venea vorba de bărbați. Nu e o exagerare să vorbim despre tragedie ca despre unul dintre cei mai răspândiți tropi din cultura ateniană și din cea greacă în general, în această epocă în care Elada se întindea din Spania și până pe țărmul Mării Negre[31]. Așadar, deși se impune prudență înainte de a extrapola pe baza surselor literare și a face afirmații despre credințele populare, ceea ce aflăm din ele despre modul în care grecii priveau ființa umană și înțelegeau relațiile acesteia cu lumea dezvăluie fără îndoială unele lucruri importante despre viața lăuntrică a cetățenilor[32].

În plus, printre documentele istorice care au supraviețuit se găsesc foarte multe, deși o parte sunt indirecte, care sugerează că, la un nivel fundamental, convingerea că ravagiile nebuniei au origine supranaturală era una larg răspândită – în Grecia, la Roma și dincolo de granițele acestora, atât temporal, cât și geografic. Pentru greci, zeii se aflau pretutindeni, de la altarele închinate lui Apolo, Hecate și Hermes ce-i întâmpinau pe toți vizitatorii în pragul locuinței până la recunoașterea unei multitudini de alte zeități răspândite în toată casa. Toate aspectele lumii naturale și ale funcționării ei erau corelate cu tărâmul zeilor, iar influența omniprezentă a acestora era ineluctabilă. Straniul, alteritatea, teribilul nebuniei – unde altundeva să-și aibă rădăcinile, dacă nu în universul nevăzut, populat de divin și de diabolic?

Asemenea patologiilor somatice care smulgeau vieți de pe făgașul lor obișnuit, tulburările psihice erau profund perturbatoare prin efectele lor, atât pentru cei care trăiau boala, cât și pentru cei din jurul lor. La un anumit nivel, ele puteau fi o suferință solitară – într-adevăr, în unele cazuri bolnavul renunța la contactele cu semenii săi –, dar prin consecințele lor aveau cele mai puternice și mai tulburătoare efecte, iar în acest sens erau cele mai sociale dintre maladii. Necontrolabile, inexplicabile, amenințătoare pentru propria persoană și pentru alții, aceste afecțiuni înfricoșătoare și detestabile nu puteau (și nu pot) fi ignorate, ele punând la îndoială simțul unei realități comune, împărtășite (simțul comun în sensul literal al termenului) și amenințând, atât în mod simbolic, cât și practic, chiar temeliile ordinii sociale.

Dacă nebunia este privită ca fiind aleatoare, acest lucru nu face decât să sporească groaza pe care o inspiră; așadar, nu este de mirare că s-au făcut eforturi de a o stăpâni, atât conceptual, cât și practic, de a explica într-un fel sau altul cum a ajuns să-și posede victimele și să le țină sub stăpânirea ei, astfel încât acestea să fie insensibile la lecțiile date de experiență care, de obicei, ne feresc de greșeli. Dovezile dintr-o multitudine de surse sugerează că, așa cum stăteau lucrurile cu personajele inventate care pășeau pe scenă, grecii și romanii adoptau adeseori ideea că zeii sau demonii erau cei pe care nebunii aflați printre ei trebuiau să dea vina pentru nebunia lor. Bineînțeles, cunoștințele noastre privind credințele și practicile populare sunt fragmentare și știm foarte puține, de exemplu, despre experiența subiectivă a nebunilor și despre tipurile de tratament care le erau aplicate, însă esența dovezilor de care dispunem este clară.

Herodot (aprox. 484-425 î.Hr.), care își scria *Istoriile* în aceeași perioadă în care dramaturgii clasici își creau piesele de teatru, anunță că cercetările sale „sunt consemnate aici pentru a păstra amintirea trecutului" și se ocupă de nebunia a cel puțin doi dintre monarhii ale căror domnii le consemnează: Cleomene, regele Spartei (aprox. 520-490 î.Hr.) și regele persan Cambise al II-lea (aprox. 530-522 î.Hr.). Cu toate că Herodot avea o înclinație notorie pentru afirmații fanteziste, descrierile sale sunt în mare parte în acord cu ceea ce au descoperit ulterior alți cărturari și, chiar dacă există loc pentru scepticism în privința unor detalii ale acestor episoade de nebunie monarhică, motivele pierderii minților prezentate de el își au negreșit originea în convingerile contemporane ale cititorilor săi; mai mult chiar, el afirmă explicit că prezintă convingeri prevalente în societatea greacă[33]. Aceste descrieri clarifică de asemenea ce tipuri de comportament îi îndemnau pe observatorii acelor vremuri să conchidă că anumiți oameni și-au ieșit din minți și s-au mutat din lumea celor sănătoși mintal în lumea nebunilor.

Cartea a III-a ne oferă o descriere amplă a atacurilor lui Cambise al II-lea asupra Egiptului și Țării Kuș (în Sudanul de azi) și afundarea sa ulterioară în demență. Retrăgându-se după o campanie în sud eșuată, Cambise se înapoiază la Memphis, unde îi găsește pe egipteni sărbătorind nașterea unui vițel venit pe lume cu niște semne neobişnuite: „Negru, pe frunte poartă o pată albă pătrată, pe spate chipul unei pajuri, perii de la coadă alcătuiesc două smocuri şi are sub limbă un scarabeu". Egiptenii văd în animal încarnarea zeului-taur Apis. Cambise le porunceşte preoţilor să-i aducă animalul sacru, apoi „şi-a scos pumnalul din teacă şi a dat să-l împungă în pântece, dar n-a nimerit, lovindu-l în coapsă". El ridiculizează credulitatea egiptenilor, îi batjocoreşte pe preoţi, porunceşte să fie bătuţi şi pune capăt sărbătorii. Iar animalul, „care zăcea în templu, rănit la coapsă, a murit în cele din urmă". Cambise suferă apoi ceea ce observatorii iau drept „pierderea deplină a judecăţii". Se poartă tot mai extravagant, ajungând chiar să-şi lovească sora gravidă (cu care se însurase) cu piciorul în burtă, făcând-o să piardă sarcina. „Acestea erau faptele unui nebun, comentează Herodot, indiferent dacă nebunia se datora sau nu felului în care se purtase cu Apis" – concluzia predilectă cu care erau de acord numeroşi greci[34].

A existat apoi cazul lui Cleomene, regele Spartei, marea rivală a Atenei. Întru câtva ciudat şi lipsit de scrupule dintotdeauna, o mituise pe preoteasa oracolului din Delfi să-i sprijine afirmaţia că Demaratus, cel cu care împărţea tronul şi totodată duşmanul lui, nu era fiul lui Ariston (regele care condusese Sparta înaintea lor timp de aproape jumătate de secol), pentru a-l putea detrona. Temându-se că i s-a aflat fapta de corupere a preotesei, Cleomene a fugit. O schimbare a norocului său în politică avea să-l readucă ulterior pe tron, însă triumful i-a fost de scurtă durată.

> [...] a început să-i împungă în obraz cu sceptrul pe toţi cei pe care-i întâlnea. Ca urmare a acestui comportament de nebun, rudele sale l-au pus în butuc. Cum zăcea acolo, legat fedeleş, a observat că toţi paznicii îl părăsiseră, mai puţin unul. I-a cerut acestuia, care era sclav, să-i dea un cuţit. Omul a refuzat la început, dar Cleomene l-a înfricoşat atât de tare, ameninţându-l cu ce-i va face când îşi va redobândi libertatea, încât, până la urmă, a consimţit. De îndată ce a avut cuţitul în mâini, Cleomene a început să se automutileze, pornind de la gambe. Şi-a crestat carnea fâşii, urcând la coapse, iar de acolo la şolduri şi coaste, până a ajuns la pântece, pe care l-a tocat mărunt. Asta i-a venit de hac[35].

Ce să înţelegem din nebunia lui şi din sfârşitul barbar? Majoritatea grecilor (ne spune Herodot) credeau că moartea lui cumplită se datorase coruperii preotesei de la Delfi; atenienii au pus-o însă pe seama distrugerii templului sacru al zeiţelor Demetra şi Persefona; pe când argienii susţineau că a fost pedeapsa pentru actele de trădare şi sacrilegiu comise de el când, după o bătălie, i-a scos pe fugarii argieni din Templul din Argos, unde se refugiaseră, şi i-a tăiat bucăţi, după care, vădind un dispreţ profund pentru crângul în care se afla templul, i-a dat foc şi l-a făcut scrum.

După atâtea acte de hulire, cine se putea îndoi că mânia divină i-a pricinuit nebunia şi moartea? Spartanii. Ei spuneau despre Cleomene că înnebunise deoarece petrecuse prea mult timp printre sciţi, unde căpătase barbarul „obicei de a bea vin fără apă". Băutura tare, credeau ei, s-a aflat la originea necazurilor sale. Însă, deşi Herodot consemnează explicaţia dată de ei, o respinge imediat: „Părerea mea este că Cleomene a ajuns rău ca pedeapsă pentru ceea ce i-a făcut lui Demaratus"[36]. Anterior, în cazul lui Cambise, nu fusese la fel de sigur. „Se povesteşte, a recunoscut Herodot, că suferise încă de la naştere de boala gravă pe care unii o numesc sacră. N-ar fi aşadar deloc de mirare dacă, având corpul afectat de o boală gravă, nici mintea lui nu ar fi fost tocmai sănătoasă."[37]

Leacuri greceşti şi romane

Descrierile naturaliste de acest fel făcute epilepsiei – aşa-numita boală sacră –, ca şi maniei, melancoliei şi altor forme de tulburări psihice erau avansate tot mai des de medicii greci, care încercau să le găsească originea în corp şi nu într-o intervenţie supranaturală a zeilor. Odată cu răspândirea scrierii ideile medicale greceşti au fost consemnate pentru prima oară, cel mai sistematic într-o grupare de texte atribuite odinioară lui Hipocrate din Kos (aprox. 460-357 î.Hr.). Aceste scrieri au supravieţuit doar fragmentar, iar acum ştim că au fost opera mai multor mâini, deşi au derivat din învăţăturile lui Hipocrate. În mod semnificativ, una dintre aceste încercări abordează în mod direct problema cauzelor epilepsiei şi a tulburărilor psihice asociate cu ea (vezi mai jos).

Bazându-se probabil pe idei despre boală şi tratamentul ei care aveau o provenienţă mai veche, anterioară scrierii, şi dezvoltând aceste idei, corpusul hipocratic încearcă să ofere o descriere integral naturalistă a bolilor de toate tipurile, rezistând tentaţiei de a invoca divinul sau demonicul ca factori explicativi. Ipotezele sale centrale privind boala şi tratamentul ei aveau să exercite o influenţă enormă nu doar în Grecia, ci şi în Imperiul Roman; şi, după o perioadă în care cea mai mare parte a acestor idei s-a pierdut în vestul Europei după căderea Romei, ele aveau să fie reimportate din lumea arabă în secolele al X-lea şi al XI-lea. Începând de atunci, aşa-numita medicină a umorilor aproape nu va avea rival ca explicaţie naturalistă standard a bolilor timp de multe secole, prelungindu-se (deşi într-o formă oarecum modificată) chiar până la începutul secolului

Hipocrate din Kos, reprezentat sub formă de bust antic într-o gravură din 1638 a maestrului flamand Paulus Pontius, după un original de Peter Paul Rubens.

al XIX-lea. Care erau, așadar, trăsăturile distinctive ale medicinei hipocratice și ce aveau de spus practicanții ei cu privire la originea (și, poate, tratamentul) tulburărilor psihice?

Deși pot fi întâlnite variații și nuanțe considerabile în textele care au supraviețuit și care nu sunt nici pe departe omogene (iar Galen și alți medici care și-au practicat profesia în Imperiul Roman secole mai târziu aveau să modifice și mai mult ideile inițiale conținute de documentele din secolul al V-lea î.Hr.), în centrul medicinei hipocratice se afla teza că organismul este un sistem de elemente corelate între ele și în constantă interacțiune cu mediul. În plus, sistemul avea legături interne strânse, astfel că leziunile locale puteau să aibă efecte generalizate asupra sănătății ansamblului. Potrivit acestei teorii, fiecare dintre noi este alcătuit din patru elemente de bază, care concurează pentru supremație: sânge (care face organismul cald și umed); flegmă (care face organismul rece și umed și este alcătuită din secreții incolore ca transpirația și lacrimile); bilă galbenă sau suc gastric (care face organismul cald și uscat); și bilă neagră (care face organismul rece și uscat și-și are originea în splină, întunecând culoarea sângelui și a scaunului). Diferitele proporții ale acestor umori cu care individul este înzestrat de la natură dau naştere diferitelor temperamente: sangvin, dacă e aprovizionat generos cu sânge; palid şi flegmatic, dacă predomină flegma; coleric, dacă are prea multă bilă (**pl. 6**).

Echilibrul umorilor era susceptibil de perturbări cauzate de o varietate de influenţe, între care succedarea anotimpurilor şi schimbările de pe parcursul ciclului vieţii, dar şi de o mulţime de alte posibile surse de dezechilibru venite din exterior. Organismul asimila şi excreta şi, ca atare, era afectat de lucruri ca alimentaţia, obiceiurile legate de exerciţiul fizic şi somn, precum şi tulburările şi frământările emoţionale. Dacă aceste intruziuni din exterior ameninţau echilibrul sistemului, un medic abil putea reuşi să-l regleze extrăgând materia nedorită, prin lăsări de sânge, purgative, vomitive şi aşa mai departe şi prin ajustări ale unor aspecte legate de stilul de viaţă.

În mod similar, diferenţele între sexe îşi aveau originea în starea mai umedă şi mai laxă a corpului femeilor, care avea totodată efecte asupra temperamentului şi comportamentului lor caracteristic. Ideile de felul acesta au dus la elaborarea unor tratate separate asupra bolilor şi problemelor reproductive ale femeilor, inclusiv asupra unei tulburări privite adesea, dar nu întotdeauna pe parcursul istoriei sale îndelungi şi sinuoase, ca aparţinând în mod fundamental jumătăţii feminine a speciei – isteria. La femei, spunea un text hipocratic, „uterul constituie originea tuturor bolilor". Nu era vorba doar de faptul că partea feminină a speciei era altfel alcătuită decât cea masculină. Organismul femeilor era mai uşor de dereglat, spre exemplu de pubertate, sarcină sau naştere, de menopauză sau de menstruaţia suprimată, toate acestea putând pricinui şocuri profunde echilibrului lor intern (căci constituţia lor mai umedă producea un exces de sânge, care trebuia drenat cu regularitate din organism); sau de migrarea uterului în pântec, în căutarea umezelii (ori, mai târziu, de vaporii emanaţi de el care urcau în organism), perturbări care erau considerate izvorul unei mari diversităţi de acuze somatice.

Din aceste idei, prelucrate de Galen (aprox. 129-216 d.Hr.) şi alţi comentatori romani şi reintrate în cea mai mare parte a lor în Occident din medicina arabă, împreună cu alte idei hipocratice, au fost alcătuite explicaţiile clasice despre isterie. Spre exemplu, romanul Celsus (aprox. 25 î.Hr. – 50 d.Hr.) şi grecul Areteu (secolul I d.Hr.), amândoi strâns asociaţi cu şcoala hipocratică, au adoptat ideea că uterul se mişcă aleatoriu în abdomen, stârnind tot felul de neplăceri. Dacă migra în sus, comprima alte organe interne, provocând o senzaţie de sufocare şi chiar pierderea vorbirii. „Uneori, afirma Celsus, această afecţiune o privează pe pacientă de toate simţurile, ca şi cum ar cădea victimă epilepsiei. Însă cu o diferenţă, că nici ochii nu sunt daţi peste cap, nici nu apar spume la gură, nici nu se produc convulsii: este doar un somn profund."[38] În schimb, atât

Soranus (secolul I – secolul al II-lea d.Hr.), cât și Galen au contestat ideea că uterul poate migra, deși au acceptat că este organul de la care derivă simptomele isterice. Aceste manifestări ale bolii puteau să implice numeroase forme, între care emotivitatea extremă, și, de asemenea, o varietate de tulburări fizice, mergând de la simpla amețeală și până la paralizii și detresă respiratorie. Mai exista apoi senzația foarte frecvent descrisă de nod în gât, care limitează respirația și generează o senzație de sufocare, așa-numitul *globus hystericus*[39].

În centrul acestui întreg edificiu intelectual se afla recunoașterea clară a faptului că perturbarea organismului poate pricinui perturbarea minții și invers. Cheia sănătății consta în păstrarea echilibrului umorilor, iar când pacientul se îmbolnăvea, medicul avea sarcina de a deduce ce s-a dezechilibrat și de a folosi tratamentele aflate la dispoziția sa pentru a reajusta starea internă a pacientului. Organism și mediu; aspectul local și cel sistemic; *soma* (corpul) și *psyche* (sufletul): fiecare element din aceste diade avea capacitatea de a-l influența pe celălalt și de a-i induce individului o stare de boală. Medicina hipocratică era un sistem holistic, care acorda mare atenție fiecărui aspect al pacientului și elabora regimuri terapeutice pentru fiecare caz concret. Și, mai important, era o concepție despre sănătatea umană care punea accentul pe cauzele naturale ale bolii, nu pe cele supranaturale.

Adoptând această poziție, hipocraticii încercau să se diferențieze de o școală rivală de vindecători, practicanții medicinei de templu. Pe tot cuprinsul Greciei se găseau altare închinate zeilor vindecători locali, iar credincioșii veneau la ele pentru a fi însănătoșiți (și, de asemenea, ca să li se îmbunătățească soarta în general). Declarațiile de vindecare miraculoasă erau larg răspândite; dar, cel puțin la fel de important, templele ofereau previziuni cu privire la rezultatul probabil al acuzelor pacientului. Cultul lui Asclepios se bucura de o popularitate deosebită, recurgându-se la vrăji, farmece și incantații, alături de ritualuri de purificare, pentru a invoca intervenția divină și a se produce vindecarea. Dacă aceste metode nu aduceau rezultatul dorit, se găsea întotdeauna o explicație plauzibilă pentru eșec. Zeii rămăseseră nemulțumiți, rugăciunile nu fuseseră destul de înflăcărate[40].

Poate deloc surprinzător, ciocnirea între medicina de templu (și credințele populare) și insistența hipocraticilor de a localiza sursele de patologie în organism, în loc să le vadă ca perturbări pricinuite de zei, a fost deosebit de aprigă în cazul nebuniei și al tulburărilor înrudite. Poziția adoptată de o tabără din această bătălie s-a păstrat în tratatul hipocratic datând aproximativ din anul 400 î.Hr., cu titlul înșelător *Despre boala sacră* – înșelător deoarece esența argumentației

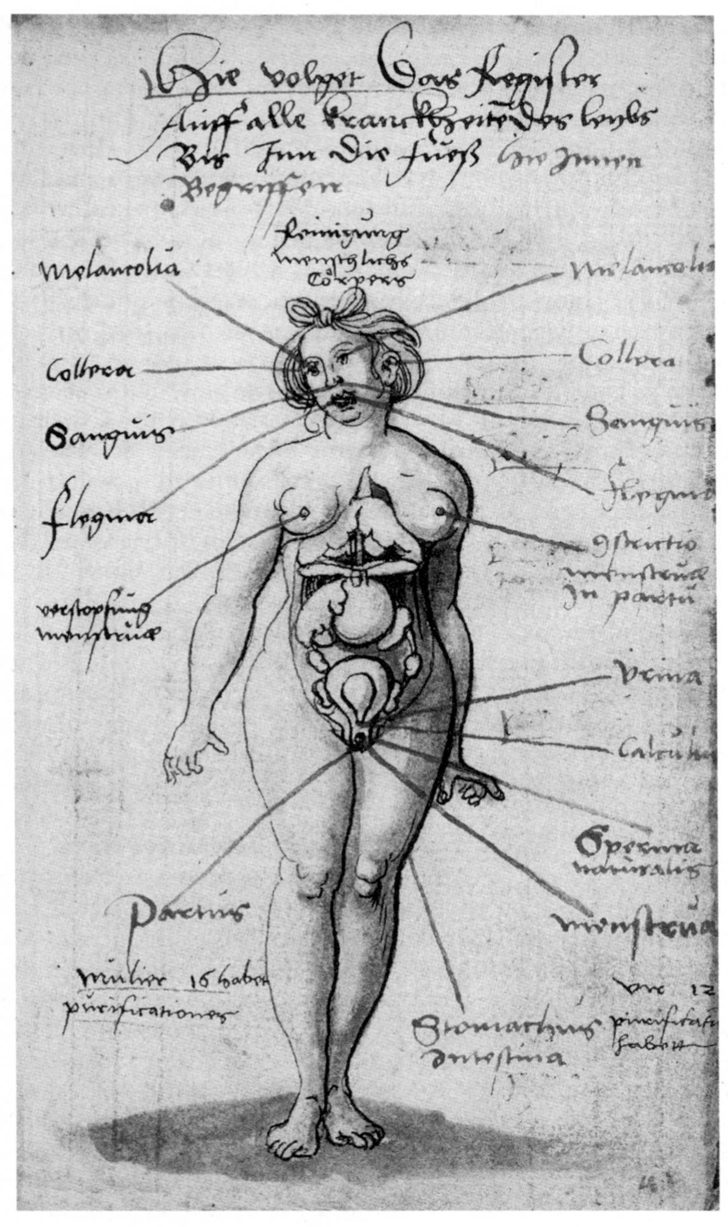

Diagramă a anatomiei femeii dintr-o colecție de manuscrise datând din secolul al XVI-lea și conținând „prescripții” consemnate de un medic german anonim, cu însemnări, de pildă, privind lăsarea de sânge și astrologia. A suportat corijări și adăugiri făcute de mai multe mâini contemporane.

sale este combaterea afirmației că bolile pe care le discută (și care cuprind, foarte probabil, cazuri de isterie, precum și ceea ce recunoaștem în prezent ca fiind diferitele forme de epilepsie) ar fi „sacre" sau abătute de zei asupra victimelor, acestea fiind, dimpotrivă, produse de organisme care au luat-o pe o cale greșită. Lărgindu-și pe alocuri argumentația pentru a cuprinde perturbările maniacale și melancolice ale spiritului, textul constituie un atac viguros la adresa încercărilor de a invoca explicații magice și religioase pentru aceste fenomene. Pe această cale, ne oferă un tablou fără egal (chiar dacă tendențios) al tipurilor de credințe religioase și populare privitoare la nebunie care predominau în Grecia clasică și care au persistat multe secole după aceea.

Stările de conștiință modificate, urmate de simptome spectaculoase precum crizele, spumele la gură, scrâșnitul din dinți și mușcatul limbii, pierderea controlului asupra sfincterelor și lunecarea în inconștiență erau interpretate rapid ca semne de posedare. Aflăm că oamenii needucați și preoții care le hrăneau credulitatea socoteau astfel de evenimente nu doar uimitoare sau înfricoșătoare, ci și trimise de o zeitate sau rezultatul pătrunderii unui demon în bolnav sau pedeapsa pentru o insultă adusă Selenei, zeița lunii. Și dacă pricina era supranaturală, desigur că și leacul era la fel. Epilepticii, asemenea nebunilor, erau necurați și influența lor malignă trebuia ținută la distanță prin scuipat și izolare, ca nu cumva să-i contamineze pe cei din jurul lor. Imagini de felul acesta provocau oroare și dezgust, frică și dispreț, iar pentru mulți observatori aceste tulburări erau abordate cel mai bine prin forme magice și religioase de intervenție[41].

Hipocraticii nu tolerau așa ceva. Își băteau joc de explicațiile de această factură: „Dacă pacientul imită o capră, dacă mugește sau suferă convulsii pe partea dreaptă, ei spun că de vină e Mama Zeilor. Dacă scoate un țipăt pătrunzător și puternic, îl aseamănă cu un cal și dau vina pe Poseidon..." ori îi invocă pe Apolo, Ares, Hecate, pe eroi – o întreagă listă de personaje amenințătoare[42]. Toate aceste invocări ale zeilor și orice ipoteză că aceștia ar fi capabili să producă vindecarea sunt respinse cu fermitate: „Astfel stau lucrurile în privința bolii numite Sacră: după părerea mea, nu este prin nimic mai divină sau mai sacră decât alte boli, ci are o cauză naturală [flegma blocată] din care izvorăște, asemenea altor afecțiuni. Oamenii îi presupun o natură și o cauză divine din ignoranță și din uimire, pentru că nu seamănă câtuși de puțin cu alte boli"[43]. Ignoranța și credulitatea maselor sunt de vină, împreună cu preoții cinici care le exploatează naivitatea:

> Părerea mea este că cei care au atribuit primii un caracter sacru acestei boli au fost asemenea magilor, purificatorilor, șarlatanilor și vracilor

din vremurile noastre, oameni care se pretind înzestrați cu o mare pioșenie și cunoștințe superioare. Fiind puși în încurcătură și neavând nici un tratament care să fie de ajutor, s-au ascuns și s-au adăpostit în spatele divinului și au etichetat această boală drept sacră, pentru ca desăvârșita lor ignoranță să nu fie vizibilă. Au adăugat o poveste plauzibilă și au creat o metodă de tratament care le asigura poziția. Au folosit purificări și incantații; au interzis folosirea băilor și a multora dintre alimentele care sunt nepotrivite pentru cei bolnavi [...]. Au impus respectarea acestor reguli în virtutea originii divine a bolii [...] astfel încât, dacă pacientul își revenea, reputația de iscusință să fie a lor; dar dacă murea, să aibă o rezervă sigură de justificări [...][44].

În schimb, în calitate de construcție intelectuală, teoria bolilor bazată pe umori avea o forță imensă, găsind o logică simptomelor și indicând remediile pentru ceea ce funcționase greșit. Îl liniștea pe pacient și oferea totodată o explicație rațională pentru intervențiile medicului. Hipocraticii nu puneau accent pe anatomia umană, exceptând marea atenție pe care o acordau înfățișării exterioare a corpului, și evitau în mod deliberat să disece cadavre, lucru care era aproape tabu în cultura greacă. Chiar și Galen, medicul mai multor împărați romani succesivi, își baza concepția privind alcătuirea organismului pe disecarea animalelor (romanii interziseseră disecțiile pe oameni începând din jurul anului 150 î.Hr.), astfel că unele concepții eronate despre anatomia umană s-au perpetuat în cercurile medicale până în epoca Renașterii. Însă respingerea de către hipocratici a ideii că magia sau nemulțumirea zeilor ar avea vreun rol în producerea bolilor era aprigă și deloc ambiguă, iar holismul lor și accentul pus pe elementul psihosocial, ca și pe cel fizic în cauzarea problemelor de sănătate i-au încurajat să ofere explicații întru totul naturaliste pentru nebunie, alături de explicațiile date de ei pentru alte forme de boală – ba chiar să nu traseze distincții clare între ele.

Multe alte aspecte încurajau o abordare comună a nebuniei și a bolilor de factură mai evident fizică. Deformările percepției, halucinațiile, tulburarea emoțională însoțeau adesea bolile grave. „Frigurile", pe care noi le privim ca simptom, dar care au fost privite secole de-a rândul ca boală în sine, puteau să aibă o multitudine de surse, mai ales într-o epocă în care bolile infecțioase și cele parazitare abundau, iar contaminarea și alterarea alimentelor erau obișnuite. Delirul și stările modificate ale conștiinței, vorbitul aiurea și agitația care însoțeau frecvent febra se asemănau de multe ori cu gândirea nebunului. De asemenea, mulți oameni se confruntaseră cu (sau căutaseră intenționat) perturbările cognitive și afective pe care le aduce cu sine ingerarea de prea mult alcool sau de alte substanțe cu efect psihotrop. Și practic oricine, pe atunci, ca și acum, trăise momente de extremă suferință și durere psihică. Disfuncțiile afective și cognitive erau (așa cum și rămân) o parte familiară a existenței omenești, deși pentru cei mai mulți dintre noi, din fericire, sunt trecătoare. Era greu să nu fie observate analogiile cu nebunia și hipocraticii insistau că ambele tipuri de boală își au originea în alcătuirea subiacentă a corpului omenesc.

Dacă Aristotel privise inima drept sediul stărilor afective și al activității mintale, textele hipocratice priveau creierul drept centrul acestora: „Oamenii ar trebui să știe că de nicăieri altundeva decât din creier vin bucuriile, încântarea, râsul și glumele, ca și jalea, suferința, deznădejdea și lamentările. Și prin el, pe o cale specială, dobândim înțelepciune și cunoaștere, vedem și auzim, știm ce e greșit și ce e corect, ce e rău și ce e bine, ce e dulce și ce e neplăcut la gust”[45]. Dacă la conducere se afla capul, nu inima, însemna că acolo pândea și nebunia:

> Tot creierul este acela care e sediul nebuniei și delirului, fricilor și spaimelor care ne asaltează, adeseori noaptea, dar uneori chiar și ziua; acolo se află cauza insomniei și a somnambulismului, a gândurilor care refuză să vină, a îndatoririlor uitate și a excentricităților. Toate lucrurile de felul acesta rezultă dintr-o stare nesănătoasă a creierului [...] când este anormal de umed, creierul este cu necesitate agitat[46].

Nebunia putea să îmbrace diferite forme, fiecare fiind manifestarea exterioară a unor perturbări mai profunde, însă diferite ale sistemului. La fel ca în cazul altor tipuri de boală, problema consta într-o dezechilibrare a umorilor: prea mult sânge ducea la încălzirea creierului și, astfel, la coșmaruri și spaime; prea multă flegmă putea să genereze o manie ale cărei victime „sunt potolite și nici nu țipă, nici nu pricinuiesc dezordine [...] [pe când] cei a căror nebunie e rezultatul bilei strigă, joacă feste și nu stau locului, ci mereu pun la cale vreo poznă”[47]. Însuși termenul „melancolie” derivă din cuvântul grecesc pentru „negru” (*melan*) și cel pentru „bilă” (*chole*). De aici, depresia ca dispoziție neagră.

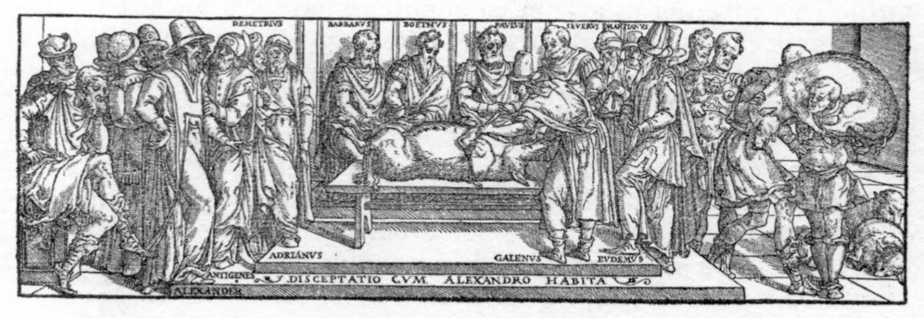

Galen și-a dobândit cunoștințele de anatomie disecând animale, în acest caz un porc; din Opera Omnia, *ediție publicată în 1565 la Veneția.*

Așadar, grecii și romanii au lăsat moștenire generațiilor ulterioare și explicații naturale, și explicații supranaturale ale ravagiilor nebuniei. Medicii și preoții ofereau alinare și mângâiere pe diferite căi. Și unii, și ceilalți aveau reușitele și eșecurile lor, precum și explicații gata pregătite privind motivele care făceau ca uneori să se dovedească neputincioși. Între practicanții medicinei, cei care au scris pe această temă definiseră deja mai multe varietăți ale bolii, și nu o singură afecțiune nediferențiată. Se polemiza pe tema dacă acestea erau distincte sau simple etape pe care le traversa perturbarea, însă fusese stabilită o diferențiere de ansamblu între manie și melancolie. De asemenea, se accepta că există și alte forme de nebunie care se află la granița bolii mintale, între care epilepsia, isteria și frenita (confuzia psihică însoțită de febră).

Explicațiile religioase și cele laice (cele supranaturale și cele care se voiau a fi naturaliste) date acestei multitudini de fenomene vor persista laolaltă de-a lungul secolelor. Puteau fi invocate și ambele dacă era nevoie, iar intervențiile religioase și spirituale puteau fi încercate alături de remediile eroice ale medicilor antiflogistici[48]. Bolile disperate cereau remedii disperate, iar dacă prețul încercării unei game eclectice de metode pentru vindecarea lor consta în posibile acuzații de inconsecvență și incoerență intelectuală, era un preț pe care doar puțini refuzau să-l plătească. Și fiindcă vorbim de plată: pentru majoritatea, desigur, serviciile medicului erau pur și simplu inaccesibile, ceea ce însemna că se foloseau la scară largă remedii populare de toate felurile, deși sărăcia maselor și analfabetismul predominant în rândul lor ne-au privat de informații demne de încredere despre cum se descurcau.

În sfârșit, epistemologia greacă a furnizat o ultimă interpretare a nebuniei, mai degrabă pozitivă decât negativă, interpretare găsită la Platon și Socrate și care, în anumite privințe, reitera ideea ebraică a prorocului inspirat. Nebunia putea să reprezinte o altă formă de „vedere": bahică, erotică, creatoare, profetică, transformatoare. Pentru mulți, rațiunea părea să ofere calea regală spre cunoaștere. Alții insistau însă că există și un alt tip de cunoaștere, ascuns – cunoașterea intuitivă, vizionară și transformatoare sau misticismul (cuvânt care derivă etimologic din grecescul *mystikos*, adică „secret") –, și că nebunia ar putea oferi cheile acestui tărâm mistic. Ideea mijloacelor neraționale de cunoaștere și ideea că nebunia ar putea fi uneori mijlocul de a ajunge la adevăr (nebunia divină, cum o socoteau unii) aveau să reapară în mod repetat, în timpul creștinismului medieval, în extazele și răpirile la cer ale vizionarilor și sfinților creștini, în *Elogiul nebuniei* al lui Erasmus, la îndrăgostiții nebuni ai lui Shakespeare, la Cervantes, în portretele nebunului întru Hristos zugrăvite de Dostoievski și Tolstoi, ba chiar și la sfârșitul secolului al XX-lea, în lucrărilor unor psihiatri precum R.D. Laing.

Dacă influența grecilor se răspândise pe un teritoriu imens, nu doar în bazinul Mediteranei, ci și pe cuprinsul Iranului și Afghanistanului de azi, datorită cuceririlor lui Alexandru cel Mare și contactelor comerciale continue, ba chiar și în unele părți ale Indiei, influența Imperiului Roman aflat la apogeu a fost chiar mai mare. Romanii bogați și aceia practicanți ai unor profesii în care învățăturile grecești constituiau un avantaj erau atrași de cultura și filosofia greacă, iar cunoașterea limbii grecești a devenit un semn al statutului superior. Asemenea claselor privilegiate de pretutindeni, acești cetățeni romani căutau embleme ale gustului și discernământului lor superior și, în astfel de cercuri, după cum s-a exprimat Vivian Nutton, eminent istoric al medicinei clasice, „medicii greci erau necesari, atât pentru satisfacerea vanității, cât și pentru valoarea practică [...]. Unii greci au venit de bunăvoie [ca Galen], alții au venit însă ca prizonieri de război sau sclavi”[49]. Erau ornamente utile, însă ornamentele au adus cu ele perspectivele lor asupra bolii, inclusiv asupra nebuniei. În secolul I d.Hr., medicii Romei veneau în proporție covârșitoare din Estul elenizat, lucrurile continuând la fel și în secolele următoare[50].

Grecia, Roma și China imperială: comparație între lumi

Mai spre răsărit se forma un alt mare imperiu, iar din consolidarea lui în timpul dinastiilor Qin (221-206 î.Hr.) și Han (206 î.Hr. – 220 d.Hr.) vor rezulta o organizare statală și o civilizație mai durabile în multe privințe decât Grecia și Roma clasică – în ciuda perioadelor intermitente de dezbinare și fragmentare politică, cu ascensiunea temporară a unor domnitori războinici și cu regate multiple. Acele perturbări, cum putem alege să le definim retrospectiv, au fost adeseori îndelungi și serioase. Circa jumătate din dinastiile chineze au avut în frunte diferiți conducători străini veniți din nord și o mare parte din timp a existat mai mult de un regat pe cuprinsul regiunii imense pe care acum o numim China, după ce împărații Han au fugit spre sud din calea invaziilor de la miazănoapte. Acele regate din nord au rezistat în unele cazuri timp de secole, astfel că nu pot fi socotite temporare. Totuși, sub diferite chipuri, China imperială a supraviețuit ca un proiect vast, independent, civilizator (nu fără unele influențe din afară, însoțitoare ale comerțului pe vechiul Drum al Mătăsii) timp de peste un mileniu și jumătate, până când, în cele din urmă, a căzut pradă armelor de foc și comerțului european și ambițiilor imperialiste occidentale în secolul al XIX-lea, existând într-un stat semidependent până în 1911. O clasă educată consistentă (deși probabil că n-a depășit 1-2% din totalul populației până în vremea dinastiei Ming, 1368-1644) ocupa un loc-cheie în administrarea teritoriilor imense, această birocrație permițându-i împăratului chinez să controleze pământul respectiv și o populație pe lângă care populația Imperiului Roman și cu atât mai mult cea a orașelor-state grecești păreau nesemnificative.

Diferențele demografice sunt cele mai vizibile, desigur, atunci când comparăm Grecia clasică și China. Orașele-state grecești autonome erau minuscule comparativ cu statul imperial chinez: cel mai mare și mai prestigios, Atena, avea în secolul al V-lea î.Hr. o populație de poate 250.000 de suflete, socotindu-i pe cetățeni, pe locuitorii străini și pe sclavi, față de cei aproape 60 de milioane de locuitori consemnați în recensământul chinez din anii 1-2 d.Hr. – și acela a fost punctul de jos pentru China, căci în timpul revoluției economice Song (960-1279) populația ei aproape s-a dublat. Mai important, Atena, Sparta și celelalte orașe-state care alcătuiau civilizația elină erau caracterizate de sisteme politice remarcabil de diverse: tiranii, monarhii, oligarhii și chiar democrații participative. Iar hegemonia politică ulterioară a romanilor nu a pus capăt pluralismului cultural care era urmarea firească a acestor variații. Dimpotrivă, a dus la răspândirea acestei diversități intelectuale către vest, după cum demonstrează cariera lui Galen, unul dintre cei care s-au dus la Roma. Născut la Pergam, în Turcia de azi, Galen asimilase o varietate de învățături medicale în răsăritul elin, vizitând și Atena, și Alexandria înainte să se mute la Roma, ca numeroși greci ambițioși, în anul 162 d.Hr. Aici a devenit în cele din urmă medicul de curte al mai multor împărați, începând cu Marc Aureliu (aprox. 161-180 d.Hr.). Chiar și în secolul următor, elitele conducătoare tradiționale ale vechilor orașe-state grecești s-au agățat de sentimentul particularităților locale. Oligarhii, care continuau să controleze puterea pe plan local, se considerau parte a unui mozaic complex de orașe și triburi, ale căror trăsături distinctive nu fuseseră reduse la o lume romană omogenă[51]. În privința acestui fapt nu se înșelau, iar el contrasta puternic cu starea de lucruri din China imperială, cel puțin în epocile ulterioare.

Din imensele diferențe între Răsărit și Apus au izvorât felurite consecințe. Medicii din lumea greco-romană erau mult mai puțin strâns legați de elita politică decât omologii lor chinezi în timpul dinastiei Han și, pentru a-și câștiga traiul, depindeau în principal de găsirea clientelei pe piață și nu de patronajul politic[52]. O astfel de concurență putea să ducă la conflicte aprige (neliniștit de invidia colegilor medici din Roma în asemenea măsură încât se temea că va fi otrăvit, Galen, spre exemplu, a părăsit Roma pentru scurt timp, însă a fost rechemat de Marc Aureliu la curtea imperială)[53], fără a mai aminti de școlile cu doctrine separate, practicienii căutând să-și construiască reputația, să se diferențieze unii de alții și să pretindă pricepere superioară.

Desigur, mult denigrații „doctori de țară" din China care își căutau pacienți în rândul maselor își vindeau talentele (așa cum erau acestea) pe o piață liberă. Iar în China imperială de mai târziu, când medicii de elită puteau să-și invoce apartenența la o linie de descendență medicală neîntreruptă, au dobândit și ei un anumit grad de autonomie; la acea vreme puteau deja să-și recruteze clientela dintr-un număr mare de negustori și oameni educați și, astfel, au dobândit o independență substanțială față de stat. Cu alte cuvinte, ceea ce era valabil în vremea împăraților Han a devenit tot mai puțin valabil în secolele ce au urmat.

Însă la nivelul elitei chineze, mai cu seamă în timpul dinastiei Han, legăturile cu curtea imperială aveau o importanță capitală. Intelectualii puteau să obțină și obțineau un anumit grad de siguranță dobândind posturi în serviciile civile imperiale[54]. Această siguranță venea însă cu prețul circumspecției și al nevoii acute de a păstra bunăvoința protectorilor, pierderea ei putându-se dovedi fatală la propriu. Cerința de a se menține în granițele convenționale definite de tradiție – sau cel puțin de a prezenta inovațiile drept modificări a ceea ce fusese valabil înainte – și aceea de a fi parte a consensului general, ca nu cumva apostazia în chestiuni intelectuale să fie privită drept anunțând trădarea în sfera politică, se numărau printre trăsăturile definitorii ale gândirii medicale chineze de elită în timpul epocii Han, ca și ale încercărilor chinezilor de a înțelege cosmosul într-o manieră mai cuprinzătoare în această vreme. Deloc surprinzător, „principala manieră de abordare chineză (deși nu singura) [în aceste secole] era aceea de a găsi și explora corespondențe, rezonanțe, conexiuni. O astfel de abordare favoriza alcătuirea de sinteze ce unificau arii de investigație extrem de divergente. Și invers, inspira o reținere în a opune alternative radicale la pozițiile consacrate"[55].

În acest sens, conservatorismul medical se contopea cu consensul intelectual mai amplu care a marcat așa-numita sinteză Han. Această sinteză a început să se dizolve într-un întreg spectru social după prăbușirea dinastiei Han, în 220 d.Hr. În medicină, pe măsură ce liniile de descendență familiale și-au consolidat autoritatea individuală, fiecare a tins să-și protejeze propriile metode și secrete, astfel că, în realitate, a rezultat cu timpul o gamă vastă de idei, metode, teorii și chiar compuși medicali – deși fiecare linie de descendență declara că aderă la „adevărata" școală. Totuși, pe fondul acestei diversități tot mai mari, ideea corespondențelor a rămas centrală în medicina chineză de elită, reapărând ca unul dintre principiile organizatoare și distinctive în medicina alternativă din secolul al XX-lea.

Cunoștințele noastre despre cum reacționau chinezii la boală, psihică și fizică deopotrivă, sunt – în și mai mare măsură decât în cazul Greciei și Romei antice – foarte fragmentare și incomplete. Medicina chineză clasică s-a dezvoltat (ca și demersul contemporan din Occident) în rândul bărbaților educați, ale căror cunoștințe și practici erau îndreptate către o elită cultă. Nebunia a beneficiat din partea acestor medici chinezi de mai puțină atenție decât i-au acordat hipocraticii și știm foarte puține despre efectele ravagiilor ei asupra maselor și cum răspundeau acestea la nenorocirile pe care le aducea cu sine.

Problemele generale care împiedică orice încercare de a descrie reacțiile societății la nebunie în mileniile ce precedă epoca alfabetizării maselor și care persistă chiar și atunci în multe privințe – polarizarea surselor la nivelul elitei; tăcerea ce caracterizează aceste materiale în multe chestiuni-cheie; informațiile exclusiv indirecte și extrem de fragmentare de care dispunem cu privire la oamenii obișnuiți, fără a mai vorbi de bolnavii înșiși –, toate acestea sunt resimțite cu o forță deosebită în ceea ce privește societatea chineză, iar literatura pe aceste teme este puțină, chiar dacă se îmbogățește treptat[56]. Totuși, un lucru pe care îl știm fără doar și poate este că, la fel ca în Occident, sistemul medical complex asupra căruia se concentrează documentele scrise a dăinuit în paralel cu medicina populară și cu explicațiile religioase și supranaturale privind bolile psihice și fizice. Medicina religioasă (budistă sau taoistă), alături de o medicină populară care explica numeroase boli (boli care, în Occident, ar putea fi separate întru câtva în fizice și psihice) prin acțiunile duhurilor rele sau ale demonilor erau cele la care pare să fi apelat majoritatea populației. Pacienții – sau, mai corect, familiile acestora și comunitatea din jurul lor – recurgeau adeseori la o combinație eclectică a acestor diferite elemente, într-o căutare disperată a sensului și eficacității[57].

În fața tuturor formelor de patologie, imprudențele comise în vieți anterioare, soarta, posedarea demonică, spiritele și perturbările ordinii cosmice aveau tot atâtea șanse de a fi invocate ca și tulburările organice interne sau intruziunea factorilor patogeni externi. Miasmele, căldura, frigul, umezeala și uscăciunea excesive și vântul – toate acesta erau forțe la care se putea face apel pentru a explica boala, deși în medicina savantă din epoca Han „nocivitatea acestor elemente depindea de slăbiciuni interne [...]. Într-un organism care deborda de vitalitate, aceste elemente nocive pur și simplu nu aveau loc să intre"[58]. Majoritatea populației se adresa la fel de des și șamanilor sau vindecătorilor prin credință, și medicilor. Firește, elementele specifice care alcătuiau sistemele medicale populare au variat foarte mult de-a lungul timpului, influențând tipurile de medicină practicate asupra elitei și în rândurile acesteia, după cum unele elemente ale sistemului intelectual care constituia fundamentul acesteia din urmă puteau să influențeze sistemele medicinei populare. Și acolo se putea face apel la rugăciune și la sfaturile personalităților religioase. În fața a tot felul de boli și debilități, părea logic să se încerce totul și, în orice caz, majoritatea oamenilor socoteau că mânia zeilor, soarta sau faptele rele dintr-o viață anterioară au o mare însemnătate generală.

Medicina chineză antică de elită, mai cu seamă în timpul dinastiei Han, avea în comun cu tradiția hipocratică o manieră holistică de a înțelege sănătatea și boala. La fel ca în Grecia clasică, boala era concepută deseori ca o formă de invazie (deși pentru medicii chinezi vinovate erau adesea perturbările interne): un atac ostil asupra organismului care îngreuna și stăvilea curgerea fluidelor organice vitale și a *qi*-ului, cuvânt care nu poate fi tradus prea ușor, dar care poate fi înțeles aproximativ ca respirație sau energie. În fața unor astfel de blocaje, boala era rezultatul inevitabil. Există asemănări structurale aparente între ideile de felul acesta și cele hipocratice de echilibru și dezechilibru al umorilor, de întrepătrundere a psihicului și corpului și de boală ca dezechilibru. Însă concepția despre relația dintre individ și cosmos, despre cum e alcătuit organismul, descrierile forțelor care acționau și mijloacele pe care cele două grupuri de practicieni le-au elaborat pentru a interveni în cazurile de patologie se deosebeau radical. Hipocraticii puneau un mare accent pe dezechilibrul fizic al umorilor, în timp ce medicina chineză de elită a corespondențelor (și chiar și medicina derivată din ideile taoiste) privea *yin* și *yang* ca pe niște forțe aparent contrare, însă în fapt interconectate și interdependente, sănătatea depinzând de echilibrul dintre ele.

Prima compilație de cunoștințe medicale, deși nici pe departe singurul text socotit demn de încredere, a fost *Canonul intern al Împăratului Galben*, considerat a fi revelarea cunoașterii înțelepților din vechime. Asemenea textelor hipocratice, avea numeroși autori anonimi, iar savanții polemizează pe tema datării lui, ipotezele documentate mergând de la anul 400 î.Hr. până la 100 î.Hr. El va rămâne o temelie intelectuală fundamentală a medicinei chineze de elită timp de peste două milenii, dobândind statut de scriere sacră. În principiu, oamenii ar putea să-i înțeleagă greșit sensurile – limbajul diferitelor texte antice era lapidar și adesea de nepătruns. Ca urmare, a existat o imensă literatură dedicată explicării și exegezei lui, care a permis cu siguranță încorporarea de noi idei sub masca interpretării îmbunătățite a textelor inițiale. Cei devotați acestor tradiții recunoșteau că nu puteau spera să depășească înțelepciunea cuprinsă de *Canonul intern* și susțineau că în mod inevitabil, prin contrast, cunoștințele omenești desprinse din experiență sunt predispuse la erori și supuse revizuirii. Această poziție sugera că în centrul ramurii medicinei chineze căreia elita îi acorda cea mai mare importanță se afla respingerea ideii de „progres" istoric al cunoașterii și un angajament de a conserva o tradiție clasică.

Totuși, multe lucruri erau deschise discuției, iar acele polemici, precum și dezbaterile teoretice și filologice continue în rândul erudiților au permis modificări considerabile ale înțelesurilor inițiale ale textelor. Apoi și diferitele elemente ale sistemului tradițional – așa-numitele Cinci Faze și teoria *yin-yang* – puteau fi întrebuințate în maniere foarte diferite de medici care se puteau considera în continuare adepții tradiției străvechi. Un fapt simptomatic pentru instabilitățile existente în ciuda accentului pus pe continuitate era acela că, inițial, *Canonul intern* nu a fost un singur text unitar; abia în secolul al XI-lea s-a căzut de acord asupra unei versiuni oficiale. În secolele anterioare, învățații se întrecuseră între ei ca să rearanjeze textele, să le rectifice și să le lărgească adăugându-și propriile comentarii critice. Mai mult decât atât, cunoștințele medicale nu erau sistematizate în universități (cum au ajuns în cele din urmă să fie în Occident), ci erau transmise în familie din generație în generație sau prin instruirea de către un medic-maestru, ceea ce însemna că existau inevitabil mari variații de la un practician la altul[59].

Astfel, în realitate, au existat schimbări importante în interiorul unui cadru de referință care a rămas teoretic același, asta chiar dacă ignorăm celelalte tipuri de medicină considerabil diferite aflate la dispoziția claselor inferioare și adoptate de acestea. Cu timpul, de exemplu, medicii chinezi de elită, care înclinaseră inițial să pună nebunia pe seama Vântului și a demonilor, au ajuns tot mai mult, începând din secolul al XII-lea d.Hr., să pună accentul pe acțiunea Focului interior și a mucusului care înfundă sistemul[60]. Totuși, chiar dacă în China înțelegerea medicală a originilor perturbărilor psihice și comportamentale a fost supusă câtorva modificări cruciale, ea a rămas o înțelegere care corela acele patologii cu dezechilibre de genul celor care explicau și alte feluri de boli.

Când vorbeau despre posedare, confuzie mintală, crize de furie, chinezii din toate păturile societății foloseau o varietate de termeni, între care cei mai importanți erau *kuang*, dar și *feng* și *dian*[61]. Nu existau, desigur, cum nu existau nici în Occident, granițe clare între nebunie și alte forme de suferință, dar această terminologie era folosită în mare măsură pentru a denumi comportamente perturbatoare și tulburări haotice ale percepției, vorbirii și afectelor – tocmai acele tipuri de tulburări, dislocări și pierderi ale controlului asupra afectivității și rațiunii care alcătuiesc înțelesul comun al cuvântului „nebunie”[62]. Ocazional, medicii chinezi abordau subiectul nebuniei și articulau idei despre cauzele ei. Dar dacă medicii occidentali au elaborat în cele din urmă o literatură specializată privind originea și tratamentul nebuniei, în China nu a apărut un corpus de doctrine și un set de terapii comparabile. Până în secolul al XII-lea, chiar și în medicina complexă la care făcea apel elita chineză nebunia nu a fost interpretată niciodată ca o boală de sine stătătoare, ci era privită, ca și alte probleme de sănătate, drept rezultatul unui dezechilibru corporal și cosmologic mai cuprinzător. Prin urmare, nu s-a făcut nici o încercare de a modifica sau lărgi puținul pe care îl aveau de spus textele tradiționale despre nebunie și ea pare să fi devenit foarte rar obiectul atenției sau reflecției medicale susținute – toate acestea creând dificultăți enorme când cineva încearcă să studieze cum a evoluat în timp percepția asupra nebuniei la chinezi.

Totuși, timp de aproape două milenii, descrierile pe această temă oferite de practicienii de elită au depins de texte străvechi[63], îndeosebi de *Canonul intern al Împăratului Galben*, dar și de *Tratatul asupra bolilor provenite din vătămări produse de frig* (datând din perioada 196-220 d.Hr.). Întrucât în centrul modelelor chineze ale sănătății și bolii nu se aflau structuri anatomice, ci funcții ale organismului, la baza tuturor felurilor de patologii se aflau perturbări ale unor procese ca respirația, digestia și termoreglarea. Boala însemna dizarmonie, iar sursele prezumtive ale acelei dizarmonii sugerau, la rândul lor, cum ar trebui să decurgă tratamentul, adică restabilirea armoniei. Și, la fel ca în cazul altor forme de dizarmonie, neajunsurile care se revelau ca perturbări psihice și comportamentale puteau fi abordate prin mobilizarea unei mari varietăți de tratamente, adaptate cerințelor cazului individual: o gamă largă de medicamente și decocturi, folosirea acelor sub forma acupuncturii, dietă și exerciții fizice și o diversitate de alte tehnici menite să înlăture obstacolele care împiedicau circulația energiei *qi* sau să elimine formele sale patologice. Ca să nu mai vorbim de exorcism și de vindecarea prin credință, populare în rândul maselor (care se bazau pe vindecători de rând, cu cunoștințe slabe sau inexistente despre textele științifice) și la care apelau adesea membrii disperați ai elitei.

Nici chiar medicii, legați cum erau de explicații organice ale tulburărilor psihice, nu puteau să nu recunoască uneori că nebunia este definită social și e mai mult decât o simplă afecțiune organică. Atât pentru familii, cât și pentru autoritățile imperiale, tocmai implicațiile sociale ale tulburărilor psihice aveau în general cea mai mare însemnătate. Astfel au apărut încercări practice de a face față ravagiilor lor și, în cele din urmă, un corpus de doctrine legale care își propunea să le recomande funcționarilor publici ce măsuri să ia în privința actelor de nebunie și să îndrume familiile să recurgă la privarea preventivă de libertate a rudelor nebune.

Omorurile făptuite de nebuni, spre exemplu, par să fi atras tot mai multă atenție în secolul al XVII-lea. Aceste crime erau asemănate cu omorurile accidentale, întrucât erau lipsite de intenție. Dacă atrăgeau uneori pedepse și aproape de fiecare dată plata unor despăgubiri familiei victimei, împreună cu o formă sau alta de privare de libertate a făptașului, rareori duceau la execuție (deși acest lucru a început să se schimbe de la jumătatea secolului al XVIII-lea). În scurt timp, prin extensie, toate cazurile de tulburări psihice au început să atragă atenția autorităților și să fie supuse la diferite forme de privare de libertate, căci legea a început să-i considere prezumtiv periculoși și pe nebunii care nu erau criminali[64]. Rudele erau trase la răspundere dacă neglijau să ia măsurile de precauție necesare, iar asprimea pedepselor date în aceste cazuri era sporită periodic, indiciu că ordinele oficiale erau ignorate.

Lecție de acupunctură: maestrul și unul dintre învățăcei țin în mâini ace de acupunctură, iar celălalt învățăcel un text, semnificând combinația dintre teorie și practică. Frontispiciul lucrării Marele compendiu al lui Xu Shi de acupunctură și ardere a moxelor.

Dhanvantari, medicul zeilor și zeul medicinei ayurvedice, tradiție medicală străveche din Asia de Sud, practicată și astăzi.

Însă dacă ucigașii nebuni erau cruțați ocazional de aplicarea deplină a legii imperiale sângeroase – ce includea sentințe mergând de la dezmembrare până la decapitare și moartea prin strangulare –, nu același lucru se poate spune despre alți nebuni, îndeosebi cei ale căror vorbe fără noimă și comportamente puteau fi interpretate ca având conotații de răzvrătire. Una era când comportamentul imprevizibil al nebunului ducea la violență fatală și altceva, mult mai sinistru și mai amenințător, când faptele dementului păreau să pună la îndoială autoritatea imperială. Să luăm cazul lui Lin Shiyuan, care, în 1763, a aruncat o țiglă de care legase bucăți de hârtie mâzgălite cu cuvinte aberante și fără sens înspre Dingzhang, guvernatorul provinciei Fujian. A fost ridicat de gărzi și interogat pentru a se afla dacă avea intenții trădătoare. Rudele lui Lin au insistat că acesta era nebun de mai multe luni. Au fost trimiși anchetatori care să cerceteze dacă se preface sau e cu adevărat nebun. Nebun, au conchis ei. Toate mărturiile pe care le-au scos la iveală indicau acest lucru. Guvernatorul a fost de acord. Chiar și așa, Lin a fost condamnat și decapitat imediat. Delictul lui: „A pus în circulație în mod nesăbuit cuvinte viclene, a scris pancarte și a semănat agitație și confuzie în inimile altora"[65]. Dacă anumite tipuri de nebunie puteau disculpa în fața legii, altele, cum arată foarte clar soarta lui Lin Shiyuan, nu o făceau câtuși de puțin.

Orient și Occident

După cum am arătat, sub diferite aspecte, China imperială a supraviețuit foarte multe secole Romei imperiale. În Occident, tulburările politice și sociale violente erau la ordinea zilei. O perioadă, care s-a prelungit secole la rând, căderea Imperiului Roman a dus la pierderea moștenirii clasice, inclusiv a școlii hipocratice de medicină, pierdere care ar fi putut foarte bine să se dovedească ireparabilă. Într-o epocă anterioară tiparului, transmiterea culturii clasice depindea de păstrarea și transcrierea laborioasă a manuscriselor fragile și de continuitatea unei clase privilegiate care pur și simplu a dispărut. Peter Brown, marele istoric al Antichității clasice, a arătat că în Occident, când unele instituții antice s-au pierdut irevocabil, „cultura clasică le-a urmat implicit".

Dacă nu ar fi existat niște evenimente fericite în alte părți – supraviețuirea anevoioasă a unei elite clasiciste în Constantinopolul medieval și ecourile culturii grecești în lumea pe care a creat-o islamul, după cum voi descrie în următorul capitol –, ar fi fost foarte posibil ca acum să trăim într-o lume care să nu știe nimic despre Platon, Tucidide, Euclid sau Sofocle, „decât din fragmente de papirus", cum ne amintește Brown[66]. Hipocrate și Galen pot fi și ei trecuți pe listă. În ciuda perioadelor de frământări politice, China nu a trăit o astfel de cezură și, printre numeroasele urmări care au decurs de aici, înțelepciunea din domeniul medical consemnată în textele antice a exercitat o influență continuă majoră asupra manierei în care clasele chineze educate au privit nebunia.

În Asia de Sud s-a dezvoltat o altă școală de medicină foarte veche, una care, asemenea omoloagei sale chineze, se bucură și astăzi de adepți și care nu este limitată la patria ei străveche. Născută inițial din tradițiile hinduse, medicina ayurvedică nu a fost statică și nici uniformă pe tot cuprinsul Asiei de Sud, absorbind sincretic alte elemente în timp, dar textele sale clasice, compuse în sanscrită între secolul al III-lea î.Hr. și secolul al VII-lea d.Hr., cuprind un set comun de idei despre alcătuirea corpului omenesc și despre originile bolii fizice și psihice. (La fel ca în medicina tradițională chineză, între cele două nu există o demarcație reală.) Asemenea medicinei umorilor și celei chineze, ayurveda pune accent pe holistic și sistemic. Fluidele din organism – *dosha* – mediază între individ și lume și sunt de trei tipuri principale: *vata* e rece, uscat și ușor; *pitta* e cald, acru și înțepător; iar *kapha* e rece, greu și dulce.

Bolile apar în urma dezechilibrării acestor *dosha*, iar medicul ayurvedic are misiunea de a depista motivele pierderii subiacente a echilibrului și a găsi căi de a-l reface – căi ce pot să presupună masaj, leacuri obținute din surse vegetale și minerale, mai rar animale (îndeosebi opiu și mercur), dietă, exerciții fizice, modificări ale regimului de viață și așa mai departe, dar care pot să apeleze și la tratamente ritualice ce presupun invocații adresate demonilor și zeilor supranaturali.

În secolul al XII-lea d.Hr. s-au întemeiat primele state islamice pe subcontinentul indian, printr-un șir de incursiuni care au dus în cele din urmă la cucerirea treptată a majorității Asiei de Sud. Stăpânitorii musulmani au adus cu ei un alt sistem medical, o școală al cărei nume, Yunani, îi dezvăluie pe dată originea, căci acest cuvânt înseamnă „grecesc" în arabă. Ideile lui Galen și ale altor medici greci au fost cele pe care s-au întemeiat autoritatea și substanța medicinei Yunani, sau Unani Tibb, cum mai era numită, deși aceste idei grecești erau adeseori filtrate prin operele unor mari medici persani ca al-Majusi sau Hali Abbas (m. 994), al-Razi sau Rhazes (854-925) și, mai ales, Ibn Sina sau Avicenna (980-1037)[67] – a căror influență asupra Occidentului se va dovedi de asemenea imensă, după cum vom vedea.

Yunani nu a fost doar medicina de curte, ci s-a bucurat de un succes considerabil într-un segment mai larg al societății, dar nu a înlocuit ayurveda în rândul maselor[68]. Oricum, ambele sisteme considerau existența fizică și cea psihică un tot, una având capacitatea de a o influența pe cealaltă. Digestia și excreția, influxul și efluxul erau esențiale pentru păstrarea sănătății, ca și igiena corespunzătoare. Dar la fel erau și remediile din plante (adesea în doze pe care medicina occidentală modernă le-ar considera toxice) și tratamentele minerale ce presupuneau ingerarea de metale grele toxice, între care se remarcă plumbul, mercurul și arsenicul. Dacă medicina occidentală modernă privește aceste remedii ca pe niște posibile declanșatoare ale simptomelor psihice prin otrăvirea creierului, vindecătorii indieni tradiționali erau convinși, dimpotrivă, că ele pot să vindece și mințile bolnave, și organismele bolnave. Pasionații medicinei alternative acceptă și astăzi astfel de idei[69].

Capitolul 3

Bezna și zorile

Statele succesoare

Chiar și la apogeul Imperiului Roman, un rival de la granița sa răsăriteană reprezenta o amenințare militară permanentă. Persia, la început sub conducerea parților (247 î.Hr. – 224 d.Hr.) și apoi sub dinastia sasanidă (244-651 d.Hr.), s-a luptat cu romanii mai întâi în bătălia de la Carrhae, în anul 53 î.Hr., iar până în 39 î.Hr. a cucerit aproape tot Levantul. Roma a contraatacat periodic, uneori ieșind învingătoare, alteori nu. Deși cele două imperii au reușit să aibă o perioadă îndelungată de pace relativă, de la sfârșitul secolului al IV-lea și până la începutul secolului al VI-lea, ea nu a durat. Imperiul Roman de Răsărit (Bizantin), întemeiat în secolul al IV-lea cu capitala la Constantinopol, era din nou în război cu persanii în 525 d.Hr. Deși în 532 s-a jurat „pace veșnică", lucru datorat în parte celor 440.000 de galbeni primiți mită de la împăratul bizantin Iustinian I, persanii au invadat Siria după numai opt ani. Bătăliile au continuat timp de aproape un secol.

Ambele tabere erau foarte slăbite de urmările atâtor războaie și de nevoia de a percepe taxe împovărătoare pentru a finanța expedițiile militare, problemă exacerbată pentru Imperiul Bizantin de nevoia de a respinge, în plus, atacurile avarilor și ale bulgarilor de la nord și vest. În anul 622, persanii păreau să fi atins un succes militar și politic remarcabil, însă cu prețul unei vistierii secătuite și al unei armate și mai secătuite. O contraofensivă a împăratului bizantin Heraclius, între anii 627 și 629, a dus la recucerirea pentru scurt timp a Siriei și Levantului și la înapoierea Sfintei Cruci la Ierusalim. În urma ei însă, ambele tabere războinice au rămas vulnerabile la atacurile din afară. Când persanii au fost atacați dinspre sud de arabii recent porniți în expansiune, imperiul lor a căzut cu repeziciune. Imperiul Bizantin a evitat această soartă, cel puțin inițial, însă după bătălia din 636 de la Yarmouk a pierdut Siria, Levantul, Egiptul și părți ale Africii de Nord în favoarea arabilor – le-a pierdut în mod iremediabil, cu excepția Siriei pentru o perioadă relativ scurtă, începând cu sfârșitul secolului al X-lea.

După consacrarea sa ca noua capitală a Imperiului Roman în anul 330, Constantinopolul se dezvoltase, devenind un oraș bogat și puternic, iar după cucerirea Romei de către barbari în secolul al V-lea era cel mai mare și mai prosper din Europa, devenind capitala civilizației creștine. În secolele al IX-lea și al X-lea, populația sa a fost estimată la 500.000-800.000 de locuitori. Conducătorii orașului l-au împrejmuit cu fortificații masive, au construit o serie de capodopere arhitectonice și, timp de secole, au putut folosi o mare parte din avuțiile părții răsăritene a bazinului Mediteranei. Bibliotecile sale au conservat un număr mare de manuscrise grecești și latine, un patrimoniu cultural care a scăpat astfel de distrugerea în masă abătută asupra documentelor de acest fel în vestul Europei, pe fondul instabilității și dezordinii ce au marcat secolele al V-lea și al VI-lea, odată cu dezintegrarea Imperiului Roman de Apus. Unele dintre aceste comori culturale aveau să ajungă în apus în mâinile refugiaților creștini, ulterior, în 1453, când Constantinopolul a fost cucerit în cele din urmă de turcii otomani. Așadar, Constantinopolul a avut o mare contribuție, deopotrivă indirectă și apoi mai directă, la reînvierea culturii eline și a celei romane, independent de influența civilizației arabe, și astfel a jucat în ultimă instanță un rol vital în transformarea din vestul Europei pe care o cunoaștem drept Renaștere.

Căderea Imperiului Roman de Răsărit poate fi considerată în multe privințe ca avându-și începutul în jefuirea Constantinopolului în anul 1204 – o orgie a distrugerilor fără precedent în istorie, abătută asupra orașului de cruciații creștini. Opere de artă și manuscrise care supraviețuiseră din Grecia antică și alte comori adunate timp de secole au fost distruse fără rost. Timp de trei zile, cruciații

> au gonit într-o gloată urlătoare pe străzi și prin case, înșfăcând tot ce strălucea și distrugând tot ce nu puteau lua cu ei, oprindu-se doar ca să omoare sau să siluiască ori să spargă pivnițele de vinuri [...]. N-au cruțat nici mănăstiri, nici biblioteci [...] au călcat în picioare cărți sfinte și icoane [...]. Au necinstit călugărițe în mănăstirile lor. Au intrat în palate și-n cocioabe deopotrivă și le-au distrus. Pe străzi zăceau femei și copii răniți, trăgând să moară[1].

Constantinopolul și Imperiul Roman de Răsărit nu și-au mai revenit niciodată cu adevărat. La vremea căderii orașului, în 1453, populația sa număra nu mai mult de 50.000 de suflete. Imediat după asediul turcesc încununat de izbândă, principala catedrală ortodoxă, Hagia Sophia, a fost transformată în moschee – gest cu o uriașă semnificație simbolică – și a început munca de refacere a orașului și a populației sale, de astă dată drept centru al culturii islamice.

Ce legătură au toate aceste evenimente politice de însemnătate majoră cu nebunia? Una foarte mare. Imperiul Roman de Răsărit adoptase oficial greaca în locul latinei ca limbă a administrației la începutul secolului al VII-lea, iar filosofia și medicina grecești au dăinuit și prosperat aici. La fel, civilizația persană fusese și ea influențată foarte mult de cultura greacă, mai ales sub dinastia sasanidă. Kavadh I (care a domnit în perioada 488-531) încurajase traducerea operelor lui Platon și Aristotel, iar ulterior, Academia Gundishapur, situată în apropierea capitalei persane, a devenit un important centru al educației. Textele medicale grecești erau traduse în siriacă și medicii autohtoni se inspirau din această tradiție, îmbinând-o cu influențe din Persia și chiar din nord-vestul Indiei (în care pătrunsese imperiul). Persia preislamică avusese oricum un contact aproape permanent cu lumea Greciei clasice și apoi a Bizanțului, nu doar prin războaiele inițiate și prin încercările sale de expansiune teritorială, ci și după cucerirea Persiei în anul 334 î.Hr. de către Alexandru cel Mare, care a instituit acolo, pentru o vreme, limba greacă drept limbă imperială[2]. Astfel, scrierile și învățăturile cercului hipocratic și ale lui Galen, în mare măsură pierdute între timp în vestul Europei, au continuat să exercite o influență profundă asupra practicilor medicale din Orientul Apropiat. Această influență avea să devină și mai puternică odată cu triumful arabilor și al islamului, deși, după cum arată această genealogie complexă, o mare parte din ceea ce considerăm medicină arabă și inovații arabe în administrarea îngrijirilor medicale și-a avut originea, de fapt, în societatea persană și cea bizantină și în incorporarea tradițiilor medicale hipocratice și ale lui Galen.

Până în anul 750, arabii care au zdrobit instituțiile imperiului sasanid și au dobândit controlul asupra unor zone întinse din Orientul Apropiat aveau să-și lărgească imperiul. El ajungea spre est până în nordul Indiei, se întindea pe tot cuprinsul nordului Africii și îngloba o mare parte din Spania. Aceste cuceriri au fost întreprinse în numele religiei monoteiste care unise Peninsula Arabică până la vremea morții profetului Mahomed în anul 632. Răspândirea islamului se făcuse atât de rapid în parte pentru că arabii erau primiți cu brațele deschise de localnicii creștini și evrei care fuseseră persecutați și supuși la plata unor taxe împovărătoare de către domnitorii anteriori. În schimb, cuceritorii ofereau protecție și toleranță, cu condiția ca creștinii și evreii să plătească un tribut fix; și, deși oștirile musulmane se deplasau cu o iuțeală uimitoare pe spinarea cămilelor și luptau aprig și extrem de eficient când nu aveau de ales, arabii foloseau cel mai des diplomația în locul forței militare pentru a-și atinge scopurile[3]. Au asimilat elementele mai valoroase ale culturilor celor care s-au supus dominației lor și au creat în scurt timp o cultură musulmană bogată și sintetică, ce avea limba arabă drept nucleu, înghițind centrele intelectuale existente și dezvoltându-le. Printr-o rețea comercială amplă și activă care acoperea tot bazinul Mediteranei, au răspândit apoi înfăptuirile acestei civilizații la distanțe foarte mari[4]. Noua cultură s-a construit timp de aproape două secole și era în parte produsul cuceririi militare, dar și al măsurilor imperiale care diseminau cunoașterea și ideile către vest.

Cucerirea musulmană a Iberiei începuse în anul 711, iar în 718 controlul maurilor se întindea deja pe tot cuprinsul Peninsulei Iberice și până în sudul Franței. Însă acesta se va dovedi a fi punctul culminant al înaintării lor în zonă. Treptat, a început Reconquista creștină. În anul 1236, jumătatea nordică a Spaniei de azi fusese deja recâștigată pentru catolicism, iar luptele sporadice purtate de-a lungul următorilor 250 de ani au redus treptat teritoriul rămas sub dominație musulmană. În sfârșit, în timpul domniei regelui Ferdinand de Aragón și a reginei Isabela de Castilla – două dintre cele mai puternice regate creștine războinice care se formaseră în nordul peninsulei –, a fost declanșat un război în anul 1482 pentru a-i alunga pe musulmani din ultimul lor teritoriu, Emiratul Granada, pe atunci un oraș în întregime arab, precum Cairo sau Bagdadul. După ce a căzut Granada în 1492, musulmanii și evreii au fost uciși, convertiți cu forța la catolicism sau expulzați, avuțiile și bunurile lor fiind confiscate în mod convenabil. Un secol mai târziu, Filip al III-lea al Spaniei (care a domnit în perioada 1598-1621), continuând să suspecteze o oarecare nesinceritate a convertirilor impuse de Inchiziție și având nevoie să distragă atenția de la hotărârea lui de a semna un armistițiu cu rebelele Țări de Jos[5] – Belgia și Olanda de azi –, a alungat ultimele rămășițe ale populației musulmane și evreiești. În timp ce turcii cucereau Constantinopolul în 1453 și o mare parte din Balcani și din Grecia cădea sub control islamic, influența islamică politică și culturală în Occident era în scădere în a doua jumătate a secolului al XV-lea.

În secolele scurse între timp, cultura islamică exercitase o influență imensă, în privințe însemnate și mărunte deopotrivă. Arabii erau negustori și navigatori foarte pricepuți. De la ei, europenii apuseni au adoptat descoperiri în domenii ca tehnologia velelor și elaborarea de hărți nautice care aveau să se dovedească vitale când portughezii și apoi spaniolii, englezii și olandezii au început să navigheze peste Atlantic și mai departe. Arabii au adus cu ei și o nouă cultură a vieții luxoase, minuni arhitecturale ce supraviețuiesc și azi, sisteme de irigație care au transformat Spania aridă într-un ținut ce permitea culturi agricole noi precum cele de portocali, lămâi, anghinare, caiși, vinete și altele. Hârtia și tiparul – invenții chinezeşti – au ajuns şi ele odată cu arabii în Occident, împreună cu cărţile şi erudiţia. (Caracterele mobile din metal create şi folosite de Johannes Gutenberg la jumătatea secolului al XV-lea nu erau ceva original – şi chinezii, şi coreenii creaseră anterior astfel de sisteme, însă caracterele mobile au putut fi adaptate mai uşor la limbile alfabetice occidentale, iar inventarea de către Gutenberg a unui sistem de caractere metalice pentru producţia de masă şi combinarea lui cu tuşul pe bază de ulei şi cu presele din lemn au fost cu adevărat revoluţionare.) Arabii construiseră o fabrică de hârtie la Bagdad în anul 800 şi aduseseră tehnologia cu ei în Spania. Pelerinii francezi la Compostela au considerat hârtia o mare curiozitate când au văzut-o pentru prima oară în secolul al XII-lea, iar în Germania şi Italia s-au înfiinţat fabrici de hârtie abia în secolul al XIV-lea. De mare importanţă a fost şi introducerea de către arabi în regiune a unui sistem numeric nou şi mult mai util, acesta având origine indiană, şi nu chineză. Schimbarea s-a dovedit extrem de însemnată odată ce cifrele arabe au înlocuit sistemul roman greoi care se utiliza anterior, deoarece noul mod de a scrie numerele a transformat practicile de contabilitate şi comerciale.

Civilizaţia arabă în Spania – şi în Sicilia, pe care arabii o cuceriseră, controlând-o până aproape de sfârşitul secolului al XI-lea – a fost o civilizaţie urbană mai bogată (în multiple sensuri) şi mai complexă decât oricare alta existentă pe atunci în cea mai mare parte a Europei Apusene, mai tolerantă, mai ecumenică. În faţa înfăptuirilor arabe din secolul al XII-lea, europenii au reacţionat cu teamă amestecată cu admiraţie şi cu un justificat sentiment de inferioritate. Iar intelectual, în domenii ca matematica, ştiinţa şi medicina, îndatorarea Occidentului faţă de civilizaţia islamică va spori încă multe secole[6].

Islamul şi nebunia

Pe măsura consolidării dominaţiei politice, arabii au adus cu ei şi credinţa în spirite şi vrăji, incantaţii şi farmece menite să-i împace şi să-i manipuleze pe djinni (demoni), pe care îi socoteau răspunzători de boli şi tulburări[7]. Tradiţiile animiste din care derivau aceste practici şi care caracterizau societatea tribală n-au dispărut imediat odată cu adoptarea islamului – nu în ultimul rând deoarece Coranul este practic mut în chestiunile de sănătate şi boală[8] şi, ca atare, nu le oferea credincioşilor îndrumări sau, cel puţin pentru început, încurajări să se rupă de tradiţiile mai vechi. Într-adevăr, prin recunoaşterea explicită a existenţei şi a puterilor djinnilor răuvoitori, ordinea islamică a coexistat foarte confortabil o vreme cu explicațiile supranaturale pentru diferite tipuri de nenorociri, nebunia ocupând între ele un loc de seamă. Chiar și atunci când cultura superioară a absorbit elemente elenistice și medicina greacă a devenit temelia unei școli de medicină islamice, explicațiile supranaturale pentru nebunie au supraviețuit în paralel cu explicații formulate în termeni naturaliști și erau căutate soluții religioase atunci când intervențiile medicale se dovedeau zadarnice, cum se întâmpla deseori.

Deși islamul nu avea ritualuri de exorcizare similare celor care s-au răspândit în Europa creștinată, adepții lui căutau consolare religioasă și intervenție divină în fața pericolelor și perturbărilor pe care le aducea cu sine nebunia. Dovezile pe care le deținem cu privire la credințele și practicile populare sunt fragmentare în cel mai bun caz, însă ele sugerează cu tărie că se recurgea frecvent la vindecarea pe căi supranaturale și la explicațiile demonice ale nebuniei. Se fac referiri frecvente la djinni și la *djinn-gir* (cel care prinde demoni) și chiar și astăzi în anumite zone din jurul Golfului Persic există un rit de trecere la pubertate numit ceremonia *zar*, în care sunt scoși demonii din persoană. (Cuvântul *zar* denotă un vânt vătămător, asociat cu posedarea de către spirite, iar ceremoniile au menirea de a-l împăca și a-i reduce influențele primejdioase.) Michael Dols, un reputat istoric al nebuniei în Islamul medieval, surprinde cu competență cât de răspândite erau interpretările religioase ale nebuniei aproape pretutindeni în această epocă atunci când vorbește despre „o francmasonerie a credințelor în supranatural [...]. Pentru păgâni, ca și pentru evrei și creștini la începutul epocii creștine, cauza și, posibil, leacul tulburărilor psihice erau supranaturale [...]. Musulmanii erau moștenitorii unei bogate tradiții a vindecării spirituale [...] și [...] există o continuitate izbitoare a tămăduirii creștine în societatea musulmană”[9].

Promisiunile anterioare ale arabilor de toleranță față de evrei și creștini – pe care cuceritorii îi priveau ca pe adepții altor religii abrahamice, deși corupte – au fost respectate în mare măsură și de otomani, mai târziu. În schimbul tributului – deopotrivă taxă de protecție și amendă pentru neadoptarea islamului –, aceștia au fost eliberați de obligația lor tradițională de a trimite la Constantinopol grâne și li s-a îngăduit să-și ducă viața aproape fără nici un amestec din partea statului. Meșteșugurile și comerțul au înflorit. Sistemele de irigație au fost reparate, s-au ridicat clădiri mărețe și o viață intelectuală și culturală bogată s-a materializat pe tot cuprinsul teritoriilor cucerite. Iar sub stăpânirea otomană, controlul teritoriului a devenit în principal un proiect politic, nu religios: nu un *jihad* menit să-i convertească pe politeişti, ci mai degrabă o *ghaza*, o încercare de a consolida teritoriul prin mijloace militare – de aici şi *ghazi*, titlul sultanilor otomani.

Dacă ştiinţa de carte a supravieţuit în Occident doar în cea mai fragilă şi mai diluată manieră la nivelul Bisericii Catolice, iar moştenirea clasică în Imperiul de Răsărit – iniţial vastă – s-a micşorat în cele din urmă, reducându-se practic la ceea ce s-a păstrat între zidurile Constantinopolului, civilizaţia islamică şi, alături de ea, medicina islamică şi-au păstrat forţa. O elită educată, rafinată şi urbană, care conversa în *lingua franca* reprezentată de araba clasică, era unită de o cultură aleasă ce se întindea de la Córdoba la Samarkand. Şi, întrucât toţi musulmanii erau consideraţi egali în ochii lui Dumnezeu, sirienii şi persanii au ajuns în scurt timp să rivalizeze cu cei care căutaseră iniţial să-i stăpânească şi apoi i-au înlocuit în mare măsură. Urcarea pe tron a Abbasizilor, care au răsturnat califatul Umayyad din Damasc şi au înfiinţat noua capitală, Bagdad, în 762, a constituit apogeul unor tendinţe care se conturau de mai bine de un secol. Persanii din regiunea nord-estică Khorasan au jucat un rol major în această revoluţie, iar influenţele culturale persane au crescut ulterior. Răspândirea islamului către vest, în tot nordul Africii şi până în Peninsula Iberică, a adus noi influenţe culturale. În multe privinţe, civilizaţia islamică a epocii medievale nu a fost exclusiv arabă, ci creaţia musulmanilor şi chiar a altor comunităţi religioase din mozaicul mai vast al teritoriilor musulmane[10].

O mare parte din timp, deşi nu constant, medicina arabă a fost creaţia nemusulmanilor. Nu e vorba doar de faptul că medicina practicată avea rădăcini adânci în sistemul lui Galen din Antichitatea păgână. Pe lângă aceasta, pe parcursul dezvoltării medicinei de-a lungul secolelor, mulţi dintre practicanţii ei de frunte au fost evrei şi creştini. Poate cel mai renumit medic din cadrul acestei şcoli a fost Ibn Sina sau Avicenna, învăţat persan, a cărui lucrare *Canonul medicinei* (**pl. 7**) avea să devină cea mai influentă compilaţie de medicină din tradiţia arabă – mai mult chiar, numeroşi oameni îl consideră cel mai important text de medicină publicat vreodată[11]. Finalizat în anul 1025, *Canonul* constituia însumarea cunoştinţelor medicale existente în cinci cărţi, sfera sa enciclopedică cuprinzând toate formele de boală şi debilitate. Avea să fie tradus în cele din urmă în persană, greacă, latină, ebraică, franceză, germană şi engleză, chiar şi în chineză. În Europa a continuat să fie folosit ca tratat de căpătâi până în secolul al XVIII-lea, deşi la acea vreme erau preferate în general autorităţile greceşti şi latine. *Canonul* începe cu afirmaţia: „Medicina este ştiinţa prin care învăţăm care sunt caracteristicile corpului uman când este sănătos şi când este lipsit de sănătate, pentru a menține sănătatea sau a o reda". În lucrarea sa, în loc să prezinte perspective proprii, noi și originale, Avicenna face o sinteză magistrală, mergând în general pe urmele lui Hipocrate și Galen, deși s-a inspirat, într-o măsură mult mai limitată, și din învățăturile medicale persane, hinduse și chineze.

Cu peste un secol și jumătate înainte de nașterea lui Avicenna se făcuseră eforturi pentru traducerea în arabă a unor texte clasice cheie – medicale și de altă factură[12]. Această activitate de traducere era stimulată în parte de declinul limbii grecești ca *lingua franca* în unele dintre regiunile care au intrat ulterior sub dominație musulmană. Înlocuirea ei cu araba[13] a fost în principal rodul muncii cărturarilor creștini, care cunoșteau deja siriaca și greaca și erau traducători cu experiență[14]. Hunayn ibn Ishaq (m. 873) se lăuda că el și cercul lui au tradus 129 de texte ale lui Galen – în parte muncă de conservare, ce a contribuit foarte mult la supraviețuirea și, ulterior, diseminarea operelor lui Galen, căci Hunayn afirmă în altă parte că lucrările grecești de medicină erau extrem de rare și trebuiau căutate cu sârguință[15]. Din acest val de traduceri, activitate care s-a stins în mare măsură în secolul următor, au izvorât mai multe consecințe. În primul rând, sute de texte antice au fost salvate pentru posteritate (urmând a fi reintroduse ulterior în Europa Apuseană); în al doilea rând, tendința pronunțată de a favoriza opera lui Galen mai presus de toate celelalte a făcut ca sistemul lui să fie acela care s-a răspândit pe tot cuprinsul teritoriilor arabe; și în al treilea rând, nevoia de a traduce în arabă terminologia medicală greacă a creat pentru prima oară un limbaj sistematic în care medicii islamici puteau să discute despre boli și tratamentul lor[16]. Puține pasaje ale lui Galen lezau sensibilitățile islamice, iar acelea puteau fi scoase fără a se pierde coerența. Iar accentul pus de Galen pe sănătate ca rezultat al armoniei, ordinii și echilibrului putea fi privit ca sprijinind implicit concepția musulmană despre Dumnezeu, în termenii existenței unei ființe supreme de la care proveneau aceste atribute[17].

Medicina islamică nu era pe deplin statică. Dimpotrivă, făcea în anumite direcții eforturi continue de a desfășura cercetări originale. S-au făcut noi progrese în înțelegerea unor diferite boli, ca variola și tulburările oculare, și în folosirea a numeroase plante, animale și minerale pentru a descoperi noi substanțe pe care medicina le-ar putea găsi utile. Totuși, această activitate se întemeia ferm pe bazele galenice puse în secolul al IX-lea. Ea a sistematizat cunoștințele în compendii vaste și, deoarece textele medicale erau copiate și recopiate într-un ritm susținut – o mare realizare într-o epocă anterioară tehnologiei tiparului –, a răspândit idei medicale oficiale pe teritoriul întins aflat sub influența islamică și a constituit unul dintre factorii care au permis Europei să-și recupereze ulterior propria moștenire intelectuală. Dar, dacă ideile lui Galen și ale tradiției grecești mai cuprinzătoare pe care într-un fel opera sa o rezuma aveau să se confrunte cu tot mai multe critici în Europa începând din epoca Renașterii, fiind abandonate în mare măsură ca bază a gândirii medicale în secolul al XIX-lea, în lumea islamică nu a survenit o ruptură comparabilă. Tradițiile medicale antice au persistat și au rămas în mare măsură neschimbate până în plin secol XIX, când au cedat cu greu presiunilor exercitate de imperialismul occidental. Totuși, odată cu reproducerea lor, învățăturile clasice au fost simplificate și denaturate, pierzându-și în versiunile ulterioare o mare parte din forța intelectuală[18].

Diferitele încarnări ale nebuniei nu s-au numărat în nici un caz printre preocupările principale ale lui Galen, dar el a admis și prezentat distincțiile majore care se conturaseră în medicina antică între manie și melancolie, epilepsie, isterie și frenită (confuzie mintală asociată cu febră), toate putând fi atribuite dezechilibrului umorilor. Explicațiile date de el și de alți autori greci precum Rufus din Efes (secolul I d.Hr., din a cărui operă au supraviețuit doar mici fragmente) au avut o mare influență în rândul medicilor islamici[19], care împărtășeau așadar convingerea că, în esență, în spatele perturbărilor stabilității psihice se află modificările survenite în echilibrul organismului. Ishaq ibn Imran (m. 908), de exemplu, care a scris un tratat substanțial despre melancolie, a atribuit „acel simțământ de descurajare și izolare ce se formează în suflet din cauza a ceva ce pacientul socotește real, dar, de fapt, e ireal" vaporilor emanați de bila neagră – care încețoșează și distrug rațiunea și înțelegerea[20]. Unii erau predispuși din naștere la ravagiile acestei boli, fiind blestemați cu un temperament melancolic; alții, pentru că mâncau ori beau necumpătat, făceau prea multă sau prea puțină mișcare ori nu-și goleau intestinele cu regularitate (ceea ce permitea reziduurilor să putrezească și să se transforme în bilă neagră), își atrăgeau ei înșiși boala. Ishaq recunoștea că frica, furia sau doliul puteau să precipite și ele această formă a nebuniei, însă și în acest caz căderea nervoasă era exacerbată când se acumula un surplus de bilă neagră; acesta afecta ulterior creierul „prin simpatie". Deși a fost scris chiar spre sfârșitul carierei lui Ishaq, tratatul său se bazează în întregime pe învățături din cărți, nu pe experiența clinică[21]. În această privință a fost o personalitate foarte reprezentativă.

Primele spitale

Primele spitale pentru bolnavi și infirmi, ca instituții de caritate, fuseseră înființate în Imperiul Bizantin (dacă trecem cu vederea spitalele militare pe care le crease ocazional Imperiul Roman de Apus)[22], însă ideea a fost adoptată rapid de creștinii din alte zone ale Orientului Apropiat, cu mult înainte de apariția islamului. Sub stăpânirea islamică însă, spitalele au proliferat, primele apărând la sfârșitul secolului al VIII-lea; iar printre pacienții pentru care ele luau măsuri sistematice s-au numărat alienații mintali[23]. Asemenea creștinismului, islamul sublinia obligațiile bogaților față de săraci și, odată ce medicii islamici au început să apară în număr mare, a rezultat în mod firesc o rivalitate cu omologii lor creștini. Nu trebuia nicidecum ca musulmanii să fie considerați mai puțin caritabili decât *dhimmi* (nemusulmanii protejați de ei). Astfel, în secolul al XII-lea, în orice oraș islamic mare exista un spital[24].

Dovezile privind tratamentul aplicat nebunilor închiși în saloanele ce le erau dedicate în aceste spitale sunt ocazionale și fragmentare. Planurile care au supraviețuit sugerează că se întâlnea frecvent o combinație de celule individuale și saloane deschise, impresie întărită de comentariile călătorilor care au vizitat aceste monumente ale carității islamice. Există numeroase relatări despre ferestre din fier și pacienți în lanțuri[25], lucru care n-ar trebui nici pe departe să trezească mirare, căci, deși spitalele se întindeau pe tot cuprinsul teritoriilor arabe, până în Spania (unde s-a construit un spital la Granada, între anii 1365 și 1367), exista spațiu doar pentru un număr mic de alienați mintali și e foarte probabil că mulți dintre ei erau nebunii periculoși și furioși – cei pe care altfel comunitățile i-ar fi stăpânit și controlat doar cu mare greutate. Poate cel mai mare spital era Spitalul Mansuri din Cairo, înființat în anul 1284. El adăpostea cel mult câteva zeci de nebuni odată[26]. Pesemne că altele adăposteau mult mai puțini.

Pe lângă faptul că erau legați de pereți cu lanțuri, pacienții erau bătuți deseori, măsură pe care chiar și Avicenna o considera terapeutică, întrucât oferea o cale de a trezi prin forță judecata celor extrem de iraționali. Însă pacienții erau tratați totodată, cum recomandase Galen, cu o alimentație menită să stimuleze răceala și umezeala în organismul lor și să contracareze efectele de încălzire și uscare ale arderii bilei negre sau galbene, despre care se spunea că i-ar fi dus la nebunie, și li se administrau băi pentru a genera efecte similare. Lăsarea de sânge, ventuzele, vomitivele și purgativele erau utilizate pentru a elimina umorile toxice, împreună cu opiul și

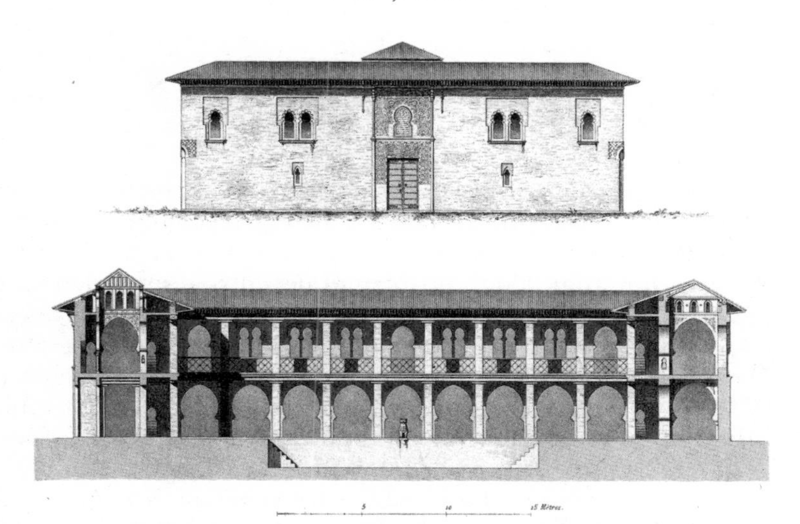

Spitalul arab din Granada (Spania): în lumea islamică erau construite numeroase spitale în care se luau măsuri pentru tratarea alienaţilor mintali.

alte leacuri mai complicate, menite să calmeze sau să stimuleze, în funcţie de starea pacientului de agitaţie sau de apatie. Lavanda, cimbrul, sucul de rodie sau de pară, muşeţelul şi spânzul (**pl. 26**) se găseau printre substanţele enumerate de Avicenna ca posibil utile, împreună cu laptele aplicat pe cap şi o diversitate de uleiuri şi alifii. Peste secole, aceste remedii şi altele similare aveau să fie recomandate de primii doctori de nebuni din Occident.

Alocarea de spaţii separate pentru femeile nebune indică faptul că şi unele dintre acestea se dovedeau a fi prea greu de supravegheat în mediul casnic, având în vedere că bărbaţii musulmani nu erau câtuşi de puţin dornici să-şi expună în acest mod rudele de sex feminin. Dar majoritatea nebunilor, deopotrivă bărbaţi şi femei, erau îngrijiţi acasă, de familie, obligaţie mult mai uşor de îndeplinit pentru bogaţi, fireşte, căci ei puteau să-şi mobilizeze mult mai simplu resursele necesare şi, la nevoie, să ia măsuri de detenţie neoficială. Pentru majoritatea populaţiei imperiului islamic, care trăia departe de centre urbane, asistenţa oferită de spitale era, evident, indisponibilă; în plus, pentru cei mai mulţi oameni, îngrijirile asigurate de cineva cu experienţă în medicina oficială erau inaccesibile din punct de vedere financiar. Aşadar, dintr-o varietate de motive, atât timp cât erau percepuţi în general ca inofensivi şi neameninţători, nebunii erau lăsaţi „liberi", putând să hoinărească şi să cerşească, la mila unei comunităţi care putea să reacţioneze cu tachinări şi batjocură, fără a mai menţiona violenţa.

Posedarea demonică și tămăduirea spirituală

Anterior cuceririlor arabe, mulți oameni din Orientul Apropiat se convertiseră la creștinism, mai cu seamă începând din secolul al IV-lea, când acesta a fost declarat religia de stat a Imperiului Roman. Încă din anul 300, creștinismul devenise o forță demnă de toată atenția în orașele principale din estul bazinului mediteranean, de la Antiohia la Alexandria, iar la sfârșitul acelui secol se putea socoti religia majoritară a Imperiului Roman, o nouă religie de masă[27]. Tămăduirea miraculoasă și îndeosebi alungarea demonilor prin ritualuri de exorcizare ocupau un loc important în noua comunitate de credincioși. În secolul al III-lea, când botezul adulților era frecvent, exorcizarea „drastică" a celor sănătoși făcea parte din preliminariile ritului respectiv[28]. La scară mai largă, misionarii creștini folosiseră, începând din primii ani ai religiei, exorcizarea demonilor și tămăduirea celor posedați drept dovadă a puterii cuvântului lui Hristos asupra dușmanilor nevăzuți cu care se confruntau oamenii[29]. Aceste pretenții aveau o bază solidă în autoritatea Scripturii, căci Iisus (după cum am văzut în capitolul anterior) alungase demoni și-i tămăduise pe orbi, șchiopi și bolnavi în numeroase ocazii. Unii clerici creștini susțineau că au moștenit aceleași puteri, ca și oamenii evlavioși care au ajuns să fie priviți drept sfinți.

Astfel, în Imperiul Bizantin, ideea de tămăduire spirituală și cea de posedare demonică au ajuns să aibă o fundamentare fermă și să fie larg acceptate. Unii au avansat ipoteza că această evoluție s-a datorat pătrunderii gândirii păgâne în creștinism, în urma convertirilor în masă din secolul al IV-lea[30]. Existența demonilor și puterea tămăduirii religioase erau susținute pe scară largă, iar aceste credințe nu se regăseau nicidecum doar la oamenii de rând – le adoptau chiar și cei puternici și relativ educați[31]. Demonii nevăzuți se aflau pretutindeni și pretutindeni erau răspunzători de prăpăd și nenorociri[32]. Datorită numeroaselor precedente biblice, nebunia era deosebit de ușor înțeleasă prin prisma posedării demonice, iar pacienții se înghesuiau ori erau târâți la altarele și mănăstirile tămăduitoare.

Practicile de felul acesta nu au dispărut nici după cucerirea arabă. Majoritatea populației din Orientul Apropiat a rămas creștină cel puțin încă două-trei secole (iar o minoritate consistentă chiar și după aceea). În acele cercuri, încercările de a-i vindeca pe nebuni printr-o diversitate de intervenții de natură religioasă au persistat. Între timp, la musulmani, cum Coranul nu spunea aproape nimic despre aceste chestiuni, islamul nu se putea lăuda cu o tradiţie comparabilă a tămăduirii prin religie[33].

Mahomed, în calitate de profet al lui Allah, primise textul Coranului de la Dumnezeu, dar, spre deosebire de Iisus, nu este zugrăvit ca având puteri divine. Mesagerul Domnului nu-i vindecă pe bolnavi, nici nu alungă demonii, nici nu învie morţii. După moartea lui însă, s-a ajuns treptat să se creadă că făcuse totuşi minuni. Au fost mobilizate *hadith*, tradiţiile religioase – compilate, se spunea, din mărturiile credincioşilor care văzuseră şi auziseră ei înşişi faptele şi spusele Profetului –, spre a se crea o bază pentru vindecarea profetică[34], unul dintre obiectivele acesteia fiind să explice nebunia şi să ofere remedii pentru ea. Pe lângă rugăciuni şi incantaţii, între remedii se numărau tratamente fizice mai viguroase, nu tocmai diferite de cele propuse de medici: deschiderea venelor pentru a se lua sânge, purgaţii şi cauterizarea capului cu fierul încins – exista credinţa populară că djinnii se feresc de fier, ceea ce ar putea explica popularitatea ultimei tehnici.

Reinterpretările acestor *hadith* au dus treptat la o schimbare. Spre sfârşitul Evului Mediu, şi Mahomed era considerat făcător de minuni şi apăreau „sfinţi" islamici capabili de realizări mai modeste ale harului divin[35]. Arabii credeau fără doar şi poate în spirite şi demoni[36]. Într-adevăr, djinnii sunt invocaţi adesea în primele părţi ale Coranului şi constituie un subiect abordat frecvent în arta islamică, iar istorisirile despre ei abundă în literatura populară şi în cărţile religioase[37]. Ideea că nebunii erau chinuiţi de diavol sau posedaţi decurgea de aici, ca explicaţie pentru comportamentul şi ideile lor ciudate.

Ca să împrumutăm o expresie arabă, „*al-junun funun*" – nebunia este de multe feluri. Într-un sens literar sau mistic, *junun* putea fi folosit chiar ca formă de laudă, exprimând o alternativă la judecata îngustă, calculată. Şi în persană, cuvântul pentru „nebun", *divaneh* (derivat din *div* şi *aneh* – ca un demon sau posedat de demoni), acoperea ambele sensuri (iar *div* are rădăcini adânci în mitologia persană şi în cea indiană). Însă vorbitorii de arabă puteau să se refere la nebunie în sensul mai îngust al formelor sale medicale şi juridice întrebuinţând cuvântul *majnun*, folosit adesea pentru „alienat mintal", cu conotaţii deosebit de negative. Şi tocmai acest termen, *majnun*, însemnând în sensul cel mai literal „posedat de djinn", a fost ales ca nume al unuia dintre marii eroi romantici ai literaturii islamice, Qays, a cărui iubire obsesivă pentru Layla sfârşeşte tragic (**pl. 8**).

Există numeroase versiuni ale poveştii lui Layla şi Majnun. Povestea îndrăgostiţilor bătuţi de soartă îndeamnă la comparaţii cu tragedia mult ulterioară a lui Shakespeare, *Romeo şi Julieta*, iar rezonanţa ei culturală este și mai mare. Poate cea mai faimoasă versiune a fost lungul poem epic scris de Nizami[38], poet persan de la sfârșitul secolului al XII-lea, însă povestea a fost reluată la nesfârșit, în formă muzicală și în picturi, precum și în poezie și proză. Elementele standard sunt prezente de fiecare dată: Layla și Majnun se îndrăgostesc. El devine obsedat de obiectul afecțiunii sale și-și pierde cu totul simțul realității și al cuviinței (de aici, schimbarea numelui din Qays în Majnun). În mod ironic, tocmai această obsesie îl mână să renunțe la sine de dragul iubitei și să întreprindă acțiuni extreme, care fac ca familia Laylei să-i respingă încercările de a o lua de soție, căci căsătoria cu un nebun ar însemna să-și dezonoreze casa. Majnun se retrage în deșert și comunică cu animalele, făcând periodic încercări disperate de a lua legătura cu iubita lui, căreia îi compune poezii nesfârșite. E respins categoric și, în cele din urmă, îndrăgostiții despărțiți mor, dar nu înainte ca Majnun să se afunde într-o nebunie tot mai vădită. În unele versiuni i se pun cătușe și lanțuri la mâini și la picioare, însă își rupe lanțurile și evadează. Trăiește ca un pustnic în deșert, emaciat, incoerent, cu părul lung și neîngrijit, cu unghii precum ghearele uneia dintre fiarele cu care se întovărășește, cu pielea înnegrită de soare, târându-se în patru labe, halucinând și privind în gol, alteori apucat de turbare; și dezbrăcat – încălcare șocantă a normelor sociale pentru un musulman. Într-un moment de luciditate își dă seama: „Sunt un spin în carnea semenilor mei și chiar și numele meu îmi acoperă de rușine prietenii. Oricine poate să-mi verse sângele; sunt un proscris și cine mă ucide nu se face vinovat de omor”[39]. Aici se găsesc stereotipurile clasice ale nebuniei: asocial, rupt de realitate și de normele moralității convenționale, coborât la nivelul unui animal, un proscris de temut, imprevizibil – și posedat, în numeroase versiuni ale acestei povestiri, de un djinn răuvoitor.

Europa creștină

În Europa, societățile medievale din secolele ce au urmat prăbușirii Imperiului Roman au fost sfâșiate de două flageluri gemene, sărăcia și boala, ravagiile lor fiind exacerbate de violența și insecuritatea endemică. Era o lume a subnutriției și foametei, moartea în masă prin înfometare fiind o posibilitate omniprezentă și, adesea, o realitate[40]. La fel era și boala, ale cărei ravagii pot fi cel mai ușor constatate în faptul demografic brut al unei speranțe de viață scăzute: bărbatul medieval care atingea vârsta de 45 de ani era excepția, iar femeia, date fiind primejdiile nașterii, avea în general o viață și mai scurtă. Imediat după prima epidemie de ciumă din anul 1348, rata mortalităţii a crescut şi mai mult, episoadele de molimă continuând pe tot parcursul secolului al XIV-lea şi reducând cu circa o treime populaţia europeană. Mulţi oameni trăiau la limita subzistenţei, din alimentaţia lor lipsind substanţele nutritive de bază, mai ales în lunile de iarnă, şi nu erau capabili să înţeleagă şi cu atât mai puţin să controleze infecţiile dezlănţuite sau multitudinea de agenţi patogeni paraziţi şi transmişi de insecte (ca să nu mai amintim incapacitatea societăţii de a rezolva problema contaminării constante a alimentelor şi apei cu excremente umane şi animale). Astfel, nu e deloc surprinzător că povara bolii era cutremurătoare[41]. Numărul oamenilor infirmi era de asemenea incredibil – surzi, orbi, incapabili să-şi folosească un membru sau mai multe, afectaţi de rahitism, contaminaţi de lepră, suferinzi cu toate felurile de defecte şi diformităţi. Iar la acele victime ale nenorocirii în mare măsură neajutorate şi dependente îi putem adăuga pe nebuni – epileptici, apucaţi, melancolici, victime ale halucinaţiilor, dementi.

Cunoştinţele noastre despre soarta celor mulţi în perioada cuprinsă între secolul al VII-lea şi secolul al XIII-lea sunt în cel mai bun caz restrânse. Nu putem face nici o generalizare sigură, întemeiată pe dovezi detaliate privind bolnavi individuali. Dispariţia ştiinţei de carte care a însoţit căderea Imperiului Roman de Apus a fost gravă şi de durată, complicând şi mai mult sarcina întotdeauna dificilă de a reconstitui experienţele de suferinţă ale păturilor inferioare, ale celor mai puţin norocoşi care alcătuiau, cu excepţia unei mici fracţiuni, întreaga societate medievală. Ştiinţa de carte s-a păstrat într-o oarecare măsură doar în mănăstiri şi în cadrul Bisericii, unde obiectul atenţiei era reprezentat în general de texte religioase, nu de moştenirea păgână lăsată de Roma. Medicina grecilor şi romanilor a fost doar una dintre victimele acestei neglijări culturale, însă declinul ei a avut implicaţii importante pentru maniera în care societăţile medievale au înţeles nebunia şi au reacţionat la ea.

Biserica Romei (care a început să fie numită Biserica Catolică după Reforma din secolul al XVI-lea) a fost singura instituţie majoră care a supravieţuit şi, în ultimă instanţă, a prosperat după căderea Imperiului Roman. Primii creştini fuseseră supuşi periodic la tortură, reprimare şi martiraj de către conducătorii romani ai căror supuşi erau, aceştia socotindu-le refuzul încăpăţânat de a cinsti zeii romani tradiţionali şi de a le aduce jertfe o insultă vecină cu sacrilegiul. Practicile religioase publice erau considerate vitale pentru stabilitatea şi succesul imperiului. Persecuţiile care au început în timpul domniei lui Nero, în anul 64 d.Hr., şi au atins apogeul în secolul al III-lea au creat numeroşi martiri şi sfinţi (deşi chiar şi în secolul al III-lea persecuţia a avut pauze periodice). Tolerarea oficială a creștinismului anunțată de împăratul Constantin prin Edictul de la Milano, în anul 313 d.Hr., și adoptarea de către acesta a cultului hristic au marcat o schimbare decisivă, întărită de convertirea lui la creștinism pe patul de moarte în anul 337 d.Hr. Numai unul dintre succesorii lui Constantin, împăratul Iulian, în anii 360 d.Hr., a făcut o încercare susținută de revenire la zeii păgâni; cu aprobare oficială (sau poate fără represiune oficială), creștinismul a căpătat putere constant, chiar spectaculos, în următoarele două secole[42]. A devenit „o Biserică recunoscută, care absorbea oameni și avuție ca un burete"[43]. În mod ironic, era și o organizație care a prilejuit în ultimă instanță intoleranță, ură, teroare și noi prejudecăți.

Între anii 375 și 800, creștinii au întreprins un program de evanghelizare remarcabil de eficace îndreptat spre societățile barbare de la nord și vest. Caracterul tribal al acestor societăți a ușurat răspândirea creștinismului, căci însemna că după convertirea unei căpetenii sau a unui vârstnic important urma adesea, cu repeziciune, convertirea în masă a restului tribului. Un element crucial în acest proces era utilizarea de miracole și minuni pentru a demonstra puterea Dumnezeului creștin, aici fiind incluse distrugerea altarelor și templelor păgâne, exorcizarea demonilor și tămăduirea magică a schilozilor și demenților[44]. Mesajul era: Dumnezeul meu e mai puternic decât zeii voștri. Priviți cum vă distrugem obiectele sacre fără a fi pedepsiți! Fiți martori la minunile noastre, la puterea noastră de a vă vindeca sufletele bolnave și chinuite! Sfântul Martin de Tours (316-397), de exemplu, și-a făcut obiceiul de a arde din temelii templele păgâne, convingându-i astfel pe barbari că Dumnezeul lui trebuie venerat, iar idolii păgâni trebuie dați la o parte, din moment ce nu erau în stare nici măcar să se salveze pe ei înșiși[45].

Minunile au fost împletite cu creștinismul încă de la început. Oficial, la începuturile ei, Biserica s-a opus vehement magiei, deși în practică distincția dintre magie și minune era adeseori greu de făcut, o ambiguitate nu întru totul lipsită de pericole. Păgânii și creștinii deopotrivă dădeau vina pe demoni pentru nenorocirile lor, iar aceste creaturi supraumane erau în ultimă instanță, pentru credincioșii creștini, servitorii Celui Rău, Satana însuși[46]. Iisus își demonstrase puterea de a-i alunga, de a învia morții, de a vindeca bolnavii, de a pune pe fugă demonii din corpul celor posedați, iar puterile sale fuseseră transmise apostolilor: „Chemând la Sine pe cei doisprezece ucenici ai Săi, le-a dat lor putere asupra duhurilor celor necurate, ca să le scoată și să tămăduiască orice boală și orice neputință. [...] Tămăduiți pe cei neputincioși, înviați pe cei morți, curățiți pe cei leproși, pe demoni scoateți-i; în dar ați luat, în dar să dați"[47]. Se credea că aceste puteri au fost transmise apoi sfinților și episcopilor. La fiecare liturghie se înfăptuia o sfântă taină. Prin misterul miraculos al intervenției divine, pâinea și vinul deveneau trupul și sângele lui Hristos. Și totuși, întru câtva surprinzător, primii creștini s-au ferit de folosirea minunilor pentru propagandă[48].

Sfinți și minuni

Nu la fel au stat lucrurile în secolele de mai apoi. Toți martirii și sfinții din perioada persecutării primilor creștini s-au materializat din nou (sau, mai corect spus, rămășițele lor materiale au primit o nouă eficacitate spirituală) pentru a ajuta la susținerea unui set de credințe și practici puternice, având în centru ideea puterilor sfinților, adesea prin intermediul moaștelor, de a-i vindeca pe suferinzi și de a înfăptui minuni postume. Mormintele aveau puteri; osemintele, puteri și mai mari. „Deși templele și altarele păgâne fuseseră închise, transformate sau distruse, vechile vindecări, viziuni și miracole ale zeului tămăduitor Esculap [Asclepios] sau Apollonios continuau să se producă la altarele creștine, sub patronajul unei noi ierarhii spirituale, cea a sfinților martiri."[49] Foarte devreme, în 386, Sfântul Augustin de Hipona (354-430), încă păgân, a consemnat astfel de minuni la care a fost martor la un mormânt deschis recent lângă Milano: osemintele a doi sfinți au redat vederea unui orb și au alungat demonii dintr-un alt bărbat, care era posedat. Iar papa Grigore I (aprox. 540-604), care l-a trimis pe Sfântul Augustin de Canterbury într-o misiune de convertire a anglo-saxonilor din Anglia, a publicat o întreagă colecție de miracole, semne, minuni și vindecări în ale sale *Dialoguri*[50]. Prin aceasta se plasa întru totul în curentul principal medieval. Cucernicia lui era împărtășită pe scară largă de turma pe care o păstorea, iar la moartea sa aclamațiile mulțimii i-au adus imediat statutul de sfânt.

La sfârșitul secolului al VI-lea, puțini se puteau îndoi de rolul central al mormintelor sfinților în puterea și influența Bisericii[51]. În secolele ce au urmat, întrucât pelerinii căutau să obțină intervenția sfinților, s-au deschis morminte și au fost scoase rămășițele din ele – și uneori împărțite, astfel încât mai multe locuri să poată declara că posedă puteri miraculoase de tămăduire și să beneficieze de donațiile atrase pe această cale. Distanțele străbătute de moaște puteau fi mici sau mari: de exemplu, călugării de la Pontigny, în centrul Franței, unde a fost întemeiată o mănăstire cisterciană în anul 1114, au deschis mormântul Sfântului Edmund Rich de Abingdon, care fusese îngropat acolo, i-au tăiat acestuia un braț, apoi au închis mormântul la loc[52]. Astfel puteau să organizeze la mănăstire un al doilea loc de venerație pentru pelerini, în care aceștia să caute tămăduirea (și să lase ofrande). În schimb, la mănăstirea benedictină mult mai veche (675) de la Abingdon, în Oxfordshire, au fost adunate de-a lungul anilor o sumedenie de moaște sfinte, aduse de la mari distanțe. Conform unei liste din anul 1116, erau „cinci moaște ale lui Hristos, bucăți din șase apostoli, fragmente din treizeci și unu de martiri, felurite rămășițe din treizeci și nouă de mărturisitori și părticele din șaisprezece fecioare" – o vastă colecție de moaște făcătoare de minuni care atrăgeau cete de credincioși[53]. Iar după ce soldații celei de-a Patra Cruciade și-au îndreptat atenția spre Constantinopol, asediindu-l și prădându-l în anul 1204, a urmat o orgie a jafurilor și distrugerii: bisericile „au fost devalizate și nenumărate lăzi cu oseminte au fost trimise spre apus"[54]. Rămășițele erau atât de prețioase, încât se consemnau cu regularitate furturi, înșelăciuni, falsificări și dispute privind proprietatea.

Sfânta Ecaterina de Siena a fost venerată la scară largă după ce a murit la Roma în anul 1380. La vârsta de 21 de ani, în 1368, ea declarase că s-a unit cu Hristos printr-o cununie mistică. Mai târziu a susținut că nu mai are nevoie de hrană lumească, supraviețuind în principal cu anafură, după care a încetat să mai consume hrană sau apă. După câteva săptămâni a murit. Locuitorii Sienei au vrut să-i recupereze trupul neînsuflețit, dar le-a fost imposibil să-l scoată din Roma intact, pe ascuns, astfel că s-au mulțumit cu capul și un deget mare de la mână, despre care se spune că n-au putrezit[55]. Istorisirile despre sfinți ale căror trupuri neînsuflețite rămăseseră intacte sau ale căror sicrie, odată deschise, parfumau aerul în loc să-l împută – misterioasa „mireasmă a sfințeniei" care le oferea celor creduli o dovadă în plus cu privire la binecuvântările divine pe care le pot aduce moaștele sfinților – proliferau.

Peste mai multe secole, poetul englez Andrew Marvell avea să declare că mormântul este „un loc ales și intim"[56]. Pentru unii, poate, dar nu pentru beatificați. Mormintele sfinților erau frumoase – unele au ajuns să fie încărcate de aur și ornamentații –, însă intime în nici un caz. Rămășițele erau transferate adesea în relicvarii, recipiente lucrate cu mare grijă, pe care pelerinii veneau să le sărute și să le venereze. De exemplu, la abația Conques din Languedoc (Franța) se afla craniul Sfintei Foy, despre care se spunea că a murit torturată de romani la sfârșitul secolului al III-lea, fiind arsă pe un pat de aramă încins atunci când a refuzat să se lepede de credința ei creștină. (Relicva fusese furată de un călugăr în secolul al IX-lea, din locul de odihnă inițial de la Agen.) Cândva între anii 983 și 1013, craniul, vestit că ar avea puteri miraculoase extraordinare, a fost așezat înăuntrul unei statui, odihnindu-se într-un înveliș de argint care a fost apoi

1 PAGINA ANTERIOARĂ Lovitura de maestru a pădurarului de pe tărâmul zânelor *(1855-1864) de Richard Dadd. Dadd a fost un tânăr pictor promițător, închis în azilul Bedlam după ce și-a omorât tatăl. Atenția microscopică la detalii și atmosfera ireală sunt tipice pentru multe din lucrările lui Dadd.*

2 JOS *Nabucodonosor ca animal sălbatic, cu părul lung și unghii c[...] niște gheare. Această ilustrație izbitoare a poveștii biblice despre nebunia regelui babilonian este un detaliu dintr-un manuscris pictat de un artist necunoscut la Regensburg, în Germania (aprox. 1400-1410).*

3 PAGINA ALĂTURATĂ, STÂNGA-SUS *Hieronymus Bosch,* Corabia nebunilor *(aprox. 1510-1515). Platon a comparat democrația cu o corabie a nebunilor, iar în 1494 Sebastian Brant, un teolog german, a întrebuințat aceeași alegorie pentru a satiriza păcatele contemporanilor săi. Pictura lui Bosch înfățișează o ambarcațiune încărcată cu tot felul de nebuni, plutind în derivă.*

4 PAGINA ALĂTURATĂ, DREAPTA-SUS, *Pe acest crater cu desene roșii datând aproximativ din anul 340 î.Hr., creat de Asteas Pictorul, Heracle este înfățișat în furia sa nebună, pe cale să-și arunce unul dintre copii pe un morman de obiecte de gospodărie sparte. Soția lui privește îngrozită, incapabilă să-l împiedice.*

5 PAGINA ALĂTURATĂ, JOS *Dumnezeu intervine pentru a-și ocroti poporul ales: mâinile lui Iahve pogoară di[...] ceruri ca să despice Marea Roșie, pentru a-i lăsa pe evre[...] să treacă, pe când urmăritor[...] lor se îneacă, în această pictură murală din sinagoga siriană Dura-Europos, secolu[...] al III-lea.*

6 *Teoria celor patru umori – tipurile flegmatic, sangvin, coleric și melancolic – a constituit baza medicinei lui Galen, iar aici este ilustrată de un pictor medieval. Dezechilibrul genera boală organică și psihică.*

بسم الله الرحمن الرحيم

الحمد لله حمدا يستحقه بعلو شانه وسبوغ احسانه وصلوة على نبيه المصطفى واله الطيبين واصحابه الطاهرين

وبعد فقد التمس مني بعض خلص اخواني ومن يلزمني اسعافه بما يسمح به وسعي ان اصنف في الطب

كتابا مشتملا على قوانينه الكلية والجزئية اشتمالا يجمع الى الشرح الاختصار والى ايفاء الاكثر حقه من البيان الايجاز

فاسعفته بذلك ورايت ان اتكلم اولا في الامور العامة الكلية في كلا قسمي الطب اعني علميه وعمليه ثم بعد

ذلك اتكلم في كليات احكام القوى الادوية المفردة ثم في جزئياتها ثم بعد ذلك في الامراض الواقعة

بعضو عضو فابتدا اولا بتشريح ذلك العضو ومنفعته واما تشريح الاعضاء المفردة البسيطة فيكون قد سبق مني

ذكره في الكتاب الاول الكلي وكذلك منافعه ثم اذا فرغت من تشريح ذلك العضو ابتدات في اكثر المواضع

بالدلالة على كيفية حفظ صحته ثم دللت بالقول المطلق على كليات امراضه واسبابها وطرق الاستدلالات

عليها وطرق معالجاتها بالقول الكلي ايضا فاذا فرغت من هذه الامور الكلية اقبلت على امراض الجزئية

Pagină de manuscris cu anluminuri din Canonul medicinei *de Ibn Sina (Avicenna), pictat* *Isfahan (Persia) în 1632. Finalizat în anul 1025,* Canonul *era o compilație extrem de* *fluentă a cunoștințelor medicale existente, cuprinzând toate formele de boală și debilitate.*

8 *În această scenă din povestirea lui Nizami despre Layla și Majnun, îndrăgostiții bătuți de soartă, pictată la Tabriz (1539-1543), Majnun, nebun, este adus în lanțuri la cortul Laylei. Copiii aruncă în el cu pietre și asupra lui e asmuțit un câine, pentru majoritatea musulmanilor un animal ritualic impur.*

9 STÂNGA *O reprezentare grăitoare a uciderii lui Thomas à Becket dintr-un codice de la jumătatea secolului al XIII-lea. Se credea că sângele sfântului vindecă nebunia, orbirea, lepra și surzenia, plus o mulțime de alte boli.*

10 STÂNGA-JOS *În Europa medievală se credea cu tărie în eficacitatea moaștelor sfinților. Craniul sfintei Foy, căruia i se atribuiau puteri miraculoase, era adăpostit într-un relicvariu ornamentat din abația Conques, în Franța.*

11 JOS *Hristos binecuvântează o tânără posedată, făcând demonul să fugă – din* Très riches heures du duc de Berry *(aprox. 1412-1416).*

12-14 *Trei vitralii din Capela Sfintei Treimi, Catedrala Canterbury, înfăţişând povestea Matildei cea Nebună din Köln, care îşi omorâse propriul prunc. Ea s-a numărat printre numeroşii pelerini aduşi sau târâţi la Canterbury în căutarea unei tămăduiri miraculoase. În al treilea vitraliu (dreapta-jos), sărmana femeie şi-a recăpătat judecata.*

acoperit cu plăci de aur încrustate cu pietre preţioase (**pl. 10**) – atât de ţipătoare, încât preoţii de la Chartres care o vizitau susţineau că seamănă cu un idol păgân, lucru adevărat (nu că asta ar fi făcut-o mai puţin atractivă pentru ţărănime). În mod similar, osemintele lui Thomas à Becket, ucis de patru cavaleri în catedrala sa, în anul 1170, după o dispută aprigă cu Henric al II-lea pentru drepturile şi privilegiile Bisericii (**pl. 9**), au fost aşezate în anul 1220 într-o raclă din aur împodobită cu nestemate, la Catedrala Canterbury.

Pe tot parcursul Evului Mediu, infirmii, bolnavii şi nebunii şi-au căutat în număr mare alinarea şi tămăduirea la aceste moaşte sfinte (**pl. 12-14**). Mulţi vor fi încercat înainte remedii populare – plante de leac, alifii, amulete, îngrijirile vindecătorilor locali. Iar începând din secolul al XI-lea, când medicina hipocratică şi cea galenică au început să reintre în apusul Europei dinspre răsărit, alţii vor fi fost supuşi lăsărilor de sânge şi purgaţiilor, ventuzelor şi vomitivelor acestora, fără a mai menţiona schimbările de alimentaţie şi regim de viaţă. Însă mai ales bolile cronice duceau la încercări de a mobiliza puterile tămăduitoare ale sfinţilor şi martirilor. S-au păstrat diferite descrieri fragmentare. La mormântul Sfântului Wulfstan (1008-1095) din Catedrala Worchester, spre exemplu, o fată nebună a zăcut urlând timp de cincisprezece zile[57]. Nu-i cunoaştem soarta. Dar când se produceau într-adevăr „minuni", locurile sfinte se grăbeau să le consemneze; aşadar, putem deduce că ea a rămas nebună. Evident, prezenţa unora care se comportau în această manieră putea să perturbe programul bisericii, aceştia zăcând înăuntru cu zilele sau chiar cu săptămânile. La Norwich, în alt caz, „o fată a căzut pradă nebuniei şi a fost adusă legată la mormântul lui Hugh; a rămas acolo până la Ziua Morţilor şi în seara aceea ţipetele ei au fost mai violente ca de obicei, deranjând corul şi toată biserica, astfel că nu s-a putut săvârşi liturghia la altarul Sfântului Ioan Botezătorul, lângă mormânt. În cele din urmă, fata a adormit; când au trezit-o enoriaşii, se făcuse bine"[58]. Vindecările parţiale şi însănătoşirile ulterioare erau puse pe seama puterii sfântului şi, desigur, problemele mintale de origine psihogenă (chiar şi cele care presupuneau orbire sau paralizie şi nu erau considerate la acea vreme probleme mintale) puteau foarte bine să răspundă la puternicele efecte sugestive ale vizitei într-un astfel de loc sfânt.

Despre numeroase moaşte se credea că vindecă foarte multe rele. Despre sângele Sfântului Thomas à Becket se spunea că vindecă orbirea, nebunia, lepra şi surzenia, plus o sumedenie de alte beteşuguri, aşa încât Canterbury atrăgea pelerini din toată Europa, nu doar din Anglia, până în 1538, când Henric al VIII-lea a poruncit ca mormântul şi osemintele sfântului să fie distruse şi să nu se mai vorbească vreodată de acel preot renegat. În *Povestiri din Canterbury,* Chaucer istoriseşte viaţa unui grup de pelerini porniţi de la Londra ca să se roage la mormântul lui Becket[59].

Mormintele altor sfinţi au căpătat o reputaţie mai specializată. Martirii care fuseseră decapitaţi par să fi fost alegeri populare pentru cei ce căutau să scape de suferinţe psihice. Unul dintre cele mai importante locuri de acest fel – care a atras secole la rând pelerini nebuni şi pe însoţitorii lor – era altarul Sfintei Dymphna de la Gheel, pe teritoriul Belgiei de azi. Legenda Sfintei Dymphna încorpora elemente diverse răspândite pretutindeni în folclorul european şi puse laolaltă aici pentru a crea o poveste captivantă despre o tentativă de incest, nebunie şi crimă. Potrivit istoriei vieţii sfintei, care a fost redactată abia la jumătatea secolului al XIII-lea de către Pierre, canonic de la Cambrai, tânăra fecioară irlandeză s-a născut dintr-un rege păgân şi soţia lui creştină, la începutul secolului al VII-lea.

Decapitarea Sfintei Margareta din Antiohia, secolul al XII-lea, pictură din biserica catalană din Vilaseca (Spania). Margareta a fost executată pentru că a refuzat să se lepede de creştinism.

Un panou din bronz de pe uşa de la Basilica di San Zeno Maggiore (Verona, Italia, secolul al XII-lea) îl înfăţişează pe Sfântul Zeno făcând o exorcizare. La porunca sfântului, un diavol iese pe gura fiicei împăratului Gallienus. Există patruzeci şi opt de panouri de acest fel, ilustrând teme biblice şi vieţile sfinţilor Mihail şi Zeno.

Când avea paisprezece ani mama sa a murit, iar lui Damon, tatăl ei copleşit de durere, i-a venit ulterior ideea să se însoare cu femeia care semăna cel mai bine cu răposata lui soţie, propria sa fiică. Însoţită de preotul ei, Dymphna a fugit peste mare şi s-a stabilit în sătucul Gheel. Însă tatăl ei i-a urmărit şi, găsindu-i pe cei doi, a pus ca preotul să fie decapitat; când fiica lui a continuat să-l sfideze, i-a tăiat şi ei capul, într-un acces de nebunie. Dymphna şi tovarăşul ei martirizat, Gerebernus, au fost îngropaţi într-o peşteră, dar rămăşiţele lor pământeşti au fost ulterior exhumate – ale lui fiind transportate la Sonsbeck (Germania) (mai puţin capul, spun unele relatări)[60], iar ale ei, aşezate într-o urnă şi mutate într-o capelă, unde au început să se adune pelerini care-şi aduceau rudele nebune în căutarea vindecărilor miraculoase.

Unii dintre alienaţii mintali dormeau în biserică aşteptând să le fie redată raţiunea. După ce biserica iniţială a fost mistuită de un incendiu în 1489, a fost înălţată alta în loc, mai mare. În 1532 era administrată de zece clerici, cărora li s-au adăugat ulterior zece canonici, care conduceau un ritual complex de rugăciuni, penitenţe şi ofrande ceremoniale, toate făcând apel la intervenţia fecioarei martire. Demenţii erau aduşi în biserică şi legaţi cu lanţuri de glezne şi, timp de optsprezece zile, se făceau eforturi pentru a exorciza demonii malefici care îi posedau. Dacă nebunia persista, mulţi dintre suferinzi se mutau la câte o familie de ţărani din sat şi, în felul acesta, Gheel şi împrejurimile sale au alcătuit secole la rând un fel de colonie ciudată de alienaţi mintali, întreaga economie bazându-se pe donaţiile făcute de rudele nebunilor[61]. Altare similare specializate în vindecări miraculoase ale nebunilor au apărut la mormântul Sfântului Maturinus (Mathurin) de la Larchant şi al Sfântului Acharius (Achaire) de la Haspres, în Franţa.

Se prea poate ca vindecarea nebunilor să fi exercitat o deosebită atracţie asupra credincioşilor pentru că presupunea foarte des alungarea demonilor. Aceasta era, probabil, cea mai elocventă şi mai incontestabilă demonstraţie a omnipotenţei lui Dumnezeu. Dramatismul unei exorcizări nu-şi avea egal. După o luptă şi deseori în acompaniament de zbateri şi urlete, slugile Diavolului erau silite să iasă[62]. De aici popularitatea portretizărilor pline de viaţă în Evul Mediu şi chiar până în vremea Reformei ale demonilor alungaţi, imagini ce apar şi în pictură, şi în sculptură. Un panou al marii uşi din bronz a bazilicii de la Verona, spre exemplu, datând aproximativ din anul 1100, îl înfăţişează pe Zeno, episcopul local, făcând să iasă un diavol pe gura fetei împăratului. Fresca lui Giotto din Biserica de Sus de la Assisi, finalizată în 1299, îl arată pe Sfântul Francisc alungând o gloată de demoni din oraşul Arezzo. Iar *Très riches heures du duc de Berry*, creată între anii 1412 şi 1416 drept carte de rugăciuni pentru Jean, ducele de Berry, poate cel mai reuşit exemplu de manuscris francez cu anluminuri al epocii, conţine şi ea o imagine izbitoare a exorcizării unui diavol (**pl. 11**). Însă exorcizările nu reuşeau întotdeauna. Dimpotrivă, de cele mai multe ori dădeau greş. Din fericire, se găseau de fiecare dată explicaţii plauzibile pentru eşecuri, credinţa religioasă rămânând astfel aproape intactă.

Literatura şi nebunia

O trăsătură frapantă a culturii medievale a fost apariţia unei forme foarte îndrăgite de teatru religios, aşa-numitele piese ale misterelor şi minunilor. („Mister" era o altă denumire pentru minune, iar la acea vreme cele două cuvinte erau folosite în mare măsură ca sinonime.) Diferitele cicluri ale pieselor despre minuni reprezentau un mijloc de a înfăţişa iar şi iar povestiri biblice şi de a oferi maselor mesaje morale, căci de obicei exista un şir întreg de reprezentaţii de-a lungul mai multor zile. Iniţial, acestea erau tablouri vivante reprezentate la biserică, multe fiind dedicate patimilor lui Hristos şi altor teme populare ca Adam şi Eva şi Judecata de Apoi. Pe parcursul secolului al XIII-lea, ele s-au răspândit în toată Europa, fiind jucate tot mai mult în limbile locale şi realizate de bresle.

Spectacolele înfăţişând minunile înfăptuite de Fecioara Maria sau de o panoplie de sfinţi erau elemente foarte îndrăgite ale repertoriului. Nebunia şi posedarea demonică erau teme recurente, demonstrând publicului în mod grăitor şi educativ că o cădere în păcat îi permite Satanei să-l posede pe păcătos şi apoi să-l înnebunească. Saul şi Nabucodonosor erau mari favoriţi, atât pentru divertismentul pe care-l ofereau, cât şi pentru lecţiile morale pe care le conţineau vieţile lor, aşa cum erau şi povestirile despre posedaţii din Noul Testament. Pe aceste personaje le aştepta una din două sorţi: ori să ajungă degrabă în iad, ori să fie mântuite prin harul Fecioarei sau al unuia dintre sfinţii ei.

Piesele despre minuni erau adeseori evenimente complexe, jucate de un amestec de actori ambulanţi şi localnici în zilele de sărbătoare. Spectacolele erau puse în scenă din Spania până în Ţările de Jos, din Franţa până în Germania şi în multe dintre cele mai mari oraşe engleze (deşi acolo, după Reformă, aveau să fie suprimate de Henric al VIII-lea, fiind considerate mijloace de transmitere a superstiţiilor papistaşe)[63]. Scăpate de supravegherea ecleziastică directă, piesele de teatru deviau adesea de la Scripturi în formele lor ulterioare, încorporând credinţe populare şi exagerând lecţiile pildelor biblice pentru mai mult efect dramatic. Irod, care le datora romanilor statutul său de rege al Iudeei şi care, în tradiţia creştină, măcelărise suflete nevinovate încercând să scape de pruncul Iisus, reprezenta un alt subiect cu mare popularitate. Povestea unui nebun imoral pornit să-l omoare pe Dumnezeu a căpătat treptat tot mai multe înflorituri şi a ajuns să îmbrace forme extreme, pe măsură ce versiunile latine iniţiale au fost prelucrate în limbile vernaculare, până când Irod a devenit întruparea păcătosului blasfemator şi nebun, pedepsit de Dumnezeu-Tatăl cu pierderea judecății și cu cea mai dureroasă dintre morți[64]. Aici se vede nebunia ca violență, turbare, furie fără limite – și pedeapsa de la Dumnezeu. Ciclul Chester urmărește soarta lui Irod într-o serie de piese de teatru, până la sfârșitul crunt:

> Picioarele și brațele mi-au putrezit; am făcut atâta rău
> Și acum văd roiuri de diavoli venind din iad după mine[65].

Iadul era o destinație înfățișată elocvent în cea mai mare operă literară medievală, *Divina comedie* a lui Dante; și aici, cititorul medieval descoperea nebunia ca pedeapsă divină. După ce se întâlnește cu călăuza lui, poetul Vergiliu (condamnat la primul cerc al iadului pentru că nu era creștin), Dante începe să străbată Infernul, loc plin de lamentări necontenite, un univers al sufletelor nefericite care îndurau chinuri nesfârșite și extrem de rafinate. Aici se află păcătoșii care au cedat patimii, „cei care au făcut din judecată sclava poftei". Acolo, la marginea Pădurii Sinucigașilor, se află râul de sânge clocotit, Flegeton, și nisipurile în flăcări. Pofticioșii și lacomii, necinstiții și depravații, ereticii și blasfematorii, hoții și ucigașii, preoții care-și încalcă legămintele, toți își au locul lor și sunt trecuți în revistă. Iar în a zecea și ultima bolgie a celui de-al optulea cerc al iadului, la doar o treaptă distanță de Satana însuși, se află falsificatorii, șarlatanii și prefăcuții, mincinoșii și uzurpatorii de identitate, a căror soartă e să cadă pradă leprei, dropicii – și nebuniei. Aici se află Hecuba, regina Troiei și soția lui Priam, chinuită de imaginea celor doi copii morți ai ei:

> *forsennata latrò si comme cane;*
> *tanto il dolor la fé la mente torta.*
>
> (ea voci a scos asemeni lătrăturii,/ de-amarul mult ce-i puse minții nor.)[66]

Câțiva pași mai încolo, Dante și Vergiliu întâlnesc nebunia în cea mai violentă formă a ei:

> *Ma né di Tebe furie né troiane*
> *si vider mäi i alcun tanto crude,*
> *non punger bestie, nonché membra umane,*
> *Quant'io vidi in due ombre smorte e nude,*
> *che mordendo correvan di quel modo*
> *che 'l porco quando del porcil si schiude.*
>
> (Dar nici în Troia, nici în Teba furii/ n-au rupt vrodat-atâta de-ndrăznețe/ nu membre de-om, ci fiare-ale pădurii,/ ca doi cari goi și cu scârboase fețe/ fugeau și se mușcau, și nu-ntr-alt mod/ cum fac doi porci scăpați de prin cotețe.)[67]

Apoi Dante se cutremură de groază, căci necuviincioasa Myrrha, care şi-a sedus tatăl şi a comis incest schimbându-şi înfăţişarea, trece în grabă pe lângă ei urlând şi ameninţând, înspăimântătoare la vedere. Nebunia înseamnă goliciune, violenţă, animalitate şi, mai presus de toate, răsplata păcatului. Prin toate acestea, este însăşi negarea civilizaţiei.

Această accepţiune de mare forţă a nebuniei ca o consecinţă a păcatului a fost adoptată de numeroşi scriitori medievali[68]. Însă ecuaţia putea la fel de bine să fie inversată: însuşi păcatul însemna nebunie. Ba chiar era cea mai gravă formă de nebunie, căci a încălca legile divine însemna să rişti osânda veşnică, să fii azvârlit în ororile necurmate ale lumii de dincolo pe care Dante şi-a invitat cu atâta elocinţă cititorii să le contemple: oameni cu membrele străpunse sau tăiate; un bărbat cu trunchiul despicat de sus până jos, încât era „cu maţele-ntre glezne-mpletecite,/ cu coşul spart, şi scos urâtul sac/ ce schimbă-n scârnă tot ce gura-nghite"; o mulţime de oameni ce se rotesc la nesfârşit prin faţa unui diavol care-i spintecă cu sabia, apoi îi lasă să meargă cu paşi târşiţi pe „drumul durerii" până când ajung înapoi, „cu rănile închise la loc [...] ca să-i întâlnească iar tăişul sabiei"; sau unul dintre cei osândiţi pe vecie, cu gâtul tăiat, cu nasul retezat, cu o singură ureche rămasă, „cu gâtlejul său/ ce roş de sânge-ntreg era pe-afară"[69]; şi tot aşa, un catalog al celor mai ingenioase şi mai îngrozitoare chinuri. Cine, dacă nu un nebun ar îngădui patimii şi ispitei să-i învingă raţiunea, când preţul era o suferinţă cu greu imaginabilă şi absolută? După cum s-a exprimat John Mirk, abatele de la sfârşitul secolului al XIV-lea al abaţiei de la Lilleshall, în Shorpshire: „Cine duce o viaţă odioasă poate fi sigur de un sfârşit odios"[70].

Medicina şi nebunia

În gândirea medievală, toate formele de boală, psihice şi fizice deopotrivă, erau urmările Căderii. Ispitirea fatală a lui Adam de către Eva a alungat omenirea din Rai într-o lume a depravării, dezordinii şi putreziciunii. În această lume, boala era una dintre pedepsele hărăzite de Dumnezeu păcătoşilor, un chin pe care aceştia îl meritau şi un avertisment cu privire la ceea ce i-ar putea aştepta pe lumea cealaltă. Tulburările minţii şi ale corpului îi puteau determina să se pocăiască sau, dacă nu, îi puteau duce degrabă spre iad – pe care chinul cărnii şi suferinţa minţilor bolnave nu făceau decât să-l prevestească. După cum s-a exprimat Rabanus Maurus Magnentius (aprox. 780-856), arhiepiscop de Mainz şi comentator prolific al

Sfintei Scripturi: „Boala este o meteahnă pricinuită de viciu [...]. Fierbințeala e o dorință carnală ce arde nepotolită [...]. Lepra umflată e mândria care se împăunează [...]. Are cruste pe trup acela a cărui minte a fost distrusă de poftele cărnii”[71].

Prin această prismă a credinței creștine erau interpretate cel mai adesea mințile distruse și se formau atitudinile față de nebuni. Dar, începând din secolul al XI-lea, apăruse un interes reînnoit față de o manieră alternativă de a explica nebunia și de a trata ravagiile produse de ea, manieră ce presupunea reîncarnarea unor tradiții precreștine. Această resurecție a decurs din schimbările economice și politice mai ample care au început să marcheze Europa medievală și să-i transforme cultura.

După ce popoarele migratoare s-au potolit, instituțiile politice s-au stabilizat și îmbunătățirile socio-economice aduse de noul sistem feudal au prins în cele din urmă rădăcini, astfel că Europa creștină a devenit ceva mai prosperă, mai urbană, mai ferită de primejdii. Un simptom și o demonstrație a acestei puteri și încrederi în sine crescânde din lumea creștină a fost Reconquista din Peninsula Iberică (vezi *supra*, p. 50). În anul 1064, papa Alexandru al II-lea (m. 1073) a emis o absolvire de păcate pe treizeci de ani pentru cei care încercau să recucerească regatul Aragón pentru creștinătate. Papa Urban al II-lea (1042-1099) a încercat apoi să-i convingă pe luptători să continue și să-și înmulțească cuceririle, iar mai târziu au intrat în luptă ordine militare precum Cavalerii Templieri. Treptat, maurii au fost respinși, deși ultimele rămășițe ale stăpânirii islamice au fost alungate din Spania abia odată cu căderea Granadei, în 1492.

Unul dintre efectele sforțărilor de a-i expulza pe mauri a fost o apropiere mai intimă de cultura și civilizația de limbă arabă, chiar dacă conducătorii Spaniei creștine i-au persecutat, omorât și alungat pe exponenții ei. Altul a fost lansarea unei serii de cruciade pe Pământul Sfânt, care au prilejuit și ele în mod inevitabil o mai bună cunoaștere a înfăptuirilor civilizației musulmane. După cum am menționat la începutul acestui capitol, cauzele unor schimbări fundamentale ca trecerea de la sistemul de numerație roman la cel arab, care a pregătit terenul pentru progresele din matematică, pot fi găsite în aceste contacte culturale intensificate. Este și cazul reimportării în Occident a medicinei grecești, fie în mod direct, prin textele lui Galen și ale altora, dispărute în mare măsură după prăbușirea Imperiului Roman, fie indirect, prin glosele și compilațiile marilor medici musulmani, ca Avicenna. În anumite mănăstiri supraviețuiseră texte latinești fragmentare, consultate de călugării care jucau rolul de tămăduitori în comunitățile lor (și câteodată în satele învecinate). Însă astfel de texte erau puțin numeroase. Chiar și cele mai bogate mănăstiri dețineau rareori mai mult de opt sau zece manuscrise medicale. Majoritatea se puteau lăuda în cel mai bun caz cu unul[72]. Acum însă, tratatele medicale au ajuns în Occident în număr mai mare și într-o gamă mult mai variată.

Înființarea în această perioadă a universităților a avut un rol însemnat în accelerarea acestui proces, la fel ca și formarea breslelor, între care breasla medicilor, în spațiile urbane proaspăt apărute. La Salerno, Neapole, Bologna, Padova, Montpellier, Paris, Oxford și Cambridge, educația medicală s-a dezvoltat neoficial și apoi în manieră mai organizată. Iar textele clasice și urmașele lor arabe erau traduse din siriacă, persană și arabă în greacă și latină, *lingua franca* a clasei educate în formare. Medicina academică a început să-și găsească locul și, prin breslele lor, medicii proaspăt educați au încercat să-și ratifice statutul superior și să obțină un anumit grad de control și dominație pe piața medicinei. În ultima privință au înregistrat un eșec vizibil, astfel că o gamă largă de tămăduitori au continuat să-și ofere serviciile timp de secole. Însă teoriile lor medicale au dobândit o influență tot mai mare în rândul elitei, conferindu-le acces la o piață în expansiune pentru talentele lor.

Ca oameni învățați, au creat mai ușor o cultură medicală comună și erau în posesia unui sistem intelectual complex, care le permitea să pună diagnostice și să prescrie tratamente într-o manieră sistematică. Inventarea tiparului a făcut posibilă pentru prima oară producerea în masă a cărților, permițând răspândirea rapidă a textelor pe un areal geografic amplu și rupând legătura cu vechea tradiție a scribilor, rezervată predominant mănăstirilor. Medicii puteau să facă schimb de idei și să-și creeze o conștiință comună pe vaste teritorii geografice și, totodată, puteau să-și însușească autoritatea culturală pe care le-o aducea cunoașterea textelor vechi.

O ediție care se voia completă a textelor lui Galen în greacă a fost publicată la Veneția în anul 1525, devenind baza traducerilor în latină. În același an au apărut și porțiuni din corpusul hipocratic. Spre sfârșitul secolului, aproape șase sute de ediții ale operei lui Galen fuseseră tipărite pe tot cuprinsul Europei Occidentale. Încă și mai devreme apăruseră ediții tipărite ale scrierilor marilor medici musulmani, ceea ce arăta măsura în care reînvierea medicinei clasice a depins de arabi. *Canonul medicinei* al lui Avicenna a fost tipărit în 1473 și retipărit doi ani mai târziu. A treia ediție a apărut înainte de prima versiune tipărită a oricăreia din scrierile lui Galen, iar până în anul 1500 se înregistraseră deja șaisprezece ediții. Au urmat în scurt timp și alte lucrări de medicină, între care cărți semnate de Rhazes (al-Razi), Averroes (Ibn Rushd), Hunayn ibn Ishaq, Isaac Israeli și Haly Abbas (al-Majusi)[73]. Deși legătura avea să fie ulterior refulată și uitată, până în plin secol al XVI-lea

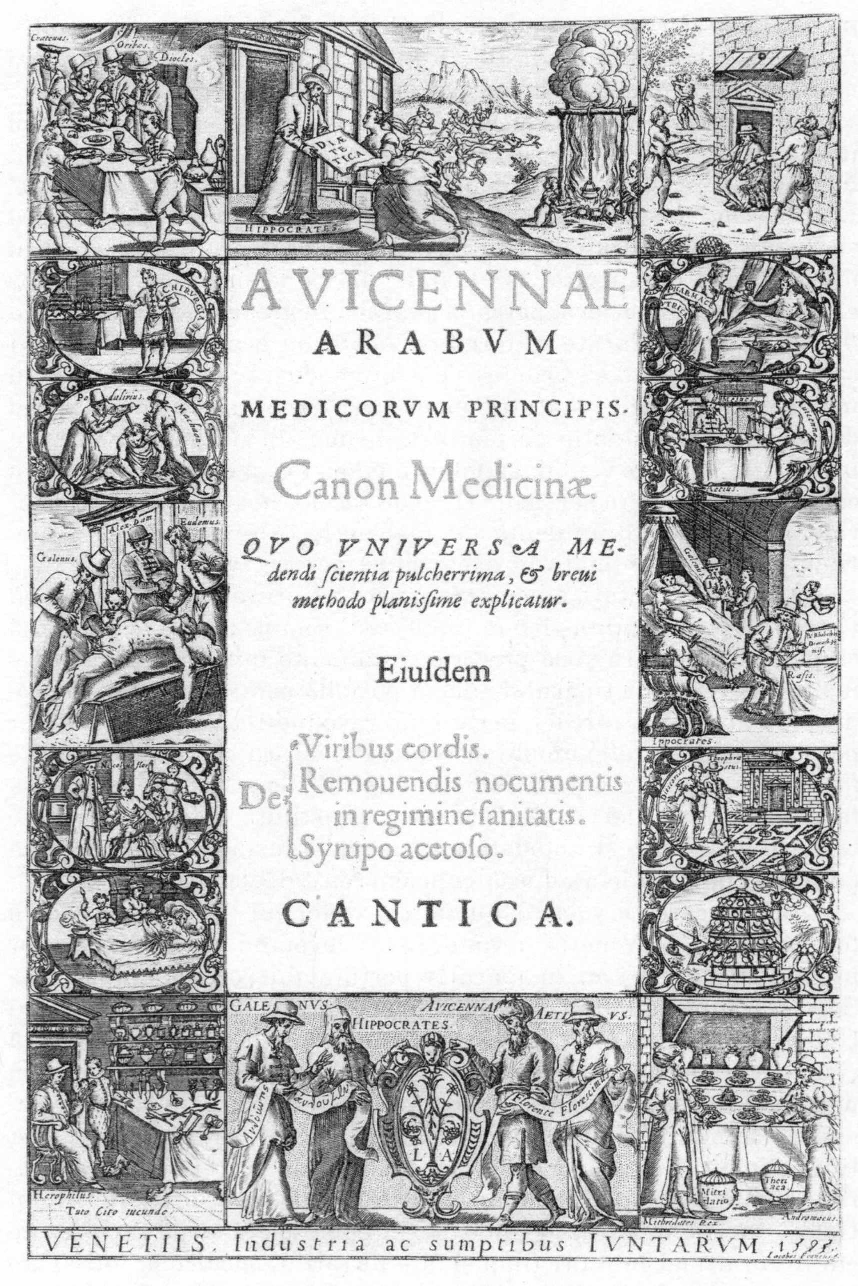

AVICENNAE
ARABVM
MEDICORVM PRINCIPIS.
Canon Medicinæ.
QVO VNIVERSA MEdendi ſcientia pulcherrima, & breui methodo planiſſime explicatur.
Eiuſdem
De { Viribus cordis.
Remouendis nocumentis in regimine ſanitatis.
Syrupo acetoſo.
CANTICA.
VENETIIS. Industria ac sumptibus IVNTARVM 1595.

Pagina de titlu a uneia dintre primele ediții ale influentului text al lui Avicenna Canonul medicinei, *tradus în latină și tipărit la Veneția, în 1595.*

medicina savantă din Europa a fost în multe privințe o prelungire a medicinei cultivate și dezvoltate în lumea vorbitoare de arabă. Practicanții ei au descoperit că dispuneau acum de o construcție intelectuală de mare forță, una care găsea simptomelor o logică și indica remedii pentru ceea ce mersese prost. Totodată, pentru pacient era liniștitor faptul că cineva înțelegea ce îi pricinuise suferința și ce ar putea s-o alunge.

Textele nu au fost singurele inovații importate din lumea islamică. Atât cruciații în Răsărit, cât și armatele spaniole în Apus întâlniseră spitale islamice (vezi *supra*, p. 56), iar aceste instituții au început să apară și în Europa Occidentală. Multe au fost înființate inițial pe lângă mănăstiri și aproape toate erau instituții mai degrabă religioase decât medicale. Primeau, spre exemplu, călători și pelerini, precum și orfani și bătrâni. Însă ofereau și ajutor bolnavilor, iar cu timpul s-au dezvoltat și au început să-și depășească originea religioasă, dobândind o identitate medicală mai clară. Unele erau mici, însă altele – la Paris, Florența, Milano și Siena – au ajuns să adăpostească sute de pacienți.

Unele au început să se specializeze în îngrijirea nebunilor. Spitalul Bethlehem avea să devină într-un final cea mai faimoasă instituție de acest tip din lumea vorbitoare de limbă engleză. Numit de obicei Bedlam (denumire care va fi folosită în general aici), a avut o evoluție treptată până la statutul de casă de nebuni. Înființat în 1247 la Abația Sfintei Marii din Bethlehem, la Bishopsgate, chiar în afara zidurilor de apărare ale Londrei, a primit în anii de început obișnuita adunătură eterogenă de neputincioși și dependenți, străini și pelerini care erau clienții primelor spitale. Dar la un moment dat, spre sfârșitul secolului al XIV-lea, a început să capete reputația că s-ar îngriji de nebuni, deși numărul de pacienți de acest fel pe care-i primea era foarte mic. O vizită în anul 1403 a consemnat prezența a șase internați care erau *menti capti*, lipsiți de uzul rațiunii. Numărul pacienților avea să depășească o sută abia la sfârșitul secolului al XVII-lea. Ceva mai devreme, în 1632, clericul Donald Lupton (m. 1676) scrisese că spitalul „ar fi prea mic dacă s-ar aduce aici toți cei care și-au ieșit din minți”[74].

În Spania, urmându-se precedentul arab, un șir întreg de aziluri – șapte în secolul al XV-lea, la Valencia, Zaragoza, Sevilla, Valladolid, Palma de Mallorca, Toledo și Barcelona – s-au specializat în instituționalizarea și îngrijirea nebunilor. Nu putem decât bănui ce fel de tratamente erau aplicate în aceste locuri în vremurile medievale. Deși izolarea nebunilor de societate avea să devină o procedură de rutină peste câteva secole, este esențial să nu uităm că aceste așezăminte constituiau excepția, și nu regula, în epoca medievală și la începutul epocii moderne, când majoritatea nebunilor continuau să fie în responsabilitatea familiilor şi rămâneau în comunitate, fie privaţi de libertate printr-o diversitate de soluţii practice ad hoc dacă erau socotiţi periculoşi, fie lăsaţi să umble liberi (şi să putrezească) dacă nu erau consideraţi astfel.

Înarmaţi cu medicina umorilor, unii medici au căutat, asemenea lui Galen şi hipocraticilor înaintea lor, să înţeleagă nebunia şi să le aplice alienaţilor mintali repertoriul lor de panacee. Sistemul lor intelectual plasa originile nebuniei în organism şi o considera un eveniment natural, nu supranatural. Însă medicii erau destul de prudenţi – şi încă nu suficient de siguri pe statutul lor – ca să confirme şi situaţii de posedare demonică şi, periodic, să le încredinţeze confraţilor clerici diverse cazuri. În cele din urmă avea să apară un conflict între aceste două interpretări contrastante ale nebuniei, dar deocamdată, la fel ca toţi ceilalţi oameni, medicii adoptau o gamă întreagă de explicaţii şi maniere de abordare a celor cu minţile tulburate. În situaţii atât de disperate şi de chinuitoare, de ce să nu încerci orice ar putea oferi o şansă de ameliorare? Dacă aceste credinţe şi practici ne par contradictorii, poate că aşa şi erau. Însă nebunia nu avea un înţeles singular şi nu răspundea la o abordare singulară. Clericii care administrau moaştele sfinte jubilau când li se aduceau spre alinare nebuni pe care medicii nu-i vindecaseră, mai ales în puţinele cazuri în care se producea însănătoşirea. Deseori luau în râs nesăbuinţa de a cere mai întâi ajutorul doctorilor, oameni şi ei[75]. Dar în ultimă instanţă mulţi dintre ei erau dispuşi şi să accepte că, ocazional, nebunia era rezultatul stresului psihic, al unei catastrofe, al unui traumatism fizic sau al dezechilibrării violente a organismului într-un fel sau altul. Căile Domnului erau multe şi necunoscute.

Capitolul 4

Melancolie și nebunie

Zâne, duhuri, spiriduși și vrăjitoare

Istoricilor le place să numească perioada cuprinsă între sfârșitul secolului al XV-lea și zorii secolului al XVIII-lea în Europa epoca modernă timpurie. A fost o perioadă de mari transformări religioase, politice, culturale și economice, martora sfârșitului sistemului feudal și a apariției statului național, a lărgirii comerțului și piețelor în Europa, a expedițiilor maritime în jurul globului și a sporirii puterii monarhilor absolutiști. A fost martora pierderii de către Biserica Catolică a influenței asupra unor porțiuni din Europa, când diferitele manifestări ale Reformei protestante au prins rădăcini și au reușit în mare măsură să respingă încercările de Contrareformă, cel puțin în nordul Europei. Și a fost martora uriașelor trnasformări culturale pe care le numim, prea schematic, Renaștere: reînsuflețirea studiilor clasice; răspândirea culturii tiparului; efervescența în artele plastice, arhitectură, muzică, literatură, teatru și crearea de noi cunoștințe; și nașterea Revoluției Științifice. Ca să nu mai pomenim un aspect ce pare să facă notă discordantă pe această listă, dacă nu ne amintim de secolul de războaie religioase și vărsări de sânge care au însoțit Reforma: vânători de vrăjitoare pe tot cuprinsul Europei, o veritabilă epidemie de procese, torturi și execuții – morți cumplite, cel mai adesea prin ardere pe rug, deși unele vrăjitoare au fost spânzurate sau înecate, dezmembrate ori strivite sub mormane de pietre.

Mania europeană a vrăjitoarelor a fost atât de dramatică și cu viață atât de lungă în multe regiuni[1], încât a atras enorm de multă atenție. *Bien-pensants* ai Iluminismului din secolul al XVIII-lea au respins-o drept falsă și neghioabă, produsul ignoranței și superstițiilor populare, stimulate de exploatarea credulității păturilor inferioare de către Bisericile creștine – în special, din punctul de vedere al unor personalități printre care se număra și filosoful francez Voltaire (1694-1778), de Biserica Romei. (În realitate, vânătorile de vrăjitoare au fost la fel de răspândite în teritoriile protestante ca și în cele

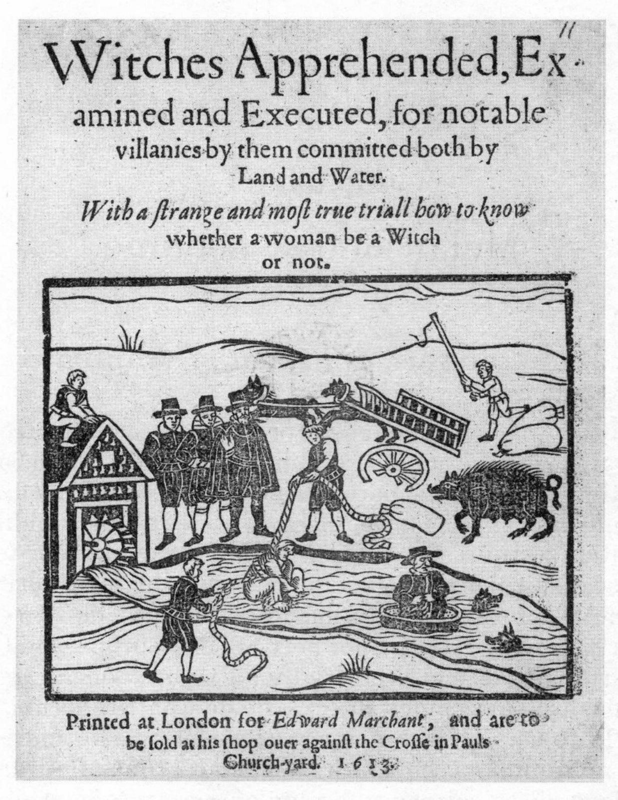

Witches Apprehended, Ex-
amined and Executed, for notable
villanies by them committed both by
Land and Water.

With a ſtrange and moſt true triall how to know
whether a woman be a Witch
or not.

Printed at London for *Edward Marchant*, and are to
be ſold at his ſhop ouer againſt the Croſſe in Pauls
Church-yard. 1613.

Vrăjitoare prinse *(1613), o descriere a „numeroaselor și condamnabilelor practici ale mamei Sutton și ale lui Mary Sutton, fiica ei" din Bedford (Anglia). Gravura o înfățișează pe Mary cufundată într-un râu – „o probă stranie și demnă de toată încrederea cu ajutorul căreia se poate afla dacă o femeie este sau nu vrăjitoare". Cele două femei au fost ulterior condamnate pentru vrăjitorie și executate.*

catolice și cu urmări la fel de fatale.) Vrăjitoarele erau privite în mod obișnuit ca aflându-se în cârdășie cu diavolul, ba chiar despre multe se afirma că s-au împreunat cu el. (Mărturiseau acest lucru sub tortură – ceea ce ducea la aplicarea unor torturi și mai cumplite, menite să le omoare.) Erau ele însele posedate de demoni și făceau ca și victimele lor să fie posedate. Se făceau răspunzătoare de tot felul de nenorociri, dintre care unele se abăteau asupra unor persoane, iar altele (cum ar fi pierderea recoltelor, epidemiile și calamitățile naturale) afectau comunități întregi. S-a estimat că între 50.000 și 100.000 de vrăjitoare au pierit de mâna persecutorilor înainte ca mania uciderii lor (dar nu întotdeauna și credința în existența lor) să se stingă într-un final.

Majoritatea modernilor au în comun cu Voltaire şi cu filosoful David Hume (1711-1776) scepticismul faţă de acest supranaturalism, un dispreţ raţional pentru noţiunile de demoni şi magie aflate la baza lumii vrăjitoarelor. Aşa cum am văzut, vreme de secole înainte de epoca modernă posedarea demonică fusese explicaţia obişnuită pentru anumite tipuri de nebunie, iar când primii istorici ai psihiatriei s-au uitat nedumeriţi la o lume îmbibată de spirite ale cărei presupoziţii nu le împărtăşeau, au fost foarte tentaţi să contopească persecutarea vrăjitoarelor cu cea a nebunilor. Vrăjitoarele (şi cei vrăjiţi), au conchis ei, erau de fapt bolnavi psihici, sub alt chip: persoane amăgite, care au căzut victime demonologiei epocii.

Această idee pur şi simplu nu ţine, şi nu numai pentru că majoritatea persoanelor acuzate de vrăjitorie (deşi nicidecum toate) erau femei vârstnice, pe când nebunii, atunci, ca şi acum, se găseau în toate păturile societăţii, bătrâni şi tineri, bărbaţi şi femei deopotrivă. Unele vrăjitoare erau persoane pe care acum le-am considera nebune, iar unii dintre nebuni au continuat să fie socotiţi posedaţi de diavoli sau pedepsiţi de Dumnezeu. Însă, chiar dacă aceste categorii se intersectau, oamenii vremii le considerau cât se poate de distincte; şi aşa şi erau în general. În secolele al XVI-lea şi al XVII-lea, atât oamenii educaţi, cât şi cei needucaţi credeau că Satana intervine în viaţa cotidiană şi că lumea e plină de spirite şi duhuri – credinţe pe care le apărau ca fiind fundamentate pe Scriptura divină şi pe dovezile obţinute din proprie experienţă. În lumea lor, moartea era omniprezentă, dar la fel era şi Satana. Ambele erau la fel de reale. Iar Satana stătea mereu la pândă, căutând suflete de momit şi păcătoşi pe care i-ar putea coopta în slujba lui, anihilându-le împotrivirea la uneltirile lui şi transformându-i în instrumente ale răului.

Apologeţii catolici vedeau în reformatorii protestanţi slugile Satanei, eretici înhăitaţi cu forţele întunericului. Oameni ca Martin Luther (1483-1548) răspundeau acuzaţiei cu asupra de măsură. Papa era „Antihristul" şi, susţinea teologul englez George Gifford (aprox. 1548-1600), „falsa lui religie a fost creată [...] prin eficacitatea puterii [Satanei]"[2]. Pentru majoritatea protestanţilor, ritualul exorcizării era un vicleşug în care Diavolul se prefăcea a părăsi corpul posedaţilor pentru a întări credinţele privitorilor amăgiţi în superstiţiile şi idolatria promovate de papistaşi. Luther însuşi a denunţat energic aceste prefăcătorii preoţeşti:

> Cine ar putea să enumere toate înşelăciunile făptuite în numele lui Hristos sau al Mariei pentru a alunga duhurile diavoleşti! [...] Aceste duhuri îşi fac acum apariţia şi aduc confirmarea purgatoriului, liturghiilor pentru morţi, slujbelor tuturor sfinţilor, pelerinajelor, mănăstirilor, bisericilor şi capelelor [...]. Dar toate acestea vin de la diavol, ca el să-şi

continue mârșăvia și minciunile și să-i țină pe oameni subjugați, prizonieri ai greșelii [...]. Pentru diavol este un fleac să se lase expulzat, dacă vrea el, de un ticălos afurisit; și totuși, el rămâne de fapt neexpulzat, pentru că astfel îi posedă pe oameni cu atât mai ferm, captivi ai înșelătoriei lui rușinoase[3].

Thomas Hobbes (1588-1679) anatemiza „părerea pe care oamenii needucați o au despre zâne, duhuri și spiriduși și puterea vrăjitoarelor”[4], însă perspectiva lui era cea care se abătea de la normă. A respinge ideea de vrăjitorie și de posedare demonică însemna a amenința adevărurile creștinismului și perspectiva mântuirii omului, ba chiar a îmbrățișa ateismul. Însemna, după cum s-a exprimat Joseph Glanvill (1636-1680), cleric și membru al Societății Regale, „negarea duhurilor, a vieții viitoare și a tuturor celorlalte principii ale religiei”[5]. Numai un „neghiob, a adăugat el, își dă ifose, pufnește și jură că nu există VRĂJITOARE”. Glanvill nu era filosof naturalist (aceasta nu era încă epoca „omului de știință”, termen care avea să fie inventat abia în secolul al XIX-lea), deși era probabil cel mai de seamă apologet al noilor învățați, filosofii naturaliști de frunte ai epocii, iar în această privință, ca și în atâtea altele, dădea glas concepțiilor acestora.

Între contemporanii educați ai lui Glanvill, puțini se îndoiau că diavolii și vrăjitoarele există sau că se comportă potrivit legilor naturii[6]. Această ultimă idee era importantă: Satanei îi lipsea puterea divină de a învinge legile naturii. El și slugile lui făceau fapte uimitoare, nu minuni. Acestea din urmă îi erau rezervate lui Dumnezeu, astfel că se acorda foarte multă atenție distincției dintre „Mirum” și „Miraculum”. Lambert Daneau (1530-1595), teolog calvinist francez, a exprimat acest consens: „Satana nu poate să facă nimic decât prin mijloace și cauze naturale [...]. Cât privește oricare alt lucru care cere forțe mai mari, nu îl poate face”[7].

Practicanții medicinei (ca și ai fizicii) rezervau în lumea lor un loc pentru duhurile malefice, iar controversele lor cu clericii nu vizau chestiunea „natural *versus* supranatural”, ci unde să fie trasate granițele. În medicină, aceasta însemna să se decodifice care cazuri trebuie să fie explicate prin prisma umorilor și care să fie atribuite efectelor puterii divine sau ale celei diabolice. Era o problemă delicată, ce stârnea dispute între învățați, iar controversele cu privire la diferite cazuri particulare nu urmau neapărat liniile distincțiilor dintre teologic și medical. Dimpotrivă, autorii de lucrări medicale științifice discutau despre demonic ca sursă de patologie la fel de des cum o făceau contemporanii lor teologi, iar cei care țineau de medicina convențională se deosebeau prea puțin (uneori chiar deloc) în aceste chestiuni de cei care se specializau în scrieri despre

Femeia posedată sau Exorcism *(aprox. 1618) de Jacques Callot. O femeie desculță, vizibil scoasă din minți și agitată, cu brațele întinse, se lasă pe spate, ținută bine de doi bărbați, în timp ce preotul din stânga o invocă pe Fecioara Maria pentru a alunga demonul care o posedă.*

vrăjitorie. În studiile asupra diabolicului, exorcistul catolic Francesco Maria Guazzo (n. 1570), autorul influentei lucrări *Compendium Maleficarum* sau *Cartea vrăjitoarelor* (1608), se baza în mare măsură pe scrierile publicate ale „altor medici foarte învățați"[8]. Medicii și clericii – atât protestanți, cât și catolici – aveau convingerea că anumite forme de nebunie sunt o suferință spirituală, rezultatul posedării demonice sau al pedepsei divine pentru păcat; totodată, erau pregătiți să accepte că alte forme erau un tip de boală, provocat de o leziune traumatică sau de tulburări somatice cu efecte psihice[9].

Nebunia melancolică

Una dintre cele mai remarcabile caracteristici ale discursului asupra nebuniei în secolele al XVI-lea și al XVII-lea a fost o pronunțată vogă intelectuală a melancoliei, numeroase personalități renascentiste scriind pe această temă în limbile vernaculare pe tot cuprinsul Europei[10]. Interpretările acestei afecțiuni erau mult îndatorate textelor proaspăt intrate în circulație ale lui Avicenna și, mai de dinainte, ale lui Rufus din Efes și ale lui Galen și acordau importanță la ceea ce Andrew Boorde (aprox. 1490-1549), medic și teolog englez, numea „o umoare melancolică rea". El scria: „Cei care se molipsesc de această nebunie trăiesc mereu cu frică și groază și sunt convinși că nu le va fi bine niciodată, ci vor fi veșnic pândiți de primejdii fie pentru sufletul, fie pentru trupul lor, fie pentru ambele, astfel că fug dintr-un loc în altul și nu știu unde să-și găsească stare, ci doar că trebuie să fie ocrotiți"[11]. Negura și încețoșarea minții acestor oameni erau atribuite, în general, umorilor întunecate – bila neagră sau bila galbenă arsă și acră, ale căror reziduuri viciau organismul.

În concordanță cu tradiția, apariția melancoliei era atribuită unor cauze diverse. Unele cazuri, potrivit lui Andreas Laurentius (1560?-1609), profesor de anatomie la Montpellier (și un om care se conforma cu sfințenie gândirii lui Galen în tot ce ținea de medicină), „apar numai și numai din vina creierului". Dar melancolia putea fi și o tulburare mai sistemică, „atunci când [...] temperatura și constituția organismului sunt în întregime melancolice", sau, într-o altă formă, „melancolia flatulentă sau gazoasă [...] se ivește din intestine, dar mai cu seamă din splină, ficat și membrana numită mezenter" – „o afecțiune uscată și fierbinte" pe care, în altă parte, o numea „boala ipohondriei"[12].

Originilor variate ale melancoliei le corespundea simptomatologia ei versatilă. „Toate persoanele melancolice au imaginația tulburată", spunea Laurentius, dar în multe cazuri și „judecata viciată"[13]. Medicul englez Timothie Bright (1551?-1615), contemporanul lui, se arăta de acord. Melancolicii vădeau, așa cum sugerează cuvântul și azi, „teamă, tristețe, disperare, lacrimi, plâns, oftaturi, suspine [...]" și „fără motiv [...] ei nu pot nici să accepte consolări, nici să spere la siguranță, chiar dacă nu există vreun motiv de frică sau nemulțumire, nici vreo sursă de primejdie". Însă perturbările umorilor, din care rezulta boala, sunt cele vinovate „de poluarea substanței și totodată a spiritului creierului" și, astfel, „contrafac obiecte teribile pentru fantezie [...] [și] o determină ca, fără vreun motiv extern, să făurească năluciri monstruoase", așa încât „inima, care nu posedă prin sine judecată și discernământ, ci dă crezare la ceea ce spune eronat creierul, se dezlănțuie în acea pasiune necontrolată, în pofida rațiunii"[14]. Astfel, melancolicii puteau să sufere de halucinații și idei delirante, pe lângă tulburările de dispoziție și afect evidente pentru cei din jurul lor.

Puțini i-ar invidia pe cei care suferă de un astfel de catalog al afecțiunilor. Ca lucrurile să stea și mai prost, se recunoștea pe scară largă că „toate bolile melancolice sunt rebele, îndelungi și foarte greu de vindecat" – și, prin aceasta, „năpasta și chinul medicilor"[15]. Atenția sporită la alimentație, mișcarea, aerul curat și un mediu sănătos, băile calde, muzica liniștitoare și somnul erau esențiale pentru orice speranță de ameliorare, la fel ca armele tradiționale ale medicului bine instruit – lăsarea de sânge, ventuzele, scarificarea, vomitivele și purgativele –, toate utilizate cu grijă, într-un demers susținut de a reda echilibrul organismului și, astfel, de a potoli perturbările rațiunii, patimile și imaginația.

Totuși, în aceeași perioadă, melancolia a devenit și un fel de tulburare la modă în rândul claselor cultivate, o suferință la care păreau a fi deosebit de predispuși cărturarii și geniile. Și această idee își avea originile în Antichitatea clasică. Filosofia naturală aristotelică fusese reînsuflețită prin accesul reînnoit la învățăturile clasice, iar în această tradiție filosofică, ideea că melancolia și realizările excepționale sunt strâns legate între ele fusese îndelung explorată – de către unii dintre cei mai devotați discipoli ai lui Aristotel, dacă nu de însuși marele om. Atât intelectul, cât și imaginația erau stimulate, se părea, de existența dispoziției melancolice, o legătură glorificată în faimosul cuplet al poetului John Dryden, care spune că „Marile intelecte se însoțesc cu nebunia strâns și negreșit,/ Iar între ele zidul e subțire"[16]. Astfel, Rafael îl pictează pe îngânduratul Michelangelo drept Heraclit în fresca sa *Școala din Atena* (1509/1510) de la Vatican, iar celebra gravură *Melancolia I* (1514) a lui Dürer îl înfățișează pe geniul creator înaripat ca fiind stăpânit de nebunia melancolică.

Concepțiile de acest fel au fost dezvoltate pe larg în cea mai mare compilație a gândirii renascentiste pe tema melancoliei, *Anatomia melancoliei*, publicată în 1621 sub pseudonimul Democritus Junior, în spatele acestuia aflându-se Robert Burton (1577-1640), profesor și teolog la Oxford. La vremea ultimei sale ediții, cea postumă, apărută în 1660, tomul cuprindea aproape 1.500 de pagini, o compilație și o sinteză a cunoștințelor și învățăturilor occidentale în domeniu care încorpora opera predecesorilor lui Burton și îi plasa în umbra sa. Poate că propriul temperament melancolic l-a încurajat pe Burton să elogieze legăturile între melancolie și creativitate, deși cunoștea intim, cu siguranță, depresia paralizantă pe care dispoziția neagră

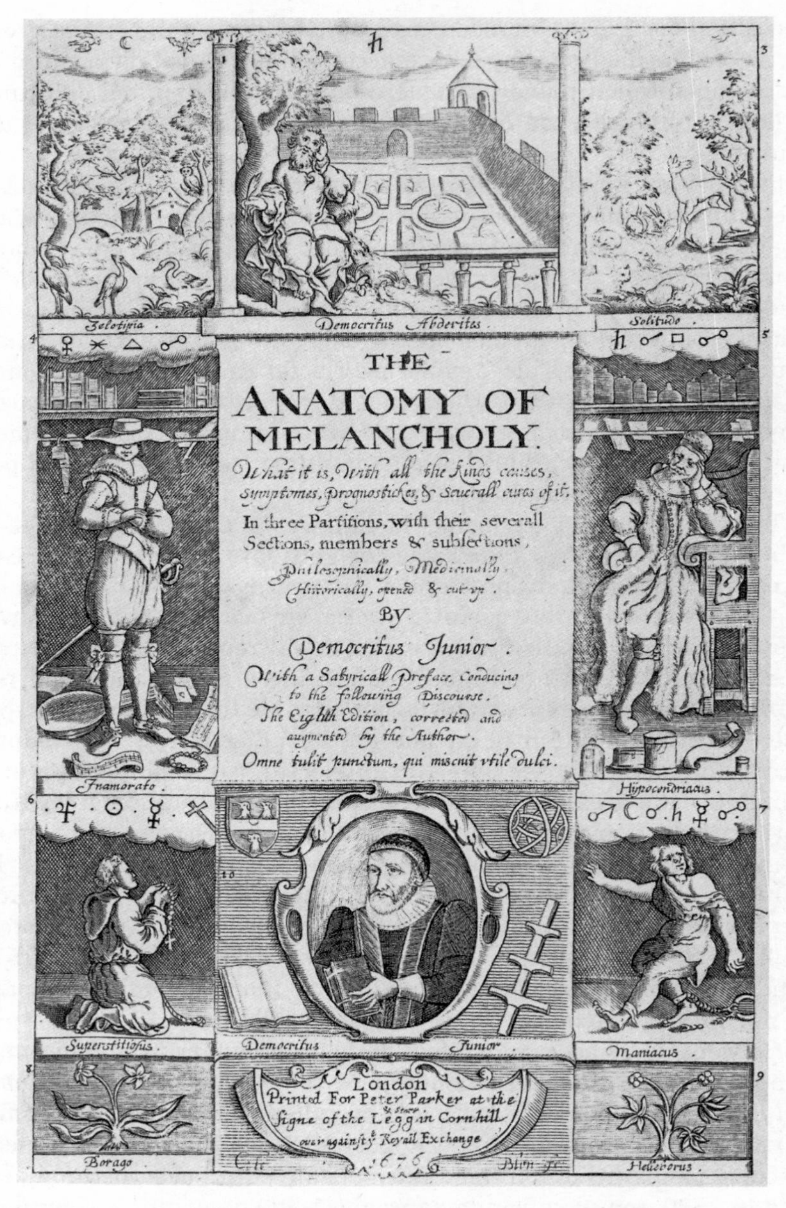

Anatomia melancoliei: *acest frontispiciu a apărut pentru prima oară în a treia ediție a renumitei cărți semnate de Robert Burton. Înfățișează diferite forme ale nebuniei melancolice, precum și animale, plante și semne astrologice asociate cu alienarea mintală, plus imaginea unui nebun în delir care se sforțează să scape din lanțuri, cu chipul schimonosit de furie.*

putea să o aducă cu sine. El afirmă că *„lucrurile despre care alţii au auzit sau citit eu le-am simţit şi trăit pe propria-mi piele"* şi comentează ironic că, dacă *„ei îşi iau cunoştinţele din cărţi, eu mi le iau melancolizând"*. Pentru el, ca şi pentru majoritatea predecesorilor săi, *„teama şi mâhnirea* sunt adevăratele trăsături şi tovarăşii inseparabili ai celor mai multe *melancolii"* – stări afective care îl lovesc pe suferind *„fără nici un motiv vizibil"*, element ce servea la diferenţierea melancoliei de cealaltă formă principală a nebuniei, mania[17].

Asemenea predecesorilor săi medici (din care citează abundent), Burton privea melancolia ca fiind în general produsul unui dezechilibru al umorilor şi îndeosebi al unui exces de bilă neagră. Respingea tendinţa de a apela la „vrăjitori, vrăjitoare, magicieni etc." în căutarea leacurilor (sau, cum prefera el să se exprime, a „leacurilor nelegiuite"), recomandându-le în schimb pe cele „pe care le-a lăsat Dumnezeu" – cu precădere remediile antiflogistice sau de alinare oferite de „slujitorii şi mijlocitorii lui Dumnezeu", medicii. Aşadar, lăsarea de sânge şi medicamentele pentru „purgaţie în sus sau în jos", lipitorile şi deschiderea venelor cu lanţeta, băşicarea şi ventuzele, dar şi celălalt instrument obişnuit al doctorilor, atenţia la aşa-numitele elemente non-naturale: „alimentaţia, retenţia şi evacuarea, aerul curat, antrenarea corpului şi a minţii deopotrivă, somnul şi trezirea şi pătimirile sau perturbările minţii"[18]. Mai presus de toate, Burton îi sfătuia pe cei care voiau să evite truda şi neplăcerile melancoliei: *„Feriţi-vă de solitudine şi de trândăveală"*[19].

Totuşi, şi e un amendament foarte important, nu toate cazurile de melancolie puteau fi explicate sau tratate astfel. Deşi recomanda intervenţiile medicale, Burton le prescrisese cititorilor săi care sufereau de melancolie: „Începeţi cu rugăciunile şi după aceea folosiţi medicamentele; nu unele fără celelalte, ci împreună"[20]. Dar mai întâi rugăciunea. Asta în cazurile în care melancolia îşi avea originile în corp. Totuşi, ea putea să izvorască şi din alte surse, caz în care relevanţa medicinei era mai puţin limpede. Burton a scris pe larg despre melancolia religioasă şi, la fel ca aproape toţi bărbaţii educaţi ai epocii sale, avea un sentiment viu al prezenţei active a Satanei în lume, al capacităţii sale de a se materializa în viaţa oamenilor, de a-i ispiti şi chinui. „Cât de departe ajunge puterea duhurilor şi a diavolilor, scria el, şi dacă pot să pricinuiască această boală sau oricare alta este o întrebare serioasă, la care merită să chibzuim." Şi: „Mulţi cred că el poate lucra asupra corpului, dar nu şi asupra minţii. Însă experienţa arată altceva, că poate să lucreze şi asupra corpului, şi asupra minţii". „Începe cu imaginaţia şi o mişcă cu atâta forţă, încât nici o raţiune nu se poate împotrivi [...] dintre toate, persoanele melancolice sunt cele mai expuse ispitelor şi iluziilor diabolice și cele mai înclinate să le nutrească, iar diavolul își poate face lucrarea cel mai bine asupra lor" – deși, „dacă asta se întâmplă prin obsesie, prin posedare sau pe altă cale, nu voi spune, căci este o chestiune dificilă"[21].

Nici prin aceasta Burton nu se plasa într-o contradicție fundamentală cu contemporanii săi din domeniul medicinei, care erau de acord că mintea, corpul și sufletul sunt strâns unite. Timothie Bright, spre exemplu, care a practicat medicina, însă mai târziu s-a hirotonit, considera că singura soluție eficace pentru cei care sufereau de „chinuri sufletești din cauza conștiinței păcatului" era consolarea spirituală. Aceste ființe torturate nu aveau beteșugul „melancoliei naturale", oricât de asemănătoare ar fi fost „infirmitățile minții", iar îngrijirea medicală în astfel de cazuri avea să se dovedească zadarnică[22]. Andrew Boorde susținuse că, pe lângă nebunia ce-și avea originea în corp, exista și „un alt soi de nebunie. Iar cei care au această nebunie sunt posedați de diavol și sunt persoane diavolești"[23]. Felix Platter (1536-1614), care preda medicina la Universitatea Basel, a întâlnit melancolici care „s-au convins singuri că sunt damnați, părăsiți de Dumnezeu și [...] se tem de judecata de apoi și de osânda veșnică". Asemenea altor forme de „alienare a minții", aceste perturbări erau adesea „naturale, un anumit afect afectând corespunzător creierul, sălașul rațiunii". Dar se puteau dovedi la fel de bine a fi „supranaturale, venind de la un duh malefic". Iar dacă tulburarea depindea de o *„cauză supranaturală* venită de la *diavol"*, mijloacele de a o vindeca „nu îi aparțin nicidecum medicului". În loc de medicină, *„diavolul* este alungat cu de-a sila prin rugăciunile preoților și ale oamenilor evlavioși, în numele lui Iisus"[24].

Nu rareori preoțimea care se îngrijea de sufletele oamenilor se interesa și de bolile trupurilor lor. În Europa Occidentală nu exista un sistem eficient de autorizare prin care vindecarea să fie apanajul unui grup definit de specialiști, iar dacă clericii erau chemați să trateze suferințele fizice ale celor pe care-i păstoreau, nu e deloc surprinzător să aflăm că încercau și să le aducă alinare celor cu mintea chinuită. Datorită supraviețuirii întâmplătoare a carnetelor de însemnări ale unui astfel de practician provincial, preotul anglican Richard Napier (1559-1634) (**pl. 15**), și dezgropării lor grijulii de către Michael MacDonald, istoric modern al psihiatriei, știm multe despre pacienții acestuia, despre suferințele lor și despre tipurile de tratament aplicate de Napier. Poate 5% dintre pacienți apelau la el pentru probleme psihice: nebuni, abătuți, melancolici și disperați veneau să-i ceară sfatul, uneori de la distanțe considerabile, la fel cum făceau și oamenii de rând și cei mai înstăriți din împrejurimile parohiei lui din nordul ținutului Buckinghamshire, în speranța de a se vindeca de o gamă largă de suferinţe fizice. Cleric tradiţionalist, educat la Oxford, cu siguranţa unui trai anglican, Napier răspundea în mod eclectic nevoilor lor.

Asemenea contemporanului său Galilei (1564-1642), Napier era astrolog şi, asemenea lui Isaac Newton (1642-1727), se ocupa mult şi de alchimie, fapt ce ne aminteşte cât de mult se deosebea lumea mentală chiar şi a celor mai educaţi oameni din secolul al XVII-lea de cea în care trăim acum şi cât de uşor conciliau într-un cadru de referinţă comun ceea ce noi socotim universuri mentale contradictorii[25]. Napier utiliza aceste practici oculte în tratarea pacienţilor săi, consemnându-le cu atenţie simptomele şi folosind astrologia, de exemplu, ca să le stabilească prognoza. Totodată, le lua sânge, le administra purgative şi vomitive şi le dădea să poarte amulete magice pe care erau gravate simboluri astrale. Pentru „oricine e abătut şi bolnav la creier sau altfel [vătămat] de orice formă de vrăjitorie sau farmece", el recomanda: „Mai întâi ia-le sânge [...] apoi spune «Doamne, Te rog, fă să iasă din acest bărbat sau această femeie sau acest copil putreziciunea Satanei care îl chinuie atât de tare!»"[26]. Era o combinaţie eclectică de magie, religie, supranaturalism şi medicină ce părea să se potrivească cu credinţele oamenilor educaţi şi ale celor de rând deopotrivă, care gândeau că aceste domenii pot şi chiar trebuie să fie conciliate de cei care căutau să influenţeze cursul unei diversităţi de boli. Aceasta i-a adus lui Napier mii de pacienţi între anii 1597 şi 1634, perioada din care au supravieţuit carnetele lui, plus o avere considerabilă.

Richard Napier a tratat o mare diversitate de afecţiuni psihice, unele minore, altele evident foarte grave. Între pacienţii lui se numărau mai multe femei decât bărbaţi: a tratat 1.286 de cazuri de tulburări psihice la femei şi numai 748 la bărbaţi, în pofida dispreţului său făţiş faţă de femei şi de capacităţile lor intelectuale. E greu de ştiut cum trebuie interpretate aceste diferenţe între sexe. Reflectau un dezechilibru în proporţia dintre sexe la nivelul populaţiei locale? Tendinţa mai pronunţată a femeilor de a se destăinui medicilor? Frecvenţa unor probleme ginecologice prelungite care făceau ca viaţa multor femei să fie nefericită? Sau o vulnerabilitate mai mare a femeilor din această epocă la tulburările psihiatrice? Chiar şi MacDonald, care a petrecut ani încercând să elucideze acest mister, mărturiseşte că nu a reuşit să ajungă la o concluzie clară. Pacienţii erau şi bogaţi, şi săraci, dar predominant din păturile de mijloc – fermieri, meşteşugari şi soţiile lor –, deşi începând de la jumătatea anilor 1610, când reputaţia lui Napier a sporit, i-au solicitat serviciile şi unii membri ai nobilimii – conţi şi contese, chiar şi fratele unui duce. Mulţi erau profund nefericiţi şi deznădăjduiţi, adesea în urma unei supărări sau pierderi. Alţii prezentau tulburări ale percepţiei şi aveau halucinaţii ori idei delirante active. Napier tindea să-i numească pe aceşti oameni „ameţiţi" sau „distraţi". Cazurile de tulburări comportamentale grave, pacienţii înclinaţi spre deliruri extreme şi fapte imprevizibile, cei care ameninţau cu acte violente sau le comiteau, punând în pericol şi poate omorând persoane ori distrugând bunuri, alţii care păreau a fi în pragul autodistrugerii: pentru aceşti oameni, poate unul din douăzeci de pacienţi cu tulburări psihice care i se adresau, rezerva cuvântul „nebun". Acestea erau, atât pentru el, cât şi pentru familiile suferinzilor, cele mai grave şi mai tulburătoare forme de boli psihice, cazurile cele mai dificile şi deopotrivă mai urgente cu care intra în contact: ignorând constrângerile fireşti care guvernează conduita, nepăsători faţă de politeţurile şi ierarhiile sociale, înspăimântător de imprevizibili, dezgustători şi absolut imposibil de controlat. Dacă alienaţii mintali de felul acesta erau puşi în lanţuri, măsura era luată mai mult din cauza fricii pe care o trezeau decât din cauza cruzimii temnicerilor[27]. În fond, aceşti nebuni ameninţau să întoarcă lumea cu susul în jos.

Trasarea graniţelor

Desigur, problema trasării liniei de demarcaţie dintre cazurile de tulburări psihice care ţineau de domeniul medicinei şi cele care ţineau de preoţime era una complexă şi o chestiune care, în mod firesc, stârnea adesea invidii şi dispute profesionale. John Cotta (1575-1650), care practica medicina în Northampton, nu departe de Napier, insista asupra „necesităţii consultării unui medic [...] în toate bolile presupuse a fi pricinuite de diavol"[28]. Arăta dispreţ faţă de „practicanţii ignoranţi" care îşi băgau nasul în chestiuni medicale, îndeosebi „oameni ai Bisericii, vicari şi pastori care inundă acum regatul nostru cu această înstrăinare a rolului şi îndatoririlor proprii şi cu uzurparea celor care le aparţin altora"[29]. Poate că una dintre ţintele sale era vecinul Napier, dar nu avem de unde şti. Tensiunile profesionale subiacente sunt însă clare, deşi Cotta nu nega că „multe lucruri care vădesc o mare putere şi sunt de mirare, aflate mai presus de raţiune şi dincolo de puterea naturii, au fost săvârşite prin [...] o adevărată lucrare a diavolului"[30].

Cel puţin la suprafaţă, o ilustrare deosebit de tensionată a acestui gen de conflict s-a desfăşurat la Londra, începând din ultimul an al domniei reginei Elisabeta I, în aprilie 1602. O tânără fată, Mary Glover, a primit sarcina de a-i duce un mesaj lui Elizabeth Jackson, o bătrână care locuia în apropiere. Însă Jackson avea pică pe Mary şi, încolţind-o, i-a strigat ocări şi blesteme şi i-a urat o „moarte în chinuri". Fata de paisprezece ani i-a scăpat în cele din urmă din gheare, dar au apucat-o crizele. Când sufocându-se, când mută sau oarbă, adesea incapabilă să mănânce, cu corpul contorsionându-se uneori în posturi aproape imposibile, iar alteori părând paralizat, Glover (ai cărei părinţi erau puritani stricţi) a atras mulţimi de oameni care, văzându-i purtările, au tras concluzia că e posedată. Pe scurt, bătrâna Jackson a fost arestată, judecată şi condamnată ca vrăjitoare. A scăpat de pedeapsa cu moartea numai pentru că legile privind vrăjitoria fuseseră abrogate temporar. La proces, un medic londonez pe nume Edward Jorden (1569-1633) se înfăţişase ca martor al apărării. El a insistat că Mary Glover nu era victima unei vrăji, ci era bolnavă, victima „sufocării mamei" sau a isteriei (din cuvântul grecesc *hystera*, „pântece", „uter") – credinţa că uterul poate să migreze, provocând senzaţia de sufocare, crize de asfixiere sau dificultăţi de înghiţire –, o altă formă de nebunie cu rădăcini în Antichitate, după cum am văzut.

Aici există, se pare, o ciocnire între lumea superstiţiei şi lumea ştiinţei, între cei care se agăţau de credinţa în ocult şi cei care priveau lumea în termeni strict naturalişti. Jorden a scris după proces o broşură, insistând că Mary Glover avea nevoie de medicamente, nu de intervenţii ale preoţilor: „De ce, întreba el, să nu preferăm judecata medicilor într-o chestiune privind acţiunile şi pasiunile corpului omenesc (obiectul corespunzător al respectivei profesii), în locul propriilor noastre fantezii, aşa cum facem cu părerile teologilor, avocaţilor, meşteşugarilor etc. în domeniile lor?"[31]. E oare sigur că ştiinţa şi religia se bat cap în cap în ceea ce priveşte explicarea reacţiilor lui Mary Glover, ştiinţa invocând lumea naturală, iar religia, pe cea supranaturală?

Posibil, dar se dovedeşte că intervenţia lui Jorden fusese solicitată de episcopul Londrei, Richard Bancroft (1544-1610), şi avea în primul rând rolul de propagandă religioasă, menită să-i discrediteze deopotrivă pe puritani şi pe papistaşi, care puneau comportamentul lui Glover pe seama posedării demonice şi căutau să-l alunge pe diavol prin ritualuri de exorcizare sau prin puterea rugăciunii şi a postului. Majoritatea colegilor lui Jorden din Colegiul Medicilor erau convinşi că Glover fusese într-adevăr vrăjită, iar maşinaţiile episcopului Bancroft s-au dovedit ineficace la două niveluri: mai întâi pentru că Jackson a fost condamnată ca vrăjitoare, iar apoi când prietenii şi rudele puritane ale lui Mary Glover s-au strâns în jurul patului ei, după proces. A urmat o luptă titanică. Puritanii se rugau. Fata se zvârcolea, cuprinsă de convulsii. Corpul ei s-a făcut covrig, ceafa atingându-i călcâiele. Simptomele i s-au intensificat. Apoi, dintr-odată, a strigat că Dumnezeu s-a pogorât şi a mântuit-o.

Era vindecată – sau diavolul plecase, cum credeau martorii. Povestea fetei a circulat printre puritani tot restul secolului al XVII-lea. Ce dovadă mai bună a adevărului convingerilor lor religioase putea exista?[32]

Diagnosticul de isterie era, cum avea să şi rămână, unul deosebit de controversat chiar şi în rândul medicilor. Toţi, în afara celor intenţionat orbi, care resping boala psihică drept invenţie, recunosc fără nici o greutate un caz de nebunie de la Bedlam – o persoană care a pierdut în asemenea măsură contactul cu realitatea noastră a simţului comun, încât pare că nu mai împărtăşim acelaşi univers mental –, chiar dacă se poartă în continuare controverse aprinse în privinţa cauzelor unor astfel de afecţiuni şi a modului în care ar trebui abordate. Însă isteria este diferită, o boală cameleonică ce putea aparent, pe lângă bulversarea emoţională atât a suferinzilor, cât şi a celor aflaţi în prezenţa lor, să imite simptomele aproape oricărei alte boli şi care părea să se modeleze cumva după cultura în care apărea. Reală sau fictivă, atrăgea (şi a continuat să atragă de-a lungul secolelor) controverse privind statutul şi cauzele ei. Era o etichetă respinsă de mulţi dintre cei cărora li se punea diagnosticul şi o stare care le părea multora mai apropiată de boala închipuită şi înşelătorie decât de patologia autentică. Desigur, ca alternativă, după cum am văzut adineaori, manifestările sale aparte într-o lume îmbibată de spirite erau privite cu uşurinţă prin prisma posedării demonice. Victimele ei aveau totuşi să continue să fie plasate uneori la periferia, alteori aparent mai aproape de centrul lumii nebunilor, când ignorate, când socotite paradigmatice pentru ceea ce provoacă suferinţa oamenilor cu minţile tulburate.

Exploatarea de către puritani a „izbăvirii de demoni" a lui Mary Glover pentru a-şi promova propria formă de credinţă creştină este şi ea un trop obişnuit. Primii creştini folosiseră minunile ca armă valoroasă cu care să-şi promoveze cauza. În epoca Renaşterii (care a fost totodată epoca Reformei şi a Contrareformei), vindecarea nebunilor prin alungarea demonilor care îi făcuseră prizonierii unui univers al iraţionalului şi al demenţei a devenit prilej de declaraţii concurente din partea protestanţilor şi a catolicilor. Puritanii respingeau în mod covârşitor ritualurile papistaşe, inclusiv ritualul catolic al exorcizării, dar îl înlocuiau cu şedinţe prelungite de rugăciune şi post la patul suferindului şi se lăudau ori de câte ori acestea aveau efectul dorit (aşa cum făceau, desigur, catolicii când ritualul de exorcizare îl alunga pe diavol) că nebunul vindecat era mărturia bunăvoinţei divine şi dovada adevărului învăţăturilor lor. Anglicanii care căutau o cale de mijloc între aceste două extreme revărsau batjocuri asupra ambelor tabere. De exemplu, Samuel Harsnett (1561-1631), care avea să devină episcop de Chichester şi apoi de

Norwich, iar după aceea arhiepiscop de York, l-a defăimat întâi pe exorcistul puritan John Darrell[33] şi apoi pe omologii săi catolici[34], aruncând pe această cale îndoiala asupra existenţei demonilor şi a vrăjitoriei deopotrivă şi oferind explicaţii naturaliste pentru fenomene presupus supranaturale. Pentru Harsnett, exorcizările erau „escrocherii" puse în scenă într-o manieră elaborată. Cei care puneau la cale aceste evenimente „ridicau cortina şi-şi urmăreau marionetele jucând" – o „piesă a minunilor sfinte" care era în acelaşi timp o „mascaradă minunată" şi o „scamatorie sfântă", întregul alcătuind o „tragicomedie" prin care atât preoţii catolici, cât şi pastorii puritani îşi păcăleau publicul, la fel de credul în ambele cazuri. Cu o minunată ironie, cel puţin în Anglia, politica religioasă a contribuit astfel, în această ocazie şi în altele ulterioare, la modificarea concepţiilor despre originea tulburărilor psihice şi la apariţia unei perspective mai laice asupra nebuniei.

Şi a făcut acest lucru pe căi neaşteptate şi cu totul neintenţionate. Căci diatriba lui Harsnett împotriva exorcizării a fost citită de Shakespeare şi i-a influenţat în multiple privinţe portretizarea nebuniei în *Regele Lear*, piesă jucată pentru prima oară în anul 1606. Când Edgar se preface nebun, de exemplu, susţine că e posedat de demoni – „sărmanul Tom" e bântuit de „odiosul diavol Flibbertigibbet" şi de Obdicut, Hoppedance, Mahu şi Modo. Numele sunt frapante şi toate au fost împrumutate direct din descrierea făcută de Harsnett falselor exorcizări iezuite. Aşadar, nebunia simulată a lui Edgar oglindeşte şi parodiază falsele posedări demonice pe care le foloseau catolicii pentru a-i păcăli pe creduli, mergând chiar până la unele imagini – vocile ciudate, amorţeala, blestemele – sau limbajul folosit de Shakespeare[35]. Nebunia simulată evocă şi cazul bine-cunoscut al lui Tommaso Campanella (1568-1639), prolific filosof calabrez şi călugăr dominican, care a evitat execuţia pentru erezie şi răzvrătire în anul 1599 prefăcându-se alienat mintal[36]. Dar dacă nebunia ca posedare este prezentată de Shakespeare într-un caz, al lui Edgar, ca prefăcătorie – mască adoptată de un personaj disperat, care se teme pentru viaţa lui, fiind vânat de fratele său bastard –, suferinţei lui Lear i se dă în mod explicit cu totul altă explicaţie: nu supranaturală, ci absolut omenească prin originea ei. Nebunia este naturalizată. Apare treptat, când regele e asaltat de frig şi de furtuni, dar şi, mai important, de un şir de traume psihice copleşitoare: trădarea a două dintre fiicele sale; conştientizarea treptată a propriei nesăbuinţe şi vinovăţii; moartea Cordeliei. „O, Cerule mare, nu mă lăsa să-nnebunesc!" imploră Lear. „Ţine-mă, nu vreau să-nnebunesc!" Dar e nebun, cum bine ştie publicul – şi cum e, poate, şi bufonul, a cărui stare psihică îi dă dreptul să spună adevăruri pe care alţi muritori nu îndrăznesc să le rostească.

Posibilități dramatice

Nebunia este o temă ce străbate multe dintre piesele lui Shakespeare, atât tragedii, cât și comedii. Ocupă un loc foarte diferit și este prezentată într-un registru foarte divers în cele două genuri, dar, folosind-o în mod repetat ca mecanism dramatic, el este în consens cu contemporanii săi. Căci atunci când a apărut teatrul comercial, spre sfârșitul domniei reginei Elisabeta, primii dramaturgi au făcut apel deseori la nebunie ca element al intrigilor. Înainte ca Shakespeare să-și prezinte prima piesă de teatru, alții demonstraseră atractivitatea scenelor cu nebuni pentru publicul pe care companiile de teatru căutau să-l atragă. Întrebuințând acest mecanism al intrigii, Shakespeare a obținut efecte mai puternice decât au reușit de obicei predecesorii săi și ne-a oferit o serie mult mai bogată de observații despre nebunie și natura umană. Însă el lucra într-o perioadă în care fascinația față de problema reprezentată de nebunie îi preocupa în mod clar pe scriitori și pe artiști la un nivel fără precedent.

Cu o generație și mai bine înaintea teatrului shakespearian, reînsuflețirea culturii clasice pe tot cuprinsul Europei adusese cu sine reîntâlnirea cu o gamă tot mai largă de scrieri literare grecești și romane. Desigur, această reînsuflețire a slujit deopotrivă drept cauză și efect al admirației și entuziasmului față de Antichitatea clasică ce caracterizau Renașterea – ba mai mult, i-a dat chiar numele. În Italia, în Franța, în Spania, ca și în Anglia, cele mai importante influențe clasice asupra teatrului au fost comediile lui Plaut, de la sfârșitul secolului al III-lea și începutul secolului al II-lea î.Hr., și tragediile lui Seneca, scrise în secolul I d.Hr. Cu această dramaturgie romană, nu cu piesele anterioare ale grecilor au făcut cunoștință scriitorii din secolul al XVI-lea, dramaturgie tradusă în limbile vernaculare și care a fost luată drept model – într-o manieră mult prea rigidă la început, în Italia și Franța, dar mai liberă (și mai încununată de succes) în Spania și Anglia[37].

După modelele grecești, Plaut și-a folosit comediile drept satire politice și comentarii sociale la vremea conflictelor Romei republicane cu Cartagina și Hannibal, la sfârșitul celui de-al Doilea Război Punic, și cu Grecia, la începutul celui de-al Doilea Război Macedonean. Plaut se delectează cu intrigi convenționale și personaje convenționale, cum ar fi soldatul lăudăros, sclavul iscusit și bătrânul desfrânat, pe care le folosește ca să-și bată joc de pretențiile și răsturnările autorității și puterii[38]. Așa cum arată limpede titlurile pieselor de teatru ale lui Seneca – *Agamemnon*, *Oedip*, *Medeea*, *Hercule scos din minți* și celelalte –, sursa lui de inspirație au fost tot grecii. Însă tragediile sale erau adaptate la cultura Romei imperiale și îndeosebi la domnia împăraților Caligula și Nero: o lume a răului radical, a torturii, incestului, intrigii și morții violente, care ies la suprafață în mod repetat, abia mascate, în versiunile create de el ale acestor povești tragice.

Violența, furia, turbarea necontrolată și incontrolabilă a nebuniei maniacale sunt cele pe care le întâlnim în tragediile lui Seneca, iar ele constituie formele de nebunie cel mai frapant portretizate pe scenele engleze din secolul al XVI-lea, spre evidenta încântare a publicului. *Fedra* lui Seneca, deși bazată pe piesa *Hipolit* a lui Euripide, era renumită pentru descrierile mult mai șocante și mai lipsite de rețineri ale pasiunilor aprinse, dorințelor incestuoase, emoțiilor năvalnice și morții sângeroase. Sau să ne gândim la faptele lui Atreu din *Thyeste*, piesa lui Seneca. La fel ca în mitul clasic, Atreu îi prinde, îi omoară și-i frige pe fiii fratelui său și îi servește tatălui carnea acestora, găsind o plăcere voaioristă în a-l privi pe Thyeste cum își savurează masa și apoi râgâie. Oroarea pură, monstruozitatea comportamentelor înfățișate pe scenă, sadismul care ataca sensibilitățile publicului sunt de-a dreptul remarcabile. Ele sunt însă depășite în *Hercule scos din minți*, unde, pe scenă, nu în afara ei, eroul scos din minți străpunge gâtul unuia dintre fiii săi cu săgeata și-l încolțește pe celălalt.

> Învârtindu-l turbat iar și iar, l-a azvârlit.
> Capul i s-a strivit cu zgomot de pietre.
> Odaia e scăldată de creieri împrăștiați.

În ce o privește pe soția lui, o bate cu bâta cu sălbăticie, până când:

> Oasele ei sunt zdrobite,
> Capul nu mai există pe trupul stâlcit,
> Dispărut fiind cu totul[39].

În Anglia sfârșitului de secol XVI, teme similare își fac apariția în acel gen al tragediilor răzbunării care încep în scurt timp să completeze și apoi să înlocuiască sursele de inspirație romane, una dintre primele și cele mai influente fiind *Tragedia spaniolă sau Hieronimo a înnebunit iar* de Thomas Kyd, scrisă cândva între anii 1584 și 1589. Intriga sângeroasă a piesei cuprinde un șir întreg de spânzurări, înjunghieri și sinucideri, plus un personaj care-și retează limba mușcând-o, ca să preîntâmpine orice posibilitate de a vorbi sub tortură, toate acestea orchestrate în jurul lunecării în nebunie a mai multor protagoniști.

Tot ce putea face Kyd, Shakespeare putea să facă mult mai bine. *Titus Andronicus* (jucată în anul 1594) era o piesă atât de plină de violență și groază, încât în secolele de după moartea lui Shakespeare a fost adesea considerată de nepus în scenă, punându-se chiar sub semnul întrebării autenticitatea sa – deși pare neîndoielnic că îi aparține, în întregime sau parțial. În deschiderea piesei, Titus, întors triumfător la Roma, le poruncește la doi dintre fiii lui să-l omoare pe fiul cel mare al reginei capturate a goților, Tamora, drept răzbunare pentru că și-a pierdut el însuși câțiva fii în bătălie. Aceștia se conformează cu încântare, retezând membrele lui Alarbus, eviscerându-l și incinerându-i rămășițele. Apoi Titus își înjunghie mortal un fiu care îndrăznește să pună la îndoială capriciile tatălui; după aceea, fără întârziere, fiii supraviețuitori ai Tamorei (a căror mamă s-a măritat cu împăratul înscăunat de Titus) pun la cale să-l omoare pe fratele împăratului, s-o violeze pe Lavinia, fiica lui Titus (tăindu-i limba și mâinile ca s-o amuțească), și să-i scoată vinovați pe cei doi fii rămași ai lui Titus pentru crima făptuită de ei înșiși. Titus se lasă păcălit să-și taie mâna stângă ca să i-o trimită împăratului, sub promisiunea că astfel va obține grațierea fiilor săi sortiți pieirii – doar că primește înapoi nu numai propria mână retezată, ci și capetele tăiate ale odraslelor sale. Poate nebun, poate doar prefăcându-se nebun (procedeu pe care Shakespeare îl va folosi ulterior și în *Hamlet*), Titus este lăsat la scurt timp după aceea, chiar la îndemnul lui, cu cei doi fii ai Laviniei. Le taie beregata rapid și le scurge sângele într-un vas – ținut cu cioturile brațelor de fiica lui mutilată.

La ospățul ce urmează îi invită pe Tamora și pe împărat să i se alăture. Imediat după ce și-a omorât în fața comesenilor propria fiică violată și mutilată (fiindcă fusese „siluită și-ntinată”, trebuia să moară, pasămite ca să fie scutită de și mai multă rușine), Titus comite ultimul act de răzbunare perversă.

Când împăratul se interesează de copiii Tamorei, îi spune:

Aicea sunt: i-am copt în turta asta
Din care-a ciugulit măicuța lor,
Mâncând ce-a zămislit.

După ce dezvăluie că Tamora și-a mâncat fiii, Titus așteaptă doar atât cât ea să conștientizeze oroarea scenei, apoi îi înfige pumnalul în inimă. După ce împăratul Saturninus îl înjunghie pe el, unul dintre cei doi fii supraviețuitori ai lui Titus, Lucius, duce la apogeu acțiunea tumultuoasă, lichidându-l pe împărat cu pumnalul său. Sângeroasa poveste ajunge acum la final (ceea ce am prezentat fiind doar un fragment din parada ei de orori). Lucius, care ajutase la mutilarea și uciderea fiului celui mare al Tamorei în prima scenă a piesei, urcă pe tronul imperial și comite un ultim act de răzbunare: iubitul de taină al Tamorei, Aaron, o malefică *éminence grise* pe tot parcursul acțiunii, este adus în fața lui ca să-și afle soarta:

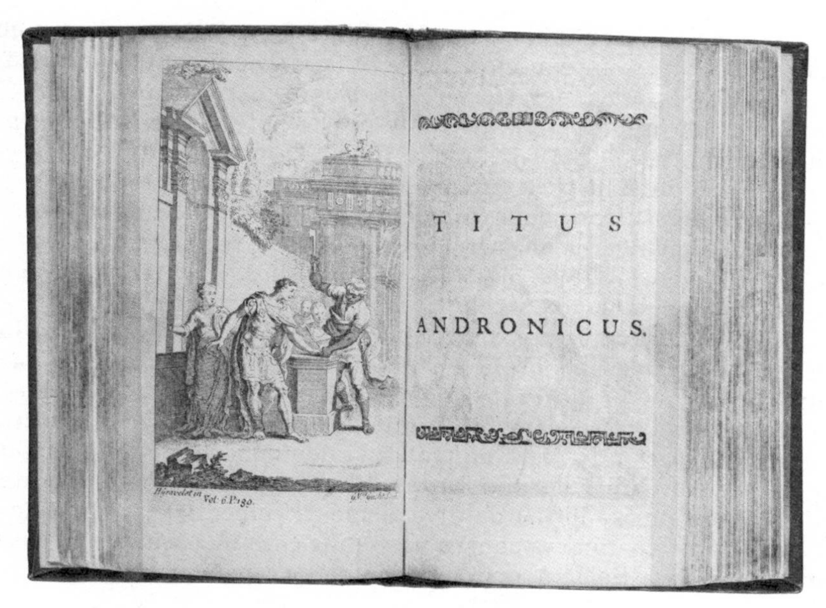

Nebunia unei lumi dezaxate: Titus Andronicus stând să i se taie mâna, doar una dintr-un șir necontenit de fapte aparent iraționale din piesa omonimă a lui Shakespeare.

Vârâți-l în pământ până la piept;
Să urle-acolo-nnebunit de foame:
Așa să piară. Tot așa muri-va
Cel ce-l ajută sau i-arată milă.

La care Aaron îi răspunde cu dispreț:

Nu-s copil ce se căiește c-a făcut un rău;
De-ar fi să fie după voia mea,
De mii de ori mai multe rele-aș face.
Dac-am greșit c-o faptă bună-n viață,
Căiescu-mă din suflet, din străfund.

În această succesiune de orori, cu „un roș șuvoi de sânge cald"[40], cu cadavrele care se adună claie peste grămadă, cu parada de violuri, mutilări și ospăț cu carne de om, cu osuarul ce rezultă din răzbunări peste răzbunări, nebunia bântuie scena: nu nebunia în forma ei mai puțin evidentă, mai introvertită, ci, prin măcelurile, violențele și destrăbălarea ce nu mai contenesc, nebunia unei lumi dezaxate. Este o viziune a codurilor morale dizolvate, a umanității nimicite – asemenea numeroaselor personaje care suferă pentru amuzamentul publicului.

Extrem de îndrăgită, piesa s-a dovedit a fi un mare succes comercial. Masele care stăteau în picioare în fața scenei pentru un penny îi savurau acțiunea, iar clasele superioare, care ocupau lojile de deasupra, se prefăceau că au venit să-i asculte poezia. Abia după jumătate de secol criticii au dat înapoi, iar publicul a decis că ororile în serie sunt prea tari pentru stomacul său – repulsie care avea să se mențină, cu doar câteva excepții, până în ultimele decenii ale secolului sângeros de care ne-am despărțit recent, când scenele de iad ale piesei au fost reînsuflețite, fiind aparent privite din nou ca un divertisment acceptabil.

Un șir întreg de teatre comerciale s-au ivit în Londra sfârșitului de secol XVI, în principal la periferia orașului, și tragedii ale răzbunării precum *Tragedia spaniolă* și *Titus Andronicus* au apărut cu regularitate pe scenele lor. Dar în scurt timp și-a făcut apariția o gamă mai largă de piese de teatru și nebunia pe scenă a început să adopte un chip nou, mai variat. Shakespeare și contemporanii lui ofereau felurite forme de divertisment: comedii, piese istorice, drame infinit de diverse pentru un public care începea să aprecieze formele de divertisment mai sofisticate.

Nebunia în infinita ei varietate

Astfel, nebunia a ajuns să facă parte din recuzita de bază a dramaturgului: nu doar în maniera mai veche a personajelor scoase din minți, a căror alienare mintală era indicată de vorbele fără șir, spumele la gură, ochii ieșiți din orbite și violența limbajului și acțiunilor; ci și o altă gamă, mult mai largă, de personaje demente care serveau drept sursă de divertisment sau de amuzament și ca mecanism al intrigii care putea oferi o cale de descărcare a tensiunii sau, poate, de a o crea. În lumea reală, puțini alienați mintali din timpul domniei lui Iacob I erau închiși la balamuc – ba mai mult, în afară de micul și tot mai dărăpănatul spital de caritate Bedlam (care primea doar o mână de pacienți), nu există absolut nici o dovadă a existenței unor instituții specializate pentru internarea nebunilor. Totuși, în ciuda acestui fapt, scenele din case de nebuni, îndeosebi scenele plasate la Bedlam sau avându-i în centru pe locatarii de acolo, abundau în piesele de teatru scrise în primele decenii ale secolului al XVII-lea.

Câteodată, aceste scene aveau un aer foarte artificial, lipsindu-le legătura cu intriga de bază. Spre exemplu, piesa *Copilul înlocuit* (1622) a lui Thomas Middleton înfățișa o întreagă intrigă secundară centrată pe nebunii închiși în casa de nebuni a lui Alibius, instituție creată evident după modelul Bedlam. Scenele cu nebuni sunt o diversiune, un interludiu cu prea puține conexiuni cu firul principal al poveștii tragice, însă unul care oferă prilejul unui extravagant dans al demenților pe placul publicului. În schimb, în *Pelerinul* (1621) lui John Fletcher, atât eroina, cât și tatăl ei ajung să fie închiși la balamuc, iar scenele cu nebuni sunt mai puțin periferice, constituind totuși o sursă de veselie și divertisment. Între personajele nebune întâlnite aici se numără o femeie „libidinoasă [...] ca o dihoriță" și un tânăr cărturar serios, care la început pare cât se poate de sănătos la minte. Tocmai când să fie externat, cineva face o remarcă banală despre vreme și nebunia lui reapare pe dată. Le promite celor de față: „De pe spinarea unui delfin îi voi face pe toți să tremure, căci eu sunt Neptun!", iar ceva mai târziu poruncește: „Căluții mei de mare! Voi ataca vântul dinspre nord și-i voi sparge bășica!".

Reacția publicului la astfel de replici neașteptate încuraja proliferarea acestor scene. Dar nebunia începuse să fie folosită și în scopuri mai serioase. Întrucât se pretau de minune pentru satiră, nebunii au devenit vehiculul înțepăturilor la adresa ipocriziei și al reflecțiilor incomode referitoare la societate. Puritanii erau o țintă vădită – acrituri care detestau teatrul și tot ce reprezenta el: Măturătorul din *Târfa cinstită* (1604) a lui Thomas Dekker s-ar putea să fi fost primul, dar nu a fost în nici un caz ultimul care a lovit în această direcție. Puritanul? – „pentru el nu există speranță, decât dacă doboară clopotnița și se spânzură cu funiile clopotelor"[41]. Și, făcând aluzie la cât de subțire s-ar putea dovedi granița între nebuni și cei întregi la minte, s-a interesat: „Cum așa? [...] O, dacă toți nebunii [...] ar veni încoace, n-ar mai rămâne nici zece oameni în oraș" – reluarea unei glume cu subînțeles a lui Shakespeare, care-l face pe Hamlet să-l întrebe pe gropar, care n-are nici cea mai vagă idee cu cine vorbește (și îl asigură pe Hamlet că prințul cel nebun a fost alungat): „Ce spui? Și de ce l-au trimis în Englitera?"*. La care groparul ripostează: „Ei, fiindcă era nebun; acolo o să-i vină mintea la cap; și dacă nu-i vine, nu e nici o pagubă". „De ce?" întreabă Hamlet. „Acolo n-o să se bage de seamă, fiindcă pe-acolo oamenii sunt tot așa de nebuni ca el", spune groparul.

Shakespeare se pricepea la fel de bine ca oricare dintre contemporanii lui să-și presare tragediile cu scene comice menite a destinde și să se joace cu aluzii la nebunie în comediile sale, făcând glume care transmiteau uneori o idee serioasă. Și aici vedem imagini care exploatează (și răspândesc) stereotipurile privind nebunia și tratamentele aplicate. În *Cum vă place* (1599/1600) ne spune: „Dragostea-i sminteală curată; îndrăgostiții, ascultă-mă pe mine, ar trebui, întocmai ca nebunii, să fie ferecați într-o chilie-ntunecoasă și plesniți cu biciul. Dar scapă de pedeapsă și nu-s tămăduiți în acest chip, pentru că

* W. Shakespeare, *Hamlet*, traducere de Ion Vinea, ESPLA, București, 1955; din aceeași ediție au fost preluate și celelalte citate din *Hamlet* (n.tr.).

nebunia asta are o răspândire-atât de largă, încât și cei ce-ar trebui să-i biciuiască până la urmă-s tot îndrăgostiți"*. (În *Pasărea în colivie* [1633] James Shirley descrie casa de nebuni drept „casă de corecție în care ni se bagă mințile în cap cu biciul", iar în *What You Will* [1601] John Marston poruncește: „Închideți ferestrele, faceți întuneric în odaie, aduceți bice: omul e nebun, vorbește fără noimă, s-a țicnit!".)

Mai ales la Shakespeare vedem însă conturându-se un portret mai bogat al nebuniei și al prezumtivelor sale origini, cu accent pe o etiologie naturală, nu supranaturală, care se inspiră din ruptura produsă acum cu explicațiile prin prisma magiei sau a nemulțumirii divine și totodată contribuie la adâncirea acestei rupturi. Perturbările ordinii naturale și mai cu seamă ațâțarea patimilor erau considerate a fi deosebit de periculoase pentru organism și pentru sănătatea psihică și fizică deopotrivă. Să luăm scena de somnambulism în care lady Macbeth retrăiește coșmarul înjunghierii lui Duncan:

> Piei, pată blestemată! Piei, îți spun! [...] Dar cine-ar fi crezut ca bătrânul să aibă atâta sânge într-însul? [...] Tot mai miroase a sânge aici! Toate balsamurile Arabiei nu vor putea să curețe mâna asta mică**!

Deși neclintită la început în ambițiile sale înalte, mult mai hotărâtă decât șovăitorul ei soț, mintea îi cedează în cele din urmă, dezechilibrată de amintirea ororii la care a fost martoră. „Boala asta depășește știința mea", spune doctorul ascunzându-se în umbră. „Doamna duce lipsă de-un preot, nu de-un vraci."

O ființă și mai vrednică de milă este Ofelia, scoasă din minți de cruzimile lui Hamlet față de ea – o tiranizează și o trădează; se preface că o iubește, apoi îi arată dispreț; îi ucide tatăl. Judecata ei slăbește și apoi cedează. Maltratarea și pierderea au lăsat-o „rătăcită de sine și de mintea-i fără care un om e doar chip zugrăvit [adică simulacru de ființă omenească] sau fiară". Cum aflăm de alunecarea ei în nebunie? Fecioara cândva castă reapare pe scenă cântând melodii deșucheate. Vorbește incoerent și în cimilituri. Apoi dispare și publicul află că a ajuns, hoinărind, pe malul râului și s-a cățărat pe o creangă de salcie, de unde

> căzut-a-n râul plin de lacrimi. Veșmintele-i, umflându-se de ape,
> O duseră, o vreme, ca pe-o nimfă [...].
> La urmă, grele de apă, veșmintele
> Au tras la fund în nămolos mormânt

---

* W. Shakespeare, *Cum vă place*, traducere de Virgil Teodorescu, în *Opere complete*, vol. 5, Editura Univers, București, 1986 (n.tr.).

** W. Shakespeare, *Macbeth*, traducere de Ion Vinea, în *Opere complete*, vol. 7, Editura Univers, București, 1988 (n.tr.).

Pe biata fată, smulsă de la cântu-i
Cel prea duios.

În nebunie, ea a renunţat la supunerea pe care o arătase înainte bărbaţilor din jur, şi-a etalat (cel puţin aşa spune ea) corpul şi, la sfârşit, a scăpat de limitările vieţii sale plătind chiar cu viaţa (**pl. 17**).

În ce-l priveşte pe Hamlet însuşi, pentru contemporani, el era protagonistul unui gen familiar, care a primit acum o particularitate distinctivă. Şovăitor, nehotărât, instabil, e însuşi modelul ambiguităţii, incapabil să aleagă între „a fi sau a nu fi", a acţiona sau a se abţine să acţioneze; iar pentru generaţiile următoare este întruchiparea vie a unei probleme care continuă să contrarieze: unde trebuie trasă linia între sănătatea mintală şi nebunie? Hamlet e nebun sau doar se preface? Ne spune el însuşi: „Nu sunt nebun decât dinspre nord-nord-vest: când adie vântul de la miazăzi, pot să deosebesc un şoim de un cocostârc". Şi totuşi, există la el numeroase lucruri care indică altceva: melancolia introspectivă; meditaţiile asupra sinuciderii; reacţiile afective nepotrivite şi tocite – la moartea Ofeliei şi la multe altele.

Una dintre cele mai remarcabile trăsături ale tuturor acestor imagini literare ale nebuniei aşa cum apăreau ele pe scenă, desigur, era faptul că, în principiu, ele erau accesibile tuturor. După cum ne amintesc controversele privind starea psihică a lui Hamlet, „acelaşi" spectacol poate fi înţeles în maniere foarte diferite de segmente diferite ale publicului şi de publicuri care suprapun peste el seturi diferite de aşteptări culturale. Portretele de acest fel ale nebunilor puteau fi însuşite de cei educaţi şi de cei analfabeţi deopotrivă. Şi ar trebui să nu uităm că, în acei ani, teatrul avea un public remarcabil de vast şi de divers. În unele teatre londoneze se adunau să urmărească acţiunea de pe scenă şi câte 3.000 de oameni din toate clasele sociale şi, cu toate că unele companii ofereau spectacole private, strict pentru clientela aristocratică, mult mai multe puneau în scenă reprezentaţii dincolo de marginea oraşului – la teatre precum Curtain, Globe, Rose şi Swan. De aici cererea pentru un repertoriu bogat şi variat, apariţia companiilor teatrale stabile, profesioniste, precum Lord Chamberlain's Men (compania lui Shakespeare), şi numeroasele ocazii oferite oamenilor de rând şi celor de rang mai înalt deopotrivă de a vedea pe scenă portretizări ale nebuniei.

Ficţiuni şi fabule

Însă teatrul nu era singurul mijloc ficţional prin care se vehiculau reprezentări ale nebuniei şi discuţii despre ea. Pe lângă baladele cântate şi distribuite pe foi de hârtie pe străzi, în care teme legate de nebunie își făceau des loc începând cu secolul al XVI-lea, existau și alte forme literare, tot mai complexe, care îi distrau și-i luminau pe cei educați și portretizau minți dezechilibrate. Pe tot cuprinsul Europei secolului al XVI-lea au circulat versiuni ale poemului epic despre nebunia lui Orlando al lui Ludovico Ariosto, *Orlando furioso*, atât în forma originală, în italiană, cât și în traduceri ulterioare, având o influență extraordinară asupra altor scriitori. Publicat inițial la Ferrara, în 1516, el combina cu iscusință elemente preluate din poemele cavalerești despre Roland, din legendele despre regele Arthur și din povestirile clasice despre Hercule și nebunia lui furioasă.

Nebunia temporară a lui Orlando este numai unul dintre elementele principale ale unui întins poem cavaleresc, însă maniera în care Ariosto înfățișează reacția maniacală a personajului la dragostea sa neîmpărtășită pentru prințesa păgână Angelica nu numai că dă poemului titlul și-i încadrează episodul principal, ci-i asigură și unele dintre cele mai vii pasaje. În italiană, *furioso* înseamnă scos din minți, turbat și nebun, sensuri la care se adaugă evocarea furiei și a Furiilor din mitologia greacă, Răzbunătoarele care pedepseau păcatele oamenilor[42]. Scos din minți de fuga Angelicăi, Orlando „hoinărea cu totul neînarmat și despuiat". Totuși, nebunia lui reprezenta o amenințare atât de mare, încât „țara întreagă tremura în prezența sa". Când se apropia, oamenii fugeau.

Pe cei pe care-i prindea îi aștepta o lecție,
Să se ferească din calea unui nebun [...].
Dintre ceilalți, ia unul de călcâie
Și, izbind cu țeasta, îi zboară altuia creierii.

Semănând violența sălbatică și lipsită de discernământ, furia sa nebună seamănă vizibil cu ferocitatea maniacală din tragediile răzbunării – și, într-adevăr, dramaturgul englez Robert Greene (1558-1592) a transformat poemul într-o piesă de teatru care a fost jucată la Londra în 1591 și în anul următor. *Orlando furioso* și-a mai făcut apariția într-un alt portret al nebuniei, și mai influent, care a început să fie publicat la debutul secolului al XVII-lea – *Don Quijote* de Cervantes. Căci narațiunea lui Cervantes nu se numără doar printre cele care îl evocă pe Roland și vremea cavalerismului – în definitiv, dragostea obsesivă și excesivă a lui Alonso Quijano față de cărțile cavalerești este cea care îl scoate din minți și-l transformă în cavalerul rătăcitor Don Quijote –, ci, mai mult, este una care face trimiteri explicite la elemente din *Orlando furioso* în diferite momente ale hoinărelilor picarești ale eroului.

Însă nebunia lui Quijote îmbracă o formă foarte diferită de dezlănțuirile violente catastrofice ale lui Orlando, deși nu lipsesc luptele și rănile. Nebuniile lui Quijote sunt în primul rând ilare, nu înfricoșătoare.

Iubirea neîmpărtășită pentru prințesa Angelica l-a scos din minți pe Orlando. Acesta cutreieră țara, distrugând tot ce-i iese în cale. Dezbrăcat, folosește un leș ca pe o măciucă pentru a zbura creierii celor care fug de furia lui.

Nu există îndoială că e nebun. Are halucinații, este prizonierul neajutorat al propriilor obsesii și, în mod vizibil, nu împărtășește realitatea simțului comun pe care o împărtășesc toți cei din jurul lui. Prima escapadă pe care o face, îmbrăcat cu o vechitură de armură ruginită, îl duce la un han pe care-l ia drept castel, unde se roagă de hangiu – pe care-l ia drept stăpânul castelului – să-l ridice la rangul de cavaler. Omul refuză, dar a doua zi dimineață, când Quijote provoacă o încăierare cu niște catârgii, cedează și-l declară pe Quijote cavaler ca să scape de el. De aici înainte, cavalerul nostru rătăcitor e ca un posedat. Cei pe care-i întâlnește în așa-zisele lui călătorii eroice îi răspund în batjocură, îl acuză de nebunie, îl agresează. Într-o scenă celebră, atacă niște mori de vânt pe care le ia drept uriași și măcelărește niște oi, văzând în ele o oștire a dușmanilor săi: „Intră în mijlocul escadronului de oi și începu să le ia în suliță cu atâta foc și furie, de parcă și-ar fi tras cu adevărat vrăjmașii de moarte în țeapă".

Însă păstorii turmei atacate, revoltați, firește, de isprava lui, nu sunt dispuși să stea cu mâinile-n sân. Îl bombardează cu pietre. Îl fac să cadă, sângerând, din șaua calului. Oare asta îl va face să-și vină în fire? Câtuși de puțin: când credinciosul Sancho Panza îl mustră pentru atacarea bietelor animale și-i arată că leșurile presărate pe câmpul de luptă sunt oi, nu soldați, Quijote răspunde obiecției cu logica inatacabilă a nebunului. Aparențele sunt înșelătoare: fuseseră cu adevărat soldați, pe care Quijote îi înfruntase cu vitejie, dar „vicleanul ăsta care ne persecută, pizmaș de gloria pe care vedea că o voi dobândi în bătălie, a preschimbat escadroanele vrăjmașilor în turme de oi"[43].

Aceasta ne arată că nebunii sunt imuni la rațiune și la experiență și astfel Quijote rămâne, de-a lungul a nenumărate încercări și necazuri, o figură deopotrivă tragică și amuzantă. Viața sa e inseparabilă de iluziile și delirurile sale, așa încât într-un final, când își recapătă judecata (chiar la sfârșitul părții a doua a romanului, publicată la zece ani după tipărirea primului șir de aventuri), Quijote moare imediat.

Desigur, romanul n-a avut nicidecum aceeași soartă. Partea întâi a apărut în traducere engleză încă din anul 1611 și alte versiuni s-au publicat rapid pe tot cuprinsul Europei. Dacă a întemeiat un gen cu totul nou, ceea ce a făcut negreșit, a fost un gen cu rădăcini în nebunie, unul care medita asupra aparenței și realității într-o lume devenită haotică. Forța lui era atât de mare, încât a stimulat artiștii plastici ai vremii și ai secolelor ce au urmat să-i traducă imagistica verbală frapantă în limbajul foarte diferit al desenelor și picturilor. La început, acestea au fost desene simple ce apăreau în edițiile ilustrate ale cărții. Dar în secolele ce au urmat, artiști ca Doré și Daumier (**pl. 16**), Dalí și Picasso aveau să vădească o nesfârșită fascinație față de încercările de a traduce proza lui Cervantes într-o serie întreagă de imagini memorabile.

Nebunia și arta

Din palatele Italiei renascentiste și (ceva mai târziu) din omoloagele lor de pe tot cuprinsul Europei, protectorii de viță regească și aristocratică ai artelor au finanțat o mare înflorire a acestora, între secolele al XV-lea și al XVII-lea având loc progrese rapide, extraordinare, în materie de inovație artistică. Bisericile, la rândul lor (în țările catolice), căutau noi retabluri și erau mari protectoare ale artelor plastice. Iar progresele în tehnologia tiparului, îndeosebi în tehnicile de gravură, au permis producerea operelor de artă în numeroase exemplare, ele ajungând astfel la un public larg. Spre deosebire de arhitecți și sculptori, pictorii n-au putut imita Antichitatea clasică într-o manieră la fel de directă, nu în ultimul rând pentru că picturile romane au fost redescoperite abia în secolul al XVIII-lea. Mozaicurile romane erau bine-cunoscute și exercitau o influență considerabilă ca surse de imagini ale subiectelor mitologice, însă nu le puteau servi drept modele directe artiștilor plastici care foloseau mijloace de exprimare foarte diferite. Astfel, deși temele din mitologia clasică erau subiecte foarte îndrăgite, ele erau pictate în maniere cu totul noi, iar pictorii care susțineau că se întorc la sursele clasice nu făceau, de fapt, câtuși de puțin acest lucru. Se inspirau din literatura greacă și romană, dar ce însemna acest lucru ca stil artistic depindea de imaginație și de o întreagă varietate de inovații tehnice care au însoțit trecerea de la convențiile sfârșitului epocii medievale la cele ale Renașterii[44].

Pentru reprezentarea nebuniei se foloseau o diversitate de semne și simboluri vizuale. Unele dintre acestea erau adaptate după reprezentările medievale ale iadului și Judecății de Apoi, scenele disperate cu păcătoși pe punctul de fi azvârliți în gheenă fiind adaptate acum pentru a înfățișa suferința altora pricinuită de o pierdere de nedescris. Cazurile de nebunie de felul celor de la Bedlam erau înfățișate prin personaje bestiale, puse pe mușcat, cu membre încordate și contorsionate și ochi holbați. Demenții apăreau în mod regulat cu veșmintele sfâșiate și zdrențuite sau în stări de goliciune nerușinată, lipsa unei ținute cuviincioase fiind un semn distinctiv al distanței dintre ei și societatea civilizată și al alienării lor mintale. Siluetele contorsionate din teracotă ale celor *Doi nebuni* (1673) (**pl. 21**) aparținând sculptorului flamand Pieter Xavery sunt un exemplu izbitor: silueta aflată în picioare, legată cu lanțuri, își morfolește barba și-și sfâșie îmbrăcămintea, iar la picioarele sale se află cealaltă siluetă, pe jumătate ascunsă, contorsionată, cu ochii ieșiți din orbite, cu gura deschisă pentru a striga ocări, cu mușchii umflați, cu părul încâlcit şi despuiată ca în ziua în care s-a născut. Suferinzii erau pictaţi ca însăşi întruchiparea turbării: cu ochii daţi peste cap, neîngrijiţi, smulgându-şi părul, smucindu-se în lanţuri, o galerie de corpuri impetuoase, chircindu-se şi gesticulând, scăpate vizibil de sub control. Deseori păreau a fi în pragul unor ieşiri violente, cu feţele umflate de furie, agitând ameninţători arme. *Dulle Griet* (*Margareta cea Nebună*) a lui Bruegel cel Bătrân, o pictură în ulei pe lemn datând aproximativ din anul 1562, înfăţişează o femeie nebună înarmată cu o sabie, alergând într-un peisaj ca de iad (poate chiar porţile iadului sau poate o scenă alegorică înfăţişând urmările furiei, lăcomiei, avariţiei, poftei trupeşti, ale tuturor păcatelor de moarte), cu gura căscată, cu hainele în neorânduială, cu părul încâlcit, îndesând în coşul ei prăzi la întâmplare, oarbă la tot ce e în jur: o veritabilă viziune a Apocalipsului sau a unei lumi cuprinse de o nebunie ireală (vezi *infra*, p. 380)[45].

Alte picturi şi desene îi înfăţişau pe cei care etalau un dispreţ nefiresc faţă de buna-cuviinţă, scuipând, vomitând şi urinând în public, uitându-se urât, cu limba scoasă, tunşi chilug sau cu părul vâlvoi. Unul dintre cele mai faimoase şi cu cea mai largă circulaţie portrete de acest fel a apărut chiar în primii ani ai secolului al XVIII-lea, însoţind *Povestea unui poloboc* de Jonathan Swift. Contemplând gravura din 1710 a lui Bernard Lens ce înfăţişează o celulă de la Bedlam cu paie pe jos şi ferestre zăbrelite, privitorul se crispează involuntar, căci în prim-plan un alienat mintal aproape despuiat azvârle conţinutul oalei sale de noapte în faţa voaiorului. În ce-i priveşte pe nebunii mai puţin evident violenţi, melancolicii erau zugrăviţi sleiţi, pasivi, închişi în ei, adesea şezând, cu expresii aproape demente pe chip, cu tenul întunecat (referire mascată la bila neagră care le curgea pe sub piele şi trăsătură clar vizibilă în reprezentarea chipului din gravura *Melancolie I* din 1514 a lui Dürer), cu capul plecat şi trupul aproape veştejit din cauza jalei şi suferinţei extreme.

Unele scene recreau într-o formă vizuală nouă personaje nebune din Antichitatea clasică. Peter Paul Rubens, de exemplu, a pictat scena din *Tereos* a lui Sofocle în care regelui trac, care a consumat deja fără să ştie carnea fiului său, soţia răzbunătoare îi prezintă capul tăiat al băiatului. Alţi pictori produceau imagini alegorice care îi reprezentau pe nebuni ca pe nişte figuri liminale, obsedând imaginaţia şi pândind abia văzuţi la marginile existenţei civilizate. Un set de imagini de o forţă deosebită de la sfârşitul perioadei medievale şi începutul celei renascentiste îi înfăţişa pe nebuni ca pe un soi de încărcătură umană dementă, cu legăturile ce-i ancorau în locurile lor din societate retezate, înghesuiţi laolaltă pe o ambarcaţiune. Plutesc pe *Narrenschiff*, Corabia nebunilor (**pl. 3**), pe Rin sau pe o mare frământată de furtună, pelerini în delir care călătoresc

Bernard Lens a creat această scenă de la Bedlam pentru Povestea unui poloboc *a lui Jonathan Swift în anul 1710. Când vizitatorii se uită în celula alienaților mintali ca să se amuze, prizonierul din prim-plan, gol și în lanțuri, azvârle conținutul oalei sale de noapte drept în fața voaiorului – tu.*

căutându-și la nesfârșit rațiunea pierdută, după cum a istorisit satiric, în anul 1494, umanistul german Sebastian Brant (1457-1521) într-un text ilustrat cu numeroase gravuri, din care două treimi erau de Albrecht Dürer, prima lui comandă majoră[46]. Din toate acestea au rezultat compoziții atât de izbitoare, reciclate de numeroși pictori, încât șase secole mai târziu aveau să-l ispitească pe celebrul filosof și istoric francez Michel Foucault (1926-1984) să adopte ideea cu totul eronată că aceste picturi de mare forță erau reprezentări ale unor lucruri reale, nu simple invenții artistice. Foucault recunoaște că aceste picturi își aveau originea într-o serie timpurie de invenţii literare: Corăbii ale doamnelor neprihănite, ale prinţilor şi nobililor şi Corăbii ale sănătăţii, precum şi Corăbii ale nebunilor. Dar insistă că numai acestea din urmă erau „reale", ba chiar „o privelişte des întâlnită" în marile oraşe ale Europei[47]. Numai că nu erau nicidecum, exceptând operele artiştilor.

Nebuni şi nebunie

Însă omniprezenţa nebunilor, de la papi şi prinţi la săraci şi ţărani, a fost subiectul principal al *Elogiului nebuniei* (1509) de Erasmus (1466-1536), panegiric făcut de o femeie îmbrăcată în măscărici şi unul dintre documentele de maximă însemnătate ale umanismului renascentist. În pofida titlului, ţelul principal al lui Erasmus nu era să prezinte un discurs despre nebunie în numeroasele sale forme, ci nebunia era mobilizată pentru a oglindi lipsurile morale ale întregii omeniri, nu ale acelora pe care oamenii sănătoşi la minte îi respingeau drept alienaţi mintali. Şi totuşi, Erasmus sugera că nebunia ar putea să nu fie un fenomen în întregime negativ, cum considerau mulţi dintre contemporanii lui, întorcând pe dos semnificaţia nebunului. Cei mai buni şi mai adevăraţi nebuni, a proclamat el, sunt nebunii întru Hristos. În acest sens, unele forme de umanism creştin au încercat să facă legătura între nebunie şi misticism şi să sugereze că măcar unii „nebuni" ar trebui priviţi într-o cu totul altă lumină.

Poate cel mai faimos portret al lui Erasmus a fost realizat de Hans Holbein cel Tânăr, care a devenit cel mai apreciat pictor de la curtea lui Henric al VIII-lea şi ne-a lăsat portrete emblematice ale monarhului însuşi şi ale celor care îl înconjurau, cei mai de vază fiind Thomas Morus şi Thomas Cromwell. Mai puţin cunoscut este faptul că, la circa doisprezece ani după ce Erasmus a scris *Elogiul nebuniei*, Holbein şi-a creat propria imagine a nebunului, în cadrul unei serii de nouăzeci şi patru de gravuri, *Icones Historiarum Veteris Testamenti*, pe care le-a realizat de-a lungul unui deceniu de controverse religioase violente şi cu care a încercat să ilustreze temele din Vechiul Testament. Menită să însoţească Psalmul 52, imaginea nebunului încorporează mai multe elemente stereotipice. Nebunul este urmărit şi batjocorit de copii cu atitudini dispreţuitoare, iar zdrenţele abia dacă-i acoperă goliciunea. Fără un pantof şi cu o pelerină din pene în locul tichiei de nebun preferate de măscăriciul lui Erasmus, silueta lui Holbein ţine strâns sub fiecare braţ câte un toiag de lemn sau o bâtă. Această ţinută devenise o imagine standard pe care alți pictori o foloseau pentru a semnala prezența nebuniei. Nebunul lui Holbein mărșăluiește înainte fără oprire, mergând cine știe unde și căscând absent ochii la lumea prin care trece.

Eseul lui Erasmus a fost scris în mare parte pe parcursul câtorva zile, pe când era în vizită la prietenul său Thomas Morus, în Anglia, în 1509, așteptând sosirea cufărului cu cărți. A fost tipărit la Paris în 1511, deși prima ediție „autorizată" a fost publicată abia în anul următor. Pe timpul vieții lui Erasmus au apărut treizeci și șase de ediții, iar textul a fost tradus din latina originală în germană și franceză. Prima traducere în engleză a apărut în 1549 și a exercitat o uriașă influență timp de secole după aceea, ceea ce putem bănui că l-ar fi surprins pe autor, acesta scriind textul pentru amuzamentul lui Morus și al altor prieteni. (Titlul latinesc, *Moriae Encomium*, joc de cuvinte plecând de la numele lui Morus, este o aluzie la veșmântul de umor sub care Erasmus și-a ascuns intenția serioasă.)

Unul dintre marii gânditori umaniști de la începutul Renașterii, Erasmus și-a dedicat o mare parte din viață editării savante a Noului Testament în greacă și latină pentru a corecta imperfecțiunile versiunilor anterioare în latină, exegezei doctrinei creștine și cultivării erudiției și gusturilor literare clasice. Critic vehement al abuzurilor din sânul Bisericii Catolice, i-a rămas totuși credincios și îi dezaproba cu tărie pe reformatorii protestanți precum Martin Luther, contemporanul lui, atât în chestiuni de teologie, cât și pentru ruperea lor de Roma – apostazie care, după părerea lui, amenința să dezlănțuie dezordinea și violențele și să zdrobească tradiții pe care el le venera. Privit adesea drept un prim susținător al toleranței religioase, Erasmus a reușit să trezească și mânia lui Luther, și (după moarte) propria condamnare de către Biserica pe care a năzuit să o reformeze, rămânându-i totodată devotat. Papa Paul al IV-lea i-a inclus toate scrierile în *Indexul cărților interzise* și unele personalități de frunte ale Contrareformei l-au denunțat drept unul dintre arhitecții „tragediei" reprezentate de ascensiunea protestantismului, pentru că nu l-a anatemizat pe Luther destul de vehement și deoarece criticile aduse de el Scripturilor au slăbit autoritatea Bisericii.

Totuși, pe termen lung, influența lui Erasmus a supraviețuit criticilor din ambele tabere. Erudiția lui, subtilitatea, spiritul, accentul pus pe valoarea rațiunii și moderației și perspectiva umanistă asupra vieții i-au adus în ultimă instanță numeroși admiratori. Tocmai lucrurile care au trezit dușmănia multora dintre contemporanii săi și admirația generațiilor ulterioare sunt etalate pe deplin în *Elogiul nebuniei*. Cei bogați și cei puternici, din mediul religios și din cel laic deopotrivă, sunt atacați printr-o proză ce debordează de ironii

Portretul lui Erasmus de Rotterdam realizat de Hans Holbein cel Tânăr (1523) îl înfăţişează ca pe un cărturar, cu mâinile sprijinite pe o carte şi cu alte volume aflate pe o poliţă în spatele lui.

şi paradoxuri şi o satiră suficient de ascuţită pentru a răni. Prinţi şi papi, călugări şi teologi, nebuniile superstiţiei („absurdităţi atât de nebuneşti, că până şi mie [spune Nebunia] aproape că mi-e ruşine cu ele")[48], pretenţiile celor învăţaţi şi iraţionalitatea ignoranţilor – toate sunt satirizate, uneori cu blândeţe, alteori cu cruzime. Defectele morale ale oamenilor sunt batjocorite caustic, iar neghiobia lor e demascată, indiferent ce şi cine ar fi. Căci râsul stârnit de metehnele altora devine în scurt timp haz de necaz când privirea Nebuniei se îndreaptă spre subiecte mai personale. Iluzii, autoamăgiri, vulnerabilitatea omenească în faţa linguşelilor, toate ajung să fie analizate. Erasmus dispreţuia superstiţiile şi deplângea atât încercările de a cumpăra mântuirea, cât şi pe acei oameni ai Bisericii care pretindeau că vând indulgenţe[49]. Critica usturător venerarea sfinţilor şi relatările despre tămăduiri miraculoase la mormintele lor[50]. Folosea în mod repetat tropul nebuniei pentru a le aminti cititorilor săi ce defecte morale au.

Nici unul, nici chiar Erasmus însuşi, nu pare să scape nevătămat. (Aşa cum i-a şi scris lui Thomas Morus, replicând anticipat „celor care m-ar putea învinui pentru limba mea prea ascuţită [...] Dar oare cel care se revoltă împotriva condiţiei umane, fără să atace pe nimeni personal, nu vrea mai degrabă să prevină şi să îndrume decât să rănească prin cuvânt? Şi de altfel de câte ori nu m-am războit aşa cu mine însumi?".)[51] În fond, nebunia înseamnă iluziile pe care lumea trebuie să le îmbrăţişeze ca să facă din această vale a plângerii una fericită şi, de asemenea, pentru a le permite conducătorilor corupţi şi vicioşi să se autoamăgească în privinţa purtărilor lor. Este un lucru esenţial pentru „neguţătorul, ostaşul sau judecătorul căruia, dacă îşi smulge un gologan din mormanul de galbeni strânşi din hoţii şi îl dă pentru vreun fleac cucernic, nu-i trebuie mai mult să creadă că şi-a curăţit sufletul de toate murdăriile vieţii sale. Sperjur, destrăbălări, gâlcevi, beţii, omoruri, trădări, înşelăciuni şi vicleşuguri, toate au fost răscumpărate de acel gologan, şi încă atât de bine că le pot lua de la capăt"[52].

În final, creştinul este prezentat drept cel mai mare dintre toţi nebunii[53]. Nebunia e cea care-i permite credinciosului să se lepede de plăcerile acestei lumi şi să adopte viziunile lumii de apoi. Prin aceasta, Erasmus se face ecoul apostolului Pavel, care a spus că „suntem nebuni pentru Hristos", şi chiar şi al Mântuitorului însuşi. Căci „însuşi Hristos, care nu e altceva decât înţelpciunea Tatălui, a împrumutat cumva nebunia lumii pentru a-i mântui de ea pe oameni, odată ce s-a făcut om. Mântuitorul a luat asupră-i povara nebuniei, ca şi pe a păcatului, pentru a lecui pe muritori de ele şi a le stârpi. Şi cum vrea să le stârpească? Prin nebunia crucii [...]"[54]. Şi „aflaţi, într-un cuvânt, conchide Nebunia, că religia creştină pare a se potrivi ca o mănuşă unui anumit soi de nebunie şi a se pune de-a curmezişul înţelepciunii"[55]. Poate că nu existau, în definitiv, prea multe lucruri care să-i delimiteze pe cei cucernici de cei nebuni – temă ce evocă, după cum conştientiza Erasmus, interpretările mai pozitive ale anumitor forme de nebunie avansate de Platon şi Socrate[56].

Într-adevăr, elemente din filosofia lui Platon apar în numeroase locuri din eseul lui Erasmus. De exemplu, el se inspiră din comparaţia făcută de Alcibiade între Socrate cel lăuntric şi Socrate cel exterior şi un Silen, o mică statuetă urâtă şi diformă pe dinafară, însă care, dacă o întorceai pe dos, se dovedea a fi imaginea unui zeu[57]. Astfel, Nebunia ne spune, în prima traducere în engleză a *Elogiului nebuniei*:

> Ceea ce pe dinafară pare moarte, dacă privești în tine, vei vedea că e viață; iar fața cealaltă a ceea ce pare viață este moarte. Vei vedea sluțenia în locul frumuseții, sărăcia lucie în locul belșugului, gloria în locul infamiei, neștiința în locul cunoașterii. Puterea îți va părea nevolnicie, josnicia noblețe, tristețea veselie, hatârul osândă, ura prietenie, sănătosul dăunător. Așa cum un Silen e desfăcut și se dezvăluie cu iuțeală, vei descoperi că toate lucrurile capătă un nou chip[58].

În altă parte, mitul platonician al peșterii constituie baza unui pasaj ce-i elogiază pe nebunii care duc o viață fericită, mulțumindu-se să creadă în umbre și respingându-l pe înțeleptul care privește realitatea de afară. Dar Nebunia redevine paradoxală când vorbește despre „nebunul" creștin în încheierea eseului: aici, cei care resping ispitele și deșertăciunile acestei lumi de dragul desfătărilor durabile din lumea de apoi sunt cei înțelepți, deși disprețuiți de cei care se agață de desfătările lumii materiale. Ceea ce se arată la suprafață, sugerează acum Nebunia, ar putea să ascundă adevărul mai profund la care aspiră înțelepții. Ca pe tot cuprinsul *Elogiului nebuniei*, ironiile se întrec între ele.

Reforma și Contrareforma

În anii de după moartea lui Erasmus, în toiul disputelor aprige dintre protestanții militanți și catolicii Contrareformei, cu arderi de cărți și de eretici, criticile lui nepărtinitoare și gesturile lui de tolerare a concepțiilor concurente nu aveau mari șanse de a se face auzite. Chiar și în timpul vieții Erasmus se văzuse condamnat de ambele tabere, refuzul lui de a susține extremele fiind interpretat ca un act de lașitate intelectuală. Iar criticile sale aspre la adresa superstițiilor, a exorcizării, a venerării mormintelor sfinților și a posedării demonice par fără îndoială să fi avut influență limitată timp de peste un secol. Atractivitatea acestor credințe vechi a ieșit la iveală în mod repetat în artele plastice după moartea sa și a continuat să-și găsească exprimarea în unele dintre cele mai mărețe picturi ale secolului al XVI-lea și începutului de secol XVII.

Între picturile cu cea mai mare forță de acest fel s-a aflat seria celor realizate de Rubens între anii 1618 și 1630. Ele fuseseră comandate drept retabluri și pentru a folosi noua estetică a Barocului ca armă în lupta Contrareformei cu calviniștii și cu alți eretici. Prin ele, Biserica militantă căuta să-și întărească legitimitatea în fața contestărilor tot mai numeroase la adresa autorității sale și să facă acest lucru amintindu-le celor care se rugau între zidurile ei de legăturile puternice pe care le avea cu tradiția consacrată. Imagini imense, bogat colorate și cu o senzualitate extravagantă, retablurile lui Rubens îl invitau pe privitor să fie martor ocular la puterea unui sfânt (sau a unui candidat la statutul de sfânt) de a-i alunga pe diavol și pe slugile lui. Pictura *Minunile Sfântului Ignațiu de Loyola*, de exemplu, a fost realizată în anii 1617-1618, când Ignațiu fusese beatificat, dar nu și ridicat la rangul de sfânt (canonizarea lui avea să aibă loc patru ani mai târziu, în 1622). Două siluete de posedați sunt țintuite în fața lui Ignațiu aflat la altar, cu brațul ridicat într-un gest de binecuvântare, iar dracii ies grăbiți din ele, vrând cu disperare să fugă din preajma sfântului (**pl. 18**).

Nu că nu se schimbase nimic. Una dintre numeroasele abateri de la reprezentările medievale ale alungării diavolului era renunțarea la interpretarea literală a Bibliei. În locul tradiției anterioare de a-l înfățișa pe însuși Hristos tămăduindu-i pe posedați, aceste minuni erau îndeplinite acum de adepții lui cu har divin. Această pretenție întâmpina o opoziție aprigă din partea contemporanilor protestanți ai lui Rubens, în Provinciile Unite calviniste din nordul Olandei spaniole, care refuzau să aibă de-a face cu o astfel de propagandă catolică. În orice caz, faptul că acceptau interdicția din Vechiul Testament de a-și face chip cioplit însemna că picturile agățate în spatele unui altar bogat împodobit erau pentru ei anatemizate. (Unul dintre momentele definitorii ale revoltei lor împotriva lui Filip al II-lea al Spaniei fusese așa-zisa Beeldenstorm, „Furia iconoclastă", din 1566, când sute de biserici au fost despuiate de statuile și podoabele lor religioase.) Olandezii au făcut totuși o excepție cu paravanele pictate ale orgilor, înfățișând scene biblice, unul dintre foarte puținele ornamente vizuale din clădirile lor de o simplitate rigidă. Poate că paravanul de orgă al lui David Colijns, pictat cândva între 1635 și 1640 pentru Nieuwezijds Kapel din Amsterdam, avea un subtext politic specific momentului, un avertisment cu privire la pericolele pe care le poate aduce un conducător irațional (subiect ce prezenta mai mult decât un interes trecător pentru olandezi, a căror luptă pentru independența de Spania catolică a durat, cu intermitențe, optzeci de ani). În orice caz, el recreează viu scena din Cartea întâi a Regilor, în care Saul, nebun, „a aruncat [...] lancea, cugetând: «Voi pironi pe David de perete!»". Pesemne că încercarea inutilă a lui David, cu această ocazie, de a folosi muzica pentru a calma fiara sălbatică a făcut ca această imagine să fie deosebit de oportună pentru a acoperi cu ea o orgă (**pl. 19**).

Muzica nu era nici pe departe singura formă de tratament pentru nebunie care a ajuns în repertoriul artistic al Renașterii. Dată fiind relevanța tot mai mare a perspectivelor medicale asupra nebuniei, poate că această evoluție nu ar trebui să surprindă, iar personajul medicului are adesea o poziție proeminentă. Poate cel mai îndrăgit subiect al picturilor de acest fel era cel al operației de extragere a pietrei, pornind de la ideea străveche că nebunia are origine fizică. De la pictura lui Hieronymus Bosch din jurul anului 1494 (cunoscută și ca *Vindecarea nebuniei*; **pl. 20**) până la versiunea lui Pieter Huys de la jumătatea secolului al XVI-lea înfățișând un chirurg care extrăgea piatra nebuniei și mai departe, imaginile de felul acesta erau nenumărate. Boneta conică asemănătoare tichiei prostului din tabloul lui Bosch sugerează poate un comentariu satiric la adresa orgoliului medical, deși din alte versiuni pare să lipsească această dimensiune. În realitate, picturile de acest fel fac referire la practica relativ des întâlnită a trepanației, executarea unui orificiu în craniu pentru a înlătura durerile de cap sau presiunea, ori la cauterizarea craniului, ca forme de tratament.

Enigme și complexități

Locul ocupat de nebunie în civilizația europeană în anii anteriori zorilor lungului secol al XVIII-lea este așadar complex. Izvor de fascinație crescândă în artele plastice și literatură, alienarea mintală continuă să fie privită în multe locuri drept consecință a intervenției forțelor supranaturale – deși aceste concepții erau puse la îndoială tot mai des, nu în ultimul rând pentru că inventarea tiparului și redescoperirea ideilor medicale grecești și romane au dat o viață nouă teoriilor ce implicau perturbările organice în tulburările psihicului. Majoritatea nebunilor rămâneau în libertate, responsabilitate și povară pentru rudele lor de sânge. Numai foarte puțini dintre ei puteau fi găsiți internați, cu precădere cei lipsiți de prieteni sau rude ori care erau atât de periculoși, încât privarea de libertate părea singura soluție la problema pe care o reprezentau. Însă numărul foarte mic de nebuni aflați în instituții ca Bedlam era suficient pentru a captiva imaginația dramaturgilor și a publicului acestora. Casele de nebuni aveau să se înmulțească în scurt timp, căci viața imită arta, iar explicațiile naturaliste ale nebuniei aveau să fie adoptate într-un cerc tot mai larg al celor educați. Însă schimbarea era lentă și șovăielnică. Vechile tradiții și credințe continuau să-și păstreze în mare măsură forța lor, ca și influența asupra imaginației omenești.

Capitolul 5

Case de nebuni și doctori de nebuni

Noi reacții la nebunie

Imaginile sunt frapante: trei fețe cu priviri fixe la ferestrele celulelor, agitate, neîngrijite; un bărbat tânăr cu zâmbet tâmp se uită pe furiș din ascunzătoarea lui, în spatele unuia dintre cele două personaje corpolente din prim-plan, nebuni furioși, unul ocupat să-și roadă propria carne și amândoi evident orbi unul la celălalt și la lumea din fața lor. Panoul a fost sculptat de Peter van Coeverden în 1686 și ridicat în fața *dolhuis* (casei de nebuni) care fusese construită pentru a adăposti o jumătate de duzină de alienați mintali în orașul olandez 's-Hertogenbosch, cu mai bine de două secole înainte. De cealaltă parte a Mării Nordului, mărețul proiect al lui Robert Hooke pentru un nou Bedlam somptuos (primul fiind acum dărăpănat și impropriu) fusese finalizat în anul 1676, în Londra din perioada Restaurației, fiind construit pe un teren suficient de mărginaș la Moorfields, imediat în afara vechiului zid al orașului (**pl. 22**). Deasupra porților lui au fost ridicate două uriașe sculpturi și mai impresionante, realizate de sculptorul danez Caius Gabriel Cibber. La stânga, aproape lungit pe un pat de paie, cu chipul inexpresiv, cu brațele și picioarele rășchirate, zăcea un melancolic. Pe partea opusă se afla întruchiparea amenințătoare, în lanțuri, a unui maniac, cu pumnii încleștați, cu mușchii încordați, agitat, zvârcolindu-se, cu capul dat pe spate și fața schimonosită de o mimică aproape bestială. Astfel au început azilurile, spre sfârșitul secolului al XVII-lea, să facă reclamă prezenței lor în maniere noi, instituțiile dedicate detenției nebunilor și a celor cu moralitate îndoielnică dobândind un loc mai însemnat în multe societăți europene.

A fi nebun înseamnă a fi inactiv sau cel puțin incapabil în general de muncă productivă. Până în epoca modernă, acest lucru însemna că indivizii care-și pierduseră mințile alcătuiau o parte a grupului mult mai mare al celor săraci, cu moralitate îndoielnică, neputincioși, orfani, bătrâni și infirmi. Toate soiurile de oameni dependenți erau puse laolaltă în aceeași categorie, rareori făcându-se o diferențiere

Panou în relief înfățișând locatari ai azilului de alienați mintali din 's-Hertogenbosch, sculptat de Peter van Coeverden (1686). Trei fețe de nebuni se uită prin deschizăturile celulelor, iar alți doi nebuni și un băiat se strâmbă și pozează în fața noastră.

atentă între ei. Desigur că, la anumite niveluri, nimeni nu făcea confuzie între orbi și nebuni, între tineri și bătrâni, între desfrânați și depravați. Dar, din punct de vedere social, incapacitatea și sărăcia care îi caracterizau pe toți aveau importanța cea mai mare, nu originile diferite ale dependenței lor.

În secolul al XVII-lea, lucrurile au început să se schimbe. Cauzele schimbării au fost variate. În nordul Europei, reînsuflețirea comerțului, extinderea orașelor și răspândirea relațiilor de piață par să fi determinat o atitudine mai laică și mai sceptică față de săraci, îndeosebi față de trântori și vagabonzi. În Provinciile Unite (regiunea pe care o cunoaștem azi ca Olanda), în Marea Britanie și în alte părți ale regiunii se făceau încercări intermitente de a-i închide pe oamenii de acest fel într-un tip nou de instituție, o casă de corecție, unde se spera că ar putea fi disciplinați și învățați să muncească. Primele case de nebuni olandeze, *dolhuizen*, începuseră să apară încă din secolul al XV-lea. Erau foarte mici, putând găzdui sub o duzină de pacienți, dar, spre sfârșitul secolului al XVI-lea și începutul secolului al XVII-lea, mai multe dintre ele resimțeau presiunea de a se extinde, dat fiind că familiile și comunitățile căutau căi de a scăpa de nebunii amenințători. Printr-o manevră caracteristică olandezilor cu spirit întreprinzător, extinderea lor a fost finanțată în multe cazuri nu prin donații caritabile, ci prin organizarea de loterii cu premii atrăgătoare pentru a procura de la cetățeni sumele necesare. La Amsterdam s-au vândut bilete timp de un an pentru marea extragere din 1592 şi premiile au fost atât de numeroase, încât întregul proces a durat şaizeci şi opt de zile şi nopţi. (*Dolhuis* din Amsterdam fusese întemeiată în anul 1562, cu bani lăsaţi prin testament de Hendrick van Gisp, a cărui soţie însărcinată fusese atacată de o femeie nebună.) Încasările loteriei au finanţat o extindere impresionantă a clădirii, care a fost finalizată în 1617. Oraşele Leiden (1596) şi Haarlem (1606-1607) au urmat în scurt timp exemplul, deşi în cazul lor extragerea premiilor a durat numai cincizeci şi două de zile şi nopţi pentru fiecare.

Monarhiile absolutiste ale Europei catolice, nutrind aversiune faţă de expedientele comerciale de acest fel, vedeau totuşi în trântori şi în inadaptaţii societăţii un pericol politic şi o posibilă sursă de răzvrătire şi dezordine. Şi ele făceau încercări, folosind impozitele percepute de la ţărănime, de a curăţa străzile de săraci şi de a neutraliza pericolul pe care îl reprezentau. Cerşetorii, vagabonzii şi prostituatele se trezeau închişi, împreună cu alţii ale căror legături cu lumea stabilă a muncii plătite erau suspecte. Erau azvârliţi în număr mare în noile instituţii, cele mai renumite fiind diferitele *hôpitaux généraux* şi *dépôts de mendicité* presărate pe tot cuprinsul Franţei în secolele al XVII-lea şi al XVIII-lea. În loc să fie ignoraţi mai departe, trântorii şi săracii dependenţi aveau să fie siliţi să muncească – sau cel puţin aceasta era teoria.

Chiar şi în vremurile medievale fuseseră folosite diferite expediente pentru a-i scoate din societate pe cei mai violenţi şi mai periculoşi dintre nebuni, închizându-i şi punându-i în lanţuri spre a diminua ameninţarea pe care o reprezentau. Ar fi aşadar surprinzător dacă unii dintre alienaţii mintali nu s-ar găsi acum printre indivizii licenţioşi şi trândavi, proaspăt supuşi la disciplină şi constrângeri. Dar nebunii nu constituiau ţinta principală a celor porniţi să construiască noile case de corecţie. Dimpotrivă, mai ales în Olanda se făceau eforturi de a-i exclude pe bolnavi şi pe demenţi din respectivele aşezăminte. În definitiv, prezenţa lor nu era câtuşi de puţin compatibilă cu accentul pus pe muncă grea, disciplină şi ordine. De aici preferinţa olandezilor de a-i strânge pe nebuni, atunci când reprezentau o ameninţare suficient de mare, în instituţii dedicate, *dolhuizen*, în rândul cărora cea de la 's-Hertogenbosch fusese prima.

La Salpêtrière, primul şi cel mai grandios dintre spitalele generale franceze, întemeiat în anul 1656 prin decret regal şi construit pe locul unei vechi fabrici de praf de puşcă din Paris, exista un număr oarecare de alienaţi mintali – poate circa o sută la început, ajungându-se la o cifră înzecită la vremea izbucnirii Revoluţiei Franceze, deşi pe atunci spitalul adăpostea de mulţi ani cu precădere femei. Dar nebunii au constituit întotdeauna o mică parte dintre cei

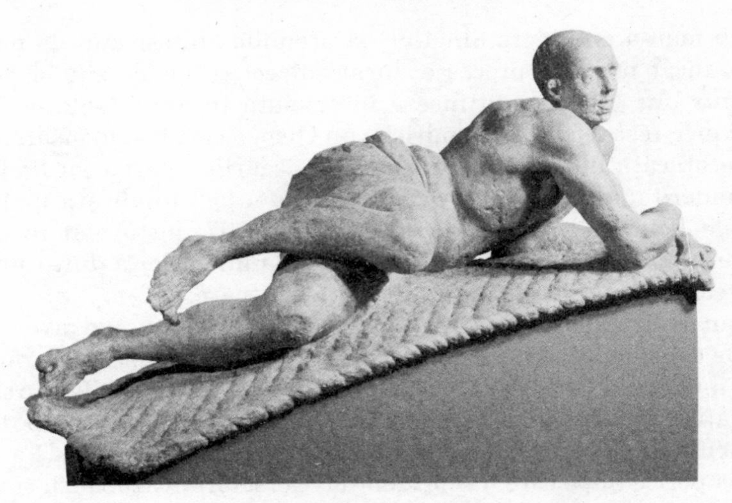

Melancolia și nebunia furioasă (aprox. 1676): aceste două sculpturi uriașe ale lui Cibber se înălțau deasupra intrării la Bedlam. John Keats, care a crescut în umbra lor, le-a avut negreșit în minte când i-a descris pe „titanii răniți" din poemul său epic „Hyperion".

instituționalizați acolo. În anul 1790, de exemplu, reprezentau nu mai mult de o zecime din numărul celor închiși acolo, acesta depășind la momentul respectiv zece mii de suflete. Toate soiurile de oameni turbulenți și problematici pentru societate înțesau sălile vastului așezământ (**pl. 23**). În 1788, când și-a prezentat raportul critic asupra spitalelor pariziene, chirurgul francez Jacques Tenon (1724-1816) a făcut un rezumat concis al demografiei lui eterogene:

> Salpêtrière este cel mai mare spital din Paris și, poate, din Europa: acest spital este deopotrivă așezământ pentru femei și închisoare. Aici sunt primite femei și fete gravide, doici și pruncii pe care îi alăptează, copii de sex bărbătesc de la vârsta de șapte-opt luni până la patru-cinci ani; fete de toate vârstele; vârstnici căsătoriți, bărbați și femei; nebuni furioși, imbecili, epileptici, paralitici, orbi, schilozi, oameni afectați de pecingine, bolnavi incurabili de toate felurile, copii afectați de scrofuloză și așa mai departe. În mijlocul acestui spital există o casă de detenție pentru femei, cuprinzând patru închisori separate: *le comun*, pentru cele mai desfrânate fete; *la correction*, pentru cele care nu sunt considerate iremediabil depravate; *la prison*, rezervată persoanelor ținute închise la porunca regelui; și *la grande force*, pentru femei înfierate la ordinul tribunalelor[1].

După cum sugerează această enumerare (în care alienații mintali sunt reduși la statutul de adăugire neînsemnată), ideea propagată cândva de Michel Foucault că în secolele al XVII-lea și al XVIII-lea

s-a întreprins o „Mare Închidere” a nebunilor supraestimează cu mult adevărata stare a lucrurilor – fapt ce devine și mai clar când ne îndreptăm privirea dincolo de aglomerata capitală franceză.

La Montpellier, de exemplu, în sudul Franței, autoritățile provinciei construiseră un *hôpital général* în ultimele decenii ale secolului al XVII-lea, lucru care n-a pus capăt plângerilor, la începutul secolului al XVIII-lea, cu privire la *„des gens qui roulent la ville et commettent plusieurs désordres se trouvant déporvus de raison et du bon sens”* („oameni care hoinăresc prin oraș, lipsiți de rațiune și de bun-simț, comițând un șir întreg de fapte reprobabile”). În cele din urmă, unul dintre aceste incidente, în care un nebun și-a ucis mai întâi soția, după care a dat foc propriei case și celor ale vecinilor săi, a silit autoritățile să ia măsuri: administratorii orașului au convenit cu spitalul local construirea a douăsprezece celule sau *loges* noi, în care să poată fi închiși în siguranță nebunii violenți. Pe parcursul secolului au mai fost adăugate câteva celule, sub diferite auspicii, astfel că la vremea izbucnirii Revoluției existau douăzeci și cinci, care adăposteau doar douăzeci de nebuni – și asta într-un oraș cu circa 30.000 de locuitori[2].

Montpellier era un mare centru de învățământ medical; facultatea sa de medicină era întrecută numai de cea din Paris ca prestigiu și faimă[3]. Însă faptul că aceste celule se situau în incinta spitalului n-ar trebui să ne inducă în eroare: implicarea medicilor în tratarea alienaților mintali și interesul lor pentru un astfel de lucru erau minime sau chiar nule[4]. Puținii pacienți închiși în celulele pentru nebuni par să fi fost cei care reprezentau un pericol evident pentru comunitate – un bărbat care cutreiera cartierul noaptea, încercând să-i dea foc, un altul care atacase și rănise numeroși oameni, un

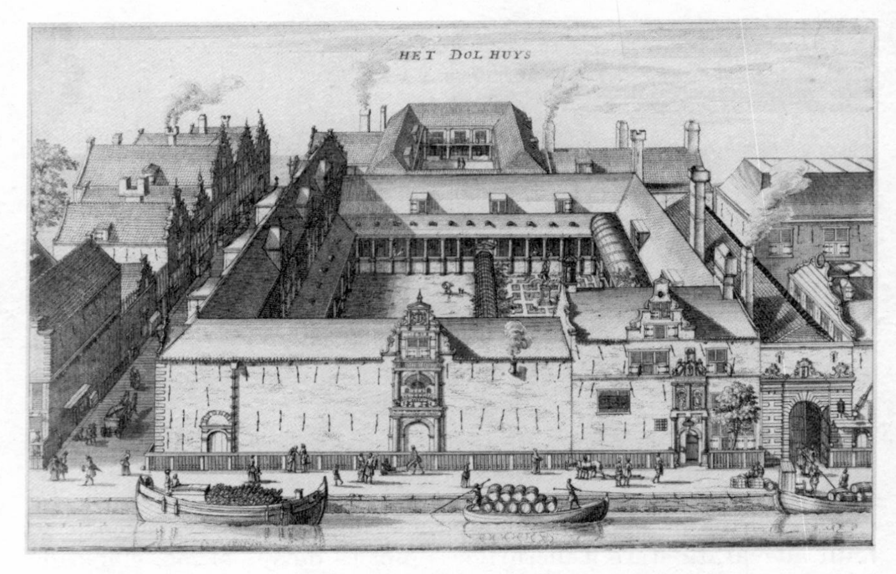

Dolhuis *sau casa de nebuni din Amsterdam, după finalizarea lucrărilor de renovare și extindere în anul 1617. Gravura, posibil opera lui J. van Meurs, a apărut în 1663.*

al treilea care intrase în biserica locală și începuse să spargă icoane și podoabe religioase – sau ale căror fapte amenințau să abată rușinea ori scandalul asupra unei familii, pretext folosit totodată pentru a închide tinere „desfrânate", ale căror înclinații sexuale (și, poate, acte de prostituție) puneau în primejdie onoarea familiei. Îngrijirea lor, în condițiile respective (cei închiși erau ținuți în celule mici, cu gratii, cu latura de aproximativ doi metri și jumătate), era asigurată de călugărițele catolice Les Filles de la Charité, ceea ce reflectă faptul că problemele lor erau considerate a fi de ordin social și nu medical[5].

După cum arată numărul mic al alienaților mintali închiși la spitalul local, îngrijirea nebunilor se făcea de cele mai multe ori în alte părți. La fel ca în secolele de dinainte, povara principală cădea asupra familiilor și, date fiind sărăcia și condițiile de trai proaste ale păturilor inferioare, expedientele la care se făcea apel erau dure. Legați cu lanțuri în poduri sau beciuri ori în clădiri anexe, acești suferinzi aveau o soartă și mai puțin de invidiat. Dacă nu li se găsea nici o rudă, unii dintre săracii alienați mintal puteau fi închiși într-o pușcărie sau duși la *dépôt de mendicité*, azilul de săraci local, alături de alți membri ai claselor de jos. Pentru cei mai înstăriți exista o alternativă la încercările de a controla nebunia la domiciliu, și anume trimiterea rudelor respective la așezăminte religioase, o formă de privare de libertate aprobată oficial printr-o *lettre de cachet* regală, un mandat care purta semnătura regelui și autoriza detenția pe termen nelimitat a persoanei numite în el. Poate cel mai faimos personaj închis în această manieră a fost marchizul de Sade (1740-1814). O *lettre de cachet* bloca pe deplin accesul la tribunale și la recurs, iar escapadele sexuale repetate ale lui Sade o îndemnaseră pe soacra lui, madame de Montreuil, să obțină mandatul. Se poate să fi fost împinsă la acest gest de aventura lui Sade cu o altă fiică a ei, ca să nu mai amintim aventurile frecvente cu prostituate și prostituați și seducerea oricui se nimerea în preajma lui. Dacă așa a fost, ea a făcut pasul contrar dorinței soției lui Sade, de multă vreme complicea acestuia. Însă, ademenindu-l la Paris sub un pretext oarecare, i-a obținut întemnițarea, mai întâi la Château de Vincennes și apoi la Bastilia, de unde a fost mutat la azilul de nebuni de la Charenton cu numai zece zile înainte ca gloata revoluționară să ia cu asalt închisoarea pariziană și să-i elibereze pe deținuți[6]. După o perioadă de libertate, Sade s-a întors la Charenton în anul 1803 și a rămas acolo până la moartea sa, în 1814.

De la începutul secolului al XVIII-lea, Franța avea și case de nebuni private, numite eufemistic *maisons de santé*[7]. Exista un proces juridic oficial (și costisitor) pentru justificarea trimiterii alienaților mintali în astfel de locuri. Audierea în fața unui magistrat, *interdiction*, era inițiată de obicei de către rude și ocazional de autoritățile regale. Magistratul audia martorii și deseori stătea de vorbă cu persoana nebună înainte de a decide dacă să autorizeze sau nu încarcerarea ei. Această procedură avea și menirea de a proteja bunurile persoanei. Dar, pe lângă cheltuiala considerabilă pe care o prilejuiau, aceste demersuri erau privite drept o amenințare la adresa „onoarei familiei" și a reputației acesteia, astfel că mulți se fereau să recurgă la ele. Mai des se foloseau acele *lettres de cachet* universale pentru a se autoriza trimiterea rudei nebune la respectivele așezăminte. Nici această abordare nu era lipsită de dezavantaje. Laxitatea criteriilor pe baza cărora erau emise respectivele mandate contribuia în mod special la faptul că reputația acestor *maisons de santé* era afectată de scandal și teamă[8]. Faptul că aceste instrumente erau întrebuințate simultan pentru a-i amuți pe adversarii politici și criticii regelui și pentru a le închide gura (și nu numai gura) celor născuți în familii alese ale căror isprăvi le trezeau rudelor neliniște nu trecea neobservat. Nu pentru ultima oară, înfierarea unei persoane incomode cu stigmatul nebuniei prezenta o atractivitate evidentă, însă a ceda tentației de a proceda astfel însemna că privarea de libertate a celor bolnavi mintal ajungea să aibă iz de tiranie. În timpul domniei lui Ludovic al XVI-lea, nemulțumirea reprimată, dar clocotind înăbușit trezită de acest mijloc arbitrar de a reduce oamenii la tăcere și a-i întemnița a răbufnit – și, începând din anii 1770, parlamentul parizian, omoloagele sale din provincii și în cele din urmă Stările Generale au dat glas în mod repetat protestelor față de această practică. Drept urmare, a fost abolită imediat după Revoluție, pe 27 martie 1790, de către Adunarea Constituantă – decizie care a complicat problema înlăturării din societate a nebunilor periculoși și a generat dificultăți care aveau să fie rezolvate pe deplin abia în anul 1838, prin promulgarea unei noi legi ce reglementa închiderea nebunilor.

Reprezentări ale nebuniei

Dacă bănuielile de închidere injustă în casele de nebuni franceze erau strâns împletite cu teama mai amplă de tirania și comportamentul arbitrar ale regelui, dincolo de Canalul Mânecii ele se corelau cu un alt set de temeri. Casele de nebuni private, generatoare de profit, începuseră să apară în Anglia poate chiar de la sfârșitul secolului al XVII-lea, oamenii mai bogați căutând un mijloc de a se debarasa de greutățile și necazurile asociate îngrijirii alienaților mintali la domiciliu. Secolul al XVIII-lea a fost martorul nașterii unei societăți de consum, piața și comerțul crescând în ritm alert și clasa de mijloc din ce în ce mai numeroasă începând să se bucure de un anumit belșug[9]. Tot mai multe bunuri și servicii au devenit obiecte ale comerțului, din care clasele întreprinzătoare puteau încerca să-și câștige traiul. Cursurile de etichetă și dans, lecțiile de muzică și pictură le ofereau multora posibilitatea de a-și asigura o sursă de venit.

Odată cu răspândirea alfabetizării, piața ficțiunii ieftine s-a dezvoltat și scriitorașii de pe Grub Street (o stradă londoneză faimoasă pentru scriitorii de acest fel) furnizau povestiri palpitante pentru mase, în timp ce la nivelul superior al pieței literaturii scriitorii mai ambițioși găseau un public mai larg pentru produsele lor. La fel stăteau lucrurile și în domeniul artelor plastice: artiștii abili, ca William Hogarth (1697-1764), exploatau noile oportunități comerciale vânzând picturi scumpe clientelei aristocratice și gravuri produse în masă cu aceleași imagini parveniților care căutau să-și imite superiorii. Printre subiectele abordate de Hogarth, alături de obișnuitele portrete ale celor bogați și importanți, se aflau tipuri noi de comentarii sociale: un tablou înfățișând un scriitor muritor de foame dintr-o mansardă de pe Grub Street și serii de imagini satirice blamând vehement păcatele Londrei secolului al XVIII-lea –

„subiecte morale moderne", cum le numea Hogarth –, cu teme precum *Căsătorie la modă*, *Hărnicie și lenevie*, *Cele patru stadii ale cruzimii*, *Aleea Ginului* și *Cariera unei prostituate*.

Poate cea mai faimoasă serie dintre toate era *Viața unui libertin*, opt picturi ce înfățișau decăderea tânărului Tom Rakewell, care moștenește o avere de la tatăl lui, negustor bogat și zgârcit, și o face praf cu o viață de petreceri, băutură, jocuri de noroc și prostituate. În ultima scenă, aproape despuiat și legat cu lanțuri, Tom zace pe pardoseala de la Bedlam, scos din minți de viața de excese pe care a dus-o, înconjurat de o panoplie de nebuni, toate acestea sub privirile a două femei îmbrăcate bine, modern – aristocrate curioase ori prostituate, artistul nu ne lămurește în privința asta. Gratii, lanțuri, goliciune – accesoriile stereotipice ale nebuniei – și o sală ticsită cu personaje ca papistașul nebun cu mitră și sceptru trinitarian, astronomul scos din minți, melancolicul bolnav din dragoste, îmblânzitorul de șerpi în delir, muzicianul smintit și insul care se vrea rege, despuiat, doar cu o falsă coroană pe cap și urinând pe paie: o paradă jalnică a iraționalității sub o multitudine de chipuri, nebunia ca răsplată pentru păcat. Picturile au fost finalizate în 1733, an spre sfârșitul căruia Hogarth a început să accepte comenzi pentru versiunile gravate. Însă, prudent, a amânat publicarea până pe 25 iunie 1735, când a fost promulgată noua Lege a drepturilor de autor ale gravorilor: astfel, Hogarth a putut să ceară două guinee pe set și, după ce a epuizat piața respectivă, a realizat o versiune cu gravuri mai mici pe care le-a vândut cu doar doi șilingi și șase pence setul.

Aceeași combinație între protectorii aristocrați și membrii clasei aspirante a comercianților, principalii consumatori ai lucrărilor lui Hogarth, alcătuia și grosul publicului unui alt fel de demers artistic. În mod convențional se consideră că opera, combinând poezia, dansul, teatrul și muzica, s-a născut în Florența renascentistă, în ultimii ani ai secolului al XVI-lea, reprezentând o încercare de a reînvia teatrul grecesc. Inițial puse în scenă predominant pentru publicul de la curte (unde extravaganța de toate felurile era privită drept virtute, căci oferea un bun prilej de etalare fără reținere a bogăției și puterii), spectacolele de operă au început ulterior să fie oferite unui public plătitor, chiar dacă tot înstărit – mai întâi la Veneția (cu lucrări de Monteverdi) și în scurt timp pe tot cuprinsul Italiei, după care s-au răspândit în restul Europei. La vremea lui Hogarth era deja un gen ce atrăgea mari compozitori, iar atractivitatea lui pentru cei bogați devenea tot mai mare, deopotrivă în avantajul și în dauna lui.

Ultima scenă din Viața unui libertin *arată soarta lui Tom: răsplata pentru traiul păcătos și risipitor sunt nebunia și închiderea la Bedlam; gravură realizată după pictura originală.*

Opera presupunea spectacol, dramatism pe scenă și intrigi care făceau apel în mod deliberat la exagerare până aproape de excesiv și absurd, trăirile afective, iubirea, trădarea, durerea, răzbunarea și moartea fiind toate amplificate. Ca atare, compozitorii și publicul genului au fost atrași aproape imediat de posibilitățile melodramatice pe care le oferea alienarea mintală și de faptul că pasiunile, ațâțate până la o intensitate febrilă, se pot învecina cu nebunia și pot să ducă la ea. Dacă interpreții de operă erau în stare să cânte arii lungi în timp ce erau cuprinși de jale, îndurau chinuri ori mureau, de bună seamă că puteau să dea glas și nebuniei[10]. Prin capacitatea sa de a face uz de potențialul poeziei pentru a forța limitele limbii și de a combina aceste atribute cu acțiunea, decorurile și costumele teatrale expresive, opera prezenta avantaje imense ca formă prin care să fie surprinsă nebunia – să fie etalată, așezată sub lupă, poate chiar domesticită în unele sensuri, și negreșit să fie evidențiate disoluția și fragmentarea lumii prin născocirile artei. Și omitem un aspect chiar mai însemnat. Opera dispunea de un al doilea „limbaj", capabil să-l amplifice și să-l ilustreze pe cel verbal și vizual și chiar să joace rolul de contrapunct pentru el: idiomurile și sunetele muzicale, ce puteau fi exploatate de un compozitor suficient de abil pentru a sublinia caractere, dispoziții și situații.

Orlando a lui Händel (o prelucrare a poemului epic *Orlando furioso*) avusese premiera la Londra pe 27 ianuarie 1733, când Hogarth lucra la *Viața unui libertin*. Lucrând cu idiomurile muzicale îndeobște maiestuoase și ordonate ale barocului, Händel a profitat totuși din plin de ocazia de a unifica jocul actoricesc, cuvintele și muzica pentru a reda dezintegrarea și nebunia lui Orlando în lunga scenă care încheie actul al doilea. El face uz de o varietate de mecanisme muzicale abile pentru a semnala debutul bolii și pierderea contactului cu realitatea. Orchestrația care începe simplu și ritmat devine mai tumultuoasă pe măsură ce scena evoluează. Deși coardele încep prin a cânta împreună, viorile adoptă ulterior o linie melodică mai înaltă, iar ritmul se accelerează. Acordurile sunt cântate într-o manieră tot mai frenetică. Flautele drepte și violele d'amore asigură un colorit neobișnuit, semnalând evadarea lui Orlando din realitate. Șapte tempouri diferite și cinci schimbări ale măsurii contribuie la întorsăturile muzicale. Cel mai tensionat element tematic este repetat de mai multe ori și în cele din urmă revine iarăși, susținut la sfârșit de un acompaniament muzical mult mai frenetic și mai complex. Iată o muzică rătăcită, simbolizând o lume debusolată. (Händel recurge chiar la câteva măsuri de 5/8 în recitativul cu acompaniament ce precedă aria, o raritate în muzica barocă, ce trebuie să fi amplificat starea de neliniște a publicului acelor vremuri)[11]. În cele din urmă, Orlando cel scos din minți crede că a urcat în luntrea lui Caron, cel care trece sufletele peste Stix, și că pornește într-o călătorie prin lumea umbrelor. „*Già solco l'onde nere*" („Despic deja undele negre"), cântă Orlando afundându-se în nebunie.

Händel a făcut doar primul dintr-un șir bogat de împrumuturi din forme literare făcute de alți compozitori de operă[12]. După aproape jumătate de secol, în 1781, în perioada clasică, *Idomeneo* a lui Mozart, plasată în Creta, după Războaiele Troiene, îmbină coloritul orchestral, libretul și acțiunea dramatică într-un mod și mai fertil. Muzica lui Mozart se deosebește considerabil de muzica lui Händel, cu ritmuri mai complexe, cu un interval dinamic mai mare, cu instrumentație mai variată și cu orchestrație izbitor de diferită, precum și prin folosirea de către Mozart a mai multor linii melodice. Uvertura prevestește deja primejdia ce va să vină, marea învolburată, senzația prezenței unui zeu mânios, a forțelor ce amenință să distrugă ordinea. Pe măsură ce drama se desfășoară, vedem cum Elettra, chinuită de gelozie față de rivala ei la mâna prințului Idamante, prințesa troiană capturată Ilia, cheamă Furiile ca să se răzbune pe aceasta, iar mai apoi, când planul îi e dejucat, se pierde treptat în nebunia dezlănţuită a ultimei sale arii. Muzica dobândeşte o intensitate furioasă. Elettra dă glas disperării şi furiei, cu vocea înălţându-se şi apoi dizolvându-se în ţipete isterice fragmentate, în timp ce acompaniamentul orchestral agitat îmbină sincope şi elemente armonic instabile cu disonanţe, o combinaţie explozivă ce-i evocă sufletul furios şi chinuit[13]. Händel folosise în *Orlando* repetiţia, poate pentru a sugera compulsiile nebuniei, iar aria Elettrei iese şi ea în evidenţă, cum a subliniat Daniel Heartz, atât prin repetiţiile bâlbâite din cântecul Elettrei, cât şi prin „acordul repetat la nesfârşit de coarde, ca o obsesie chinuitoare"[14]. Asemenea scenelor de *sommeil*, somn (şi nu avem deloc nevoie să dezvoltăm aici corelaţiile dintre lumea viselor, cu dispariţia constrângerilor şi a contactului cu realitatea, şi dislocările care caracterizează nebunia), scena nebuniei va deveni un element recunoscut, o parte familiară a experienţei spectacolelor de operă pentru cei care alcătuiau cu regularitate publicul lor[15].

Oameni închişi, oameni amuţiţi

Dacă artele plastice şi scrisul începeau să ofere noi modalităţi de câştigare a existenţei – şi poate chiar a unei averi – pe seama unei clientele mai vaste decât protectorii tradiţionali din rândul clerului şi aristocraţiei, şi chestiunile mai lumeşti puteau fi transformate în surse de profit. Rezolvarea aspectelor mai puţin agreabile ale vieţii se număra cu siguranţă printre acestea. Cadavrele, de exemplu, erau încredinţate tot mai des unui grup nou de specialişti, antreprenorii de pompe funebre, care au preluat o sarcină neplăcută, îndeplinită în mod tradiţional de familie, i-au adus adăugiri şi şi-au vândut apoi serviciile îndoliaţilor.

La fel şi cu nebunia, un fel de moarte în viaţă din punct de vedere legal şi moral, ale cărei ravagii şi perturbări distrugeau viaţa domestică. Prezenţa unei rude tulburate mintal ameninţa structura socială şi tihna casnică. Cei căzuţi pradă maniei sau deprimării provocau bulversări şi nesiguranţă la fiecare pas; creau o sumedenie de probleme practice şi tot felul de tulburări şi dezordini. Nici bunurile, nici persoanele nu păreau să fie în siguranţă în prezenţa lor. Necazurile sociale şi scandalul reprezentau un pericol omniprezent, ca şi dezastrul financiar ce putea rezulta din cheltuirea imprudentă a resurselor materiale şi irosirea averii familiei. Adesea chinuiţi ei înşişi de suferinţe profunde, nebunii le pricinuiau simultan un mare stres celor care-i înconjurau şi mulţi cetăţeni respectabili erau tot mai dispuşi să plătească pentru a scăpa de această trudă.

În aceasta a constat structura subiacentă a noii afaceri cu nebunia, cum au ajuns să-i spună tot mai des englezii secolului al XVIII-lea. Cum un segment tot mai numeros al populaţiei era în măsură să plătească bani frumoşi pentru ajutor discret, sfaturi şi alinări şi pentru o soluţie practică la problemele pe care le ridica prezenţa unui alienat mintal, a apărut şi o reţea neoficială de case de nebuni care să se ocupe de minţile cele mai tulburate. Aceste aşezăminte le ofereau familiilor un mijloc de a-şi feri rudele nebune de privirile iscoditoare ale altora şi, prin aceasta, o oarecare protecţie faţă de ruşinea şi stigmatul ce le ameninţau poziţia socială. Cele mai grave forme ale alienării mintale reprezentau o catastrofă umană, iar pentru o fracţiune (încă relativ mică) dintre bolnavii mintali, închiderea într-una din noile case de nebuni constituia soluţia.

Nici autorizate şi nici reglementate într-o măsură semnificativă pe parcursul întregului secol, având ca scop asigurarea unei tăceri pline de tact, casele de nebuni erau adesea locuri izolate şi sinistre. Cei care exploatau acest soi de nefericire omenească alcătuiau un grup pestriţ, provenit din medii sociale foarte diferite – fapt ce oglindeşte societatea extraordinar de fluidă şi de inovatoare din rândurile căreia se trăgeau. Clericii, deopotrivă cei tradiţionalişti şi cei nonconformişti, considerau că între sarcinile lor se numără tratarea sufletelor bolnave şi tulburate, iar unii dintre ei au început să fie interesaţi de îngrijirea nebunilor. Spre exemplu, Joseph Mason, predicator baptist din Gloucestershire, a înfiinţat o mică casă de nebuni la Stapleton, lângă Bristol, în anul 1738 (mutată ulterior la Fishponds, un sat învecinat), care a rămas în familie timp de mai multe generaţii. (Nepotul lui, Joseph Mason Cox, despre care vom vorbi ceva mai târziu, avea să-şi ia diploma de medic la Leiden, în anul 1788; aparţinea celei de-a treia din cinci generaţii ale acestei familii care s-au ocupat de afacere.) Dar în această manieră îşi câştigau traiul şi oameni de afaceri şi speculanţi, văduve care căutau să-şi suplimenteze venitul insuficient şi cei care pretindeau mai mult sau mai puţin întemeiat că au cunoştinţe medicale, de la spiţeri autodidacţi la medici cu instrucţie clasică, precum Anthony Addington (1713-1790) de la Reading.

Iar uneori traiul câştigat astfel era foarte bun. Deschizătorul de drumuri sir William Battie (1703-1776), autorul (cu nume foarte potrivit*) al unui *Tratat asupra nebuniei* (1758), a dobândit suficientă avere şi faimă ca să-şi câştige rangul de cavaler, să devină

* *Battie* se poate traduce aproximativ prin „Ţicnitul" (n.tr.).

Whitmore House, la Hoxton: acuarelă înfățișând una dintre cele mai mari case de nebuni private din Londra în secolul al XVIII-lea și la începutul secolului al XIX-lea. A fost dobândită în anul 1800 de Thomas Warburton, fost ucenic de măcelar care lucrase acolo ca paznic, prin stratagema abilă, chiar dacă lipsită de originalitate, de a se însura cu văduva proprietarului anterior.

președintele Colegiului Regal al Medicilor și să ajungă, pornind aproape de la sărăcie, să lase o avere cuprinsă între 100.000 și 200.000 de lire sterline – în banii de azi, zeci de milioane. Averea câștigată de Addington datorită instituției sale a lansat cariera politică a fiului său, Henry, care a culminat cu funcția de prim-ministru, deținută timp de trei ani (1801-1804), și ridicarea la rangul de pair. Desigur, nu tuturor le-a mers la fel de bine. Majoritatea își câștigau un trai mult mai modest și, poate, își lăsau afacerea următoarei generații. Păstrarea în familie a activității profitabile și a tainelor ei s-a instituit devreme ca trăsătură a branșei doctorilor de nebuni.

Oamenii de afaceri știu să meargă acolo unde se află banii; ca atare, întreprinzătorii intrați în afacerea cu nebunia și-au căutat în general pacienți din clasele mai înstărite. Însă și unii dintre cei mai săraci au ajuns, în premieră, în aceste medii mai specializate. Autoritățile parohiale ajungeau uneori la concluzia că ar putea scăpa foarte ușor de cei deosebit de supărători, lipsiți de o familie care să-i țină închiși și sub control, trimițându-i într-unul din noile aşezăminte. Odată cu răspândirea muncii salariate, cu separarea instituită între aceasta şi munca casnică şi cu mobilitatea geografică sporită, familiilor din clasa muncitoare le era tot mai greu să se descurce acasă cu nebunii, problemă resimţită deosebit de acut în rândul celor atraşi la Londra, care erau foarte vulnerabili la eşecul economic. Este foarte posibil ca şi apariţia unei societăţi orientate spre piaţă să fi produs o schimbare subtilă în concepţia despre lume. Pe măsură ce atitudinile mai calculate faţă de existenţă au prins rădăcini, poate că solidaritatea bazată pe rudenie şi familie a slăbit, mărind numărul alienaţilor mintali încredinţaţi cheltuielii publice. Cert este că, deşi majoritatea caselor de nebuni provinciale au rămas la proporţii modeste, primind cel mult în jur de o duzină de pacienţi, unele instituţii similare din Londra au căpătat dimensiuni remarcabile. În anul 1815, cele două case de nebuni ale lui Thomas Warburton din Bethnal Green, White House şi Red House, adăposteau împreună 635 de pacienţi, iar aşezământul lui sir Jonathan Miles din Hoxton avea 486. (Miles obţinuse contracte profitabile cu Amiralitatea şi primea marinari care înnebuniseră în timpul războiului cu Napoleon.)

Câteva sute de alienaţi mintali din rândul celor săraci şi cu venituri medii s-au trezit şi ei închişi în tot mai numeroasele aziluri de caritate care au luat fiinţă începând de la jumătatea secolului al XVIII-lea. Noul Bedlam (finalizat în anul 1676) amenajase mai mult spaţiu pentru pacienţii cronici în 1728 şi căpătase un concurent în 1751, când Spitalul St Luke şi-a deschis porţile de cealaltă parte a Moorfields. Simplu în comparaţie cu ornamentatul Bedlam, în scurt timp a stimulat apariţia în provincii a unor instituţii similare, construite în multe cazuri – ca la Leicester sau Manchester – în cadrul sau alături de noile spitale generale pe care cei cu înclinaţii caritabile au început să le finanţeze în secolul al XVIII-lea.

Ridicat în perioada reconstrucţiei Londrei după marele incendiu din anul 1666, care nimicise o mare parte din structura oraşului (deşi clădirea sa nu fusese distrusă de incendiu), Bedlam reprezentase totodată o celebrare a restaurării monarhiei, a eliberării englezilor de nebunia Republicii lui Cromwell, cu atacurile sale la adresa ierarhiei şi ordinii sociale lăsate de Dumnezeu. Însă exteriorul ostentativ şi podoabele opulente ale noului Bedlam, care slujiseră cândva drept reclamă pentru mărinimia bogaţilor Londrei, erau privite în multe locuri, la jumătatea secolului al XVIII-lea, drept deşertăciune şi extravaganţă inutilă. Grandoarea aparentă era subminată în oarecare măsură de poziţia insalubră, căci Cripplegate şi Moorfields, cartierele cu care se învecina, erau mahalale mlăştinoase şi nesănătoase, sălaşe pentru trântori, paria, infractori şi

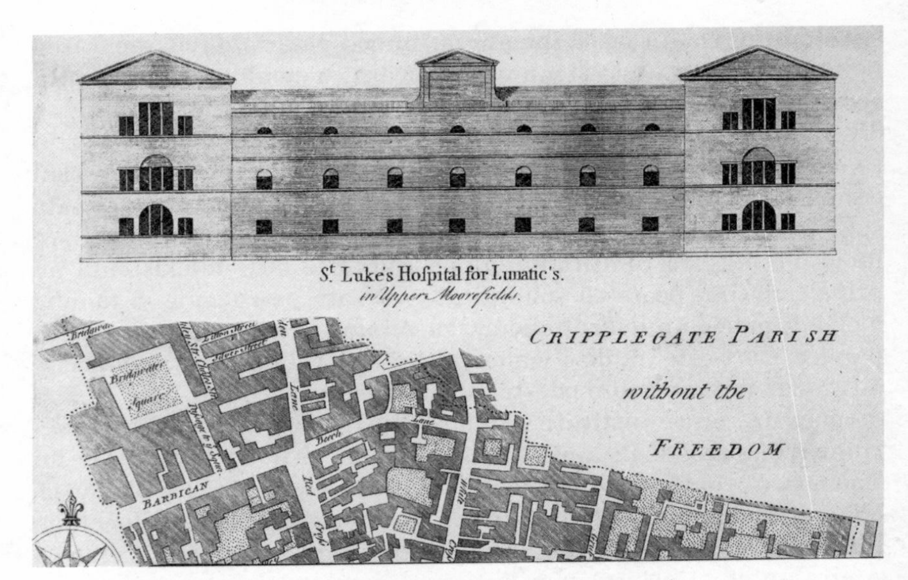

Spitalul de nebuni St Luke, înființat în anul 1751. Într-un contrast puternic cu exteriorul ornamentat al spitalului Bedlam, vecinul de dincolo de Moorfields, St Luke era de o simplitate voită.

felurîți vagabonzi – și, în mod ironic, locul în care atârnau și putrezeau leșurile celor spânzurați.

Promotorii Spitalului St Luke insistaseră, prin contrast, că „simplitatea și lipsa podoabelor sunt lăudabile în clădirile cu menire caritabilă"[16]. Era un sentiment împărtășit de contemporanii lor din toată Europa. Medicul austriac Johann Peter Frank (1745-1821), de exemplu, afirma că o poziție salubră, bine aerisită și eficiența erau „cele mai bune și singurele podoabe" ale unui spital, iar la Paris omul de știință Jean-Baptiste Le Roy (1720-1800) se plângea că „oamenii preferă întotdeauna lucrurile țipătoare și frivole în locul celor ce oferă doar o biată utilitate" și afirma că „o mare și extremă curățenie, un aer cât mai pur cu putință – o putem repeta la nesfârșit: aceasta este adevărata, singura splendoare care se caută la astfel de clădiri"[17].

Totuși, indiferent dacă exteriorul lor era simplu sau ornamentat și chiar dacă erau proaspăt construite pentru a primi un număr mic de alienați mintali, aceste aziluri de caritate nu acordau câtuși de puțină atenție nevoilor speciale ale nebunilor pe care îi țineau închiși. Pacienții erau ținuți laolaltă fără discriminare. Nici măcar separarea pe sexe nu se făcea neapărat. Spațiile de locuit erau niște galerii mari sau celule individuale în care cei mai turbulenți erau pur și simplu legați de pereți cu lanțuri. Lipsa unei arhitecturi

Acvatinta lui Thomas Rowlandson înfăţişând interiorul Spitalului St Luke (1809) exagerează înălţimea secţiei femeilor, dar conţine numeroase personaje nebune, cu părul şi îmbrăcămintea în neorânduială, într-un spaţiu în mare măsură gol.

distinctive era şi mai pronunţată în afacerea aducătoare de profit cu nebunia, în care proprietarii întreprinzători dispreţuiau cheltuiala construirii de la zero – pentru ce? –, preferând să adapteze şi să renoveze minimal clădiri existente, în multe cazuri conace părăginite din zone cândva la modă, care puteau fi înzestrate pe bani puţini cu cele necesare pentru a-şi primi ocupanţii. Un secol mai târziu, entuziaştii azilului reformat vor ajunge să considere că o arhitectură specială, reflectând considerente de ordin moral, este o componentă esenţială a proiectului lor de a-i trata pe cei aflaţi în ghearele nebuniei şi de a-i readuce în rândurile celor sănătoşi mintal. Însă primele case de nebuni nu încorporau astfel de fantezii, chiar dacă inventarea lor marca începutul acceptării ideii că alienarea mintală era o afecţiune cel mai bine de tratat, poate, departe de casă. Aşa a început să apară o nouă geografie a nebuniei.

Dacă securitatea şi izolarea de societate se numărau printre principalele avantaje oferite de casa de nebuni clientelei sale – familiilor pacienţilor şi, poate, la scară mai largă, comunităţii locale, dacă nu pacienţilor înşişi –, nevoia de a adapta spaţii vechi la scopuri noi, pentru care erau nepotrivite, a dus la diferite expediente care le subliniau funcţia de pază: ziduri înalte şi gratii la ferestre, pentru a împiedica evadările, şi adesea lanţuri şi cătuşe, pentru a facilita sarcina supravegherii zilnice a unor oameni care, prin definiție, erau lipsiți în general de dorința sau de capacitatea de a respecta normele interacțiunilor sociale cuviincioase. Azilurile și casele de nebuni aveau ca obiect de activitate asigurarea discreției, iar trăsăturile lor fățișe de tip închisoare, ca și demarcația creată de ele între lumea celor nebuni și lumea celor sănătoși mintal au contribuit la răspândirea și exacerbarea temerilor și zvonurilor care au ajuns în scurt timp să le înconjoare.

Unii pacienți au început să protesteze vehement susținând că au fost închiși de membri ai familiei aliați cu paznici corupți. Dacă pe francezi îi îngrijorau abuzurile de putere regală asociate cu infamele *lettres de cachet*, britanicii criticau cu asprime călcarea în picioare a drepturilor unor cetățeni născuți liberi. Alexander Cruden (1699-1770), amintit în ziua de azi mai cu seamă ca autorul primului Index alfabetic (1737) al Bibliei regelui Iacob (care continuă să fie tipărită și folosită), vorbea cu înverșunare despre închiderea sa într-o casă de nebuni, una din care acest „cetățean al Londrei [a ieșit] deosebit de vătămat". Era, declara el ritos, pur și simplu o „Inchiziție britanică" (imagine de-a dreptul îngrozitoare pentru un calvinist înflăcărat cum era Cruden)[18]. Daniel Defoe (1660?-1731), mereu receptiv la noi căi de a produce proză pentru profit, a scris un pamflet ce condamna

> obiceiul respingător, în vogă atât de mare acum printre cei de seamă, cum li se spune, dar de fapt cei mai infami, de a-și trimite soțiile la case de nebuni după cum îi mână orice capriciu sau nemulțumire, ca să-și poată vedea mai liniștiți și mai netulburați de depravările lor [...]. Doamne nobile de rang mai înalt sau mai mic sunt duse la repezeală în aceste case [...] [și] dacă nu sunt nebune când intră în aceste case blestemate, ajung în scurt timp la nebunie din cauza tratamentului barbar pe care-l îndură[19].

Iar o serie de procese, dintre care unele câștigate, sugerează că aceste afirmații aveau oarecare substanță. Și bărbații, și femeile se puteau trezi astfel întemnițați. William Belcher, care stătuse închis timp de șaptesprezece ani (1778-1795) într-o casă de nebuni din Hackney, din care fusese eliberat în cele din urmă cu ajutorul unuia dintre cei mai renumiți doctori londonezi de nebuni (Thomas Monro, medicul de la Bedlam), a relatat public cum a fost „legat și torturat într-o cămașă de forță, pus în lanțuri la mâini și la picioare, îndopat cu medicamente cu ajutorul unui corn de taur, trântit pe jos și declarat nebun de un juriu care nu m-a văzut niciodată [...]". Închis în „acel sicriu prematur al minții", își pierduse de mult nădejdea libertății[20]. Așadar, afacerea cu nebunia era privită întotdeauna cu suspiciune. William Pargeter (1760-1810), medic din secolul al XVIII-lea care a scris despre nebunie, dar care nu avea casă de nebuni proprie, a vorbit necruţător despre reputaţia aşezămintelor de acest fel:

Ideea de *casă de nebuni* este de natură să le trezească majorităţii oamenilor cele mai puternice sentimente de groază şi alarmare, pe baza presupunerii, nu chiar întru totul neîntemeiate, că odată ce un pacient este condamnat să locuiască acolo, nu numai că va fi supus la foarte mari cruzimi, ci, în plus, indiferent dacă îşi revine sau nu, sunt mari şanse să nu-i mai vadă vreodată zidurile pe dinafară[21].

Noi necazuri

Scriitorii de ficţiune, pentru produsele cărora apărea acum o piaţă înfloritoare, au profitat fără întârziere de posibilităţile dramatice pe care le oferea casa de nebuni. Tobias Smollett, scriitor respectabil, a făcut ca eroul eponim al romanului său *Viaţa şi aventurile lui sir Launcelot Greaves* (1760), un Don Quijote englez de un fals eroism, să fie prins de afurisitul Bernard Shackle şi dus pe sus la o casă de nebuni. Nebunia de calitate inferioară (care îşi găsea adesea admiratori secreţi şi nerecunoscuţi în rândul celor ce-şi declarau cu emfază dispreţul faţă de aceste scrieri de joasă speţă) era exploatată într-o manieră mai grosolană. Fiorul ce putea fi trezit de fantezii absurde despre viaţa printre smintiţi se dovedea irezistibil pentru scriitorii lipsiţi de talent. Mediul le oferea cititorilor lor un amuzament obscen, precum şi un fel de groază agreabilă. Paginile romanelor gotice şi de senzaţie s-au umplut în scurt timp cu scene din case de nebuni – episoade palpitante în care eroine neajutorate se trezeau închise şi izolate de societatea civilizată, cu fecioria şi chiar sănătatea mintală ameninţate de brutele necruţătoare care le ţineau captive. Câteva bătăi cu biciul şi nişte lanţuri adăugau puţină culoare sadomasochistă.

Exista, poate, un dram de ironie în faptul că Grub Street, sinonimă cu acest gen de scrieri de senzaţie, se afla aproape în umbra spitalului Bedlam[22]. Însă departe de zidurile acelui spital, francezii şi-au creat propriile romane de groază, cu diabolism şi depravare, genul numit *romans noirs* (romane negre), în timp ce germanii, ca să nu rămână mai prejos, au produs aşa-numitele *Schauerromane* (romane de groază).

Eliza Haywood a oferit un prim exemplu al acestui gen. Ea şi-a publicat iniţial nuvela *Orfana chinuită sau Dragoste în casa de nebuni* anonim, în anul 1726. Povestea virtuoasei Annilia, închisă în mod infam de unchiul ei uneltitor, Giraldo, şi dusă apoi pe ascuns

„Annilia, dusă pe sus la o casă de nebuni, în toiul nopții, la porunca unchiului ei." Frontispiciul ediției din 1790 a nuvelei Orfana chinuită *de Eliza Haywood.*

la o casă de nebuni, a fost atât de îndrăgită, încât edițiile ei s-au succedat neîntrerupt de-a lungul întregului secol, atât cele autorizate, cât și cele piratate. Fata orfană, ajunsă pupila unchiului ei, a moștenit o avere, pe care Giraldo hotărăște să pună mâna forțând-o să se mărite cu fiul lui. Ea refuză. El o încuie pentru a o face să se răzgândească, apoi aranjează să fie luată cu birja în toiul nopții, „sub paza a doi-trei bărbați care lucrau pentru paznicul nebunilor", protestele ei fiind amuțite „printr-un căluș vârât în gură". Cititorii erau ațâțați de imaginea unei detenții a cărei duritate amenința sănătatea mintală a eroinei: „Zornăitul lanțurilor, țipetele celor tratați cu asprime de paznicii lor barbari, amestecate cu ocări, blesteme și cele mai blasfematoare imprecații, îi șocau dintr-o parte a casei urechile chinuite, iar din altă parte urlete ca de câini, strigăte, mugete, rugăciuni, predici, ocări, cântece, plânsete, amestecate de-a valma pentru a alcătui un haos cum nu se putea mai oribil" – haos din care o salvează în mod providenţial bărbatul de care se îndrăgostise mai înainte în secret, colonelul Marathon, care vine la ea pe ascuns, deghizat într-un gentilom de ţară melancolic pe nume „Lovemore", şi escaladează zidurile înalte ale casei de nebuni cu iubita-i „tremurând" pe umăr. La urmă, dragostea îşi primeşte dreapta răsplată, iar autorii detenţiei injuste a Anniliei sunt pedepsiţi, fiind alungaţi şi murind înainte de vreme[23].

Această intrigă avea să fie reciclată la nesfârşit de-a lungul secolului, până la *Maria sau Greşelile femeilor* (1798) de Mary Wollstonecraft[24]. Ba chiar avea să aibă ecouri şi la începutul epocii victoriene (deşi într-o scenă de detenţie la domiciliu), în *Jane Eyre* (1874) de Charlotte Brontë. Aici lipsesc casele de nebuni şi doctorii de nebuni, dar nu şi stereotipurile străvechi ale nebuniei şi animalităţii. Pe când nebuna Bertha Mason pândeşte în pod, neştiutoarea Jane Eyre, în altă aripă a conacului, încearcă să-şi stăvilească dorinţele erotice faţă de chipeşul domn Rochester. Însă ignoranţa fericită a lui Jane nu durează. Pe neaşteptate, face cunoştinţă cu sechestrata doamnă Rochester, o femeie cu pofte neîmblânzite:

> În umbra deasă dintr-un colţ al odăii se mişca o fiinţă [...]. La prima vedere, nu se putea spune dacă era o făptură omenească sau un animal: părea că merge în patru labe şi mârâia ca o fiară sălbatică, dar era îmbrăcată, şi o claie de păr negru, încărunţit, îi cădea ca o coamă deasă pe cap şi pe chip, ascunzându-i-le*.

Iată nebunia scoţând ţipete stridente, violentă, periculoasă şi distructivă. Iată femeia nebună ca demon.

Mireasa din Lammermoor (1819) de sir Walter Scott făcuse de asemenea, mai devreme, portretul de secol XIX al unei nebune violente, Lucy Ashton. Împinsă de mama ei uneltitoare într-o căsătorie nedorită (după ce e făcută să creadă că logodnicul a părăsit-o), ea află adevărul în noaptea nunţii, îşi înjunghie proaspătul soţ, cade pradă nebuniei şi se sinucide. Romanul lui Scott a fost la rândul lui sursa de inspiraţie pentru opera lui Donizetti *Lucia di Lammermoor* (1835), care aduce mai multe modificări intrigii, dar păstrează elementele centrale – trădare, nebunie şi crimă. După ce-şi înjunghie mortal soţul, în scena culminantă, Lucia cea nebună apare pe scenă în rochia de mireasă pătată de sânge, cântă o ultimă arie foarte solicitantă vocal şi moare. Povestea conţine toate elementele dramatice din care se hrăneşte opera, iar Donizetti are avantajul clar de

---

* Charlotte Brontë, *Jane Eyre*, traducere de Dumitru Mazilu, ESPLA, Bucureşti, 1956 (n.tr.).

a putea să combine jocul actoricesc, partea de canto și instrumentația partiturii pentru a intensifica tensiunea, violența și oroarea nebuniei, pe care se centrează în ultimă instanță intriga. Poate deloc surprinzător, opera a avut viață mai lungă decât romanul. Ea rămâne un element standard al repertoriului, iar rolul principal a fost interpretat de mai multe ori de către marile dive ale secolului al XX-lea Maria Callas și Joan Sutherland. După cum arată exemplul lui Donizetti (iar scene de nebunie de un soi mai puțin violent se regăsesc în alte câteva opere ale sale), romancierii gotici n-au fost singurii care au exploatat nebunia; și, după cum vom vedea, nici povestirile despre privări de libertate abuzive n-au dispărut în secolul al XIX-lea, când azilul a devenit o prezență sumbră, inconfundabilă[25].

Un alt grup de scriitori din secolul al XVIII-lea, așa-numiții romancieri sentimentali, și-au adresat operele în mod direct celor care căutau să fie considerați (și să se considere ei înșiși) rafinați. Mai cu seamă într-o societate fluidă ca aceea britanică, în care statutul social nu mai părea imuabil, diferențele de gust și sensibilitate ofereau un prilej neprețuit de a marca granițele de statut și de a crea distincții. Aici, unii cititori aveau ocazia să sublinieze diferența între cultura elevată și cea populară și să-și etaleze, prin alegerile literare, rafinamentul, judecata și sensibilitatea superioare. Căci acestea erau calitățile care serveau la diferențierea unor oameni ca ei de masele plebee, acele ființe inferioare care continuau să se complacă în superstiții stupide, atitudini depravate și grosolănie morală[26].

Între cei care au exploatat cu cel mai mare succes acest sector insipid, dar profitabil al pieței literare s-a numărat Henry Mackenzie, al cărui roman *Omul simțitor* este un exemplu clasic al genului. Publicat în aprilie 1771, tirajul era deja epuizat în iunie, iar în 1791 a fost tipărită a șasea ediție. Într-unul din episoadele-cheie ale romanului, eroul, Harley, merge în vizită la Bedlam, unde i s-au dat asigurări ferme că se va amuza copios pe seama isprăvilor pacienților. Dimpotrivă, priveliștea și sunetele, „zdrăngănitul lanțurilor, țipetele lor sălbatice și blestemele pe care le proferau unii dintre ei alcătuiau o scenă nespus de șocantă". Vederea nebunilor ținuți ca niște „animale sălbatice de circ" provoacă un torent de lacrimi de crocodil și o ieșire grabnică. Dacă masele reacționau cu veselie și batjocură, omul simțitor avea mai multă minte: „Mi se pare o practică inumană să expunem cea mai mare nenorocire ce se poate abate asupra omului în fața oricărui vizitator fără ocupație care-și permite să-i dea un bacșiș neînsemnat paznicului [de la Bedlam]; mai cu seamă că este o suferință pe care cei omenoși văd negreșit, în urma unei reflecții dureroase, că nu le stă în putere s-o aline"[27].

În această scenă dintr-o producţie a operei Lucia di Lammermoor *a lui Donizetti, Lucia cea scoasă din minţi, după ce l-a omorât pe soţul ei, Arturo, în noaptea nunţii, apare în rochie albă, pătată de sânge, ca să cânte aria „Il dolce suono", în care-şi imaginează viitoarea ei căsătorie cu Edgardo, cel pe care-l iubeşte cu adevărat.*

Astfel de melodrame nu trebuie privite drept reprezentări echilibrate sau exacte ale sorţii alienaţilor mintali privaţi de libertate. Incriminările globale ale afacerii cu nebunia vor fi folosite de reformatorii nebuniei din secolul al XIX-lea, cărora zugrăvirea în cele mai întunecate culori a casei de nebuni din *l'ancien régime* le va servi drept armă esenţială pentru deşteptarea conştiinţei morale a contemporanilor lor şi pentru a-i convinge de necesitatea unor schimbări. Existau negreşit orori, iar reformatorii aveau să le repete iar şi iar, cu încântare. Însă din altă perspectivă, lipsa reglementării afacerii cu nebunia a permis cel puţin să se acumuleze experienţă în privinţa controlării alienaţilor mintali într-un mediu instituţional şi să se facă încercări experimentale de a-i trata.

Disciplinarea recalcitranților

În multe cercuri, se consideră că detronarea Rațiunii, „puterea suverană a sufletului"[28], descătușează poftele și pasiunile cu toată furia lor. John Brydall (aprox. 1635-1705?), autorul primului tratat englez de jurisprudență a nebuniei, publicat în anul 1700, spunea: „Imaginația preia frâiele și, precum Phaeton, pornește într-o goană nestăpânită"[29], înlăturând spoiala de civilizație și ștergând tot ce este distinctiv omenesc. Filosoful și matematicianul francez Pascal (1623-1662) vorbise despre ce înseamnă pierderea rațiunii:

> Pot să concep cu ușurință un om fără mâini, fără picioare, chiar fără cap (căci numai experiența ne învață că un cap este mai necesar decât picioarele). Însă nu pot concepe un om fără gândire; ar fi o piatră sau o brută[30].

Și aceasta părea să fie, pentru cei care reflectau la statutul ontologic al nebunilor, concluzia inevitabilă. Ținând o predică în 1718 – un apel anual la milostenie pentru săracii Londrei – în numele „acelor nefericiți rămași fără cea mai scumpă lumină, lumina rațiunii", clericul Andrew Snape (1675-1742) arăta:

> Tulburarea minții [...] despoaie sufletul rațional de toate înzestrările sale nobile și distinctive și-l coboară pe nefericitul om mai jos decât partea mută și lipsită de judecată a Creației: chiar și instinctul animalelor e o călăuză mai sigură și mai demnă de crezare decât rațiunea tulburată și toate speciile de animale îmblânzite sunt mai sociabile și mai puțin vătămătoare decât umanitatea astfel dezumanizată[31].

În ochii celor care acceptau acest portret, nebunia cerea o mână fermă. Ca urmare, disciplina trebuia să însoțească remediile medicale tradiționale constând în golire, evacuare și lăsare de sânge. Din câte știm, Thomas Willis (1621-1675), pionier al cercetărilor privind anatomia creierului și sistemului nervos (și inventatorul termenului „neurologie"), n-a avut nici un contact clinic cu nebunii în anii petrecuți la Oxford, însă vorbea apăsat despre tratamentul cerut de maladia lor:

> Pentru a corecta sau atenua furiile și excesele spiritelor animale [...] sunt necesare amenințări, încătușări sau lovituri, ca și medicamente. Căci *nebunul* adus într-o casă potrivită pentru această treabă trebuie să fie tratat de *medic*, ca și de servitorii prudenți în așa fel încât să poată fi făcut atent într-un fel sau altul, prin aplicarea de avertismente, mustrări sau pedepse, la îndatoririle, purtările sau manierele lui. Mai mult chiar, pentru vindecarea oamenilor nebuni nimic nu este mai eficace sau mai

necesar decât respectul lor profund, chiar şi amestecat cu teamă, faţă de cei pe care îi socotesc torţionarii lor [...]. Nebunii furioşi sunt vindecaţi mai repede şi mai sigur prin pedepse şi tratament dur, într-o celulă, decât cu ajutorul medicinei sau al medicamentelor[32].

Activitatea lui Willis şi implicarea sistemului nervos şi a creierului în etiologia nebuniei au marcat începuturile îndepărtării de explicaţiile umorale ale nebuniei, pe care medicii le adoptaseră din vremea lui Hipocrate şi Galen, iar concepţiile lui aveau să fie răspândite şi dezvoltate de cei care i-au urmat la începutul secolului al XVIII-lea. Ideile sale au fost adoptate pe scară largă de medicii înaltei societăţi care căutau o nouă piaţă profitabilă în tratarea pacienţilor nevropaţi, cu stări psihice incerte pe care alţii erau tentaţi să le respingă drept *maladies imaginaires*[33] – şi cu toate că nici pe ei nu părea să-i intereseze prea mult tratarea nebunilor de la Bedlam, repetau cu siguranţă de sine dispoziţiile categorice ale maestrului lor cu privire la ce trebuie făcut pentru şi cu aceştia:

Este o cruzime dintre cele mai mari [îşi asigura cititorii Nicholas Robinson, medic de seamă şi guvernatorul spitalului Bedlam] să nu fim îndrăzneţi în administrarea leacurilor. [Numai] un regim de leacuri cu cea mai violentă acţiune [va fi de ajuns] pentru a subjuga spiritul persoanelor îndărătnice [şi] pentru a le reduce forţa artificială prin metode coercitive[34].

Această manieră de a gândi nu era lipsită de influenţă asupra celor care se ocupau *cu adevărat* de nebuni. Paznicii din casele de nebuni nu ţineau să facă reclamă talentului cu care mânuiau biciul; nu era câtuşi de puţin o manieră atractivă de a-şi câştiga clientelă. Însă tratamentele dure erau aplicate în mod curent în numeroase case de nebuni; chiar şi o persoană augustă ca regele englez George al III-lea (1738-1820) a fost supusă la bătăi şi intimidare. Francis Willis (1718-1807), care ţinea o casă de nebuni în Lincolnshire, a fost chemat să-l trateze pe monarh în 1788, când medicii casei regale şi-au pierdut orice nădejde de a-i vindeca nebunia. Willis a arătat clar cum intenţiona să procedeze:

Aşa cum moartea nu face nici o deosebire când vizitează coliba săracului şi palatul prinţului, şi nebunia se poartă la fel de nepărtinitor cu supuşii ei. Din acest motiv, nu am făcut nici o deosebire în tratarea persoanelor care mi-au fost încredinţate. Ca atare, când bunul meu suveran a devenit violent, am socotit de datoria mea să-l supun aceluiaşi sistem de imobilizare pe care l-aş fi adoptat cu unul dintre grădinarii săi de la Kew: mai simplu spus, l-am pus în cămaşă de forţă[35].

Willis ascundea unele lucruri. Tratamentul aplicat de el a mers cu mult dincolo de aplicarea unei cămăşi de forţă. În altă parte se lăuda:

> Sentimentul de frică este primul și adeseori singurul prin care pot fi stăpâniți acești oameni. Lucrând cu el, le îndepărtezi gândurile de la fantasmele care îi preocupă și îi readuci la realitate, chiar dacă aceasta presupune durere și suferință[36].

Iar faptele lui erau pe măsura vorbelor. Contesa de Harcourt, doamnă de onoare a reginei, a oferit o descriere mai detaliată a tratamentului aplicat regelui:

> Nefericitul pacient [...] nu mai era tratat ca o ființă omenească. Corpul i-a fost introdus imediat într-o mașinărie care nu lăsa nici un pic de libertate de mișcare. Uneori era legat cu lanțuri de un stâlp. Era adesea bătut și lăsat să rabde de foame și în cel mai bun caz era ținut într-o stare de supunere printr-un limbaj amenințător și violent[37].

Regele și-a revenit (însă temporar, după cum vom vedea în capitolul 7), iar Willis a fost răsplătit pentru osteneală cu o pensie consistentă.

Într-o anumită măsură, intervențiile lui Francis Willis erau idiosincratice, dar logica aflată la baza manierei sale de a aborda problemele controlării și vindecării pacienților nebuni – căuta să-i dreseze, ca pe „caii de manej", după cum s-a exprimat un observator apropiat[38] – era una împărtășită de mulți din profesia sa, și nu numai în Anglia. S-au inventat mașinării noi care să stimuleze frica și să-i readucă pe pacienți la realitate prin intermediul șocurilor. Unul dintre cele mai formidabile exemple a fost oferit de Joseph Guislain (1797-1860), care conducea un azil la Gent. *Traité sur l'aliénation mentale*, lucrarea sa publicată la Amsterdam în anul 1826, includea desene detaliate ale unui dispozitiv pe care-l numea „templul chinezesc". Faimosul medic olandez Herman Boerhaave (1668-1738) avansase ipoteza că senzația de a fi în prag de înec ar putea avea întrebuințări terapeutice, scoțându-i pe nebuni din confuzia lor. Guislain își etala cu mândrie metoda proprie, îmbunătățită, de a obține acest efect:

> Constă într-un mic templu chinezesc, al cărui interior e alcătuit dintr-o cușcă de fier mobilă, o construcție ușoară, care se cufundă în apă coborând pe șine, dusă de propria greutate, cu ajutorul unor scripeți și frânghii. Pentru a fi expus la acțiunea acestui dispozitiv, nebunul este condus înăuntrul cuștii, un servitor închide ușa din afară, iar celălalt ridică o frână care, prin această manevră, îl face pe pacient să se afunde sub apă, încuiat în cușcă. După producerea efectului dorit, mașina este ridicată din nou.

Oarecum inutil, el comenta: *„Toute fois ce moyen sera plus ou moin dangereux"* („Aceasta este de fiecare dată o procedură mai mult sau mai puțin periculoasă")[39].

Ceva mai puţin înspăimântătoare, poate, era maşinăria inventată de Benjamin Rush (1746-1813), doctor de nebuni american, care şi-a botezat născocirea „Tranchilizantul" şi a promis efecte salutare similare:

> Am conceput un scaun şi l-am introdus la spitalul nostru [din Pennsylvania] pentru a ne ajuta la vindecarea nebuniei. El leagă şi imobilizează toate părţile corpului. Ţinând trunchiul vertical, reduce afluxul de sânge spre creier. Împiedicând muşchii să acţioneze, reduce forţa şi frecvenţa pulsului, iar poziţia capului şi a labelor picioarelor favorizează aplicarea facilă de apă rece sau gheaţă asupra primului şi de apă caldă asupra celor din urmă. Efectele sale mi-au produs o reală încântare. Are o acţiune sedativă asupra limbii şi a irascibilităţii, ca şi asupra vaselor de sânge. În 24, 12, 6 sau, în unele cazuri, 4 ore, cei mai refractari pacienţi au fost liniştiţi. L-am numit *Tranchilizantul*[40].

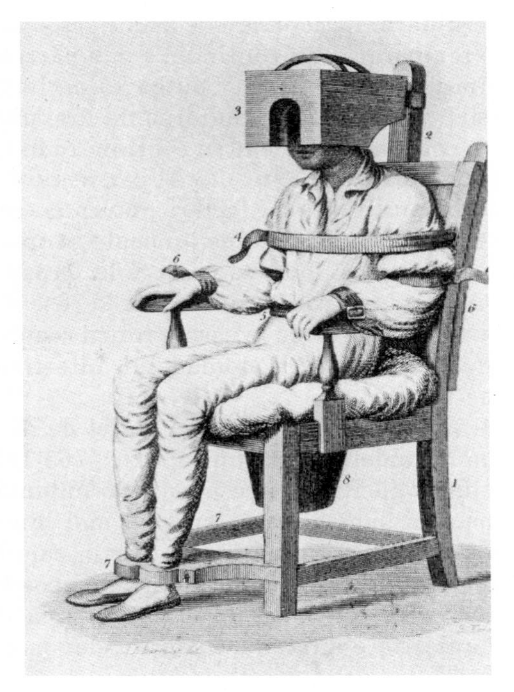

„Tranchilizantul", 1811. Inventatorul lui, Benjamin Rush, se lăuda: „Efectele sale mi-au produs o reală încântare". Reacţiile pacienţilor săi n-au fost consemnate.

Erasmus Darwin (1731-1802), bunicul lui Charles Darwin, propusese o abordare întru câtva diferită, inspirându-se din unele sugestii făcute în Antichitatea clasică: poate că o mişcare de rotaţie ar putea să străpungă barierele ridicate de nebuni și să-i readucă în contact cu lumea simțului comun. Propunerea a fost acceptată cu entuziasm atât în Anglia, cât și în Irlanda și s-a răspândit după puțin timp în restul Europei. Joseph Mason Cox (1763-1813), proprietarul unei case de nebuni de lângă Bristol, a oferit primul un model funcțional. El a promovat cu mândrie remarcabila capacitate de a exercita presiuni deopotrivă morale și fiziologice asupra celor legați în chingi pe scaunul lui rotitor. Acesta oferea o modalitate abilă de a exploata „simpatia sau reciprocitatea acțiunii care subzistă între minte și corp". Fiecare dintre ele acționa „deopotrivă [ca] agent și obiect al acțiunii, ca atunci când frica, groaza, furia și alte pasiuni, trezite de acțiunea de rotire, produc diferite modificări la nivelul corpului și când mișcarea de rotație, ce provoacă oboseală, epuizare, paloare, *horripilatio* [ridicarea firelor de păr de pe corp], vertij etc., are ca rezultat noi asocieri și direcții de gândire". Totul putea fi variat cu o precizie extraordinară. Acționându-se asupra stomacului, se putea produce „greață temporară sau continuă, vomă parțială sau totală". Perseverarea dincolo de acest punct putea să declanșeze „cele mai violente convulsii [...] agitația și zguduirea fiecărei părți a structurii animale". Pentru cei care rămâneau în continuare îndărătnici, scaunul rotitor putea fi „utilizat pe întuneric, caz în care, prin zgomote sau mirosuri neobișnuite ori alți factori puternici, care acționează în forță asupra simțurilor, eficacitatea lui poate să sporească uimitor de mult"[41]. Și mai ingenios, dacă se recurge la „creșterea vitezei de rotație, mișcarea fiind inversată brusc o dată la șase sau opt minute, cu pauze ocazionale și cu oprirea bruscă a rotirii scaunului, urmarea este o descărcare instantanee a stomacului, intestinelor și vezicii, într-o succesiune rapidă"[42].

Cum putea fi rafinat și mai mult un astfel de dispozitiv extraordinar? William Saunders Hallaran (aprox. 1765-1825), doctor de nebuni din Dublin, a găsit aproape imediat o îmbunătățire: a proiectat o versiune mai sigură, care „susține mai bine coloana vertebrală și elimină riscul ca, în starea de vertij, capul să atârne în afară"[43]. El putea să ateste personal puterile dispozitivului: „De la începutul utilizării sale, nu mi-a lipsit nici o clipă un mod direct de a dobândi o autoritate supremă asupra celor mai turbulenți și mai indisciplinați"[44].

Lăsând la o parte astfel de panegirice și răspândirea inițială rapidă a acestor mașinării curative în Europa și America de Nord, ele s-au bucurat de popularitate doar pentru o scurtă perioadă de timp. La spitalul Berlin Charité, spre exemplu, unde se importase rapid scaunul rotitor al lui Cox, utilizarea lui era deja interzisă în anii 1820. Opinia publică și profesională basculase în sens opus cu o bruschețe aproape la fel de mare ca a dispozitivului respectiv și

În scurt timp au fost create versiuni mai complexe ale primului scaun rotitor al lui Joseph Mason Cox. Primul dintre scaunele înfăţişate mai sus oferea mai multă susţinere pentru coloana vertebrală a pacientului în timp ce era învârtit; al doilea permitea tratarea unui pacient în poziţie orizontală.

ceea ce păruse cândva un set logic şi raţional de intervenţii pentru tratarea nebunilor era privit acum de mulţi cu consternare şi revoltă.

Căci, dacă unii dintre cei care se ocupau de mica parte a nebunilor închişi acum în aziluri şi case de nebuni căutau să-i controleze prin frică şi intimidare, alţii trăseseră învăţăminte diferite dintr-o întâlnire directă cu problemele îngrijirii nebunilor. Impunerea din afară a ordinii asupra celor turbulenţi, la nevoie prin forţă, nu era pentru ei. Aceşti bărbaţi (şi câte o femeie) au învăţat, prin încercări şi erori, să-i privească pe cei aflaţi în grija lor ca pe nişte fiinţe nu neapărat lipsite cu desăvârşire de raţiune. Dimpotrivă, cei care adoptau această opinie vedeau în ei nu doar nişte creaturi, ci semeni, oameni care, dacă erau abordaţi într-o manieră mai nuanţată, mai abilă, puteau fi determinaţi să se comporte cuviincios, să-şi înfrâneze nebunia, să reia o viaţă cu oarecare aparenţă de normalitate.

Bunătate şi omenie?

În mod semnificativ, caracteristicile centrale ale acestei noi maniere de abordare au apărut în mod independent şi aproape simultan în diferite locuri şi, în cele din urmă, au găsit receptivitate în rândul publicului – în Italia, Franţa, Marea Britanie, Olanda şi America de Nord. Trăind într-o lume ce părea să fie transformată de intervenţia omului chiar sub ochii lor – canale săpate, râuri îndiguite, întregi oraşe noi ridicate aproape peste noapte, soiuri noi de animale şi plante create prin înmulţire selectivă la o scară fără precedent –, ideile vechi despre o natură imuabilă, chiar despre o natură umană imuabilă, începeau să fie puse la îndoială. Dacă gânditorii iluminişti considerau că omul se naşte *tabula rasa*, experienţa imprimându-şi ulterior lecţiile asupra sa, ce nu putea fi înfăptuit prin aplicarea raţională a măiestriei omeneşti? Cum spune dictonul clasic al filosofului din secolul al XVIII-lea Helvétius, *„l'éducation peut tout"*.

Creşterea copiilor începuse, iniţial în rândul claselor superioare, să se desprindă de concepţia mai veche care consta în principal în „reprimarea răului sau frângerea voinţei"[45]. Gânditorul iluminist John Locke formulase în anul 1693 argumentele pentru schimbare:

> Bătaia este cel mai prost şi, aşadar, ultimul mijloc de folosit în disciplinarea copiilor [...]. Astfel, recompensele şi pedepsele prin care îi facem pe copii să fie ascultători sunt de o natură cu totul diferită [...]. Preţuirea şi dizgraţia sunt, dintre toate, cele mai puternice stimulente pentru minte, odată ce ea ajunge să se desfete cu ele. Dacă le puteţi inspira copiilor dragostea de apreciere şi teama de ruşine şi dizgraţie, le-aţi insuflat adevăratul principiu[46].

După puţin mai mult de un secol, în 1795, susţinătorii a ceea ce a ajuns să se numească „tratament moral" au început să folosească aproape acelaşi limbaj şi aceeaşi manieră de abordare. „Prima operaţie salutară asupra minţii unui nebun", spunea John Ferriar (1761-1815), medicul de la azilul din Manchester, consta în „crearea unei obișnuințe de autodisciplinare", ceva ce necesita „gestionarea speranțelor și temerilor [...]. Mici favoruri, dovezi de încredere și aparente recompense", și nu folosirea coerciției[47]. Thomas Bakewell (1761-1835), supraveghetorul unei case de nebuni provinciale din Staffordshire, sublinia și el nevoia de a deștepta „sentimentele morale" ale nebunului și de a le folosi ca pe un fel de „disciplină morală":

> De bună seamă, autoritatea și ordinea trebuie păstrate, însă acestea sunt păstrate mai bine prin bunătate, afabilitate și atenție indulgentă decât prin severități de orice fel. Nebunii nu sunt lipsiți de înțelegere și nici nu trebuie tratați ca și cum ar fi; dimpotrivă, ar trebui să fie tratați ca niște ființe raționale[48].

Cât despre manierele de abordare mai crude din alte părți,

> [prin teroare, nebunii] pot fi făcuți să-și asculte paznicii cu cea mai mare promptitudine; să se scoale, să se așeze, să stea în picioare, să meargă sau să fugă după cum le face acestora plăcere, fie ea exprimată și numai printr-o privire. O astfel de supunere și chiar o aparentă afecțiune vedem nu de puține ori la sărmanele animale care sunt expuse pentru a ne satisface curiozitatea privind istoria naturală; dar cine poate să nu se gândească, observând astfel de spectacole, că iuțeala cu care tigrul sălbatic dă ascultare stăpânului său este rezultatul unui tratament în fața căruia umanitatea s-ar cutremura[49]?

Cei doi bărbați asociați cel mai des cu noua abordare au fost William Tuke (1732-1822), negustor quaker de ceai și cafea – al cărui nepot, Samuel, este citat mai sus –, care a înființat în anul 1792 o casă de nebuni numită Refugiul York, și medicul Philippe Pinel (1745-1826), despre care s-a spus că în 1795 i-a eliberat pe nebunii de la Salpêtrière (**pl. 24**) și Bicêtre, principalele locuri de concentrare a nebunilor săraci de sex feminin și, respectiv, masculin din Parisul Revoluției – evoluții la care vom reveni în capitolul 7. Dar Tuke a fost doar una dintr-un număr mai mare de personalități care au militat pentru o nouă manieră de a-i trata pe nebuni: John Ferriar, medicul din Manchester, și Edward Long Fox (1761-1835), proprietarul casei de nebuni private Brislington House de lângă Bristol, susțineau insistent un set similar de idei – ba chiar Tuke a adus-o din instituția lui Fox pe Katherine Allen, intendenta Refugiului York.

În ceea ce-l privește pe Pinel, a cărui inițiativă de a-i elibera pe nebuni a fost o legendă creată decenii mai târziu – numită de unii „basm"[50] –, el și-a deprins versiunea de tratament moral în preajma administratorilor nespecialiști ai secțiilor de nebuni de la Bicêtre și Salpêtrière, Jean-Baptiste Pussin (1746-1811) și soția lui, Marguerite

Pussin (1754-?), aceştia având o vastă experienţa practică în controlarea nebunilor care-i lipsea la început lui Pinel[51]. Totuşi, Pinel a fost cel care a „teoretizat" schimbările şi a oferit prima prezentare sistematică publicată a versiunii franceze de tratament moral şi, prin aceasta, a contribuit la instituţionalizarea noii maniere de abordare. Iar optimismul utopic căruia i-a dat naştere tratamentul moral – impresia că se găsise o formă de tratament nouă, mai omenoasă şi mai eficientă, legată inextricabil de o versiune reformată a casei de nebuni – a fost cel care a dat naştere epocii azilurilor. Aceasta a fost adevărata Mare Închidere a alienaţilor mintali, una care s-a materializat în secolul al XIX-lea pe tot cuprinsul Europei şi al continentului nord-american şi s-a răspândit în cele din urmă, prin acţiunile imperialiste ale puterilor europene, şi pe teritoriul altor ţări şi continente. Vom reveni la crearea imperiului azilurilor în capitolul 7.

Capitolul 6

Nervi și nevropați

Acceptarea unei boli

Există unele boli pe care nimeni nu vrea să le aibă și pentru care toți vor imediat să dea vina pe altcineva. Sifilisul (**pl. 25**), de exemplu, a fost adus în Europa chiar la sfârșitul secolului al XV-lea de marinarii lui Columb, iar mai târziu avea să contribuie din plin la popularea azilurilor din secolele al XIX-lea și al XX-lea. La apariția lui în Europa, englezii l-au botezat rapid „boala franțuzească". Francezii, ai căror militari contractaseră în număr mare boala cât timp asediaseră Neapole (și ai căror mercenari contribuiseră apoi la răspândirea variolei în toată Europa), preferau să-i spună „boala napolitană". Napolitanii, la rândul lor, au încercat să tăgăduiască titlul și i-au spus „boala spaniolă", pe când portughezii, ținând să fie mai exacți, au numit-o „boala castiliană". Turcii, ca să nu se lase mai prejos, au dat vina pe toți laolaltă, vorbind de „boala creștină".

Dar la începutul secolului al XVIII-lea o altă boală a ajuns să fie primită cu brațele deschise de englezi, care fugiseră până atunci de diagnosticul în cauză. Stranie reacție, ne-am putea gândi. Presupusa sensibilitate națională sporită la această tulburare era arborată ca un motiv de mândrie. De ce, am putea întreba pe bună dreptate, sintagma „maladie englezească" a fost atât de atractivă pentru „lumea bună" din Anglia când George Cheyne (1671-1743), un medic scoțian dietetician strămutat, a născocit-o în anul 1733, în titlul cărții lui pe această temă? De unde graba de a o adopta? Cine ar vrea să fie etichetat drept bolnav? Cum a reușit Cheyne să transforme un reproș într-un semn de sensibilitate superioară? Și în ce anume consta această maladie?

Subtitlul cărții lui Cheyne oferă un răspuns preliminar la ultima întrebare. El anunța „un tratat asupra bolilor nervoase de toate tipurile, ca spleenul, vaporii, depresia spiritelor, tulburările ipohondrice și isterice" – o întreagă poliloghie, dar autorii din secolul al XVIII-lea iubeau titlurile lungi. Referindu-se la această gamă complicată de afecțiuni, el recunoștea că era „un reproș adresat în mod universal

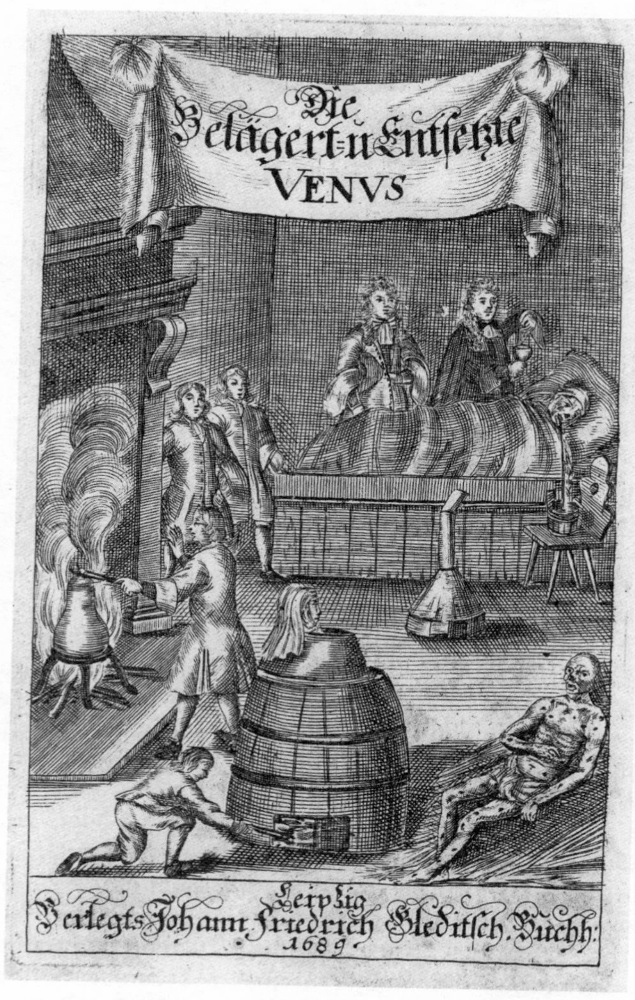

Tratamente pentru sifilis (1690): o boală atât de disperată dădea naştere unei diversităţi de remedii disperate, adeseori aplicate de şarlatani, între care provocarea transpiraţiei şi cauterizarea.

acestei insule de străini şi de toţi vecinii noştri de pe continent, care numesc tulburările nervoase, spleenul, vaporii şi depresia spiritelor, în derâdere, MALADIA ENGLEZEASCĂ". Se părea aşadar că englezii erau nişte indivizi deosebit de nevropaţi, predispuşi la tot felul de crize de isterie şi de ipohondrie – cuvânt care nu avea pe atunci sensul lui modern (lăsând la o parte *Le malade imaginaire* a lui Molière), ci se referea la tulburări despre care se considera că-şi au originea în hipocondru, partea superioară a abdomenului.

În acele vremuri, isteria şi ipohondria (şi feluritele lor rubedenii) erau pentru mulţi cele două feţe ale aceleiaşi monede. În concepţia lui sir Richard Blackmore (1654-1729), însemnat medic al înaltei societăţi, care a deţinut titlul de medic regal pentru regele William şi apoi pentru regina Anne, ele erau manifestări diferite ale aceleiaşi maladii.

Este adevărat că tulburările şi agitaţiile la nivelul diferitelor părţi ale corpului, precum şi confuzia şi risipirea spiritelor animale sunt mai bătătoare la ochi şi mai violente la sexul femeiesc decât la bărbaţi; motivul este o constituţie a spiritelor mai capricioasă, mai uşor de risipit şi mai slabă şi o textură mai moale, mai sensibilă şi mai delicată a nervilor [la femei]; însă aceasta nu dovedeşte nici o deosebire în ce priveşte natura şi proprietăţile lor esenţiale, ci doar o intensitate mai mare sau mai mică a simptomelor comune ambelor sexe[1].

Însă Blackmore mai comenta cu tristeţe că „această boală numită vapori la femei şi spleen la bărbaţi este ceva ce nici un sex, nici celălalt nu se bucură să aibă" şi, mai mult, că orice medic care cuteza să pună un astfel de diagnostic îşi periclita viitorul slujbei. Un medic, susţinea el, „nu poate de obicei să-şi înrăutăţească starea [şansele de a obţine onorarii de la pacienţii înstăriţi] decât sugerându-le respectivilor pacienţi adevărata natură şi denumire a bolii lor"[2]. Şi Blackmore ştia despre ce vorbeşte: când colegul său, John Radcliffe (aprox. 1650-1714), îndrăznise să-i sugereze prinţesei (ulterior regină) Anne că simptomele ei au origine isterică, fusese brusc concediat.

Date fiind sentimentele populare generale faţă de cei cărora li se punea un astfel de diagnostic, Radcliffe ar fi trebuit negreşit să anticipeze reacţia Alteţei Sale Regale. Umorul satiric al lui Molière îşi îndreptase o mare parte din persiflarea sa ireverenţioasă spre o critică a medicilor, văzuţi drept nişte ignoranţi plini de emfază, care folosesc o latină execrabilă pentru a-şi masca neştiinţa în timp ce-şi condamnă pacienţii la o moarte prematură – idee pe care William Hogarth avea s-o caricaturizeze în portretul făcut elitei medicale londoneze sub chipul „Companiei de ciocli" (sau „Şarlatani la consultaţie"). Însă dramaturgul francez fusese la fel de necruţător cu metehnele trântorilor bogaţi, cu tendinţa lor de a se crede bolnavi şi capacitatea de a se lăsa păcăliţi de medicii care îi slujeau. Convingerea falsă a personajului principal Argan că e un bolnav aflat în pragul morţii reprezintă elementul central al intrigii piesei *Le malade imaginaire* (*Bolnavul închipuit*, 1673); şi este o ironie care i-a scăpat inevitabil autorului piesei faptul că el însuşi a decedat în urma unei teribile hemoragii pulmonare în timp ce juca rolul respectiv – cauza propriei morţi fiind mult prea reala sa tuberculoză.

Molière nu a fost nici pe departe ultima personalitate literară care și-a revărsat disprețul asupra celor care afișau genul de simptome misterioase și schimbătoare pe care unii căutau acum să le reeticheteze drept boală de nervi. Poetul englez Alexander Pope (1688-1744), spre exemplu, se delecta luându-le în râs pe doamnele care simulau că suferă de vapori. În „The Rape of the Lock", Umbriel batjocorește pe față specimenele „superioare" care o venerează pe Regina Spleenului:

[...] Hail, wayward Queen!
Who rule the sex to fifty from fifteen:
Parent of Vapours and of female wit,
Who give th'hysteric, or poetic fit,
On various tempers act by various ways,
Make some take physic, others scribble plays[*].

Pope însuși suferea de o varietate de boli – a rămas faimoasă spusa lui: „lungă boală, viața mea"[3] –, dar făcea mari eforturi să-și diferențieze suferințele autentice de aceste soiuri de prefăcătorie la modă; pe patul de moarte a insistat irascibil: „N-am fost în viața mea ipohondru"[4]. Iar Jonathan Swift (1667-1745), prietenul și colegul lui satirist care avea să-și sfârșească zilele dement, și-a lăsat o parte din avere pentru înființarea unui azil destinat nebunilor din Dublin, după cum spune chiar el:

He gave the little Wealth he had
To build a House for Fools and Mad;
And Shew'd by one satiric Touch,
No Nation wanted it so much[**].

A avut însă la fel de mare grijă ca toată lumea să știe că era și fusese mereu „străin de spleen"[5].

Era ușor să se facă haz de persoanele în pas cu moda care se plângeau de epuizare și de o întreagă litanie de simptome dezagreabile, dar câtuși de puțin grave, pe care spectatorii haini tindeau să le respingă drept prefăcute. În acest sport se implicau și destui literați. Așadar, nu e surprinzător să aflăm că, asemenea reginei Anne înaintea lor, în fața unei avalanșe de batjocură și dispreț, puțini dintre cei care se plângeau de dureri misterioase și de o stare de

* „[...] Te salutăm, regină plină de capricii/ Ce stăpânești sexul de la cincisprezece ani la cincizeci,/ Părinte al vaporilor și-al spiritului feminin,/ Care aduci accesul de isterie sau de poezie/ Ce-o afectează pe fiecare după fire,/ De una ia doctorii, iar alta teatru scrie" (n.tr.).

** „Și-a dat puțina sa avere/ Pentru o casă de nebuni;/ Și cu o tușă satirică a arătat/ Că nici unui popor nu-i era mai necesară" (n.tr.).

deprimare păreau dornici să adopte eticheta de isteric sau ipohondru. Cine putea să le facă vină, când cei „vulgari şi needucaţi" aveau o tendinţă atât de puternică de a face din „tulburările nervoase [...] un fel de dizgraţie", declarându-le fie „un grad mai slab de nebunie şi primul pas spre o minte tulburată", fie, mai frecvent, pur imaginare, nimic mai mult decât „capriciu, proastă dispoziţie, irascibilitate sau idiosincrazie; iar la sexul [feminin], delicateţe, fantezie ori cochetărie"[6]? Iar acest lucru ridică din nou întrebarea incomodă: cum a reuşit George Cheyne să transforme ceea ce mulţi considerau un invariabil motiv de ruşine într-un însemn onorabil?

Nervi bolnavi

În primul rând şi cel mai important, Cheyne a insistat că vaporii şi spleenul, isteria şi ipohondria nu sunt câtuşi de puţin afecţiuni imaginare, ci boli reale, cu originea în ceea ce el şi majoritatea medicilor moderni, depăşind în sfârşit medicina umorilor a lui Hipocrate şi Galen, ajunseseră să vadă drept noul principiu animator al corpului omenesc, nervii. Aceşti suferinzi nu mai puteau fi respinşi drept nişte vicleni bolnavi prefăcuţi. Acuzele lor erau „o tulburare a organismului în măsură tot atât de mare [...] ca vărsatul de vânt sau febra"[7]. Aşadar, departe de a fi triviale sau imaginare, ele formau „o clasă şi categorie de tulburări cu simptome atroce şi înfricoşătoare, necunoscute strămoşilor noştri" – şi atât de răspândite, încât alcătuiau acum „aproape o treime din bolile" epocii[8].

Concepţiile lui Cheyne reluau în mare măsură un consens medical care începea să se contureze şi-şi avea originea în secolul anterior, în descrierea făcută de Thomas Willis anatomiei creierului şi sistemului nervos uman şi în practica clinică a lui Thomas Sydenham (1624-1689), venerat de un număr atât de mare de confraţi medici, încât fusese numit „Hipocrate englez". Pe baza unei serii de experimente şi observaţii fără precedent, care depinseseră la rândul lor de progresele în conservarea creierului şi ţesutului nervos ce-i permiseseră să vadă ceea ce nu se aflase la dispoziţia nici unuia dintre predecesorii săi, Willis susţinuse:

> [...] anatomia nervilor [sistemului nervos] [...] a dezvăluit motivele reale şi autentice ale foarte multora dintre acţiunile şi pasiunile care au loc în organismul nostru şi care altfel par extrem de greu de explicat: şi din acest izvor putem descoperi şi explica în chip mulţumitor nici mai mult, nici mai puţin decât cauzele ascunse ale bolilor şi simptomelor puse îndeobşte pe seama incantaţiilor vrăjitoarelor[9].

Explicaţia patologiei nu mai era formulată strict în termeni de perturbări ale umorilor. „Spiritele animale” care cutreierau organismul, ducând mesaje de la creier şi către el, erau ceea ce anima corpul uman, iar perturbarea lor reprezenta originea ascunsă a tuturor felurilor de boli şi patologii. Aceasta constituia o reconceptualizare radicală a rolului „creierului şi fondului nervos”[10]. Ea avea, fireşte, o relevanţă deosebită pentru posibila etiologie a bolilor psihice, majore şi minore deopotrivă. Nebunia de tip Bedlam şi formele mai uşoare de melancolie, isterie şi altele asemenea erau simptomele unor tulburări ale creierului sau ale discordanţelor nervilor.

Filosoful francez René Descartes (1596-1650) avusese un rol însemnat, cu câteva decenii mai devreme, în încurajarea concepţiei despre corp ca mecanism, iar noile idei despre sistemul nervos ofereau o cale de a înţelege ce animă maşinăria organismului şi o face să funcţioneze. Pentru generaţiile ulterioare, atracţiile acestei noi perspective au fost cu atât mai mari pentru că ea părea să alinieze în mai mare măsură medicina cu filosofia mecanică a lui Galilei şi Newton. Şi făcea acest lucru lăsând terapeutica tradiţională în mare parte neatinsă, fără să pună la îndoială înţelepciunea anticilor şi fără să destabilizeze o sumedenie de remedii înrădăcinate la fel de adânc în credinţele populare şi în dogmele medicale. Era absolut modernă şi actuală şi, totodată, putea fi pusă uşor în acord cu intervenţiile familiare la patul bolnavului consfinţite de tradiţie şi de autoritatea marilor oameni din trecut. Aşadar, nu e deloc surprinzător că numeroşi medici care avansau ipoteze despre nebunie ori chiar încercau să o trateze şi, poate, să o vindece tindeau să vorbească limbajul nervilor.

Cercetările şi publicaţiile lui Willis oferiseră primele hărţi detaliate ale creierului şi sistemului nervos. El identificase o serie de elemente distinctive ale creierului: trunchiul cerebral, puntea, măduva spinării şi cercul de artere de la baza creierului numit şi azi „cercul Willis”, faldurile cerebelului şi ale scoarţei cerebrale şi structura creierului mijlociu. Luate laolaltă, acestea reprezentau o reconstruire remarcabilă a înţelegerii realităţii fizice a creierului şi o re-imaginare a rolului său ca organ al gândirii. Ducând aceste descoperiri anatomice cu un pas mai departe, în maniere cruciale care au rămas totuşi impenetrabile pentru Willis (şi pentru adepţii lui din generaţiile ulterioare), sistemul nervos putea fi şi era tot mai mult conceput ca interfaţa între domeniul nervos şi cel psihic.

Thomas Sydenham, contemporanul lui Willis, dispreţuise cercetările anatomice ale rivalului său, considerând că au prea puţină relevanţă clinică. Dar şi el recunoştea importanţa tulburărilor nervoase, afirmând chiar că „nici o altă boală cronică nu apare atât de des ca ele”. Aceasta nu însemna că Sydenham a adoptat genul de fiziologie reducționistă avansată de Willis pentru a explica originea bolilor nervoase. El prefera să pună accentul pe „perturbările minții, care sunt cauza obișnuită a acestei boli”[11]. Totuși, marea lor autoritate a constituit baza pe care Cheyne și contemporanii lui și-au construit aserțiunile despre boala nervoasă și au dat legitimitate pretenției lor că tratează ceva real.

Dar sifilisul era neîndoielnic cât se poate de real și nimeni nu voia să-l aibă. De ce stăteau altfel lucrurile cu „maladia englezească”? Pentru că, spunea Cheyne, era o boală a civilizației. Aici exista un contrast implicit, chiar dacă nerecunoscut: sifilisul era asociat cu pofta trupească neînfrânată și cu pasiunile animalice care detronează rațiunea. Emblematic pentru păcat, era o afecțiune cum nu se poate mai îndepărtată de acea cizelare și *politesse* care caracterizau o ființă civilizată. Prin contrast, în perspectiva lui Cheyne, cu cât o societate (și o persoană) era mai civilizată și mai rafinată, cu atât era mai predispusă la accese de boală nervoasă. Străinii credeau că-i blamează pe englezi declarându-i susceptibili de prostrație nervoasă. Nimic nu putea fi mai departe de adevăr. Dimpotrivă, răspândirea epidemică a acestor boli în păturile cele mai înalte ale societății engleze constituia dovada incontestabilă a unui mare rafinament și a superiorității naționale.

Popoarele primitive erau în esență scutite de ravagiile acestei noi categorii de tulburări, căci „moderația, mișcarea, vânătoarea, munca fizică și hărnicia păstrau sucurile dulci și solidele întărite”. Acolo unde totul era „simplu, modest, cinstit și cumpătat, existau puține boli sau chiar deloc”[12]. În schimb, viața modernă era plină de emoții, artificii și stres. Perspectiva bogăției și căutarea succesului aduceau în mod necesar „neliniște și îngrijorare” sporite. Mai mult decât atât, pe drumul către societatea cu cea mai mare bogăție și cu cel mai mare succes comercial de pe planetă, englezii „jefuiseră toate colțurile globului, spre a aduce laolaltă toate resursele pentru dezmăț și lux și pentru a îndemna la excese [...] suficiente ca să stârnească și chiar să sature cel mai mare și mai voluptuos apetit”[13]. Apoi mai erau superioritatea climei engleze, efectele stimulatoare ale „umezelii aerului nostru și variabilității vremii de la noi” – ca să nu mai amintim de „pământul nostru rodnic și fertil, hrana noastră bogată și grea, bogăția și belșugul locuitorilor (din negoțul lor universal), inactivitatea și îndeletnicirile sedentare ale păturilor superioare (în rândul cărora acest rău face cele mai mari ravagii) și înclinația de a trăi în orașe mari, dens populate și, așadar, nesănătoase”[14].

Dacă aceste remarci urmăreau să facă apel la mândria națională, observațiile ulterioare ale lui Cheyne cu privire la localizarea socială a bolilor nervoase erau gândite cu iscusință pentru a face apel la snobismul oamenilor de succes. Potrivit explicației lui, bolile

În această gravură din anul 1732 înfățișându-l pe George Cheyne, corpolența lui e doar sugerată. Cheyne reușea cu greu să facă câțiva pași, după care trebuia să se odihnească sau era purtat cu lectica.

nervoase erau deopotrivă produsul și dovada superiorității sociale. „Neghiobii, persoanele slabe sau proaste, sufletele greoaie și insensibile sunt rareori tulburate de vapori sau depresia spiritelor" – nu mai mult decât „un clovn greoi, insensibil, necioplit și prost"[15]. Așadar, păturile inferioare erau scutite în mare măsură de ravagiile lor. Cu totul altfel stăteau lucrurile în rândul „oamenilor cu stare din Anglia". Datorită vieții lor mai sofisticate și mai civilizate, aveau un sistem nervos mai rafinat, mai delicat. Așa se făcea că problemele nervoase puteau fi găsite cu precădere în rândul celor „cu cea mai vioaie și mai fină înzestrare naturală, ale căror facultăți sunt cele mai agere și mai spirituale, al căror geniu este cel mai agil și mai pătrunzător și îndeosebi acolo unde există sensibilitatea și gustul cel mai delicat"[16].

Chiar și marele sceptic David Hume s-a dovedit susceptibil la aceste măguliri, recunoscând atunci când a scris despre natura umană că „pielea, porii, mușchii și nervii unui zilier se deosebesc de cele ale cuiva din lumea bună [și] la fel și sentimentele, acțiunile și purtările lui". Iar James Boswell (1740-1795) a fost stimulat să-și recunoască apartenenţa la această clasă superioară prin scrierea unei întregi serii de eseuri autobiografice (deşi sub pseudonimul „Ipohondrul"). Înghiţind cu totul momeala lui Cheyne, se lăuda: „Noi, ipohondrii, ne consolăm în ceasul de neagră suferinţă cu gândul că chinurile sunt semnul superiorităţii noastre"[17].

Mărturiile verbale ale atractivităţii ideilor lui Cheyne erau una, dar acţiunile care costau bani gheaţă reprezentau, poate, o dovadă mai tangibilă. *Maladia englezească* a avut şase ediţii pe parcursul a doi ani şi ulterior a continuat să se vândă în mod constant. Mai revelator, apariţia lucrării i-a adus bunului doctor o mare creştere a clientelei şi venitului. În ultimii săi zece ani de viaţă, după cum l-a anunţat cu mare satisfacţie pe prietenul şi editorul său, romancierul Samuel Richardson, venitul lui Cheyne s-a triplat. În plus, dacă Richardson avea o poziţie socială aproximativ egală cu a sa, alţi membri ai noii lui clientele proveneau din cele mai înalte pături ale societăţii engleze: un duce, un episcop, canonicul Bisericii lui Hristos şi o sumedenie de aristocraţi, de la lordul Chesterfield la contesa de Huntingdon. Chiar şi cei mai la modă dintre medicii înaltei societăţi ar fi fost mândri cu aşa o listă de pacienţi, iar succesul financiar şi social imens care a urmat publicării cărţii lui Cheyne e o dovadă incontestabilă a atractivităţii ideilor pe care le conţinea. Nu pentru ultima oară, cei ale căror simptome fizice şi psihice erau privite cu suspiciune de cei din jurul lor au devenit adepţii entuziaşti ai medicilor care atestau că sunt într-adevăr bolnavi, că durerile şi suferinţele pe care le îndurau nu erau „doar în mintea lor" şi că meritau demnitatea rolului de bolnav, nu oprobriul rezervat prefăcuţilor şi impostorilor. Posibilitatea de a proclama totodată că afecţiunile lor nervoase îi ridicau în rândul celor mai rafinate şi mai civilizate suflete era, poate, un premiu neaşteptat, unul pe care majoritatea pacienţilor îl primeau cu încântare.

O serie de medici importanţi, ca Bernard de Mandeville (1670-1733), Nicholas Robinson (1697-1775) şi sir Richard Blackmore, care împărtăşeau convingerea lui Cheyne că sistemul nervos oferea o nouă cheie pentru înţelegerea mecanismelor corpului, au adoptat în linii mari aceeaşi cale de abordare a acestei game de „boli". Însă noile cuvinte folosite de ei pentru a descrie ceea ce credeau că se petrece ascundeau un conservatorism terapeutic profund. Limbajul nervilor era nou; tratamentele pe care le autoriza erau vechile şi cunoscutele remedii „antiflogistice" pe care medicina occidentală le utiliza de milenii – lăsări de sânge, purgative, vomitive şi aşa mai departe, pe lângă atenţia acordată alimentaţiei şi stilului de viaţă.

Nu că ar fi existat un consens deplin. Între ei, Nicholas Robinson, care lucra ca director la Bedlam, vădea poate reducţionismul cel mai grosolan:

> Se vădește limpede [declara el] că ori de câte ori mintea se percepe pe sine drept neliniștită, deprimată sau demoralizată, aceasta dovedește, pe cât de deplin permite natura lucrurilor, că sunt afectate instrumentele prin care mintea dirijează puterile operațiunilor sale [...]. Când nervii [...] sunt în formă bună, ideile pe care ei le transmit prin oricare din simțuri vor fi coerente, juste și clare; pe baza lor, intelectul va judeca și va determina obiectele așa cum sunt ele, prin legile naturii [...]. Dar dacă se întâmplă ca structura sau mecanismele acestor organe să fie bolnave, iar resorturile mașinăriei dezacordate, nu e de mirare că mintea percepe alterarea și este afectată de schimbare [...]. [Toate formele de alienare mintală], de la cele mai slabe simptome ale spleenului și vaporilor la cele mai confirmate tulburări de nebunie melancolică și alienare mintală [...] nu sunt capricii sau fantezii imaginare, ci afecțiuni reale ale minții, izvorâte din afecțiunile reale, mecanice ale materiei și mișcării, ori de câte ori constituția creierului suferă o deformare față de standardul ei natural[18].

Într-o manieră la fel de directă arăta și cum ar trebui să se desfășoare tratarea „mașinăriei dezacordate". Medicii trebuie să nu șovăie și să întrebuințeze „cele mai violente vomitive, cele mai puternice medicamente purgative și lăsări de sânge abundente [...] adesea repetate"[19]. În definitiv, insista el,

> este o cruzime dintre cele mai mari să nu fii îndrăzneț în administrarea medicamentelor, când natura bolii cere categoric ajutorul unui remediu puternic și mai cu seamă în cazurile în care fără el nu poate exista alinare[20].

Mulți dintre confrații săi, doctori de nervi, se fereau de aceste concepții extreme, deși înțelegeau boala în același fel și acceptau că refacerea echilibrului organismului necesită uneori măsuri drastice. Și, e adevărat, pacienții din secolul al XVIII-lea erau obișnuiți cu remediile eroice prescrise adesea de medicii lor. Însă mulți medici ai înaltei societăți, reflectând la șansele de a atrage în rândurile clientelei lor doamne care leșinau și domni deprimați, trebuie să se fi întrebat dacă niște făpturi atât de rafinate și de civilizate își vor supune nervii sensibili unui tratament atât de dur. Pentru pacienții temători și deznădăjduiți, insista sir Richard Blackmore, remediile liniștitoare și calmante aveau șanse mult mai mari de succes decât cele înfricoșătoare și dureroase, intervenții care amenințau să aplice un nou șoc nervilor deja zdruncinați și puteau chiar să-l „dărâme" pe pacient în loc să producă vindecarea. După Blackmore și aliații lui, Robinson n-avea decât să-și rezerve remediile dure pentru Bedlam. Sufletelor delicate ale mondenilor care, sperau acești medici, aveau să le înțeseze sălile de așteptare, înzestrate cu sensibilități ultrarafinate, avea să le meargă mult mai bine cu un regim medical mai blând, poate cu puțin opiu prescris drept ajutor.

Era o poziție în sprijinul căreia puteau invoca autoritatea marelui Thomas Willis însuși. Căci, dacă Willis insistase că nebunia de tip Bedlam necesita cea mai viguroasă și mai agresivă dintre intervenții (în definitiv, nebunii erau prizonierii „furiei turbate a spiritelor și ai absenței sufletului" și, ca atare, nu puteau fi tratați decât prin provocarea unui „respect profund, chiar și amestecat cu teamă, față de cei pe care îi socotesc torționarii lor"), el recunoștea totodată că bolile nervoase mai ușoare „se vindecă mai des cu măguliri și cu leacuri mai blânde"[21]. Măgulirea era un lucru cu care aristocrația era obișnuită și pe care îi plăcea să-l primească de la servitorii ei, în rândul cărora rămâneau negreșit și medicii.

Desigur, bolile nervoase nu erau apanajul claselor superioare engleze, cum nici sifilisul nu era apanajul francezilor sau al napolitanilor. Odată ce teoriile lui Willis au început să se răspândească (și le prezentase în latina care rămăsese *lingua franca* a claselor educate europene), n-a trecut mult timp până când alții le-au preluat și dezvoltat. Medicul olandez Herman Boerhaave, profesor de medicină la Universitatea din Leiden și cel mai renumit dascăl de medicină din secolul al XVIII-lea, era un adept al eclectismului intelectual, un sintetizator și nu un savant original. Dar era o personalitate cu influență imensă și, deși continua să-și manifeste respectul față de Hipocrate și autorii clasici (căci, asemenea majorității medicilor din epoca lui, socotea că principala sursă de autoritate medicală o constituiau cărțile), nu putea să ignore consensul tot mai vast privind importanța nervilor și îndeosebi relevanța lor în problemele de psihopatologie.

Între septembrie 1730 și iulie 1735 (cu trei ani înainte de moartea lui), Boerhaave a susținut peste două sute de prelegeri despre bolile nervoase, al căror conținut a fost reluat doar parțial într-o compilație postumă, în două volume, realizată de elevul lui Jakob Van Eems[22]. Influența lui Boerhaave s-a întins până departe. Țarul rus Petru cel Mare a venit să-l audieze, prinții europeni își trimiteau medicii personali să învețe de la el, iar confratele său Albrecht von Haller l-a numit *communis europae praeceptor* („învățătorul întregii Europe"). A sosit chiar și o scrisoare din China, adresată simplu „Ilustrului Boerhaave, medic în Europa". Ca și Willis, Boerhaave considera că prostrația nervoasă mai ușoară putea fi tratată prin persuasiune sau influențând creierul prin deșteptarea emoțiilor opuse celor presupuse a fi provocat tulburarea. O schimbare de peisaj putea fi de asemenea utilă, călătoriile urmând să devină un remediu sugerat foarte des pentru oamenii mai bogați care nu se simțeau în apele lor, uneori adăugându-se vizite în stațiuni balneare, unde puteau să bea ape tonice. Dar, ca și Willis, Boerhaave recomanda tratamentul mai puternic în cazurile de nebunie propriu-zisă, în care *sensorium commune*, cum îl numea el, devenise prizonier și trebuia scos prin șoc din starea de boală.

Între remediile medicale străvechi propuse se numărau spânzul otrăvitor (**pl. 26**) și dozele de mercur și cupru, iar când acestea nu erau suficiente, el specula că ar putea fi necesare intervenții mai drastice: cufundarea în apă până în pragul înecului sau rotirea nebunului în aer, prins într-o țeapă ca un cărăbuș[23]. În mâinile lui Boerhaave, aceste mijloace de vindecare au rămas ipotetice, dar, cum am văzut deja, alții le-au pus în aplicare ulterior, pe parcursul secolului al XVIII-lea. Între timp, au existat numeroase controverse pe tema dacă sistemul nervos este un set de tuburi goale pe dinăuntru, prin care își croiesc drum spiritele animale ori fluidul nervos, sau dacă, dimpotrivă, fibrele nervoase, încordate sau relaxate, sunt cele care oferă calea de comunicare între creier și celelalte părți ale corpului pe care-l stăpânește.

Bolile nervoase mai ușoare, care atrăseseră atât de mult atenția medicilor englezi ai înaltei societăți și le aduseseră un val de pacienți care plăteau gras și erau disperați să obțină girul profesiei medicale pentru o litanie de suferințe pe care alții aveau tendința de a le privi cu amuzament și dispreț, s-au dovedit a fi răspândite și în locuri în care nici umezeala ori alte desfătări ale climei britanice, nici stimularea pe care societatea sa comercială era acum deprinsă s-o furnizeze nu puteau fi invocate pentru a le explica ravagiile. În mod ciudat, și germanii, și austriecii, și francezii păreau predispuși să sufere de neplăceri similare. Cum să fie înțelese? Și cum să fie tratate?

Entuziasm și agonie spirituală

Explicațiile și terapiile religioase pentru astfel de necazuri nu dispăruseră. În Anglia, mișcarea de reînsuflețire a evanghelismului condusă de John Wesley (1703-1791) și George Whitefield (1714-1770) a atras nenumărați adepți. Dacă discipolii lui Newton și ai Revoluției Științifice păreau să fi îmbrățișat bazele materialiste și mecaniciste ale noii filosofii și căutau o formă de creștinism cu rădăcini în principii raționale și cu un Dumnezeu care conduce de la distanță – un arhitect divin care nu face decât să contemple minunile pe care le-a făurit –, entuziaștii care îngroșau rândurile participanților la întrunirile metodiste în aer liber afișau extreme ale convingerilor religioase și ale agoniei emoționale. Predicatorii lor erau inspirați și

Credulitate, superstiție și fanatism: un potpuriu *(1762) de William Hogarth, satiră a absurdității și pericolelor entuziasmului religios. Termometrul din față înregistrează pofta trupească, urcând cu repeziciune spre nebunia furioasă, iar predicatorul cu privire crucișă de la pupitru este George Whitefield, unul dintre întemeietorii metodismului, ale cărui doctrine, susțineau doctorii de nebuni, au trimis la balamuc nenumărați oameni creduli.*

inspirau, iar dacă cei asemenea lui Wesley nu ezitau să popularizeze medicina umorilor (lucrarea lui *Primitive Physick* era un bestseller), el și Whitefield erau și mai dornici să ofere consolare spirituală și să caute indivizi cu mintea tulburată, pentru care să se roage și pe care să-i ajute. Întrunirile lor de pe câmp prilejuiau scene de entuziasm și extaz religios și rugăciuni pentru mângâierea sufletelor celor bolnavi, tulburați și cu mințile rătăcite. Metodiștii învesteau suferința psihică cu o însemnătate spirituală profundă, iar angajamentul lor religios pasionat, care înfățișa grăitor chinurile vinovăției și păcatului și punea în contrast ororile osândei veșnice cu promisiunea mântuirii, ținea vie o combinație mai veche de explicații religioase și magice ale nebuniei, pe lângă explicațiile naturaliste acum mai respectate. Pedeapsa divină și posedarea demonică rămâneau pentru metodiști cauze absolut plauzibile ale tulburării minților omenești. Wesley însuși credea neclintit în demonomanie și susținea cu tărie vindecarea spirituală a celor cu mințile tulburate prin ritualuri colective de post și rugăciune[24].

Însă clasele conducătoare britanice văzuseră în Războiul Civil din anii 1640 unde putea să ducă o astfel de religie „entuziastă" – direct la excese, pericole și iraționalitate, la răsturnarea ordinii și ierarhiilor sociale consacrate și la un stat care și-a pierdut la propriu capul – și nu voiau să aibă de-a face cu nimic din toate acestea. Având încă proaspete în minte dezbinările sectare și frământările sociale, aristocrația și clasele avute sprijineau o religie rațională, rezervată, care întruchipa moderația civilizată și sobrietatea morală. Dacă prin aceasta deveneau aliatele filosofilor naturaliști și medicilor și, prin extensie, ale doctorilor de nebuni, cu atât mai bine.

Urmarea a fost un discurs care îi ridiculiza, parodia și satiriza în modul cel mai direct pe „Entuziaști", campanie vizibilă deopotrivă în caricaturile lui Hogarth și în comentariile sarcastice ale lui Horace Walpole, mezinul lui sir Robert Walpole, prim-ministrul cu cel mai lung mandat din istoria Marii Britanii, ca să nu mai amintim satirele lui Swift și Pope. Metodiștii erau acuzați că, în loc să vindece nebunia, o provoacă. Erau plini de vapori, elanuri și inspirații divine, predicatorii lor creând și totodată exhibând imaginații bolnave, fantezii iraționale, fanatism și nebunie. Formele de cult „scandaloase" ale metodiștilor, frica și entuziasmul lor paroxistice, invocările melodramatice ale focului iadului și osândei veșnice: care om cu un comportament mai sobru putea să vadă astfel de spectacole fără a înțelege imediat ce strâns legate erau cu lumea iraționalului și a nebuniei și cât de mari șanse aveau astfel de ritualuri să-i ducă pe creduli și superstițioși în rândurile sonaților? Numeroși doctori de nebuni opinau că activitățile lui Wesley și Whitefield au o valoare inestimabilă în recrutarea de clienți pentru afacerea cu nebunia[25]. Sărmanele membre ale sexului slab, fragile emoțional și intelectual, erau deosebit de susceptibile la a fi împinse spre nebunie, deși bărbații puteau și ei să cadă sub vrajă.

Realizând în 1762 *Credulitate, superstiţie şi fanatism: un potpuriu* (prelucrare a *Reprezentării entuziasmului* din anul anterior), Hogarth s-a desfătat în mod deosebit cu înţepăturile la adresa absurdităţilor acestor şarlatani. Vedem cum vociferările predicatorului trezesc în enoriaşi o agitaţie febrilă. Mulţi cad într-un extaz isteric şi chiar în transe cataleptice. Unii rod reprezentări ale trupului lui Hristos, ceea ce sugerează o legătură între o altă formă de religie detestată de Hogarth, catolicismul, pe de o parte, şi canibalism, bestialitate şi nebunie, pe de altă parte. Fanaticul predicator de la amvon a ales un text biblic potrivit (*2 Corinteni* 11.23) – „Nebuneşte spun" – şi în timp ce el exploatează credulitatea publicului, un termometru din prim-plan înregistrează temperatura emoţională a acestuia, urcând inexorabil de la pofta trupească (un aristocrat aţâţat, aflat lângă o servitoare tânără şi ameţită, îi bagă pe sub rochie o icoană) către nebunia furioasă. Globul ce atârnă din tavan prezintă zonele iadului, iar două personaje din faţă reprezintă unele dintre înşelătoriile pioase comise de entuziaştii predicatori asupra adepţilor lor: Mary Toft, care naşte iepuri şi o pisică, şi Băiatul din Bilston, care, într-o falsă minune, a vomitat cuie şi capse. Totul e condus de George Whitefield cel renumit pentru privirea crucişă, a cărui afirmaţie cum că lăcaşul lui de rugăciune va sluji drept „capcană pentru suflete" este parodiată de un heruvim aflat mai sus, cu o pancartă în mâini pe care scrie „Capcană pentru bani". Un evreu din Malta priveşte lung pe fereastră această imagine a nebuniei creştine. Cu peroraţiile lor melodramatice despre primejdiile focului iadului şi ale osândei veşnice, predicatorii de felul acesta profitau de credulitatea oamenilor fără prea mulţi bani şi lipsiţi de minte, înfricoşându-i şi înnebunindu-i ca să le smulgă puţinii gologani pe care-i aveau.

Exorcizarea demonilor

Elita britanică voia o religie civilizată, din care să lipsească aţâţarea şi excesele. Situaţia stătea cu totul altfel în zonele rurale din sud-vestul Germaniei, o regiune a catolicismului baroc în care Johann Joseph Gassner (1727-1779), un obscur preot de origine austriacă, contemporan cu Wesley şi Whitfield, a început să desfăşoare ritualuri de exorcism la Ellwangen, în anii 1760 şi 1770. Gassner atrăgea mulţimi de credincioşi chinuiţi de tot felul de beteşuguri: orbire, înclinaţia maniacală de a dansa (aşa-numitul dans al Sfântului Vitus), epileptici, şchiopi, isterici şi smintiţi. S-ar părea că credinţa în diavol şi în posibilitatea posedării demonice nu se evaporase pur

Johann Joseph Gassner alungând un demon. Preotul din Suabia este înfățișat exorcizând un pacient pe gura căruia zboară demonul, cum vedem în atâtea imagini renascentiste ce ilustrează tratarea celor posedați. Evident, credința în posedarea demonică a supraviețuit neatinsă la mulți oameni în așa-numita Epocă a Rațiunii.

; Portretul lui Richard Napier (1559-1634) realizat de un pictor necunoscut. Napier era
ıroh în Great Linford, Buckinghamshire (Anglia), precum și astrolog, alchimist, magician și
›ctor de nebuni. Pacienții tulburați și cu nervii șubreziți veneau de la mari distanțe pentru
fi tratați de el cu tehnici preoțești și cu leacuri administrate în momente propice din punct
: vedere astrologic.

16 SUS *Don Quijote, cu lancea coborâtă, atacă o turmă de oi pe care o ia, în starea-i delirantă, drept oaste duşmană, în timp ce Sancho Panza şade pe spinarea măgarului său obosit; schiţă în ulei de Daumier (1855).*

17 JOS Ofelia *(1851-1852) de John Everett Millais. Fundalul meticulos realizat al figurii tragice a Ofeliei cea cu minţile rătăcite l-a costat pe Millais nesfârşite ore de muncă şi observaţie.*

3 Minunile Sfântului Ignațiu *(aprox. 1617-1618) de Peter Paul Rubens. Dimensiunea uriașă bogăția detaliilor aveau menirea de a-i impresiona pe credincioși cu puterile sfințeniei în ujba Contrareformei. În prim-plan se află un bărbat posedat, aproape despuiat. Alți suferinzi glomerează tabloul, iar deasupra lor plutesc mici diavoli care fug ca să scape de predicile i Ignațiu.*

19 *Paravanul de orgă pictat de David Colijns în jurul anilor 1635-1640, inițial pentru Nieuwezijds Kapel din Amsterdam, îl înfățișează pe David cântând la harpă în încercarea de a liniști sufletul chinuit al regelui Saul – fără succes de astă dată, căci Saul aruncă spr el cu sulița. Calviniștii olandezi nutreau o ostilitate profundă față de orice avea iz de idolatrie, astfel că acest paravan pictat era un obiect neobișnuit.*

DREAPTA Vindecarea nebuniei: *:tragerea pietrei nebuniei (aprox. 1494) Hieronymus Bosch. Un medic (sau poate ; șarlatan) folosește un bisturiu ca să ›ată din capul unui pacient presupusa uză a nebuniei. Credința populară în iatra nebuniei" era foarte răspândită.*

JOS Doi nebuni (Twee kranksinnigen) *673), statuetă din teracotă de Pieter ıvery, destinată probabil unei case de buni. Ca multe dintre lucrările lui ıvery, este o piesă de mici dimensiuni, ır plină de mișcare și de detalii ăitoare.*

22 *Gravură reprezentând* Spitalul Bethlehem. *Bedlam, cum i se spune în mod obişnuit, a fost reconstruit în 1675-1676, opulenţa sa având menirea de a etala spiritul caritabil londonez şi de a face publicitate restaurării monarhiei şi a domniei raţiunii, după tulburările Revoluţiei Engleze şi ale Republicii lui Cromwell.*

T. Bowles sculp.

L'Hospital de Fou

lack Horse in Cornhil.

23 SUS La conduite des filles de joie à la Salpêtrière *sau* Transportarea prostituatelor la Salpêtrière *(1755) de Étienne Jeaurat. Feluriți oameni cu moralitate îndoielnică și turbulenți erau închiși în acest așezământ imens, care adăpostea cu precădere femei.*

24 JOS *Philippe Pinel eliberând nebuni din lanțuri la Salpêtrière, în 1795, de Tony Robert-Fleury (1876) – un eveniment faimos, deși o legendă creată câteva decenii mai târziu.*

și simplu odată cu zorii Iluminismului și ai așa-numitei Epoci a Rațiunii. Dimpotrivă, ea continua să exercite o influență puternică asupra imaginației poporului. A urmat un scandal de răsunet[26].

Bolnavii veneau să ceară binecuvântarea lui Gassner și plecau sănătoși – sau așa părea. Eliberați de duhurile necurate și demonii care îi posedaseră și-i urmăriseră, își veneau în simțiri grație ajutorului dat de un om sfânt. Vestea s-a răspândit. Se strângeau mulțimi. Părintele Gassner a purces la drum cu spectacolul său. Protestanții din nord azvârleau ocări la adresa superstițiilor și prostiei catolice. Tămăduirile se adunau. Ce însemnau toate acestea? Și cum aveau să facă față autoritățile tumultului public ce amenința să izbucnească? Frământările și emoția religioasă, asociate cu deplasarea posibilă a mii de țărani în căutarea vindecării, reprezentau o amenințare vădită la adresa ordinii, una pe care nici autoritățile laice și nici cele ecleziastice n-o puteau trata cu superficialitate. Iar în complicata geografie politică a sudului Germaniei, aceste două sfere se intersectau, se suprapuneau și deseori coincideau.

În fond, majoritatea celor care căutau ajutorul oferit de Gassner nu era formată de doamnele și domnii rafinați și decadenți care solicitau îngrijirile unui Cheyne sau Blackmore, deși Gassner a atras și el (și se pare că a vindecat) o contesă, Maria Bernardina Truchsess von Wolfegg und Friedberg, și știm că mama depresivului prinț Karl de Saxonia a luat cel puțin în calcul să-i ceară o consultație lui Gassner pentru a vedea dacă intervenția lui ar putea avea sorți de izbândă. Își făceau apariția unii nobili și doamnele lor, dar cea mai mare parte dintre miile de suferinzi tratați de bunul părinte semănau mai mult cu oamenii de rând care se adunau la predicile metodiste. Dar în sudul Germaniei, în locul rugăciunilor și privegherilor protestante, participanții erau supuși unor ritualuri străvechi de exorcizare care îl scoteau pe cel rău din trupul lor și le alungau în mod miraculos durerile, paraliziile și deznădejdea. Mai bine zis, erau supuși unor asemenea ritualuri dacă părintele Gassner decidea că sunt cazuri potrivite pentru tratament, căci era foarte selectiv cu privire la cei pe care era pregătit să-i trateze.

A izbucnit în toată Germania un aprig război al broșurilor, revărsându-se și în unele părți ale Franței. Puteau fi auzite ecouri vagi ale războaielor religioase din vechime. Gassner avea susținători în ierarhia Bisericii și avea grijă să-și desfășoare exorcizările în principatele acestora. În alte părți însă, clericii catolici prudenți îndemnau la precauție. Protestanții nu încetaseră să ridiculizeze superstițiile catolice, iar asta deranja. În plus, acești clerici trebuiau să se gândească și la responsabilitățile lor laice, căci într-o mare parte din sudul Germaniei episcopii erau și conducători laici, deși se putea ca diocezele și principatele lor să nu se suprapună. Iar în cazurile în care nu erau deopotrivă prelați și principi, clericii erau vlăstare ale unor familii nobile, ale căror interese țineau foarte mult să le protejeze. Grijile lumești cu privire la ordinea socială și la efectele posibil destabilizatoare ale serviciilor lui Gassner nu erau nici pe departe străine de preocupările lor. În fond, mania vrăjitoarelor nu era câtuși de puțin o amintire îndepărtată, iar dacă alungarea diavolilor de către Gassner reînsuflețea temerile populare, o nouă epidemie de exaltare și entuziasm religios pentru arderea pe rug a vrăjitoarelor putea să reizbucnească, cu urmări imposibil de anticipat.

Invidioși unii pe alții, prelații catolici erau în cea mai mare parte incapabili să acționeze la unison. Când au apărut primele relatări despre exorcizările făcute de Gassner, episcopul de Konstanz a căutat imediat să pună capăt demersului și să trezească îndoieli asupra lui, fiind urmat în scurt timp de conciliul ecleziastic din Bavaria și de autoritățile bisericești de la Augsburg, care i-au interzis lui Gassner să intre pe teritoriile lor. În alte părți însă, autoritățile laice și cele bisericești au adoptat o perspectivă mai binevoitoare. La Regensburg, spre exemplu, prințul și episcopul Anton Ignaz von Fugger și-a oferit sprijinul și protecția, la fel și omologii săi din Freising și Eichstätt. În cele din urmă însă, puterile laice și ecleziastice de la niveluri mai înalte s-au simțit obligate să intervină. Împărăteasa Maria Tereza a Austriei, care interzisese anterior noi procese ale vrăjitoarelor, nu înghițea câtuși de puțin activitățile lui Gassner; în vara anului 1775, ea a trimis doi medici imperiali, despre care știa că-i împărtășesc scepticismul, să-l investigheze pe controversatul preot. La scurt timp după aceea, împăratul Iosif, conducătorul nominal al Sfântului Imperiu Roman, i-a poruncit lui Gassner să plece din Regensburg. Intervenția papei a fost mai lentă, dar Roma a conchis în cele din urmă că toată povestea trebuie să ia sfârșit. La instigarea dușmanilor lui Gassner din rândul Bisericii, papa Pius al VI-lea și-a dat într-un final verdictul: deplângând senzaționalismul care înconjurase activitățile preotului și atacându-l pentru răspândirea ideii „false" că majoritatea bolilor sunt cauzate sau exacerbate de diavol, papa a luat măsuri pentru a-l reduce la tăcere. Gassner a primit ordin să pună capăt exorcizărilor și să redevină un simplu preot paroh în cătunul Pondorf. Trei ani mai târziu a murit, redus la anonimat.

Desigur, amuțirea lui Gassner la comanda conducătorilor „luminați" și a papei însuși nu a anihilat credințele populare în diavol și posedare, dar a indicat măsura în care societatea rafinată se distanța de vechile explicații religioase ale bolilor și suferințelor și îndeosebi ale nebuniei. Împinsă în subteran, credința în spiritele malefice a persistat fără îndoială în conştiinţa populară. Ea dispunea de girul biblic, ca şi de forţa tradiţiei şi, pentru cei care-şi păstrau credinţa în cosmologia mai veche, părea să explice o mare parte a experienţelor cotidiene. Pelerinajele şi venerarea sfinţilor şi moaştelor, atât de populare în vremurile anterioare, nu au dispărut pur şi simplu la porunca autorităţilor. Dar, în cercurile educate, au devenit însemnul ignoranţei şi al superstiţiei. Cei instruiţi ştiau mai bine cum stau lucrurile, ori credeau că ştiu.

Forţe invizibile

Aşa cum catolicii tradiţionalişti aveau diavolii şi demonii lor invizibili (căci, în ciuda imaginilor vremii, Gassner nu afirmase niciodată că a observat creaturile alungate din pacienţii săi posedaţi), gânditorii iluminişti aveau propriile forţe invizibile care puneau în mişcare lumea simţurilor: la gravitaţia lui Newton adăugaseră electricitatea şi magneţii, iar acum părea să fi fost descoperită o altă influenţă invizibilă. Căci, chiar în anii în care Gassner îşi perfecţiona talentul şi reputaţia de exorcist, Franz Anton Mesmer (1734-1815), un medic vienez care făcuse un mariaj extraordinar de bun, a anunţat că a descoperit o nouă forţă vitală, magnetismul animal, un fluid puternic care străbătea corpul fiecărei fiinţe umane. Mai mult decât atât, avea puterea de a manipula acest fluid şi de a-l folosi pentru a produce vindecări. Dumnezeu, diavolul şi ritualul religios al exorcizării lipseau, dar rezultatele păreau să fie remarcabile – ceea ce i-a adus la uşa lui Mesmer pe bogaţii şi mondenii capitalei imperiale, promiţând să-i ofere o avere şi o faimă mai mari chiar decât cele pe care i le adusese soţia.

În 1775, Mesmer a plecat în Bavaria pentru a-şi demonstra sistemul în faţa Academiei de Ştiinţe. Membrii acesteia au fost atât de impresionaţi – Mesmer l-a tratat în faţa lor pe unul dintre ei şi a făcut diferite isprăvi spectaculoase când a mesmerizat alţi pacienţi –, încât au votat să-l primească în rândul lor. Mesmer i-a asigurat că tratamentele încununate de succes ale lui Gassner – dacă succesul era real – arătau că, atingându-i pe cei veniţi în căutarea tămăduirii, acesta folosise fără să ştie puterea magnetismului animal.

Întorcându-se bucuros de la periferia rurală care era Bavaria la reşedinţa sa preferată printre gloriile sediului puterii habsburgice, Mesmer a continuat să trateze elita imperială. Averea soţiei îi adusese o proprietate superbă în Viena, unde *tout le monde*, adică toată acea lume care conta putea fi invitată să se împărtăşească din gusturile lui artistice elevate și din nemaipomenita terapie nouă pe care o descoperise. Joseph Haydn îi era adesea oaspete, la fel și familia Mozart. Mai mult chiar, prima operă a tânărului Wolfgang, *Bastien und Bastienne*, și-a avut premiera la reședința lui Mesmer (iar mesmerismul însuși avea să-și facă ulterior apariția în *Così fan tutte*). Leopold Mozart și-a declarat admirația față de decor: „Grădina este incomparabilă, cu aleile și statuile ei, cu un teatru, o volieră, un porumbar și un foișor pe culmea dealului”[27]. Ca să-și demonstreze propriile gusturi și talente în materie de muzică, Mesmer însuși a învățat să cânte la armonica de sticlă, instrument perfecționat de polimatul american Benjamin Franklin (1706-1790). Ulterior, bunul doctor a început să-și înfrumusețeze ședințele de mesmerism cântându-le pacienților arii suave și liniștitoare.

La început, Mesmer utilizase magneți speciali pentru a-și amplifica eforturile de modificare a curgerii magnetismului animal la pacienții săi, dar acum renunțase la ei. Descoperise, spunea el, că boala era rezultatul apariției unor blocaje sau obstacole în calea curgerii magnetismului animal în organism. Talentul lui, aflat deopotrivă în privirea și-n vârfurile degetelor sale, consta în a detecta aceste obstacole și a redirija curgerea fluidului. Ținând genunchii pacientului între propriii genunchi, Mesmer căuta sursele problemelor acestuia, trecându-și degetele peste întregul lui corp și, printr-o procedură similară masajului, provocând o transă sau o criză asemănătoare cu cea epileptică. Aceasta marca dizolvarea obstacolelor interne din calea curgerii libere a magnetismului animal, mai cu seamă între polii gemeni reprezentați de cap, predispus la a primi fluid mesmeric din cer, și de labele picioarelor, al căror contact cu pământul asigura o sursă alternativă de magnetism. (Așa cum s-a exprimat chiar Mesmer în prima din cele douăzeci și șapte de propoziții prin care și-a rezumat descoperirea: „Există o influență reciprocă între corpurile cerești, pământ și organismele vii”.) Câteodată, puterea atingerii și privirii sale era sporită prin folosirea unor bare de fier puse în contact cu zonele în care pacientul se plângea că are dureri.

Conotațiile sexuale ale acestui proces erau cât se poate de transparente și stârneau multă veselie și numeroase comentarii grosolane printre cei care se opuneau noilor doctrine. Mesmer se concentra asupra meridianului corpului, ferindu-se de polii magnetici, și părea să-și concentreze atenția în mare măsură asupra pieptului și părții superioare a abdomenului, regiunea hipocondrului, potrivit teoriei medicale tradiționale. Această atenție, anunța el în a douăzeci și treia propoziție, „poate să vindece imediat maladiile nervoase și să aline altele”.

Deşi mesmerismul se bucura de o popularitate considerabilă, avea şi mulţi detractori, fiind adesea ţinta unui umor cu puternice conotaţii sexuale. Aici mesmeristul, caricaturizat drept măgar, îşi foloseşte „degetul fermecat" pentru a vindeca o pacientă.

Poate cel mai faimos dintre pacienţii săi vienezi a fost o tânără oarbă, Maria Theresia Paradis (1759-1824). Avea optsprezece ani şi orbise în chip misterios la vârsta de trei ani şi jumătate. Părinţii iubitori mobilizaseră toate resursele disponibile la Viena pentru a încerca să o vindece şi pentru a o învăţa să se descurce cu handicapul ei. La vremea când l-a cunoscut pe Mesmer, fata fusese supusă la mii de şocuri electrice în speranţa de a i se stimula vederea, însă fără nici un rezultat. Între timp, părinții ei, bogați, angajaseră o sumedenie de preceptori spre a găsi modalități prin care fiica lor să deprindă toate înzestrările de așteptat la o tânără cu poziția ei socială. Nu în ultimul rând, primise numeroase lecții de clavecin și pian, activitate pentru care părea să aibă un talent deosebit[28]. Spectacolul fetei oarbe cântând la un instrument cu clape îi atrăsese un mare număr de admiratori, între care însăși împărăteasa Maria Tereza.

Mesmer a tratat-o. Ea a declarat că și-a recăpătat vederea. S-au pornit pe dată zvonuri cum că relația dintre ei depășise pragul terapeutic. Rivalii lui Mesmer, poate invidioși pe sumedenia de pacienți cu probleme nervoase și foarte mulți bani pe care îi atrăgea acesta, au început să bârfească că Maria Theresia îi devenise amantă. În ce o privește pe tânăra domniță, aceasta a descoperit că talentul la claviatură îi era acum mai puțin apreciat. O tânără oarbă care știa să cânte la pian era ceva; însă una văzătoare... existau sute de femei bine educate mai pricepute decât ea!

Este foarte posibil ca poveștile indecente să fi avut oarece temei. În orice caz, după câteva săptămâni, Mesmer a părăsit pe neașteptate Viena, plecând la Paris fără soție, cu care a rupt toate legăturile. Din păcate, domnișoara Paradis și-a pierdut iarăși vederea, dar și-a redobândit în scurtă vreme popularitatea ca talentată cântăreață oarbă la pian și clavecin și a reînceput să se bucure de oblăduirea împărătesei Maria Tereza. Iar medicii vienezi ai înaltei societăți n-au părut să deplângă plecarea colegului lor.

Mulțimea mondenă în jurul căzii lui Mesmer pline cu pilitură de fier. Cântă muzica, iar dr. Mesmer stă la o parte, „părând mereu absorbit de reflecții adânci [...] pacienții, mai cu seamă femeile, au crize care le aduc însănătoșirea”.

În februarie 1778, Mesmer a sosit la Paris, unde s-a instalat și a început să atragă o clientelă aristocratică. După câteva săptămâni se mutase în Place Vendôme, iar ulterior s-a bucurat de tot mai mult succes. Percepea taxe mari, dar nimeni nu se uita chiorâș, căci promitea să-i scape pe clienții săi bogați de afecțiunile cronice care-i chinuiau de multă vreme și de care mulți se îndoiau că ar fi reale. Nevropații, istericii și cei cu tulburări mintale se adunau să fie tratați de el. Un an mai târziu, Mesmer și-a publicat *Mémoire sur la découverte du magnétisme animal*, care a atras și mai mult atenția asupra marii sale descoperiri și care includea diferite progrese tehnice menite să-i facă disponibile la o scară mai largă efectele remarcabile.

Cel mai interesant dintre acestea era *baquet*, o masă sau o cadă plină cu pilitură de fier din care ieșeau vergele de fier ce puteau fi introduse la diferite înălțimi, astfel încât cei așezați în jurul instalației să poată dirija efectele către anumite regiuni anatomice – stomacul, splina, ficatul sau părțile mai rușinoase – care aveau nevoie de o atenție specială. Pacienții ședeau la masă legați între ei cu o frânghie care forma cercul mesmeric (oarecum pe baza analogiei cu un circuit electric) și așteptau ca tratamentul să-și facă efectul. Mesmer alterna atingerea pacienților cu cântatul la armonica de sticlă pentru a spori efectul instalației și în scurt timp, de cele mai multe ori, pacienții nevropați leșinau și cădeau în inconștiență ori aveau convulsii, unele atât de violente, încât un asistent al lui Mesmer îi ridica în brațe și-i ducea într-o anticameră căptușită cu saltele, menită să-i împiedice să se rănească în timp ce se zbăteau. Fuseseră luate în calcul și diferențele de statut social: într-o cameră alăturată, Mesmer a instalat o „cadă pentru săraci". Covoarele moi, oglinzile, draperiile groase și portretele astrologice erau mobilizate pentru a amplifica atmosfera. Un contemporan descria scena astfel:

> Casa dlui Mesmer este ca un templu divin unde converg toate păturile sociale: abați, marchize, grizete, soldați, doctori, fete tinere, moașe, muribunzi, dar și oameni puternici și viguroși – toți atrași de o putere necunoscută. Există acolo vergele pentru magnetizare, căzi acoperite, baghete, frânghii, arbuști cu flori și instrumente muzicale, între care și armonica de sticlă, ale cărei sunete trezesc râsete, lacrimi și bucurie nemăsurată[29].

Mesmer era dornic să obțină recunoașterea oficială a marii sale descoperiri. Și-a susținut cauza pe lângă Societatea Regală de Medicină și pe lângă Academia de Științe de la Paris căutând să le obțină aprobarea, însă aceasta se lăsa așteptată. Între timp începuse să magnetizeze copaci, astfel încât un număr și mai mare de săraci să poată beneficia de tratamentul lui. Cu siguranță, acest lucru a întărit reputația de șarlatanie care începuse să-l înconjoare și criticile stârnite de rivalitatea profesională. Însă aceste critici au părut să nu aibă nici un efect. Un veritabil Who's Who al aristocrației s-a unit și a strâns fonduri pentru a-l plăti pe Mesmer să înființeze o rețea de clinici mesmerice în provincii. Acesta a strâns o avere imensă. Francezii păreau tot atât de predispuși la maladii nervoase ca și perfizii englezi, iar cei afectați de aceste forme mai blânde ale tulburărilor mintale se îngrămădeau să beneficieze de un tratament ce promitea să-i scape de suferință, fără durerea și neplăcerile asociate cu lăsările de sânge, purgativele și vomitivele tradiționale.

Apoi, pe neașteptate, în 1784, când mesmerismul părea să se afle la apogeul succesului, lucrurile au început să meargă prost. Rivalii îl dușmăneau pe Mesmer pentru că reușise să atragă atât de mulți clienți profitabili. Vorbeau cu dispreț despre șarlatania leacurilor sale și despre caracterul periculos, încărcat erotic, al ședințelor de tratament. În puterea lui cădeau femei frumoase. Cu pasiunile ațâțate, amețeau și făceau convulsii, privind pline de adorație în ochii bărbatului care le indusese transa, apoi erau duse, supuse, în „camera de criză", a cărei podea era acoperită cu saltele. Amenințarea la adresa moravurilor publice nu putea fi mai clară, și totuși chiar și cele mai rafinate aristocrate păreau vulnerabile la farmecele lui Mesmer. Fiind absolut convinși că dreptatea e de partea lor, criticii au luat măsuri pentru a pune capăt provocării pe care o reprezenta Mesmer.

Presat de concurenții invidioși ai lui Mesmer, regele Ludovic al XVI-lea a creat o comisie care să-i examineze afirmațiile. Între membrii comisiei se numărau unii dintre cei mai eminenți învățați ai epocii: chimistul Antoine Lavoisier, astronomul Jean Sylvain Bailly, Joseph Guillotin, care avea să inventeze ulterior un aparat cu care regele urma să facă cunoștință personal, și Benjamin Franklin, ambasadorul american în Franța, cunoscut pentru experimentele sale cu fulgerele și electricitatea. Era un grup formidabil; și, cu toate că a investigat activitatea lui Charles D'Eslon, fost asistent al lui Mesmer, aflat acum în relații reci cu maestrul său, și nu a lui Mesmer însuși, și a ignorat chestiunea eficacității terapeutice a mesmerismului – tema de interes maxim pentru clientela acestuia –, în problema crucială a existenței fluidului numit „magnetism animal" concluzia comisiei a fost lipsită de orice ambiguitate: n-a putut fi găsită nici o dovadă fizică prin care să i se confirme existența. Și a fost citată în sprijinul verdictului o serie întreagă de experimente ingenioase.

Raportul comisiei a adus daune considerabile reputației lui Mesmer în mediile intelectuale respectabile și a fost fatal pentru recunoașterea oficială a descoperirii la care sperase acesta. La nivel practic însă, se pare că nu i-a descurajat pe mulţi dintre cei ispitiţi de farmecul terapiei. Controversele abstruse între oameni de ştiinţă care îşi întemeiau la rândul lor opera pe postularea existenţei şi puterii altor feluri de forţe invizibile aveau prea puţină însemnătate pentru cei atraşi de posibilitatea unui leac pentru problemele lor nervoase. Discipolii lui Mesmer au respins raportul, etichetându-l drept produsul previzibil al unui grup de academicieni egocentrici.

În scurt timp însă au ieşit la iveală scandalurile din trecut: în Vinerea Mare, 16 aprilie 1784, Concertul spiritual din postul Paştelui a atras crema societăţii pariziene, ca şi pe monarh. Cântăreaţa la clavecin era o muziciană oarbă din Viena, însăşi Maria Theresia Paradis. Vechile poveşti despre presupusa ei aventură cu Mesmer au ieşit din nou la suprafaţă[30]. Bârfele s-au înteţit când domnişoara Paradis a ales să-şi prelungească şederea la Paris cu şase luni. Între timp, Mesmer fusese invitat la Lyon pentru a face o demonstraţie publică a valorii tehnicii sale în faţa fratelui mai mic al regelui Frederic al II-lea al Prusiei. A fost un eşec catastrofal. Umilit, Mesmer a fugit din Paris şi nu s-a mai auzit nimic de el, deşi a trăit încă două decenii.

Desigur, după ieşirea subită a lui Mesmer de pe scena pariziană, mesmerismul şi-a pierdut o parte din popularitatea extraordinară pe care o dobândise în perioada de apogeu, la jumătatea anilor 1780. Însă interesul general faţă de el a rămas puternic şi şedinţele de mesmerism aveau să atragă în secolul următor un public în creştere constantă. Charles Dickens s-a ocupat în mod repetat de mesmerism, ca amator, împins de un interes câtuşi de puţin excentric. Prietenul lui, romancierul Wilkie Collins, a împletit adesea mesmerismul în intrigile sale[31]. Dar mesmerismul era acum mai puţin o procedură terapeutică şi mai mult o formă de divertisment. Şi căzuse tot mai mult sub influenţa spiritualiştilor şi a celor care cochetau cu paranormalul, schimbare câtuşi de puţin de natură să-i sporească credibilitatea în rândul medicilor sau al majorităţii oamenilor de ştiinţă. Deşi continua să-i poarte numele, mesmerismul scăpase de sub controlul descoperitorului său. Abia la câteva decenii după moartea lui Mesmer tehnica introdusă de el avea să cunoască o relansare – deşi sub alt nume şi întemeindu-şi autoritatea, atâta câtă putea să aibă, pe ceva foarte diferit de un fluid magnetic misterios.

Capitolul 7

Marea Închidere

Nevropat sau nebun?

Limbajul nervilor era o manieră tentantă de a explica ravagiile nebuniei, și nu doar pentru medici. Desigur, pentru elita medicală, explorarea complexităților creierului și sistemului nervos constituia un izvor de fascinație crescândă, iar pentru practicienii de rând, tezele despre originea nervoasă a nebuniei dădeau stărilor psihice anormale o explicație ce le înrădăcina ferm în organism. Totodată, unui public nespecialist educat tot mai înclinat să privească lumea în termeni naturaliști și să se distanțeze de „superstițiile" de care continuau să se agațe cei needucați, adoptarea explicațiilor formulate în acești termeni îi permitea să-și etaleze rafinamentul superior și îi insufla impresia liniștitoare că excesele profund tulburătoare și înfricoșătoare ale nebuniei puteau fi înțelese în mod rațional. Pentru cei înstăriți și mai cu seamă pentru bogații fără ocupație, predispuși la accese de depresie sau *ennui* ori afectați de o gamă întreagă de neplăceri psihice și fizice misterioase, limbajul nervilor prezenta o atractivitate dublă, căci legitima ceea ce observatorii nemiloși înclinau să respingă drept boală pretinsă ori *maladie imaginaire*.

Totuși, nu era clar dacă nevropații ar fi fost la fel de dornici ca neplăcerile lor să fie privite pur și simplu drept o formă mai ușoară de nebunie, căci exista în continuare tentația puternică de a-i exila pe nebuni într-o întunecată lume exterioară. Privați cum erau de cea mai crucială dintre trăsăturile umane – rațiunea –, bolnavii psihici puteau fi văzuți foarte ușor ca niște creaturi din altă categorie ontologică. La începutul secolului al XVII-lea, Shakespeare sugerase că, despărțiți de adevărata lor ființă și de judecata lor, nebunii erau doar „chipuri zugrăvite" – simulacre de făpturi umane – sau „simple fiare"[1]. Unii autori din secolul al XVIII-lea au adoptat o concepție încă și mai extremă. Ținând o predică despre „acei nefericiți rămași fără cea mai scumpă lumină, Lumina Rațiunii", clericul Andrew

Snape descria „pierderea minților” spunând că-l coboară „pe nefericit mai prejos de partea mută și nesimțitoare a creației”[2]. Ideea a fost reluată de un colaborator anonim la revista *The World* (posibil Samuel Richardson), care scria că nebunia îi face „pe marii cugetători ai pământului mai prejos chiar decât insectele târâtoare de pe fața lui”[3]. Nu e deloc de mirare că multe generații succesive de comentatori au repetat, aproape mecanic, clișeul potrivit căruia „Nu există boală mai înspăimântătoare decât nebunia”[4].

Așa se face că, atunci când a început să simtă că-și pierde judecata, ultimul rege al Americii de Nord, George al III-lea, repeta insistent oricui stătea să-l asculte: „Sunt nevropat [...] Nu sunt bolnav, ci nevropat; dacă vrei să știi ce e cu mine, sunt nevropat”[5]. Dar nu era. Era nebun. Vorbea fără oprire până când făcea spume la gură, agitația și delirul lui devenind treptat tot mai pronunțate, până când Richard Warren (1731-1797), medicul regelui, a fost auzit spunând că „atacul asupra creierului era atât de violent încât, dacă supraviețuia totuși, nu exista nici un motiv de a spera că-și va recăpăta judecata”[6]. George a devenit violent și stăpânit de idei delirante, imprevizibil și tot mai greu de controlat, suferind de insomnii și adesea cu un comportament obscen. Așa a ținut-o din octombrie 1788 până în martie anul următor, când a părut să-și revină în mod miraculos. După doisprezece ani a avut o recidivă, apoi s-a însănătoșit, tipar repetat în 1804. Dar când nebunia s-a abătut iarăși asupra lui în 1810, a fost ireversibilă. George și-a trăit ultimul deceniu de viață cu mințile rătăcite – la început incoerent și vorbind fără șir, apoi dement și orb.

Boala regelui provoca o criză constituțională de fiecare dată când reapărea, iar în 1810 problema a fost rezolvată prin numirea ca prinț regent a fiului său George. Secretul ce învăluia nebunia regelui încuraja bârfe și zvonuri. Totodată, făcea mai vizibilă marea prăpastie dintre formele mai ușoare de tulburări nervoase și formele de nebunie extreme, cu cauze mai profunde. Printr-o coincidență – și în mare măsură a fost doar o simplă coincidență, căci respectivele evoluții pot fi văzute pe tot cuprinsul Europei și Americii de Nord –, alunecarea recurentă a regelui englez în nebunie corespundea remarcabil de îndeaproape cu unele evoluții cruciale ale percepțiilor privind maniera în care putea și trebuia să fie gestionată boala psihică și cu începuturile orientării către adoptarea azilului ca soluție preferată pentru problemele ridicate de alienatul mintal pentru familie și pentru societate în general.

Apariția imperiului azilurilor

În scurt timp, presupusa nevoie de a-i segrega pe nebuni de societate și decizia de a construi o rețea tot mai mare de noi instituții pentru îndeplinirea acestei sarcini aveau să ducă la lansarea marii închideri a alienaților mintali, rămasă o trăsătură notabilă a reacției occidentale la boala psihică până în ultimele decenii ale secolului al XX-lea. Prostrația nervoasă putea fi controlată mai departe în mod informal, iar cei care îndurau această suferință puteau rămâne în libertate, dar situația stătea cu totul altfel pentru cei afectați de manie și de melancolie, cei cu tulburări psihice și cei dementi. Pentru ei a apărut cu repeziciune o nouă geografie a suferinței. Azilul a devenit pretutindeni soluția aleasă pentru problemele ridicate de nebunii de tip Bedlam. Iar din noua concentrare a nebunilor într-un spațiu social s-a materializat și un soi nou de experți în medicina de azil, tot mai organizați și mai conștienți de sine, identitatea lor ca specialiști fiind intim legată de existența și extinderea imperiului azilurilor. Această extindere, la rândul ei, a ajuns în scurtă vreme să fie înrădăcinată pretutindeni într-un rol tot mai însemnat al statului, acela de a finanța și administra instituțiile care răsăreau pe tot cuprinsul Europei și Americii de Nord – o evoluție poate deloc surprinzătoare în Franța și în Imperiul Austriac, unde autoritatea centrală avea prea puține limitări, dar la fel de vizibilă în Marea Britanie și în Statele Unite, unde suspiciunea față de centralizare și față de acțiunea statului era adânc imprimată în cultură și în organismul politic.

În centrul acestei adoptări a instituționalizării se afla un paradox. Fervoarea morală și entuziasmul care constituiau motorul inițiativei elogiate pe scară largă drept progres științific și umanitar în tratarea bolnavilor psihici derivau în mare măsură din demascarea ororilor casei de nebuni din *l'ancien régime*. În Franța, ambițiosul Jean-Étienne Dominique Esquirol (1772-1840), venit la Paris ca să lucreze în subordinea lui Philippe Pinel, eminentul medic din epoca Revoluției, își deschisese în 1802, cu ajutorul protectorului său, propria *maison de santé*, casă de nebuni privată, apoi obținuse, în 1811, un post de *médecin ordinaire* la spitalul Salpêtrière. Încercând să intre în grațiile monarhiei de Bourbon restaurate, începuse în 1817 să țină prelegeri despre bolile psihice, iar în anul următor obținuse o însărcinare de la Ministerul Afacerilor Interne să călătorească prin țară și să facă o evaluare a situației nebunilor. Raportul lui era un catalog al ororilor:

I-am văzut dezbrăcați, înveliți în zdrențe, având la îndemână doar paie ca să se apere de umezeala rece a podelei pe care zac. I-am văzut hrăniți prost, fără aer de respirat, fără apă ca să-și astâmpere setea, lipsiți de necesitățile de bază ale vieții. I-am văzut la mila unor veritabili temniceri, victimele supravegherii brutale a acestora. I-am văzut în închisori strâmte, murdare, infestate, fără aer sau lumină, legați cu lanțuri în văgăuni în care te-ai teme să încui fiarele sălbatice pe care guvernele iubitoare de lux le țin cu mare cheltuială în capitalele lor[7].

Imaginile le-ar fi fost familiare englezilor care dădeau atenție valului de anchete întreprinse de parlament asupra situației caselor de nebuni ce au punctat primele decenii ale secolului al XIX-lea. Magistrații și filantropii autodeclarați se întreceau să producă cele mai sinistre descrieri ale ororilor ce-l așteptau pe nebunul instituționalizat. Bancherul Henry Alexander, care își luase obiceiul de a face turul locurilor în care erau închiși nebunii atunci când călătorea la țară, a declarat că vizitase secția de nebuni a azilului de săraci din Devon, deși obținuse accesul numai după protestele vehemente ale intendentului:

N-am mai simțit așa o duhoare în viața mea; era atât de cumplită, că prietenul care a intrat cu mine [în prima celulă] a spus că nu poate să intre în cealaltă. După ce am intrat într-una, am spus că voi intra și în cealaltă; că, dacă ei reușeau să supraviețuiască acolo zi și noapte, pot cel puțin să le inspectez [...]. Duhoarea era atât de puternică, încât am simțit că mai am puțin și mă sufoc; după aceea, ore în șir, dacă mâncam ceva, simțeam același miros; nu puteam să scap de el; și ar trebui să nu uităm că în acele celule se făcuse curățenie în dimineața respectivă, iar ușile fuseseră deschise cu câteva ore mai devreme[8].

Condițiile erau chiar mai proaste în instituțiile specializate în detenția nebunilor. John Rogers, care lucrase ca spițer la Red House și White House ale lui Thomas Warburton, două dintre cele mai mari case de nebuni private și aducătoare de profit din Londra, a declarat că erau pline de păduchi și șobolani și atât de friguroase și umede, încât mulți pacienți sufereau de cangrenă și tuberculoză; de asemenea, îngrijitorii îi maltratau cu cruzime pe pacienți. Bătaia și biciuirea erau folosite în mare măsură, iar pacientele erau violate adesea. În ce-i privește pe pacienții incontinenți, aceștia erau târâți cu regularitate afară, în curte, și spălați sub un șuvoi de apă rece de la o pompă. La Bedlam, martorii au atestat prezența femeilor dezbrăcate și legate la întâmplare cu lanțuri de ziduri, ca și bărbații: „Goliciunea lor și maniera de detenție creau [...] impresia clară a unui adăpost pentru câini”[9]. Chiar și așa, se poate să fi avut o soartă mai bună decât semenii lor de la azilul York, unde pacienții erau violați și omorâți și majoritatea erau ținuți în mizerie și neglijați[10]. Potrivit lui Godfrey Higgins, magistrat de Yorkshire, mai multe celule ascunse cu grijă vederii se aflau

> într-o stare înfiorătoare de mizerie [...] pereții erau mânjiți cu excremente; gurile de aerisire, câte una în fiecare celulă, erau umplute parțial cu ele [...]. Am urcat apoi la etaj [...] într-o încăpere [...] de trei metri și șaizeci de centimetri pe doi metri treizeci și cinci, în care se aflau treisprezece femei care [...] ieșiseră din celulele respective în acea dimineață [...]. Mi s-a făcut foarte greață și n-am mai putut să stau în cameră. Am vomitat[11].

Într-o încercare care s-a dovedit inutilă de a masca enormitatea celor ce se petreceau acolo, medicul azilului a dat foc clădirii, reușind să distrugă o aripă și să provoace moartea câtorva pacienți, dar neizbutind să șteargă mai multe dovezi de maltratare. O inspecție la scară națională efectuată după aproape trei decenii a sugerat că, în mare parte a țării, nu se schimbase mare lucru[12].

În Franța, Esquirol concepuse proiectul unui sistem național de aziluri încă din anul 1819, dar abia după aproape două decenii, în 1838, Adunarea Națională a adoptat o lege care impunea fiecărui departament să construiască din bani publici un azil pentru adăpostirea nebunilor sau să ia măsuri alternative pentru tratarea lor[13]. În plus, legea prevedea că „nici o persoană nu are voie să conducă sau să înființeze o instituție particulară pentru nebuni fără autorizație din partea guvernului". În practică, prevederile ei au fost aplicate doar treptat. Doi ani mai târziu existau șapte astfel de aziluri; până în 1852 s-au mai construit doar alte șapte, dintre care patru erau anexe ale unor spitale generale. În provincii au continuat să existe numeroase instituții particulare administrate de Biserică, legea impunându-le acum să aibă un director medic, deși ele rămâneau în fapt credincioase identității lor religioase și unui model bazat pe milostenia creștină. Susținătorii lor catolici afirmau că, dacă mijloacele morale erau calea regală spre vindecarea nebunilor, atunci maicile erau calificate pentru a administra fermitatea și blândețea necesare, idee întâmpinată cu scepticism și cu împotrivire aprigă de către noii *médecins aliénistes*. Cu timpul, mersul în direcția unui sistem laicizat aflat în administrare publică avea să se dovedească inevitabil, dar vreme de câteva decenii abordarea religioasă și abordarea medicală a controlării nebunilor au coexistat, iar tensiunile dintre cele două s-au revărsat ocazional în conflicte fățișe[14]. Totuși, francezii priveau acum spre aziluri și nu spre vechiul sistem al îngrijirii în familie când se confruntau cu problemele bolii psihice.

Și englezii au adoptat în 1845 o legislație care impunea construirea de aziluri de către comitate și orașe, din bani publici, și autorizarea tuturor azilurilor private pentru cei înstăriți de către un nou organism, Comisia pentru alienare mintală, căreia i s-a acordat și autoritatea de supraveghere generală a imperiului în formare al azilurilor. La fel ca în Franța, reformatorii propuseseră un astfel de plan mult mai devreme, în 1816, și trebuiseră să învingă o opoziție considerabilă pentru a-și atinge țelurile – opoziție întemeiată în egală măsură pe costurile noilor aziluri și pe extinderea centralizării pe care o întruchipau. Lucrurile au evoluat cu oarecare încetineală chiar și după adoptarea legislației, motivul fiind obișnuita combinație între zgârcenia autorităților locale și împotrivirea lor la măsurile impuse de Westminster. Dar în anul 1860 revoluția azilurilor era practic încheiată. Pe tot cuprinsul țării fuseseră construite noi aziluri districtuale, care deveneau acum soluția preferată la problemele ridicate de nebuni. Iar cei care conduceau aziluri private, orientate spre profit, pentru pacienți plătitori se obișnuiseră cu supravegherea Comisiei pentru alienare mintală de la Whitehall.

Țările vorbitoare de limbă germană prezintă o imagine mult mai complicată. În Austria, autoritățile imperiale construiseră în anul 1784 un *Narrenturm*, adică un Turn al Nebunilor, în incinta imensului Spital General din Viena, o clădire mohorâtă, cu celule cu gratii, în care nebunii erau închiși și legați în lanțuri. El nu avea nimic în comun cu genul de așezăminte la care se gândiseră reformatorii din secolul al XIX-lea și, cu toate că Bruno Görgen (1777-1842) a deschis în 1819 la Viena o mică instituție privată care semăna cu noile aziluri construite în alte părți ale Europei, autoritățile imperiale au rămas indiferente la evoluțiile de aiurea și au înființat abia în 1853 primul azil public nou[15].

În Germania, fragmentarea politică și ravagiile făcute de armatele lui Napoleon în primii ani ai secolului al XIX-lea au contribuit în egală măsură la o serie eterogenă de urmări. Când Napoleon s-a retras, prinții germani de la vest de Rin au profitat de ocazia de a confisca proprietăți bisericești și mai multe castele și mănăstiri aveau să fie transformate în instituții pentru nebuni. În alte părți s-au construit aziluri noi-nouțe, începând cu Sonnenstein în Saxonia, în 1811, Siegburg în Renania, în 1825, apoi Sachsenburg în 1830 și Illenau în 1842, astfel că, la jumătatea secolului, în peisajul politic complicat al vechiului Sfânt Imperiu Roman existau poate cincizeci de aziluri, din care douăzeci erau private (însă acestea din urmă erau foarte mici). Deși departe de a forma un set monolitic de instituții, multe dintre aceste aziluri pretindeau totuși că se înscriu în maniera modernă de abordare a nebuniei și aplică tehnicile de tratament adoptate și în alte părți[16].

Italia fusese și ea puternic perturbată de aventurile militare ale lui Napoleon. Însă după înfrângerea finală și exilarea lui Napoleon în 1815, Italia a revenit la statutul ei de simplă „expresie geografică", ca să cităm formula celebră a prințului Metternich, diplomatul austriac. Congresul de la Viena din anul 1815 a reconstituit amalgamul de state independente descinse din orașele-state medievale care fragmentaseră politic țara, reinstituind, printre multe altele, conducerea austriacă în nord-est și autoritatea papală la Roma și în Statele Papale. În 1860, patru state continuau să împartă teritoriul care alcătuiește marea majoritate a Italiei actuale, iar Roma și teritoriile papei au fost absorbite în regat abia la sfârșitul anului 1870.

Ca atare, la fel ca în Germania, nu s-a adoptat un sistem unitar pentru aziluri. Existau vechi instituții datând din Evul Mediu la Roma (aprox. 1300), Bergamo (1352) și Florența (1377), așezăminte religioase care serveau în principal la privarea de libertate. Veneția înființase o „Insulă a nebunilor" cu conducere religioasă pe San Servolo, în anul 1725, inițial numai pentru bărbați (Shelley, care a vizitat-o împreună cu Byron, a numit-o „o hardughie fără ferestre, diformă și jalnică")[17], iar în 1884, o mănăstire veche de pe o altă insulă, San Clemente, a început să primească paciente nebune (vezi *infra*, p. 333). Adaptarea chiliilor călugărilor pentru a adăposti bolnavi psihici era o sarcină ușoară. În Toscana, autoritățile permiseseră oficial detenția bolnavilor psihici în anul 1774, iar un deceniu și jumătate mai târziu Vincenzo Chiarugi (1759-1820), medic florentin, încercase să scoată în afara legii folosirea lanțurilor și să introducă o versiune a tratamentului moral în spitalul Santa Dorotea (care adăpostea pacienți nebuni alături de alții) și mai târziu în vechiul spital San Bonifacio (**pl. 28**). Încercările de reformă ale lui Chiarugi au eșuat însă la moartea lui, în 1820.

La aceste așezăminte religioase mai mult sau mai puțin vechi, în prima jumătate a secolului al XIX-lea s-au adăugat câteva aziluri noi. Între ele s-au numărat cel de la Aversa, în 1813, cel de la Bologna, în 1818, cel de la Palermo, în 1827, și cel din Genova, în 1841. În a doua jumătate a secolului al XIX-lea s-au adăugat altele, mai ales în nordul și centrul Italiei, unele înființate direct de autoritățile provinciale. Carlo Livi (1823-1877), alienist italian, se plângea în anul 1864 că situația azilurilor din Italia era cea mai înapoiată din Europa, atribuind-o „indolenței și neglijenței guvernelor"[18], și chiar și în anul 1890 doar șaptesprezece dintre provinciile Italiei asigurau asistență publică pentru nebuni. În mare parte din țară, așezămintele caritabile cu baze religioase asigurau puțina îngrijire instituționalizată existentă. Numai treizeci și nouă de aziluri italiene din totalul de optzeci și trei erau finanțate de stat. Laolaltă, spre sfârșitul secolului, toate aceste așezăminte adăposteau doar

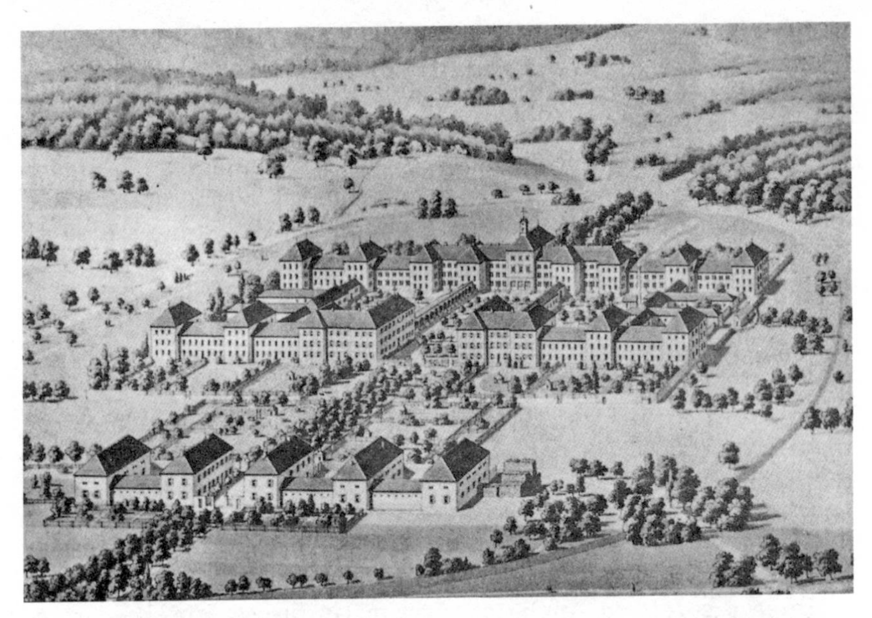

Azilul Illenau din Baden (Germania), 1865. Construit inițial pentru 400 de pacienți în 1842, s-a dezvoltat în scurt timp pentru a primi mult mai mulți. Fragmentată politic, Germania nu a construit un sistem raționalizat și centralizat de aziluri, iar majoritatea azilurilor germane, ca Illenau, au fost ridicate în zone rurale izolate.

22.000 de pacienți (sub 4.000 dintre aceștia aflându-se în sudul Italiei și în insulele Sicilia și Sardinia, deși sudul era mai populat) – mult mai puțini, proporțional cu populația, decât în celelalte țări vest-europene[19].

Rusia țaristă a adoptat și mai lent azilul. După Războiul Crimeii (1853-1856), autoritățile ruse au încercat o reformă a învățământului medical în imperiu și au făcut pentru prima oară planuri de instituționalizare a nebunilor. S-a înființat o școală specializată la prestigioasa Academie Medicală Militară din Sankt-Petersburg și a început instruirea câtorva medici de azil. În același timp, regimul țarist a început să îndemne guvernele provinciilor să construiască o rețea de aziluri pe tot cuprinsul imperiului. Aceste aziluri ale *zemstvelor* (guverne locale) trebuiau construite după planuri dictate rigid de capitală, generând plângeri legate de faptul că erau ignorate condițiile locale. În orice caz, programul a înaintat lent. Moscova trăgea de timp, iar condițiile asigurate nebunilor în oraș au rămas multă vreme printre cele mai primitive și mai improprii din imperiu[20]. Chiar mai mult decât în alte țări, psihiatria a rămas în Rusia o creație a statului.

Poate din cauza statutului lor de societate de frontieră, cu puține aglomerări de populație în centre urbane, coloniile americane ale Angliei se ocupaseră în general de nebuni în maniera tradițională, în familie sau prin măsuri luate ad hoc în afara ei, în comunitate. După Declarația de Independență din 1776, schimbarea s-a produs treptat. Azilurile de săraci și cele de binefacere au început să preia o parte din sărăcime; închisorile și penitenciarele au început să fie folosite ca mijloace de a-i pedepsi pe vagabonzi și infractori, cum se întâmpla și în Europa. Și s-au creat câteva aziluri caritabile mici pentru nebuni sub influența puternică a evoluțiilor similare din Europa și îndeosebi din Anglia, unde tratamentul moral practicat de quakeri la Refugiul York începuse să atragă atenția întregii lumi. Cele câteva aziluri așa-zis corporative n-au oferit scandaluri pe măsura celor descoperite de reformatorii europeni, însă acest lucru n-a împiedicat-o pe cea mai de seamă omoloagă nord-americană a lor, remarcabila reformatoare morală Dorothea Dix (1802-1887), să alcătuiască un set similar de povestiri de groază exemplare pentru a-și promova cauza, reforma nebuniei.

După o ședere în Anglia al cărei motiv fusese propria ei stare psihică instabilă, Dix s-a întors în Bostonul natal, unde a găsit un număr de nebuni închiși printre infractori la închisoarea de la Cambridge. Cariera ei de reformatoare a demarat rapid. Primul ei memoriu a fost trimis în 1843 legislatorilor statului Massachusetts, unde locuia, semănând atât prin ton, cât și prin conținut cu plângerile cărora li se dăduse glas în Europa: „Domnilor, doresc să vă atrag atenția asupra stării actuale a persoanelor nebune închise în acest stat, în cuști, debarale și boxe! Legate cu lanțuri, dezbrăcate, bătute cu nuiele și supuse cu biciul!”[21]. În azilul de săraci din Newburyport, de exemplu, anunța că găsise un nebun ascuns într-o magazie dărăpănată, a cărei ușă dădea nu spre curte, ci spre morgă, „oferind priveliștea cadavrelor în locul tovărășiei celor vii”. În apropiere se afla închisă altă persoană, o femeie ascunsă „într-un beci”, zăvorâtă cu lacătul și lăsată în beznă, unde jelise fără încetare „ani întregi”[22].

În anii care au urmat, călătorind singură din stat în stat, pătrunzând în pustietățile americane, traversând fluviul Mississippi revărsat și invadând Sudul ca reformatoare yankee, Dix i-a bombardat pretutindeni pe politicienii bărbați cu ororile cu care se confruntau nebunii privați de libertate. Examina minuțios fiecare stat în căutare de exemple, iar acolo unde erau puține sau greu de găsit, le inventa și le înflorea fără scrupule. Relația parcimonioasă cu adevărul îi crea neplăceri doar ocazional. De cele mai multe ori, în ciuda excluderii ferme a femeilor din politică și din viața publică, hotărârea și dârzenia cu care era dispusă să militeze și să incomodeze au doborât toate barierele. I-a determinat iar și iar pe politicieni să o asculte

Dorothea Dix: o reformatoare morală care s-a luptat neobosit să aducă azilul în toate statele americane.

și, pe o cale sau alta, i-a silit să-i adopte recomandările. În Sud, reușita s-a datorat în mare parte orbirii ei depline față de relele sclaviei. Bolnavii psihici erau membrii unei categorii oprimate și nenorocite, semeni ale căror suferințe cereau cu tărie intervenția legislativă și alinare. Sclavii erau cumva invizibili pentru ea sau mai prejos de atenția ei.

Federalismul Statelor Unite a făcut ca măsurile privind azilurile să avanseze și acolo întru câtva intermitent, căci legislația trebuia adoptată stat cu stat. Însă domnișoara Dix era neobosită și statele au acceptat unul câte unul. Când ultimii opozanți au cedat, ea și-a transferat pentru scurt timp energia către reformarea scoțienilor. Protejându-și ultimele rămășițe de autonomie politică, autoritățile scoțiene își lăsaseră nebunii în grija familiilor și a capriciilor binefacerii private. Refuzau net efectele demoralizatoare ale constrângerii din partea statului și Legea săracilor adoptată în Anglia. Dix n-a înghițit așa ceva și în scurt timp puterea ei de convingere și-a făcut efectul asupra politicienilor britanici. În ciuda opoziției locale față de amestecul unei persoane străine (și încă femeie!), a presat Westminsterul să le impună calviniștilor din nord modelul englezesc al azilurilor finanțate din taxe și impozite și o Comisie pentru alienare mintală cu rol de supraveghere. Odată campania furtunoasă încheiată și legislația adoptată cu succes, ea s-a întors în Statele Unite, ajungând să-și petreacă amurgul vieții într-o cameră de la Azilul statal de nebuni New Jersey, situat la Trenton, instituție pe care îi plăcea s-o numească „primul ei copil”[23].

Azilul era un simbol al civilizației, susținuse Dix, și „s-a generalizat în asemenea măsură în toate țările civilizate și creștinate, încât neglijarea acestei datorii pare să presupună o culpabilitate agravată”[24]. Aceleași sentimente aveau să fie exprimate mai târziu de sir James Paget (1814-1899), medicul reginei Victoria, care a numit azilul de nebuni modern „cea mai binecuvântată manifestare a adevăratei civilizații pe care poate s-o ofere lumea”[25]. Ajuns la jumătate, secolul al XIX-lea se mândrea cu azilurile sale, simboluri ale triumfului omeniei și științei. O serie aproape utopică de speranțe a învăluit nașterea acestor noi instituții și a contribuit din plin la atractivitatea lor.

Așadar, deși acum poate părea uimitor, soluția pentru ororile casei de nebuni (**pl. 29**) și ale altor instituții în care erau închiși alienații mintali a fost pentru Dix și pentru omologii ei europeni construirea de aziluri. Aziluri organizate, desigur, după un model foarte diferit de cele puse la stâlpul infamiei de investigațiile lor. Dar aziluri. Cu o rapiditate remarcabilă, această modificare profundă în ceea ce privește locul nebuniei a prins rădăcini, ducând la marea închidere a nebunilor ce avea să dureze mai bine de un secol și, în cele din urmă, să se răspândească într-o anumită măsură în restul lumii prin intermediul imperialismului occidental.

Psihiatria imperială

În teritoriile colonizate de britanici – Canada, Australia, Noua Zeelandă – unde populația indigenă fusese parțial exterminată sau marginalizată, azilurile după modelul instituțiilor construite în Marea Britanie au apărut relativ rapid[26]. Predominanța bărbaților în rândul primilor coloniști s-a reflectat în surplusul inițial de pacienți de sex masculin care au ajuns în aziluri și se pare că, între ei, cei violenți alcătuiau o proporție mai mare decât în Europa. În Colonia Capului din Africa de Sud, instituționalizarea a ajuns mai lent. Insula Robben (care a căpătat ulterior notorietate ca fiind colonia penitenciară în care au fost închiși Nelson Mandela și alți naționaliști africani în timpul apartheidului) a fost inițial o „infirmerie generală" – a se citi „groapă de gunoi" – pentru o mulțime eterogenă de indivizi supărători, leproși, bolnavi cronici și nebuni, începând cu anul 1846; dar abia din anii 1890 au ajuns să fie închiși acolo chiar și câte două sute de pacienți psihiatrici odată[27].

În general, azilurile au apărut chiar mai târziu în coloniile în care exista doar o mică clasă administrativă albă. În Nigeria, de exemplu, primele aziluri au fost înființate abia la începutul secolului al XX-lea și chiar și atunci aveau un regim strict carceral. Abia la jumătatea anilor 1930 au apărut inițiative de a institui un regim curativ, dar în realitate nu s-a schimbat nimic substanțial[28]. Majoritatea „băștinașilor" continuau să fie îngrijiți de familiile lor, cu oarecare ajutor din partea vracilor yoruba tradiționali, care apelau câteodată la un remediu obținut dintr-o specie de plantă din genul Rauvolfia. În mod ironic, psihiatrii occidentali aveau să încerce în anii 1950 folosirea unui alcaloid derivat din Rauvolfia (rezerpina) pentru a-și trata pacienții (**pl. 27**) – planta fusese întrebuințată și în medicina populară indiană ca remediu pentru nebunie, datorită efectului ei calmant –, deși au ajuns în scurt timp să prefere medicamentele psihotrope create de ei[29].

În India, Compania britanică a Indiilor de Est rezolva de obicei problema angajaților săi nebuni făcându-le bagajele și trimițându-i înapoi la Londra, însă acest expedient a început să se dovedească insuficient când numărul albilor nebuni a crescut. Prezența europenilor cu mințile rătăcite constituia o amenințare vădită la adresa ideologiei superiorității rasei albe și oferea o motivație însemnată pentru crearea de instituții în care reprezentanții alienați mintal ai guvernului britanic să poată fi bine ascunși de privirile publicului[30]. Autoritățile coloniale au încercat abia mai târziu să ia unele măsuri limitate pentru „băștinașii" care înnebuneau, iar instituțiile respective au început cu greu să importe modele de tratament și tehnici terapeutice occidentale[31].

Și Franța avea aziluri coloniale, în Maghreb, Indochina și în alte părți, coexistând incomod cu societățile pe care le deserveau teoretic, aproape cu totul în afara lor[32]. Un astfel de azil, spitalul Blida-Joinville din Algeria, a ales în 1953 drept șef al personalului psihiatric un tânăr de culoare din Martinica, Frantz Fanon (1925-1961). Fanon, care făcuse deja o critică usturătoare a locului intelectualului de culoare într-o lume devenită albă, *Piele neagră, măști albe* (*Peau noire, masques blancs*, 1952), a trecut imediat la desegregarea azilului aflat sub controlul său. Dar, odată cu izbucnirea războiului algerian de independență, a aflat că francezii foloseau tortura – atât torționarii, cât și torturații devenind pacienții lui – și a demisionat din funcție, legându-și soarta de cea a Frontului de Eliberare Națională din Algeria. În ultimele luni ale scurtei sale vieți a publicat *Les damnés de la terre* (*Obidiții pământului*), carte ce recomanda violența drept singura limbă înțeleasă de opresorul colonial. A fost un bestseller internațional ce a exercitat pentru un timp o influență extraordinară asupra celor care luptau pentru independență și i-a îndemnat pe mulți din metropolă să regândească urmările psihologice ale dominației rasiale. Dacă psihiatria colonială slujea adesea interesele puterilor imperiale, în acest caz n-a făcut-o câtuși de puțin.

Chiar și în țările care nu au căzut direct pradă imperialismului occidental, cum ar fi China și Japonia, sau care au aruncat devreme jugul colonial, de pildă Argentina, modelul azilului a prins în cele din urmă rădăcini. Argentina și-a dobândit independența față de Spania în anul 1810, dar consolidarea națională a început să se producă abia la jumătatea secolului. Odată potolite însă războaiele civile și internaționale, a început să fie inundată de imigranți din Europa. Elita din Buenos Aires, proaspăt apărută, aspirând să fie privită drept parte a unui popor civilizat și să câștige aprobarea Europei, a adoptat cu repeziciune azilul. O instituție pentru femei s-a deschis în anul 1854, chiar în epoca dictaturii Rosa, perioadă pe care argentinienii educați o priveau ca pe un interludiu al barbariei, urmând în scurt timp instituții de caritate pentru bărbați și femei în Buenos Aires[33].

Primul azil de tip occidental din China a fost deschis în 1898 de un misionar american, John G. Kerr (1824-1901), la Canton (actualul Guangzhou). A urmat în 1912 un azil municipal la Beijing, deși în anii de început a fost condus de poliție după principii tradiționale și nu după modelul unui azil occidental. Era pur și simplu o cale de a scăpa de pacostea publică pe care o reprezentau unii dintre nebuni. Încercările ulterioare din anii 1920 și 1930, alimentate în parte de banii familiei Rockefeller (vezi *infra*, p. 297), de a „reforma" azilul municipal și de a aduce beneficiile îndoielnice ale psihiatriei occidentale unei populații chineze care nu le înțelegea mai deloc au avut o existență extrem de scurtă. Elitele modernizatoare vedeau în medicina occidentală o componentă crucială a încercării Chinei republicane de a întări țara și a o ajuta să concureze cu succes cu puterile occidentale acaparatoare, dar au înregistrat prea puține progrese, nu în ultimul rând pentru că tentativa avea un puternic iz de imperialism cultural[34].

Japonia a adoptat modelul occidental de azil la circa un secol după Europa și America de Nord. Această fotografie a unui pacient ținut închis la domiciliu, în anul 1910, oglindește descrierile pe care ni le-au lăsat reformatorii din secolul al XIX-lea privind mijloacele prin care se descurcau familiile europene și americane cu o rudă nebună.

Un tipar foarte asemănător poate fi observat și în Japonia. Abia în anul 1919 regimul Meiji a promulgat Legea spitalelor psihiatrice, care promova tratamentul instituționalizat al nebunilor, la aproape un secol după ce în Europa și America de Nord fuseseră luate măsuri similare. Se pare că, la acea dată, circa 3.000 dintre bolnavii psihici ai Japoniei erau deja închiși în instituții de un fel sau altul. Noua legislație a declanșat o creștere bruscă a numărului celor privați de libertate, recensământul la nivelul azilurilor atingând cifra de 22.000 în anul 1940. Dar chiar și la acest nivel, într-o societate cu 55 de milioane de locuitori, Japonia instituționaliza doar o mică parte a nebunilor, comparativ cu Marea Britanie sau Statele Unite, unde rata spitalizării era de peste zece ori mai mare[35]. În 1940, mulți dintre nebunii Japoniei rămâneau în grija familiilor

lor și erau ținuți într-un regim de izolare strictă în cazul în care creau neplăceri și îndeosebi dacă erau nesupuși și violenți. Iar dacă erau cât de cât tratați, aveau toate șansele ca tratamentul să constea în remedii populare tradiționale și intervenții de natură religioasă, în loc să fie conform cu principiile psihiatriei occidentale.

Imperialismul, fie el politic sau cultural, a răspândit ideea instituționalizării nebunilor pe tot cuprinsul globului, însă, cu excepția coloniilor care semănau cel mai bine și imitau cel mai mult țara-mamă, în puține locuri a reușit să exporte o „Mare Închidere" psihiatrică. Neîndoielnic, medicii occidentali priveau cu condescendență credințele și practicile indigene. Și oriunde existau tradiții ferme, împământenite cu privire la tulburările psihice și tratarea lor, populația locală răspundea cu aceeași monedă. În aproape toate mediile de acest fel, psihiatria imperială a întâmpinat dificultăți enorme în transformarea obiceiurilor populare locale. Oricât s-ar fi străduit practicanții ei să ignore, să suprime și să invalideze atitudinile băștinașilor, erau condamnați la înfrângere.

Tratamentul moral

În lumea vorbitoare de limbă engleză, Refugiul York, o mică instituție înființată în anul 1792 (amintită în trecere în capitolul 5), a exercitat o influență extraordinară. Deși tehnicile de îngrijire pe care le-a introdus în premieră erau descoperite simultan și în alte părți, atât în Anglia, cât și în afara ei, versiunea propusă de familia Tuke, negustori quakeri de ceai și cafea, a fost cea care le-a servit drept sursă de inspirație și model reformatorilor din alte părți. La Refugiul York s-a renunțat la lanțuri și toate formele de violență și coerciție fizică erau interzise. Și alții care se confruntau cu sarcina îngrijirii unor pacienți maniaci adunați sub același acoperiș începuseră să se rupă de consensul anterior și subliniau importanța „creării unei obișnuințe a autocontrolului", ceea ce experiența le sugera că s-ar putea obține făcând apel la mici recompense, la acțiuni ce implicau încrederea că pacienții sunt capabili să se stăpânească și la aprobare când reușeau să facă acest lucru, în loc de coerciție[36]. William Tuke și nepotul lui, Samuel, au sistematizat aceste observații și le-au făcut publice[37].

Se părea că nebunii puteau fi sensibili la aceleași stimulente și sentimente ca și cei sănătoși mintal. Un rest de rațiune rămânea la aproape toți și putea fi utilizat prin manipularea abilă a mediului lor, pentru a-i încuraja să-și reprime înclinațiile capricioase. Ba mai mult, numai „tratând pacientul ca pe o ființă rațională, atât cât permitea starea sa psihică", se putea spera la educarea lui în sensul autodisciplinării. Plimbându-se, vorbind, muncind, luând ceaiul cu supraveghetorul lor, toate acestea între granițele unui mediu terapeutic construit cu grijă, pacienții puteau fi învățați să se înfrâneze. „Înclinațiile morbide" nu trebuiau combătute cu argumente raționale. „Se folosește metoda diametral opusă. Se iau toate măsurile pentru a abate mintea de la cugetările ei preferate, dar neplăcute."[38]

Chiar și numele ales de William Tuke pentru noua sa instituție, Refugiul, sugerează rolul ei: acela de a oferi un mediu omenos și prietenos, unde cei care nu făceau față lumii să găsească o alinare. Foarte important, acel mediu includea arhitectura clădirii în care se afla alienatul mintal, căci nebunii erau foarte sensibili la ceea ce-i înconjura și orice element care evoca atmosfera de închisoare trebuia evitat cu orice preț. De aici aspectul domestic al Refugiului: mascarea gratiilor de la ferestre în așa fel încât să semene cu lemnul; înlocuirea zidului înalt și apăsător care ar fi trebuit să-l împrejmuiască cu un șanț ascuns. Munca era importantă, dar nu ca mijloc de reducere a cheltuielilor, cum avea să devină mai târziu, ci pentru că, „dintre toate căile pe care pacienții pot fi făcuți să se controleze, o ocupație practicată cu regularitate are, poate, cea mai mare eficacitate"[39]. Concret vorbind:

Refugiul York, instituția-model pentru reformatorii vorbitori de limbă engleză în domeniul nebuniei, fără ziduri înalte și fără gratii care să despartă clădirea de lumea largă.

constatăm că orice lucru care tinde să contribuie la mulţumirea pacientului îi sporeşte voinţa de a se controla, trezindu-i dorinţa de a nu-şi pierde plăcerile şi reducând iritarea mintală care însoţeşte foarte des deranjamentul mintal [...]. Ca urmare, confortului pacienţilor i se acordă cea mai mare importanţă dintr-o perspectivă curativă[40].

Experienţa Refugiului a fost cea care i-a călăuzit pe reformatorii englezi în chestiunea nebuniei şi le-a trezit entuziasmul faţă de azil. O serie de publicişti de talent, între care alienistul scoţian William Alexander Francis Browne (1805-1885), sprijineau un astfel de tratament moral, văzând în el temelia azilului viitorului, „maşinăria morală" care să le redea nebunilor sănătatea mintală[41]. Iar instituţia lui Tuke a fost aceea pe care au luat-o drept model primele aziluri americane reformate, inclusiv în privinţa aspectului exterior. Quakerii din Philadelphia şi New York au purtat o corespondenţă directă cu familia şi au publicat sfaturile primite. Instituţiile lor, Refugiul Frankford şi Azilul Bloomingdale, au fost apoi copiate de Refugiul Hartford şi Azilul McLean, în Connecticut şi, respectiv, la Boston[42]. Aceste noi aziluri reformate au fost date drept exemplu de Dorothea Dix (care a folosit şi statisticile lor) în campaniile sale ce urmăreau să ducă pretutindeni beneficiile azilului.

Philippe Pinel descoperise principii foarte apropiate în atmosfera deloc favorabilă a Parisului postrevoluţionar. Al său *traitement moral* s-a inspirat mult din experienţele lui Jean-Baptiste Pussin, administratorul nespecialist de la Bicêtre, şi ale soţiei acestuia, Marguerite (vezi capitolul 5), care ajunseseră independent la multe dintre concluziile lui Tuke cu privire la îngrijirea nebunilor, deşi într-un mediu mult mai vast şi mai anonim[43]. Ghidat de ei, Pinel recunoştea:

am examinat cu foarte mare atenţie efectele folosirii lanţurilor asupra pacienţilor psihiatrici, comparativ cu rezultatele renunţării la ele, şi nu mai pot avea nici o îndoială cu privire la mijloacele mai înţelepte şi mai blânde de control. Aceiaşi pacienţi care, ţinuţi în lanţuri un şir lung de ani, rămăseseră într-o stare de furie constantă se plimbau mai târziu calmi, într-o simplă cămaşă de forţă, conversând cu toată lumea, în vreme ce înainte nimeni nu putea să se apropie de ei fără a se afla în mare primejdie. Strigătele ameninţătoare au dispărut şi starea lor de agitaţie s-a stins treptat[44].

La fel ca omologii săi englezi, Pinel insista că „pacienţii alienaţi mintal nu pot fi vindecaţi aproape niciodată în sânul familiei lor [...] pacienţii a căror izolare este deplină sunt vindecaţi cel mai uşor". Prezenţa rudelor apropiate „le sporeşte întotdeauna agitaţia şi firea de neîmblânzit”, pe când în mâinile personalului bine pregătit al unui azil „devin docili și calmi”[45]. Configurația internă a azilului avea mare importanță în acest proces. Începând cu cei mai perturbați, continuând cu stadiul în care nebunia scădea și culminând cu secțiile pentru convalescenți, separările fizice întăreau granițele morale; împreună cu libertățile mai mari și cu prilejurile de muncă și amuzament, acest sistem oferea noi căi de a-i determina pe pacienți să-și stăpânească facultățile și sentimentele tulburate. În stadiile intermediare din acest proces, de exemplu, pacienții au

> deplină libertate de mișcare, cu excepția momentelor de agitație trecătoare din cauze accidentale. Se plimbă pe sub copaci sau în generosul spațiu adiacent îngrădit, iar unii, apropiindu-se mai mult de stadiul convalescenței, iau parte la munca servitorilor și se ocupă de scosul apei din fântână, de curățarea murdăriei din locuințe, de spălarea dalelor de piatră și de îndeplinirea altor munci mai mult sau mai puțin viguroase[46].

Toți susținătorii tratamentului moral subliniau că era important ca întregul demers să aibă un singur dirijor – cunoscător al particularităților fiecăruia dintre cei aflați în grija sa, prompt în ajustarea tratamentului după caracteristicile cazului individual și înfrânând constant orice tendință a angajaților azilului de a-i maltrata pe pacienți. Esquirol, asistentul-șef al lui Pinel, care a devenit cel mai influent alienist francez la moartea maestrului său, a dat glas consensului: „Doctorul trebuie să fie într-un fel principiul vieții unui spital de alienați. Fiecare lucru trebuie să pornească de la el. El îndrumă toate acțiunile, căci el are menirea de regulator al tuturor gândurilor”[47].

Așa cum azilurile reformate conduse după principiile tratamentului moral se deosebeau radical de casele de nebuni și închisorile în care zăcuseră înainte bolnavii psihici, și directorii de azil din noua generație se deosebeau în mod necesar de predecesorii lor. Înainte, „îngrijirea nebunilor a fost monopolizată de aventurieri din profesia medicală și din altele, [creând] un stigmat absurd, [care] i-a descurajat pe practicienii obișnuiți, cu o educație bună, să concureze cu ei și chiar să obțină calificarea necesară pentru aceasta”. Acești șarlatani lăsau în sfârșit locul specialistului de o „mare integritate și onoare”, care avea

> acel curaj deopotrivă moral și fizic și acea fermitate care insuflă calm și hotărâre în mijlocul pericolului [...] și impregnează întregul caracter cu acea influență dominatoare care [...] îi ține în frâu pe turbulenți, dând impresia că-i călăuzește și le poruncește celor mai sălbatici și mai feroce prin severitatea și totodată prin seninătatea ordinelor[48].

În astfel de mâini, omenia și vindecarea erau aproape garantate.

Dacă ar fi să luăm de bune afirmațiile susținătorilor lor, noile instituții erau „lumi miniaturale din care sunt pe cât posibil excluse toate adaosurile dezagreabile ale vieții moderne"[49]. Ele erau, după cum s-a exprimat John Conolly (1794-1866), ajuns cel mai reputat alienist englez de la jumătatea epocii victoriene, locul în care

> calmul va veni; speranța va reînvia; mulțumirea va domina [...] aproape orice înclinație de a reflecta la răzbunări pline de răutate sau fatale ori la autodistrugere va dispărea [...] curățenia și decența vor fi păstrate sau redobândite și însăși disperarea va fi văzută uneori lăsând locul veseliei sau liniștii sigure. [Acesta e] locul, dacă există vreunul pe pământ, în care umanitatea va deține supremația[50].

Adoptarea azilului a fost însoțită aproape pretutindeni de așteptări utopice precum acestea. Dar entuziasmul față de ceea ce se putea realiza acum a atins cele mai înalte culmi în Lumea Nouă. Primii directori americani de azil au fost cuprinși de un val de entuziasm și optimism față de ceea ce putea înfăptui tratamentul moral. Anunțau rate ale vindecării de 70, 80 sau 90% din cazurile recente, iar dr. William Awl (1799-1876) din Virginia i-a întrecut pe toți, susținând că în ultimele douăsprezece luni și-a vindecat cazurile recente în proporție de 100% și câștigându-și astfel porecla „dr. Cure-Awl"*. Statisticile rezultate din acest „cult al curabilității" au fost cele la care a apelat, cu consecințe importante, Dorothea Dix când a militat pe lângă organele legislative. „Toate experiențele au arătat, le-a spus ea, că nebunia tratată în mod rațional este tot atât de curabilă ca răceala sau febra." Prin urmare, azilurile reprezentau pe termen lung o reală economie, precum și un mare progres umanitar[51].

Puțini aveau să conteste afirmația că azilurile care funcționau după principiile tratamentului moral ofereau un mediu mai omenos decât cele mai rele dintre casele de nebuni tradiționale. La drept vorbind, filosoful francez Michel Foucault și adepții lui au contestat-o. Foucault a respins „tratamentul moral" ca pe o formă de „imensă întemnițare morală", atitudine devenită faimoasă; oricât de exagerată ar fi, ea conține cel puțin un sâmbure de adevăr. Alienistul și propagandistul scoțian W.A.F. Browne a recunoscut: „Există o eroare chiar și în a ne reprezenta tratamentul moral ca fiind unul blând și omenos față de nebun"[52]. Noua manieră de abordare căuta să transforme azilul într-o „mare mașinărie morală", al cărei scop era să facă în așa fel încât „pecetea autorității să nu

* „Vindecă-Tot" – joc de cuvinte bazat pe pronunția numelui de familie (n.tr.).

Reformatorii din secolul al XIX-lea erau inflexibili în ce privește separarea sexelor în aziluri. Totuși, balurile atent orchestrate ale nebunilor, ca acesta din anul 1848, demonstrau puterea noului regim al tratamentului moral de a-i domestici pe alienații mintali.

dispară nici o clipă, ci să fie imprimată pe fiecare tranzacție"[53]. Browne se lăuda că în activitatea lui căuta să continue „disciplina și supravegherea exercitate asupra ocupațiilor active chiar și noaptea, în timpul tăcerii și somnului. Astfel, controlul poate să pătrundă chiar și în visele nebunului"[54]. Imaginația care a luat-o razna trebuie înfrânată, domesticită și civilizată chiar și la cei intrați într-o stare de profundă inconștiență.

Deși nu recurgea la astfel de afirmații hiperbolice, Philippe Pinel vorbea la fel de clar despre caracterul dual al tratamentului moral: *douceur*, blândețea, trebuie să fie întotdeauna susținută cu ajutorul „unui aparat [*appareil*] impunător de reprimare", medicul trebuind să fie pregătit „să-i subjuge [pe nebuni] mai întâi, dacă este nevoie, și să-i încurajeze după aceea"[55]. La fel ca în varianta lui Tuke, tratamentul moral al lui Pinel era o metodă superioară de control al nebuniei; și, cu timpul, utilitatea lui în controlarea celor altfel de necontrolat, fără folosirea violenței fățișe, a fost cea care i-a conferit o atractivitate de durată.

De la nebunie la boală psihică

Cu alte cuvinte, tratamentul moral prezenta numeroase virtuți, atât la nivel ideologic, cât și practic. Pentru medicii care încercau tot mai mult să transforme tratarea bolilor psihice într-un monopol medical însă, prezenta un mare dezavantaj: nu era clar de ce medicii ar fi fost cei mai în măsură să-l administreze. În Franța, prezența persistentă a azilurilor cu personal clerical făcea ca această problemă să fie deosebit de însemnată, dar ea s-a făcut puternic simțită aproape pretutindeni pe măsură ce se construiau noile aziluri.

În definitiv, Pinel asimilase lecțiile practice de îngrijire a nebunilor de la doi nespecialiști care învățaseră direct din experiență. Numeroșii ani de activitate aduseseră în fața acestora „spectacolul neîntrerupt al tuturor fenomenelor nebuniei", dându-le „cunoștințe variate și detaliate ce-i lipsesc medicului", ale cărui interacțiuni cu pacientul erau trecătoare, „cel mai des limitate la [...] vizite scurte"[56]. Mai mult decât atât, Pinel fusese foarte sceptic față de majoritatea tratamentelor pentru nebunie, de la lăsarea de sânge până la ceea ce numea cu dispreț „vastul inventar de prafuri, extracte, siropuri, licori, pomezi etc. menite să învingă alienarea mintală", deplângând numeroasele cazuri de pacienți siliți să îndure „chinurile aspre ale unei farmacopei confuze, administrate într-o manieră empirică"[57]. Medicii trebuiau să renunțe la „credința lor oarbă într-o măreață gamă de medicamente" și să recunoască faptul că „medicația intră în planul general ca mijloc secundar și numai atunci este oportună, situație foarte rară"[58].

Pe lângă instituțiile cu care Pinel avea legătură, nebunii parizieni se puteau trezi închiși la azilul de la Charenton (inclusiv marchizul de Sade, după cum am amintit). Înființat inițial de Frères de la Charité în anul 1641, Charenton dobândise o reputație proastă sub *l'ancien régime* pentru detenția dușmanilor regelui, ridicați prin *lettres de cachet*, alături de populația sa de nebuni și invalizi – atât de proastă, încât revoluționarii ordonaseră să fie închis. După doi ani însă, problema găsirii unui loc pentru nebunii eliberați a impus redeschiderea lui, de această dată ca instituție în întregime laică. Aici, supravegherea cotidiană a pacienților era asigurată în mare parte de un preot fără studii medicale, François Simonet de Coulmier (1741-1818), și, deși consiliul director a angajat la Charenton un medic, Coulmier era acela care administra *les moyens moraux*, principalele metode de îngrijire a pacienților, astfel că „o bătălie între nespecialist și medic a continuat să mocnească fără un rezultat concludent la Charenton" ani la rând[59].

Peste Canalul Mânecii, Samuel Tuke, nepotul lui William, a arătat aproape în același timp că „experiența Refugiului [...] nu va spori cu mult nici onoarea, nici conținutul științei medicale. Regret [...] să prezint mijloacele farmaceutice care au dat greș, și nu pe cele încununate de succes”[60]. În prezentarea regimului terapeutic de la York, el diferențiază net tratamentul moral de cel medical, delimitându-le unul de celălalt și subliniind că până și medicii care fuseseră invitați acolo pentru a-i trata pe pacienți ajunseseră să accepte că „medicina dispune în acest moment de mijloace foarte nepotrivite pentru alinarea celei mai cumplite dintre bolile omenești”[61]. Tratamentul moral, cu autori nespecialiști și administrat de nespecialiști, prilejuise palmaresul de însănătoșiri demn de invidiat al instituției, iar principiul numirii unui nespecialist în funcția de director de azil avea să fie copiat în Statele Unite la Azilul Bloomingdale din New York și la Refugiul Frankford din Philadelphia.

Pentru medicii care se interesau în număr tot mai mare de tratarea nebunilor, întrucât răspândirea azilurilor oferea noi posibilități de carieră, pericolul pe care-l implica această situație era evident: dacă medicii nu puteau să trateze decât afecțiuni organice, de ce ar fi meritat un loc privilegiat în tratarea bolilor *psihice*? Prestigiul lor, teoriile lor complexe și chiar mijlocul lor de a-și câștiga traiul erau amenințate[62]. Faptul că unele dintre cele mai răsunătoare scandaluri demascate de parlamentul britanic avuseseră loc în instituții conduse de medici nu ajuta câtuși de puțin, iar nespecialiștii implicați mai îndeaproape în elaborarea propunerilor pentru un nou sistem de aziluri de stat se numărau printre cei care își exprimau profundul scepticism față de relevanța medicinei în tratarea bolnavilor psihici.

Și totuși, pe parcursul unui sfert de secol, dominația medicinei în tratarea bolilor psihice a ajuns aproape deplină. E adevărat, azilurile cu personal clerical care continuau să existe în Franța ofereau o bază instituțională pentru criticile continue aduse alieniștilor francezi. Dar în 1837 la Refugiul York ajunsese director un medic, iar în America de Nord același lucru s-a întâmplat la Azilul Bloomingdale, în anul 1831, și la Refugiul Frankford, în 1850. Prevederile legale din Franța, Anglia și Statele Unite impuneau ca azilurile să angajeze medici. Simbolic și practic, aceste schimbări au marcat momentul de uriașă însemnătate în care semnificațiile multiple pe care le avusese nebunia atât de mult timp au fost înlocuite de o perspectivă medicală dominantă. Mai mult chiar, „nebunie”, asemenea expresiei „doctor de nebuni” mai înainte, începea să pară un cuvânt inacceptabil, o insultă adusă bolnavilor.

Deși unii medici reacționaseră cu ostilitate și dispreț la tratamentul moral, această strategie nu avea nici o șansă de succes.

Majoritatea celor interesaţi de problema alienării mintale au ajuns să adopte noua abordare, argumentând însă că o combinaţie judicioasă între tratamentul medical şi cel moral avea şanse să obţină succese mult mai mari decât fiecare dintre ele utilizat separat. Oameni ca Pinel şi ca John Haslam (1764-1844), spiţerul de la Bedlam în perioada 1795-1816, recunoscuseră public că tipul de examinări post-mortem cu ajutorul cărora începuse elucidarea patologiei unor boli, printre care tuberculoza şi pneumonia, nu înregistrase un succes comparabil în cazurile de nebunie. Creierul celor mai mulţi nebuni nu se deosebea de cel al semenilor lor sănătoşi mintal, astfel că presupusele baze biologice ale bolii psihice rămâneau o ipoteză nesusţinută de vreo descoperire anatomică inatacabilă. Pinel a mers chiar mai departe, punând explicit la îndoială baza organică a celor mai multe forme de nebunie:

> Una dintre prejudecăţile cele mai funeste ale omenirii şi care reprezintă, poate, cauza deplorabilă a stării de abandon în care sunt lăsaţi aproape toţi nebunii este aceea de a le considera boala incurabilă şi de a o corela cu o leziune organică la nivelul creierului sau al unei alte părţi a capului. Vă pot asigura că, în majoritatea cazurilor pe care le-am adunat cu privire la mania delirantă care a devenit incurabilă sau a dus la o altă boală fatală, toate rezultatele descoperite la deschiderea cadavrului, comparativ cu simptomele care au fost prezente, demonstrează că această formă de nebunie are în general un caracter pur nervos şi că nu este rezultatul nici unui defect organic din substanţa creierului[63].

Dar pe acest drum pândea primejdia. Dacă nebuniei îi lipsea o bază fizică, dacă atât originea, cât şi tratarea ei ţineau de domeniul socialului şi al psihologicului, ce justificare exista pentru a încredinţa medicilor cazurile de alienare mintală? Exista într-adevăr vreun motiv de a crede că medicii sunt singurii calificaţi să facă diferenţierea între nebuni şi cei sănătoşi psihic?

Unii medici reducţionişti, ca William Lawrence (1783-1865), chirurg la Bedlam, insistau că ştiinţa medicală dovedise că, „fiziologic vorbind, [...] mintea, măreaţa prerogativă a omului", nu e decât o funcţie a creierului. Separarea fizicului de psihic era un neadevăr, o eroare categorială. În realitate, simptomele nebuniei aveau „aceeaşi relaţie cu creierul pe care o au voma, indigestia şi arsurile în piept cu stomacul, tusea şi astmul cu plămânii; şi oricare altă funcţie perturbată cu organul corespunzător"[64]. Sau, cum s-a exprimat mai concis Pierre Cabanis (1757-1808), medic şi filosof francez, creierul secretă gândire aşa cum ficatul secretă bilă[65]. Însă materialismul explicit şi, în Marea Britanie, asocierea vederilor de acest fel cu excesele sângeroase ale Revoluţiei Franceze au făcut ca aceste afirmaţii să-i oripileze pe majoritatea cetăţenilor respectabili. Ca nu cumva alţii să fie tentați să le adopte, reacția cercurilor medicale a fost rapidă și nemiloasă. Lawrence, de exemplu, a fost atacat ca fiind ateu și un pericol la adresa ordinii morale, un om care nega implicit existența sufletului nemuritor, imaterial. Amenințat cu ruina profesională, el a acceptat să retragă de pe piață toate exemplarele rămase ale cărții în care apăruseră afirmațiile ofensatoare și să le distrugă. Retractarea a fost încununată de succes: ulterior, Lawrence a devenit chirurgul reginei Victoria și baronet, dar lecția fusese învățată.

Ca o ironie, medicii de pe ambele maluri ale Atlanticului au elaborat apoi un argument convingător care urmărea să demonstreze mai presus de orice îndoială originea fizică a bolilor psihice, argument întemeiat tocmai pe distincția carteziană între minte și creier. În franceză există un singur cuvânt pentru „minte" și „suflet": *l'âme*. Să susții că mintea sau sufletul sunt expuse bolii sau chiar morții în cazul idioțeniei ori al demenței însemna așadar să pui la îndoială însăși temelia creștinismului și deci a moralității civilizate. În schimb, localizarea nebuniei în corp nu ridica astfel de probleme. W.A.F. Browne scria în 1837: „De la admiterea acestui principiu, alienarea mintală nu mai este socotită o boală a intelectului, ci a centrului sistemului nervos, de a cărui bună funcționare depinde exercitarea intelectului. De vină este creierul, și nu mintea"[66]. De partea aceasta a mormântului, ceea ce e nemuritor și imaterial se află într-o relație de dependență absolută și intimă cu aparatul senzorial material și deci corupt. Mai mult chiar, așa cum scria John Conolly în 1830, când încă mai era profesor de medicină la Colegiul Universitar din Londra:

> Într-adevăr, sufletul imaterial este atât de dependent de organele materiale, deopotrivă pentru ceea ce primește și pentru ceea ce transmite, încât o ușoară tulburare a circulației sângelui prin diferite porțiuni ale substanței nervoase poate să perturbe toate senzațiile, toate emoțiile, toate relațiile cu lumea exterioară, vie[67].

Tot astfel era posibil să se explice, a sugerat Browne, cum putea tratamentul medical să ducă la vindecare, căci, prin calmarea iritației creierului, mintea „calmă, nevătămată, imuabilă, nemuritoare" redevenea capabilă să-și exercite dominația asupra vieții de zi cu zi[68].

Era un silogism deosebit de atrăgător, iar teologii s-au grăbit să-l adopte. Scriind în publicația *Christian Observer*, William Newnham (1790-1865), practicant al medicinei, a întâmpinat cu multă căldură această soluționare a problemei bolii psihice:

> A survenit o mare eroare, perpetuată chiar până azi, când boala cerebrală a fost considerată mintală, necesitând și, mai mult, permițând numai remedii morale [...] în vreme ce creierul este doar organul minții, și nu

mintea însăşi; iar perturbarea funcţiei se produce atunci când el încetează să mai fie un vehicul corespunzător pentru manifestarea feluritelor acţiuni şi pasiuni ale spiritului conducător[69].

John Gray (1825-1886), alienist american, continua să folosească jumătate de secol mai târziu argumente practic identice cu cele elaborate de colegii lui în anii 1820, semn al marii importanţe pe care o avea această perspectivă metafizică asupra corpului pentru pretenţiile jurisdicţionale ale alieniştilor[70].

Protuberanţe şi bose sau leacuri psihice pentru neplăceri fizice

Dar dacă nebunia era la originea ei o boală medicală, cum se explica succesul armelor sociale şi psihologice care alcătuiau tratamentul moral? Pentru mulţi, rezolvarea acestor dificultăţi se găsea în doctrinele elaborate de Franz Joseph Gall (1758-1828), medic vienez şi anatomist al creierului, şi de colaboratorul lui, Johann Spurzheim (1776-1832), în primul deceniu al secolului al XIX-lea. Frenologia este evocată astăzi preponderent ca pseudoştiinţa „protuberanţelor şi boselor", încercarea de a corela caracterul şi comportamentul cu forma craniului, presupusă a fi o hartă a structurilor subiacente ale creierului. Dar înainte ca frenologia să devină un amuzament de bâlci şi ţinta ridiculizării, mulţi au văzut în ea un demers intelectual serios. O serie de personalităţi de frunte din Europa şi America de Nord au fost atrase de doctrinele ei şi i-au atestat valoarea în înţelegerea conduitei şi psihologiei umane.

Investigaţiile proprii îl convinseseră pe Gall că creierul era un complex de organe şi că fiecare funcţie psihică era localizată într-o anumită regiune a creierului. El şi Spurzheim au făcut disecţii pe creier, minuţioase şi inovatoare din punct de vedere tehnic, care au format baza empirică a afirmaţiilor lor privind diversificarea anatomică şi funcţională a creierului. Ei au conchis că mărimea relativă a unui anumit organ indica forţa funcţiei psihice asociate şi că această dimensiune putea să crească sau să scadă în măsura în care o anumită funcţie a psihicului era exercitată sau neglijată, aşa cum muşchii pot să se dezvolte sau să se atrofieze. Lăcomia, duşmănia, prudenţa, combativitatea – o gamă întreagă de înclinaţii psihologice îşi aveau sediul în anumite regiuni ale creierului, la fel ca simţul văzului, al auzului şi aşa mai departe. Pe măsură ce creierul se dezvolta în pruncie, considera Gall, oasele craniului se conformau dezvoltării diferitelor lui părți. Acest lucru însemna la rândul lui că pe baza conformației capului puteau fi deduse caracterul și capacitățile psihice ale persoanei (**pl. 30**). Enigma psihicului putea fi acum elucidată. Dacă între diferitele organe care alcătuiesc creierul se creează un dezechilibru, caracterul, gândirea și afectivitatea vor fi influențate. Și, în ultimă instanță, în cazuri extreme, dezechilibrul la nivelul minții poate deveni o formă de nebunie.

La prima vedere, găsim aici un set de doctrine care autoriza un materialism profund, cu toate implicațiile destabilizatoare social și moral pe care gânditorii conservatori credeau că le presupune această poziție. Deloc surprinzător, când Gall și Spurzheim au început să-și difuzeze descoperirile, autoritățile vieneze s-au simțit ofensate, iar cei doi au fost siliți să plece la Paris după ce guvernul i-a interzis lui Gall să-și predea teoria „din cauza pericolului pe care îl reprezintă pentru religie și bunele moravuri”[71]. În capitala franceză s-au confruntat cu opoziția celor de dreapta, dar au avut parte și de încurajările stângii anticlericale. Au găsit un public receptiv care a ajuns în scurt timp să se extindă pe tot cuprinsul Europei și al Americii de Nord, în mare măsură datorită seriilor de prelegeri susținute de Spurzheim și eforturilor energice ale unor popularizatori precum scoțianul George Combe (1788-1858; lucrarea sa *Despre constituția omului și relația ei cu obiectele externe*, publicată pentru prima oară în anul 1828, s-a vândut în peste 200.000 de exemplare și a avut nouă ediții) și italianul Luigi Ferranese (1795-1855).

Date fiind experiențele pe care le avuseseră, Gall și Spurzheim erau pe deplin conștienți de pericolul în care s-ar fi aflat dacă doctrinele lor ar fi fost etichetate drept materialiste. Au încercat cu multă grijă să evite acuzația. Diferitele organe care alcătuiau creierul ofereau „condiția materială care face posibilă manifestarea facultății”, dar facultatea însăși, insistau ei, era „o proprietate a sufletului [*l'âme*]”[72] (însă de unde anume știau ei acest lucru sau cum coexistau sufletul și corpul rămânea în mod diplomatic și intenționat neclar). Un an mai târziu, scriind în mod specific despre nebunie, Spurzheim s-a exprimat mai direct: „Nu am cunoștință de nici o boală și de nici o perturbare a unei ființe imateriale cum este mintea sau sufletul. Sufletul nu poate să se îmbolnăvească, așa cum nu poate nici să moară”[73].

Aceste declarații n-au convins pe toată lumea și nu toți alieniștii au fost suficient de curajoși ca să adopte noua doctrină, dar pentru majoritatea ea era foarte atractivă. Dacă cei mai mulți savanți francezi au rămas sceptici, un grup de alieniști francezi de seamă a adoptat cu entuziasm ideile. În Anglia și Scoția, frenologia a pătruns și mai adânc, la fel și în Statele Unite, unde atât directori de aziluri, cât și reformatori nespecialiști de frunte au devenit susținători înfocați ai adevărului și utilității ei. Esquirol în Franța, Conolly și

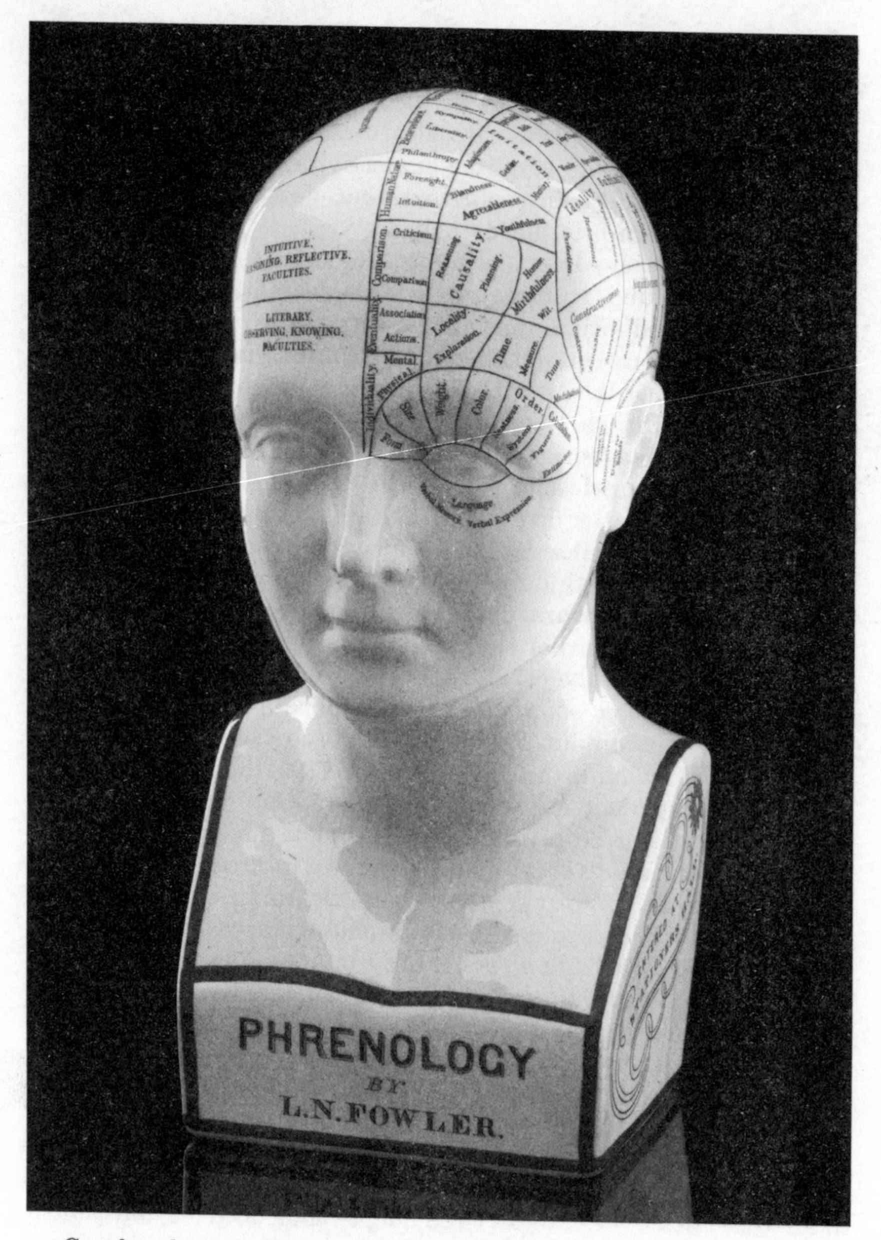

Cap frenologic realizat de L.N. Fowler, a cărui firmă s-a specializat în producerea lor în serie.

Browne în Marea Britanie și Amariah Brigham (1798-1849) și Samuel B. Woodward (1790-1838) în Statele Unite – o galaxie de medici de azil remarcabili a adoptat concepția frenologică.

În definitiv, dacă nebunia era o tulburare fizică a creierului, acest lucru făcea din ea o problemă neîndoielnic medicală. Iar modificările aduse de Spurzheim doctrinei inițiale ajutau în mod deosebit la explicarea motivelor care făceau ca tratamentul moral să influențeze cursul bolilor psihice, prin antrenarea și întărirea unor părți inactive și subdezvoltate ale creierului. Dar frenologia lăsa totodată loc tratamentelor medicale mai convenționale, adresate corpului. Teoretic, frenologia oferea o explicație fiziologică clară a operațiilor creierului, care permitea o explicație unitară a funcționării psihice normale și anormale deopotrivă. Întemeierea ei pe cea mai avansată anatomie a creierului, într-o perioadă în care medicina în ansamblu își reorienta teoriile despre boli pe baza descoperirilor anatomopatologilor din morgi, promitea să-i lege ferm pe membrii specialității marginale descinse din activitatea doctorilor de nebuni de cele mai recente evoluții ale medicinei științifice. Ea explica și de ce cazurile de nebunie recent apărute erau mai vindecabile decât cele cronice, deoarece modificările funcționale din primele deveniseră modificări structurale în cele din urmă și, dincolo de un anumit punct, defectele de organizare cerebrală nu mai puteau fi corectate. Și ajuta la validarea unor idei ce câștigau teren în rândul multor medici care se ocupau de nebunie și tratarea ei: că nebunia putea să fie parțială, nu totală, și putea să afecteze anumite aspecte ale vieții psihice, lăsându-le pe altele neatinse; și că mania putea să se manifeste ca monomanie, o preocupare patologică unică, și nu ca alienare mintală totală. Căci apariția azilului și, odată cu ea, crearea unui număr mare de posturi stabile pentru cei specializați în tratarea nebuniei își puneau amprenta pe maniera în care era înțeleasă nebunia și, totodată, transformau geografia nebuniei în moduri dramatice.

Viața frenologiei ca știință serioasă a fost scurtă, de numai patru decenii. Craniologia se preta întotdeauna la satiră, iar faptul că era exploatată de șarlatani la bâlciuri dovedea popularitatea ei în rândul publicului, însă submina pretențiile frenologiei în medii mai serioase. Materialismul pe care mulți dintre adepții frenologiei făcuseră eforturi să-l rafineze sau să-l nege îi limitase de la început atractivitatea pentru conservatorii religioși și politici. Apoi, un volum tot mai mare de noi cercetări asupra fiziologiei creierului și sistemului nervos, efectuate de William Carpenter (1813-1885), François Magendie (1783-1855), Jean Pierre Flourens (1794-1867) și alții, i-au făcut asertiunile tot mai neplauzibile și, ulterior, foarte greu de apărat, iar atitudinea față de ea a devenit mai dură. În mod fatal, doctrinele ei au ajuns să pară ridicole (**pl. 31**).

Mark Twain întâlnise frenologi itineranți în tinerețea sa petrecută la Hannibal (Missouri); le-a întâmpinat reprezentațiile cu scepticismul său caracteristic, iar mai târziu, când a avut ocazia, nu a ezitat să demaște interpretările frenologice drept capcană și înșelătorie. Prezentându-se anonim la biroul londonez al lui Lorenzo Fowler, frenolog american strămutat (și care făcuse avere producând în serie capete frenologice din porțelan), Twain și-a supus protuberanțele și bosele examinării și interpretării. „Fowler m-a primit cu indiferență, mi-a pipăit capul fără interes și mi-a numit și evaluat calitățile pe un ton plictisit și monoton." Twain părea să aibă o varietate de calități extraordinare, dar „fiecare din cele o sută de calități era asociată cu un defect opus, care o lipsea cu totul de eficacitate". Apoi Fowler a anunțat că a găsit într-o anumită zonă a craniului lui Twain o adâncitură care nu avea o bosă compensatorie. Era ceva ce nu mai întâlnise niciodată, în zecile de mii de interpretări pe care le făcuse: „Acea cavitate reprezenta absența totală a simțului umorului!". Twain s-a retras și a așteptat. Trei luni mai târziu s-a înfățișat cu propriul nume. Totul s-a transformat: „Adâncitura dispăruse și în locul ei se afla un Everest, figurat vorbind, înalt de 31.000 de picioare, cea mai mare bosă a umorului din câte întâlnise [...]"[74].

Nebunia și morga

Pentru alieniști, această traiectorie de la știință serioasă la ținta glumelor pare să nu fi contat aproape deloc. La vremea când frenologia și-a pierdut credibilitatea, doctrinele ei fuseseră deja folosite pentru a anihila provocarea la adresa autorității medicale pe care ar fi putut-o reprezenta tratamentul moral. Medicii obținuseră un control asupra azilurilor care era înscris în legi și consfințit prin cutume și prin autoritatea de zi cu zi asupra numărului tot mai mare de alienați mintali instituționalizați. Puțini se îndoiau de afirmația că nebunia își are originea în patologiile creierului și ale sistemului nervos, iar dintre cei puțini, nici unul nu se găsea în rândurile celor care se specializau în tratarea bolilor psihice. Dacă un mic număr de alieniști au început să conteste la sfârșitul secolului al XIX-lea această concepție larg acceptată, apostazia respectivă a venit după o lungă perioadă în care explicațiile biologice ale nebuniei au deținut supremația practic fără a fi puse la îndoială.

Dar, firește, încrederea manifestată de mulți alieniști în primele decenii ale secolului al XIX-lea că morga va dezvălui secretele nebuniei era în mare măsură nejustificată. A existat totuși o excepție, una importantă: până în anul 1822, Antoine Bayle (1799-1858), un tânăr medic asistent de la Charenton, efectuase autopsii pe circa

200 de cadavre de pacienți psihiatrici (imensele spitale publice pariziene asigurau un număr nesfârșit de pacienți morți în acei ani). Unii dintre aceștia avuseseră o serie de simptome pe care Bayle le-a numit *paralysie générale* – deteriorarea vorbirii, pierderea controlului asupra brațelor și picioarelor, pierderea progresivă a sensibilității, însoțite de simptome psihiatrice uneori dramatice, cu delir și apoi demență urmate de moarte, de regulă survenită prin asfixiere în urma dispariției reflexului de deglutiție. În șase din aceste cazuri, în mod special, examinarea post-mortem a creierului a evidențiat leziuni caracteristice: inflamația meningelui și atrofiere cerebrală.

Paralysie générale sau paralizia generală a alienaților (General Paralysis of the Insane – GPI), cum a ajuns să fie cunoscută în lumea vorbitoare de limbă engleză, nu era nici pe departe o afecțiune rară. Spre sfârșitul secolului al XIX-lea, ea reprezenta cauza internării în aziluri a 20% sau mai mult dintre pacienții de sex masculin, atât în Europa, cât și în America de Nord. Mulți s-au gândit în primă instanță că ar putea să reprezinte stadiul final al majorității formelor de nebunie sau poate al tuturor, dar treptat a ajuns să fie privită ca un gen aparte de nebunie, cu propria patologie, încă necunoscută. Ravagiile sale erau implacabile și, deși desfășurarea ei putea fi capricioasă, sfârșitul era, invariabil, groaznic. Pe termen lung, descoperirea lui Bayle a avut o mare contribuție la întărirea ideii că boala psihică își are cauzele la nivelul creierului[75], deși lui personal nu i-a folosit prea mult: mentorul său de la Charenton, Antoine-Athanase Royer-Collard, a murit în anul 1825 și, neavând legături cu marele rival al acestuia, Esquirol, Bayle s-a trezit ostracizat și în imposibilitate de a obține un post ca medic de azil. Și-a găsit în schimb serviciu ca bibliotecar medical.

Alieniștii au devenit foarte pricepuți la detectarea simptomelor timpurii ale GPI – dificultăți minore de vorbire, mici schimbări ale mersului, diferențe de reacție a pupilelor la lumină –, deși etiologia bolii avea să rămână o chestiune controversată până la începutul secolului al XX-lea (după cum vom vedea în capitolul 8). În anii 1840 au trebuit să recunoască însă că nici o altă formă de nebunie nu putea fi citită în creierul nebunilor. Toate încercările în acest sens se dovediseră sterile. Totuși, aceste eșecuri nu au dus la prea multe îndoieli cu privire la afirmația că nebunia este o boală somatică. De ce ar fi dus? Afirmația agresivă „Nebunia este strict o boală a creierului" avea drept corolar „Acum, medicul este protectorul responsabil al nebunilor și așa trebuie să rămână"[76].

Protectori responsabili

Acei „protectori responsabili" deveniseră constant mai numeroşi în prima jumătate a secolului al XIX-lea, iar în anii 1840 începuseră să formeze asociaţii profesionale şi să publice reviste dedicate schimbului de informaţii privind managementul azilurilor, să elaboreze o literatură de specialitate despre patologia şi tratarea nebuniei şi, nu întâmplător, să construiască un sentiment al identităţii colective.

Femeie suferind de paralizia generală a alienaţilor (deşi numărul bărbaţilor îl depăşea cu mult pe cel al femeilor în rândul celor afectaţi de GPI), 1869, la azilul de nebuni West Riding din Yorkshire. Când a fost făcută această fotografie încă nu se ştia că afecţiunea îşi avea originea îndepărtată în infectarea cu sifilis.

În Marea Britanie s-au întrunit pentru prima oară în anul 1841 și și-au luat numele Asociația Funcționarilor Medicali ai Azilurilor și Spitalelor de Nebuni, denumire complicată care a devenit după un sfert de secol Asociația Medico-Psihologică. La început nu s-a găsit nimeni care să-și asume sarcina de a înființa și edita o revistă profesională, dar în anul 1848 Forbes Winslow (1810-1874), proprietarul unuia dintre azilurile private pentru bogați întru câtva suspecte, a lansat *Revista de medicină psihologică și patologie mintală* ca afacere speculativă personală. Exista deja, într-o oarecare măsură, o scindare între cei care conduceau aziluri pentru bogați, mici și orientate spre profit (o parte rentabilă, chiar dacă stigmatizată a afacerii cu nebunia, din moment ce presupunea publicitate pe jumătate ascunsă și scotea bani dintr-o activitate care semăna mai mult cu comerțul decât cu furnizarea de servicii specializate), și cei care conduceau acum rețeaua mult mai amplă și cu dezvoltare rapidă a azilurilor publice, în care era adăpostită marea masă a pacienților. În ciuda protestelor lui Winslow, după cinci ani acel grup rival își înființase propria revistă. După ce inițial s-a numit *Revista azilurilor* și apoi *Revista de știință mentală a azilurilor*, în 1858 cuvântul „azil" a dispărut cu totul din titlu. La fel ca în alte situații, numele asociației profesionale și titlul inițial al revistei sale arată ce legătură strânsă exista între apariția noii profesii și crearea noii rețele de aziluri „reformate".

În Statele Unite, treisprezece șefi de aziluri s-au întâlnit în anul 1844 la Philadelphia și au format Asociația Directorilor Medicali ai Instituțiilor Americane pentru Alienați. Imediat după aceea, unul dintre ei, Amariah Brigham, care conducea azilul statal de nebuni New York de la Utica, a lansat o revistă americană purtând minunatul titlu *Revista americană a alienării mintale*, de ale cărei culegere și tipărire se ocupau unii dintre pacienții azilului său. (*Revista americană a alienării mintale* avea să fie rebotezată abia în anul 1921 cu titlul mai respectabil *Revista americană de psihiatrie*.)

Francezii au făcut lucrurile pe dos: alieniștii lor au așteptat până în anul 1852 ca să înființeze Société médico-psychologique, însă publicația *Annales médico-psychologiques* fusese lansată cu aproape un deceniu mai devreme, în 1843. În Germania, fragmentarea politică a ridicat obstacole considerabile în calea oricărui proiect de a crea o singură organizație care să-i aducă laolaltă pe medicii de azil, ce își desfășurau în mod inevitabil activitatea într-o gamă diversă de medii politice, și, cu toate că în 1827 existase o încercare de a crea o societate care să îmbunătățească tratamentul practic al nebunilor și se făcea un oarecare efort de a forma o subsecție dedicată psihiatriei a Asociației Naturaliștilor și Medicilor Germani, Verein der Deutschen Irrenärtze (Societatea Doctorilor Germani de Nebuni) s-a întrunit pentru prima oară abia în anul 1864, la circa douăzeci de ani după apariția primului număr al *Allgemeinen Zeitschrift für Psychiatrie und psychisch-gerichtliche Medicin* (*Revista generală de psihiatrie și medicină psihico-legală*). (În anul 1903 ea și-a schimbat numele în Deutscher Verein für Psychiatrie, Societatea Germană de Psihiatrie.)

Aceste societăți și reviste aveau roluri similare pretutindeni. Întrunirile anuale ale asociațiilor profesionale constituiau pentru directorii de azil unul dintre puținele prilejuri de a-și părăsi instituțiile. Căci pentru salariul, siguranța și autoritatea locală pe care le dobândeau în calitate de șefi ai acestor instituții plăteau un preț mare. Este adevărat că nu erau siliți să înfrunte concurența într-o profesie medicală care era pe tot cuprinsul Europei supraaglomerată, insuficient remunerată și adesea cu o respectabilitate fragilă. Dar realitatea era că trăiau aproape tot atât de captivi și de izolați în azilurile lor ca și pacienții a căror viață o supravegheau. Pe de altă parte, revistele asigurau un mijloc de comunicare permanentă pe marginea chestiunilor administrative – cum se încălzesc niște clădiri uriașe, cum se administrează ferma azilului în care lucrează mulți pacienți, cum se rezolvă problemele de asigurare a apei și eliminare a deșeurilor și așa mai departe – și ocazia de a avansa speculații mai elevate privind patologia și tratarea nebuniei, clasificarea ei și chestiunile politice cu care se confrunta profesia. Într-o epocă în care revistele medicale de toate felurile proliferau, acestea erau și un semn al ambiției alienismului de a fi privit ca făcând parte dintr-un demers medical mai amplu și veneau în sprijinul afirmației că știința care se ocupa de nebunie era vie și în continuă dezvoltare. Individual și colectiv, specialitatea în formare putea să se promoveze prin tipărituri. Iar revistele îi puteau ajuta de asemenea pe alieniști să se diferențieze de tipul mai vechi de doctori de nebuni. În trecut nu era ceva neobișnuit să apară numeroși proprietari de case de nebuni, ca și numeroși șarlatani, care să se laude că dețin remedii secrete pentru vindecarea nebuniei. În schimb, publicarea teoriilor proprii și discutarea acestora cultivau o imagine de investigație deschisă și dezinteresată.

Termenul „psihiatrie" fusese inventat de medicul german Johann Christian Reil (1759-1813) în anul 1808, prin combinarea cuvintelor grecești ce desemnau sufletul (*psyche*) și tratamentul medical (*techne iatrike*), dar în afara lumii vorbitoare de limbă germană el a prins prea puțin până la sfârșitul secolului al XIX-lea. Cei care se specializau în tratarea nebunilor preferau în schimb să-și spună directori de azil, medico-psihologi sau alieniști (acest din urmă termen fiind, desigur, o invenție franceză)[77]. Specialiștii italieni în medicină psihologică, disprețuind termenul „psihic", cu conotațiile sale de suflet, spirit și religie, și-au creat propriul neologism, *freniatra*, iar societatea lor profesională, înființată în anul 1873, s-a agățat de denumirea Società Italiana di Freniatria ca simbol al identității sale laice și științifice timp de aproape șaizeci de ani, adoptând în cele din urmă termenul „psihiatrie" în 1932. Dar, indiferent cum își spuneau, identitatea și autoritatea acestor medici, așa cum erau ele, derivau în ultimă instanță din instituțiile pe care le conduceau. Exista o insistență aproape universală asupra „improbabilității [...] ca o persoană alienată mintal să-și recapete uzul rațiunii altfel decât [...] printr-o modalitate de tratament [...] care poate fi adoptată pe deplin numai într-o clădire construită în acest scop"[78]. Azilul modern, consimțeau toți, era „o instituție specială [concepută] pentru vindecarea nebuniei"[79]. Luther Bell (1806-1876), un membru american de frunte al confreriei, s-a exprimat astfel: „Un azil sau, mai corect, un spital de nebuni poate fi considerat pe bună dreptate o creație arhitecturală tot atât de distinctă și de caracteristică pentru îndeplinirea obiectivelor sale cum este orice edificiu cu rol de fabrică pentru a-și atinge propriul scop specific. Este categoric un instrument de tratament"[80].

Dacă eficacitatea acestor noi „instrumente de tratament" era măsurată prin numărul celor pe care-i atrăgeau și-i adăposteau, ele păreau să aibă pretutindeni un succes imens. Ca niște magneți uriași, mult mai puternici decât acele căzi sau *baquets* ale lui Mesmer, azilurile atrăgeau mulțimi de alienați mintali. Indiferent cât de multe aziluri noi se construiau, apăreau tot mai mulți nebuni ca să le umple. Acest tipar persista an după an. *The Times* făcea în 1877 observația răutăcioasă că „dacă nebunia ar continua să se răspândească în ritmul din prezent, nebunii ar ajunge majoritari și, eliberându-se, i-ar băga pe cei sănătoși mintal în aziluri"[81]. La nord de graniță, *The Scotsman* se plângea că „oricât am construi, în fiecare an ne confruntăm cu aceeași cerere de noi locuri [...] o muncă ce promite tot atât de puțin să se încheie ca și încercarea de a umple un ulcior fără fund [...]. În loc să constatăm că marea cheltuială care a fost făcută pentru construirea azilurilor a dus la o diminuare a nebuniei, constatăm, dimpotrivă, o dezvoltare imensă și neîncetată"[82]. Trei decenii mai târziu, în 1908, psihiatrul german Paul Schröder (1873-1941) continua să se plângă de creșterea „neliniștitoare" a numărului „pacienților care necesită îngrijire instituționalizată", o creștere „lipsită de orice corelație cu creșterea populației"[83].

Dar în timp ce numărul pacienților creștea necruțător, vindecările promise de directorii de azil nu se materializau, cel puțin nu într-o proporție apropiată de cea pe care aceștia declaraseră că o pot atinge. În mod implacabil, nu doar numărul azilurilor, ci și dimensiunile lor medii au început să crească. Era în mare măsură o chestiune de aritmetică simplă: dacă numai o treime sau două cincimi dintre pacienții internați anual plecau „ameliorați" sau „vindecați" și numai 10% mureau (acestea devenind statisticile obișnuite în majoritatea instituțiilor), atunci, cu timpul, cazurile se acumulau inevitabil, iar bolnavii cronici formau o proporție tot mai mare a populației azilului. Însă posibilitatea de a închide într-o instituție oameni dificili, incomozi și chiar imposibil de suportat, în loc să fie cumva, în mod disperat, îngrijiți și închiși la domiciliu, a reprezentat o altă sursă neașteptată de pacienți. Gradul de deranjament mintal al unui om la care instituționalizarea părea justificată nu era măsurat printr-un etalon imuabil, constant și, cu timpul, granițele a ceea ce era „nebunia de tip Bedlam" s-au lărgit, internarea fiind socotită necesară pentru tot mai multe suflete chinuite. Azilul mic și intim pe care îl condusese William Tuke sau cel pe care Esquirol îl pusese la dispoziția pacienților săi particulari au fost înlocuite în mare măsură de aziluri cu câte trei sute, patru sute de paturi și apoi o mie și mai multe, cu unica excepție a instituțiilor pentru cei foarte bogați.

Aceste evoluții aveau implicații rău prevestitoare pentru alieniști, căci incapacitatea lor de a produce vindecările pe care le promiseseră a dus la un recul inevitabil și, în cele din urmă, la o reticență tot mai mare a autorităților publice de a cheltui sume „extravagante" pentru cei care păreau sortiți să rămână veșnic o povară pentru bugetul public. Însăși legitimitatea pretențiilor alieniștilor de a avea cunoștințe de experți și statutul de profesie terapeutică au ajuns să fie amenințate. Pe un alt palier, aceste evoluții nedorite au determinat o scădere puternică a moralului profesional, o bâjbâire după explicații pentru neîndeplinirea promisiunii ce însoțise nașterea azilului și o nouă motivație pentru perpetuarea muzeelor nebuniei care se înmulțiseră și erau acum o trăsătură inconfundabilă a peisajului secolului al XIX-lea. Încă o dată, instituțiile care se pretinseseră omenoase, locuri de alinare și refacere, degenerau în mintea publicului, devenind locuri „în care se depozitau în mod convenabil grămezi de deșeuri sociale"[84], depozite pentru cei nedoriți, „dulapul lui Barbă-Albastră pentru fiecare cartier"[85].

Capitolul 8

Degenerare și disperare

Bolile existenței civilizate

Începând din zorii secolului al XVIII-lea, devenise ceva obișnuit ca bolile de nervi mai ușoare să fie privite drept o parte a prețului plătit pentru civilizație, ba chiar drept suferințe la care erau deosebit de predispuși cei mai rafinați și mai civilizați oameni. Un secol mai târziu, aceste idei au început să fie lărgite pentru a cuprinde cele mai grave și mai înfricoșătoare forme de nebunie de tip Bedlam. Nebunia era, susțineau alieniștii și aliații lor, o boală a civilizației și a celor civilizați. În schimb, afecțiunea era practic necunoscută la „sălbatici" și la popoarele primitive. „Nobilii sălbatici" descriși de Rousseau păreau imuni la ravagiile alienării mintale.

Pe măsură ce civilizația progresa, viața devenea mai complexă, mai „nenaturală", cu un ritm mai alert, mai dezechilibrată, mai stresantă, mai puțin stabilă. Marile prefaceri politice, între care Revoluția Franceză și cea americană erau doar cele mai bătătoare la ochi, trezeau pasiuni și ambiții, la fel ca și schimbările tumultuoase aduse de noua ordine economică, bazată pe piață. Convingerile străvechi și ierarhiile întemeiate pe statut erau date la o parte. Mințile erau tulburate de goana după bogăție și ambițiile creșteau până scăpau de sub control. Agitația de la nivelul organismului politic reverbera în corpul și mintea cetățenilor. Vechile oprelişti care înfrânaseră dorințele și așteptările oamenilor – biserica, familia, lipsa de mobilitate geografică și socială, ponderea tradițiilor – erau înlăturate. Traiul luxos și excesele de toate felurile slăbeau fibra morală și mintală, sau cel puțin așa se credea, și contribuiau la explicarea creșterii rapide a numărului de nebuni, care puteau fi găsiți cel mai probabil, asemenea omologilor lor nevropați, în rândul celor mai ambițioși, mai elevați și mai cultivați oameni ai vremii, bărbați și femei deopotrivă. Acest lucru era subiectul multor comentarii îngrijorate ale vremii.

Alienistul francez J.-É.D. Esquirol a inclus numeroase desene înfățișând pacienți aflați în ghearele nebuniei, precum acesta, în tratatul său Des maladies mentales, *publicat în anul 1838.*

Philippe Pinel şi elevul său preferat, Esquirol, avansaseră pentru scurt timp ipoteza că înlăturarea *ancien régime* ar putea avea efecte salutare asupra sănătăţii psihice a semenilor lor. În definitiv, fusese o ordine socială „gata să moară", cele mai privilegiate elemente ale sale fiind „prizonierele moliciunii şi luxului". De bună seamă, libertatea adusă de Revoluţie nu putea să nu aibă efecte salutare, înlocuind plictiseala şi lenevia cu „vigoare şi energie"[1]. Însă Teroarea i-a scăpat repede de asemenea idei. Pinel şi-a remodelat gândirea: pasiunile descătuşate de Revoluţie aveau implicaţii înfricoşătoare nu doar pentru stabilitatea statului, ci şi pentru stabilitatea cetăţenilor lui[2]. Esquirol descria „chinul nostru revoluţionar" ca fiind principala cauză a creşterii rapide a numărului de nebuni[3]. Timpul l-a făcut să înveţe această lecţie şi i-a întărit convingerea că „nebunia este produsul societăţii şi al influenţelor morale şi intelectuale"[4]. Henri Girard de Cailleux (1814-1884), directorul azilului de la Auxerre, a exprimat în anul 1846 o opinie care s-a bucurat curând de un consens general:

> Mişcările de idei şi instituţii politice au făcut ca nişte ocupaţii cândva stabile să fie supuse schimbării [...]. Multe minţi, stimulate excesiv de o ambiţie năvalnică şi nelimitată, aduse la epuizare, pervertite într-o luptă ce le depăşeşte puterile, [ajung] la nebunie [...]. [Pe] alţii [...] descurajarea şi nefericirea i-au făcut să se depărteze de lumina raţiunii[5].

În mod curios, cugetările celui mai mare medic american din epoca revoluţionară a acestui stat, Benjamin Rush din Philadelphia, urmaseră deja o traiectorie similară cu cele ale lui Pinel şi Esquirol. După el, independenţa însemna că ai săi concetăţeni

> se află în permanenţă sub influenţa înviorătoare a libertăţii. Există o uniune indisolubilă între fericirea morală, cea politică şi cea fizică; şi dacă este adevărat că guvernele alese şi reprezentative sunt cele mai favorabile pentru prosperitatea individuală şi naţională deopotrivă, rezultă, fireşte, că sunt cele mai favorabile pentru viaţa animală[6].

De aceste beneficii aveau parte numai patrioţii care sprijiniseră independenţa. Cei care greşiseră şi rămăseseră loiali tronului britanic sufereau de aşa-numita *„revolutiana"* şi asupra lor se abătea năpasta unei sănătăţi fizice şi psihice şubrezite. În scurt timp însă, Rush, asemenea lui Pinel şi Esquirol, a schimbat placa. S-a dovedit că

> excesul de pasiune a libertăţii, aţâţat de rezultatul pozitiv al războiului, a determinat la mulţi oameni păreri şi conduite care n-au putut fi înlăturate prin raţiune şi nici înfrânate de guvern [...] [şi] au constituit

un soi de nebunie pe care îmi voi lua libertatea de a-l distinge sub numele de *anarhie*[7].

Neologismele lui Rush nu s-au bucurat de un asentiment universal – ba chiar au fost de-a dreptul ignorate –, însă esența poziției lui ulterioare a devenit dominantă în rândul următoarei generații de alieniști americani. Samuel B. Woodward, primul director al azilului de stat Worcester din Massachusetts, deschis în anul 1833, vedea pericole pretutindeni:

> Conflicte politice, excentricități religioase, excese comerciale, datorii, falimente, răsturnări de situație, speranțe înșelate [...] toate par să se fi adunat laolaltă în aceste vremuri și au în general o mare influență în producerea nebuniei[8].

Isaac Ray (1807-1881), unul dintre cei treisprezece alieniști care s-au adunat la Philadelphia în anul 1844 pentru a forma o nouă asociație profesională (vezi *supra*, p. 201), insista că „nebunia se răspândește acum în majoritatea comunităților civilizate, dacă nu în toate"[9], iar colegul său Pliny Earle (1809-1892), remarcând „paralelismul constant între progresul societății și înmulțirea tulburărilor psihice", a pus deschis problema „dacă nivelul cel mai înalt al culturii în societate face să merite pedepsele care reprezintă prețul lui"[10]. Cei mai sârguincioși, mai ambițioși, mai de succes oameni erau expuși și celui mai mare risc:

> Nebunia e rară în societatea aflată într-o stare de sălbăticie. Fără îndoială, un motiv al acestei disparități este înlocuirea modurilor de trai mai simple și mai naturale cu luxul și artificialul. Un altul, mai important, e faptul că la cei ignoranți și necultivați facultățile mintale sunt inactive și, astfel, sunt mai puțin predispuse la perturbare[11].

Britanicii vedeau în Franța revoluționară o lecție exemplară despre pericolele instabilității politice (cu cât se spuneau mai puține despre fostele lor colonii de peste Atlantic, cu atât mai bine), dar alieniștii britanici s-au alăturat bucuroși opiniilor exprimate pe continentul european și în America de Nord. Thomas Beddoes (1760-1808) vorbea despre țări „suficient de civilizate pentru a fi capabile de nebunie"[12], iar Alexander Morison (1779-1866) (**pl. 32**) a declarat că nebunia părea să fie „neînsemnată în America de Sud și la triburile indiene etc.". El conchidea cu gravitate: „Probabil că nivelul tot mai mare de civilizație și lux al acestei țări tinde, împreună cu înclinația ereditară, să sporească [...] numărul raportat la populație"[13]. Așadar, nici vorbă ca avuția să ofere protecție în fața invaziei nebuniei; populația cu ocupații agricole și îndeosebi sărăcimea din mediul rural erau „scutite în mare măsură de nebunie", pe când burghezia și plutocrația nu se bucurau de o astfel de imunitate, fiind expuse „la excitații [...] și [...] la formarea de obișnuințe de gândire și acțiune defavorabile păstrării seninătății și sănătății psihice"[14].

În măsura în care aceste afirmații privind geografia socială a nebuniei au fost acceptate public, ele au oferit elitei încă o serie de motive pentru a sprijini construirea de aziluri. Cei care concurau cel mai acerb în cursa vieții și care erau expuși cel mai direct și constant la efectele nocive ale concurenței, speculației și ambiției sporite erau cei care, se părea, aveau cele mai multe motive de a se teme de spectrul nebuniei. Cei care urcau pe scara socială erau expuși la cele mai mari riscuri:

> Pianele, umbrelele de soare, *Edinburgh Review* și dorința de a face călătorii la Paris pot fi întâlnite acum la o categorie de persoane care, înainte, credea că aceste lucruri aparțin altei rase; acestea sunt adevăratul izvor al instabilității nervoase și al tulburărilor psihice[15].

Însă aceste predicții referitoare la localizarea socială a nebuniei s-au dovedit pretutindeni eronate. Majoritatea copleșitoare a nebunilor diagnosticați oficial – al căror număr creștea rapid – a venit imediat din rândurile săracilor și ale celor cu o situație mediocră. Etichetarea mulțimii de pacienți care se înghesuiau în azilurile publice drept alienați mintali pauperi inducea întru câtva în eroare – nu se trăgeau nicidecum toți din *lumpenproletariat*. Însă apelul la buzunarul public, indiferent în ce măsură, însemna să fii etichetat pauper, iar nebunia însemna că era practic imposibil să-ți câștigi existența. Ravagiile ei făceau ca toți, cu excepția celor mai bogați, să ajungă în scurt timp sub amenințarea sărăciei, circumstanță amplificată de tensiunile produse de nebunie în viața de familie. Chiar și cei care porneau de la o oarecare securitate și independență economică se trezeau în scurt timp sărăciți și siliți să se bazeze pe subvenția publică. Drept urmare, dobândeau un titlu care făcea în mod normal clasele „respectabile" să fie cuprinse de oroare, dar în aceste condiții nu aveau de ales. Disperarea îi făcea să treacă peste mândrie. Însă recunoașterea faptului că eticheta „nebun pauper" ascunde o considerabilă eterogenitate socială nu modifică realitatea fundamentală. În anii 1850, puțini se mai puteau îndoi că grosul celor identificați oficial drept nebuni se trăgea din păturile inferioare, ale celor obligați să muncească pentru a-și câștiga existența.

Aceste imagini înfățișând mania și melancolia au servit drept frontispiciu al Schițelor de prelegeri asupra bolilor psihice *pentru anul 1826 ale lui Alexander Morison, serie pe care a repetat-o anual, vreme de mulți ani, pentru a avansa în carieră și totodată pentru a impune pretențiile profesiei medicale că este expertă în controlarea nebuniei.*

Scăderea încrederii

Totodată, la acea vreme, pesimismul cu privire la soarta nebunilor creștea din nou. Alieniștii se dovedeau incapabili să ofere proporția ridicată de vindecări pe care o promiseseră, iar acumularea pacienților cronici începea în mod inevitabil să provoace înghesuială în aziluri. Aceste mulțimi de disperați și spectrul cronicității au ajuns să obsedeze psihiatria în ultima treime a secolului al XIX-lea şi să influenţeze concepţia culturală despre natura nebuniei. Adresându-se alieniştilor din ţară adunaţi la aniversarea a cincizeci de ani de la formarea societăţii lor profesionale, precursoarea Asociaţiei Psihiatrilor Americani de azi, eminentul neurolog Silas Weir Mitchell (1829-1914) din Philadelphia i-a mustrat pe psihiatri, plângându-se că aceştia sunt stăpâni peste o adunătură de „cadavre vii", pacienţi demni de toată mila „care au pierdut chiar şi amintirea speranţei [şi] şed înşiraţi, prea amorţiţi ca să simtă disperarea, supravegheaţi de îngrijitori: înfiorătoare maşinării tăcute care mănâncă şi dorm, dorm şi mănâncă"[16]. În pofida experţilor, nebunia nu părea să fie o boală vindecabilă prin tratament moral (şi nici măcar printr-o combinaţie judicioasă de tratament moral şi medical), ci o condamnare pe viaţă, crudă, zdrobitoare.

Scăderea încrederii alieniştilor în remediile pe care le puteau oferi se manifesta pretutindeni. Cei ale căror cariere demaraseră pe fundalul unui mare optimism trebuiau să facă faţă cumva realităţii unui orizont profesional drastic limitat. W.A.F. Browne, de exemplu, ocupase un loc proeminent printre cei care făcuseră prozeliţi în favoarea azilului reformat. Era un administrator devotat şi talentat şi avea norocul să conducă unul dintre cele mai bine înzestrate aziluri europene, la Dumfries, în sud-vestul Scoţiei. A dedicat multă energie tratării pacienţilor săi, asigurând cursuri de limbă arabă, ebraică, greacă, franceză şi latină, creând un teatru şi o revistă literară la care pacienţii colaborau, organizând concerte, dansuri, lecturi publice şi prelegeri şi nenumărate alte activităţi cu scopul de a evita plictiseala şi de a-i stimula; de asemenea, a introdus în premieră iluminatul cu gaz pentru lungile seri de iarnă scoţiană. (Când aprindea felinarele cu gaz, orăşenii se adunau la porţile azilului, aşteptându-se să vadă clădirea explodând.) În ciuda marilor sale eforturi, în decurs de cinci ani, rata vindecării anunţată de el scăzuse la puţin peste o treime din pacienţi. Înainte să se încheie deceniul, se plângea că, lăsând la o parte aşteptările utopice,

> toţi cei cărora li se încredinţează îngrijirea nebunilor trebuie să fie conştienţi că beneficiile reale sunt mult inferioare standardelor formulate iniţial privind eficacitatea medicinei sau puterile celor calmi şi sănătoşi asupra minţilor agitate şi pervertite [...] că boala se dovedeşte a fi extrem de refractară, iar ravagiile ei sunt de neşters chiar şi atunci când uzul raţiunii pare redobândit[17].

„Pare redobândit": o expresie grăitoare. Cu timpul, situaţia n-a făcut decât să se agraveze. În 1852, Browne vorbea deznădăjduit despre „cât de puţin se poate face pentru a reda sănătatea şi a restabili ordinea şi calmul" şi declara că rezultatele tuturor eforturilor sale „sunt atât de sterpe și de insuficiente, încât, în pofida compasiunii și solicitudinii, nefericirea, violența și spiritul de răzbunare înving”[18]. Cinci ani mai târziu, când părăsea în sfârșit atmosfera sufocantă a azilului pentru o sinecură – supravegherea azilurilor scoțiene în calitate de membru al unei comisii pentru alienare mintală –, s-a exprimat și mai direct:

> S-a obișnuit să se tragă un văl peste degradarea naturii, ce apare atât de des ca simptom al nebuniei. Însă este corect ca dificultățile reale pe care le presupune îngrijirea unui număr mare de alienați mintali să fie dezvăluite; este salutar ca înjosirile involuntare, animalitatea, ororile spre care tind atâtea acte voluntare să fie date la iveală. Nici o reprezentare a turbării oarbe sau a ferocității vindicative nu întruchipează mai desăvârșit și nu justifică în mod mai evident străvechea teorie a metempsihozei sau credința în posedarea demonică decât o face nebunul cuprins de manie, desfătându-se cu obscenitatea și cu mizeria; devorând gunoaie sau excremente, depășind acea bestialitate care, în cazul sălbaticului, ar putea fi moștenire și superstiție [...]. Aceste practici nu sunt altoite pe tulpina bolii de obiceiuri vulgare, de educația defectuoasă ori neglijată sau de elemente de caracter originale. Ele se întâlnesc în segmentele cele mai rafinate și mai cizelate ale societății, cu viața cea mai pură și sensibilitate desăvârșită. Femei de obârșie nobilă își beau propria urină [...]. Desene cu înalte pretenții artistice au fost pictate cu excremente; s-au scris poezii cu sânge sau cu substanțe mai revoltătoare [...]. Se întâlnesc pacienți care mânjesc și inundă zidurile cât de hidos le cere imaginația lor tulburată; care își acoperă corpul, îndeasă fiecare crăpătură din cameră, își umplu urechile, nasul, părul cu dejecții; care ascund acești pigmenți prețioși în saltele, mănuși sau pantofi și care se războiesc ca să apere ce le aparține[19].

Nu este deloc de mirare că unul dintre omologii lui Browne de la sud de graniță, John Charles Bucknill (1817-1897), conducătorul azilului districtual Devon de la Exeter și editorul *Revistei de știință mentală*, se plângea de faptul că alieniștii „își petrec viața într-o atmosferă psihică morbidă” și de „numărul medicilor care au suferit mai mult sau mai puțin aparenta contagiune a bolii psihice”[20] – cu alte cuvinte, au înnebunit ei înșiși.

Există ceva vădit straniu în această mărturisire că o instituție care continua să fie descrisă public drept curativă pentru pacienți se putea dovedi atât de nocivă pentru cei care o conduceau. Nu doar în Anglia și în Scoția, ci pretutindeni unde se răspândise soluția azilului problemele erau similare. Mizeria, monotonia, violența abia înfrânată, suprapopularea și nefericirea erau inevitabile și amplificate de dificultățile supervizării unei echipe pestrițe de îngrijitori (care împărtășeau rareori perspectiva alieniștilor asupra celor pe care-i aveau în grijă) și de împotrivirea încăpățânată, chiar dacă adesea mută, a pacienților, care fuseseră aduși acolo forțat și se luptau, adesea la propriu, cu limitările și plictiseala vieții de spital.

Izolarea nebunilor: proteste picturale și literare

Azilul îi izola pe pacienții psihiatrici în două sensuri. Îi separa de societate și, în general, le înăbușea și le amuțea glasul – presupunând că nu erau deja amuțiți pentru posteritate de analfabetism sau de profunzimea declinului lor psihic. Deși una din trăsăturile noii rețele de aziluri era abundența de statistici cărora le-a dat naștere, acele statistici ne spun mai multe despre temniceri decât despre întemnițați. Însemnările privitoare la diferitele cazuri dezvăluie mai multe despre cei privați de libertate: cum au ajuns să fie închiși, câte ceva despre simptomele și comportamentul lor atât înainte, cât și după certificarea nebuniei și puțin despre reacțiile lor la regimul de azil. Totuși, cu excepția unor situații foarte rare, ceea ce știm despre reacțiile pacienților la azil este filtrat aproape de fiecare dată prin ochii și urechile doctorilor lor.

Ebenezer Haskell a fost unul dintre numeroșii pacienți care au susținut că au fost închiși cu forța într-un azil, deși erau deplin sănătoși mintal, și maltratați înfiorător. El a publicat pe propria cheltuială o broșură în care și-a consemnat experiența – aici este pedepsit sub masca tratamentului.

Descrierea motivelor care i-au adus pe pacienţi la azil, consemnată în certificatele de alienare mintală care justificau închiderea acestora, era de obicei copiată în registre legate, unde ocazional era completată cu detalii oferite de familia pacientului. Ulterior se adăugau periodic însemnări, fie de rutină, fie când se întâmpla ceva ieşit din comun. Cu timpul, în cazul pacienţilor cronici, însemnările încetau sau urmau în cel mai bun caz un şablon. În azilurile tot mai mari, pacienţii ajungeau să formeze o mulţime anonimă. Datele despre pacienţii cu şedere îndelungată erau adesea separate în mai multe volume, ceea ce îngreuna stabilirea parcursului vieţii lor în azil. Abia mult mai târziu s-a ajuns la consemnarea datelor pe foi de hârtie separate care erau introduse în dosare.

Dar, parţial în virtutea ideii frenologice că forma craniului ar putea să dezvăluie ceva despre nebunia subiacentă, se consemnau înfăţişarea şi expresiile pacienţilor, mai întâi prin desene şi gravuri. Odată cu apariţia dagherotipului şi a tehnologiei fotografice, pacienţii s-au trezit aşezaţi în faţa obiectivului aparatului de fotografiat. În arhivele spitalului Bethlehem şi în alte părţi pot fi găsite şi astăzi negative vechi, pe plăci de sticlă, uneori dedicate consemnării expresiei faciale a pacientului la internare şi apoi când se producea „vindecarea". Mai târziu în secolul al XIX-lea, când a început să-l intereseze *Expresia emoţiilor la om şi animale* (1872), Darwin a avut o amplă corespondenţă cu James Crichton-Browne (1840-1938), directorul azilului de nebuni West Riding din Yorkshire, din mai 1869 şi până în decembrie 1875, primind numeroase fotografii ale unor pacienţi ce păreau să fie dominaţi de emoţii intense.

Ocazional, foarte rar, situaţia se inversa şi pacienţii îşi consemnau impresiile despre medicii lor, despre ceilalţi pacienţi şi azilul în care erau închişi. Uneori erau puse pe hârtie. O pacientă de la Ticehurst şi-a consemnat impresia că este „o minge de fotbal umană", în care toţi dau cu piciorul[21]. Ebenezer Haskell, care a evadat din spitalul de nebuni Pennsylvania în anul 1868 şi a dat în judecată instituţia în care stătuse închis, şi-a denunţat captivitatea într-o broşură publicată pe propriile speze şi a desenat o scenă grăitoare cu un pacient dezbrăcat la piele, întins pe jos cu membrele depărtate şi maltratat de îngrijitori, de 4 iulie. La aceasta a adăugat un desen care-l înfăţişa chiar pe el, sărind de pe zidul înalt ce împrejmuia instituţia, cu jobenul bine înfipt pe cap[22]. Nu pot exista mari îndoieli cu privire la părerea lui despre detenţia suferită şi nici cu privire la cea a altor pacienţi protestatari menţionaţi mai jos.

Alţi pacienţi făceau desene care dădeau oarecare formă ideilor lor delirante, în multe cazuri grosolane şi stângace, dar în altele frapante şi grăitoare. Câteodată, pacienţii desenau ori pictau ceea ce îi înconjura, poate chiar pe directorul de azil. O mare parte dintre aceste materiale au dispărut pur și simplu fără urmă, deși în arhivele azilurilor supraviețuiesc îngropate câteva exemple. Totuși, când s-a întâmplat să fie închiși artiști, aceștia au realizat uneori opere cu adevărat remarcabile și impresionante, care s-au păstrat și, ocazional, au fost prezentate unui public mai larg.

Richard Dadd (1817-1886) fusese socotit un pictor foarte promițător la începutul anilor 1840, până într-o zi, când i-a tăiat tatălui său capul și apoi a fugit la Paris, unde l-au reținut în cele din urmă autoritățile franceze. Închis la Bedlam (și mai târziu la spitalul specializat pentru nebuni criminali de la Broadmoor, înființat în 1863), Dadd a avut voie să picteze și, pe lângă schițe ale celor chinuiți de nebunie și scene fantastice ale unor lumi onirice întesate cu detalii meticuloase (**pl. 1**), a făcut în anul 1852 un portret impresionant al lui sir Alexander Morison – pe atunci medic la Bedlam și, probabil, cel care aranjase ca el să poată picta în continuare – măcinat de griji (**pl. 32**). La rândul lor, autoritățile azilului au cerut să fie fotografiat, astfel că-l putem vedea lucrând la tabloul *Contradicție: Oberon și Titania* (1854-1858).

Aproximativ patru decenii mai târziu, Vincent van Gogh (1853-1890) avea să picteze și el portrete: al lui Félix Rey, alienistul care l-a tratat la Arles (**pl. 33**), și al doctorului Paul Gachet, cel care a încercat să-l îngrijească după externarea din azilul privat de la Saint-Rémy. Portretul lui Rey a fost doar una dintre picturile realizate de van Gogh în timpul internării sale la Arles. Altele oferă priveliștea grădinii azilului, o imagine a vieții în salon ce accentuează izolarea și egocentrismul locatarilor săi (**pl. 35**) și un portret impresionant al unui pacient deprimat. Van Gogh își făcea griji că starea psihică ar putea să-i afecteze munca și i-a scris fratelui său, implorându-l „să nu expună nimic din cale-afară de nebunesc”[23]. Însă, dacă n-am cunoaște faptul că era închis și starea lui psihică deseori chinuită, nu am putea ghici asta din picturile lui. Dimpotrivă, portretul făcut de Otto Dix medicului neurolog german Heinrich Stadelmann, pictat în anul 1922 de un om care n-a stat niciodată într-un azil, este o imagine mult mai stranie și mai tulburătoare: cu pumnii strânși, hipnotizatorul se uită fix la privitor (**pl. 34**). Cu adevărat un doctor de nebuni.

Chiar și acolo unde au supraviețuit scrieri ori desene izolate ale pacienților, ele sunt cele pe care le-au păstrat temnicerii lor și nu reprezintă câtuși de puțin o bază reprezentativă pentru a face presupuneri despre părerile și reacțiile pacienților la viața din azil. Aceste documente sunt prin natura lor parțiale și afectate de prejudecăți.

Richard Dadd pictând Contradicţie: Oberon şi Titania, *o imagine în mod tipic complicată a certei dintre Oberon şi Titania din cauza unui băieţel indian. Această fotografie veche oferă o imagine uluitoare atât a lui Dadd însuşi, cât şi a unei lucrări în curs de realizare.*

Prejudecăţi de clasă, deoarece pacienţii bogaţi erau închişi în instituţii mici, cu un personal mai numeros care să se ocupe de ei şi să aibă grijă de nevoile lor (deşi nu mai capabil să-i însănătoşească), şi deoarece numărul mult mai mare de medici raportat la cel al pacienţilor, chiar dacă nu ducea la mai multe vindecări, permitea mai multă atenţie şi mai multă înclinaţie de a consemna ce se petrecea. Şi, desigur, aceşti pacienţi ştiau să scrie şi să citească, pe când mulţi dintre pacienţii mai săraci erau analfabeţi. Despre marea masă a nebunilor închişi în magazii, alături de mii de semeni, ştim mult mai puţin.

Însă „mai puțin” nu înseamnă „nimic”. Supraviețuiesc unele scrisori de la pacienți care își exprimă recunoștința pentru redobândirea sănătății mintale. Mai frecventă însă este o literatură de protest, căci nu toți pacienții răbdau în tăcere. Unii au dat glas chinurilor lor în picturi sau cuvinte tipărite, iar alții au vorbit despre lunile și anii de detenție în azil – deși aceștia constituiau, fără îndoială, un eșantion nu tocmai reprezentativ, din moment ce majoritatea celor care au făcut-o s-au plâns că nu existase nici un motiv de a fi închiși cu nebunii și chiar și cei care acceptau că destinul le hărăzise o doză oarecare de nebunie criticau usturător tratamentul pe care-l primiseră.

Pentru o rară dezvăluire a experienței pacientului care se luptă cu demonii nebuniei, închis într-un azil, putem lua scrierile lui John Clare (1793-1864), poetul-țăran din Northamptonshire. Clare și-a petrecut ultimii douăzeci și șapte de ani de viață, cu excepția câtorva luni, în două aziluri: mai întâi la High Beach din Essex, azilul privat al lui Matthew Allen, din 1837 și până la începutul anului 1841, iar apoi, după câteva luni de libertate furată, de la sfârșitul acelui an și până la moartea sa, la azilul general de nebuni Northampton. Cu foarte puțină școală[24] și silit să-și câștige traiul în cea mai mare parte ca muncitor agricol, Clare a reușit în anii 1820 să atragă un editor și câțiva sponsori pentru poezia sa. Dar în parte din cauza înclinației spre băutură și în parte din cauza impactului problemelor economice ale anilor 1830, grijile lui s-au înmulțit. Cu o soție și șapte copii de hrănit, munca lui de cosaș, de sperietor de păsări, de scripcar și de om bun la toate începea să nu mai ajungă pentru a se descurca, nici măcar cu ajutorul unei mici rente de la sponsorii săi literari. Suferea tot mai des de depresie și atacuri de panică, a ajuns să aibă idei delirante, a devenit abătut și înstrăinat de cei din jur și, în cele din urmă, starea psihică tot mai agitată l-a determinat să se interneze voluntar într-o casă de nebuni. Închis, a continuat să scrie, deși nu cu scopul fățiș de a protesta față de privarea sa de libertate. Cele mai cunoscute poezii ale lui din această epocă sunt totuși obsedante și tulburătoare și nu putem să nu vedem în ele lupta pentru a-și păstra sentimentul identității și o meditație despre ce înseamnă să fii închis și etichetat drept nebun.

Să luăm *Invitație la veșnicie*. Aparent o rugăminte stăruitoare adresată unei fecioare anonime de a veni să-și împartă viața cu el, trezește în mod straniu imagini ale morții sociale lente, ale captivității într-o lume din care nu există scăpare – exact așa cum Clare nu putea să scape, de fapt, din lumea claustrofobă a azilului. Cum altfel pot fi interpretate versurile următoare?

...wilt thou go with me
In this strange death-in-life to be,
To live in death and be the same,
Without this life or home or name,
*At once to be, and not to be...**

Încredinţat „nopţii şi obscurităţii întunecate", Clare ne prezintă aici o viaţă cu veşnică, neschimbătoare

...sad non-identity,
Where parents live and are forgot,
*And sisters live and know us not?***

Sentimentul pierderii – pierderea identităţii, pierderea contactului cu lumea, cu familia, cu prietenii, cu orice comunitate mai mare, soarta stranie care face omul „să existe şi totodată să nu existe" – apare şi mai intens într-o poezie scrisă ceva mai înainte, *I Am!* (*Exist!*). Titlul ei pare să promită ceva războinic, o afirmare viguroasă a autonomiei şi individualităţii personale. Ceea ce urmează nu e nici pe departe aşa ceva, ci o lamentaţie marcată de un sentiment îndurerat al abandonului şi neajutorării:

I AM: yet what I am none cares or knows,
My friends forsake me like a memory lost;
I am the self-consumer of my woes,
They rise and vanish in oblivious host,
Like shades in love and death's oblivion lost;
And yet I am, and live, with shadows tost

Into the nothingness of scorn and noise,
Into the living sea of waking dreams,
Where there is neither sense of life nor joys,
But the vast shipwreck of my life's esteems;
And e'en the dearest – that I loved the best –
Are strange – nay, rather stranger than the rest[25]***.

---

* „...vei veni cu mine/ În această stranie moarte vie,/ Să trăim în moarte, rămânând aceiaşi,/ Fără această viaţă, fără cămin sau nume,/ Existând şi-n acelaşi timp neexistând..." (n.tr.).

** „...tristă non-identitate,/ Cu părinţi care trăiesc şi sunt uitaţi,/ Cu surori care trăiesc şi nu ne cunosc?" (n.tr.).

*** „EXIST: dar cine sunt e neştiut de nimeni şi indiferent,/ Prietenii mă părăsesc ca pe o amintire pierdută;/ Îmi mistui singur suferinţele mele,/ Ce cresc şi se fac nevăzute într-o mulţime oarbă,/ Ca umbrele-n iubire şi ca orbirea morţii, pierdută;/ Şi totuşi exist, şi trăiesc, cu umbre aruncate // În nimicnicia dispreţului şi-a zarvei,/ În marea vie de vise cu ochii deschişi,/ În care nu există nici sentimentul vieţii, nici bucurie,/

Mulți dintre cei închiși într-un azil, deși incapabili să dea glas atât de puternic simțămintelor lor, trebuie să fi avut la rândul lor senzația că sunt disprețuiți și părăsiți, că trăiesc într-o lume a „viselor cu ochii deschiși" și a suferințelor, abandonați și uitați, cu speranțele distruse și cu o existență lipsită de orice rază de lumină.

Povestiri gotice

A fi diagnosticat oficial ca nebun însemna a-ți pierde drepturile civile și libertatea. Pentru familii însă, unul din principalele beneficii pe care le ofereau casele de nebuni era faptul că puteau așterne vălul tăcerii peste existența unei rude nebune. Acesta a fost unul dintre motivele principale pentru care prosperitatea tot mai mare a Angliei în secolul al XVIII-lea a dat naștere unor astfel de așezăminte, permițând familiilor să scape de oamenii intolerabili și imposibili care le periclitau viața, bunurile, liniștea și reputația. Însă închiderea nebunilor într-o izolare care se pretindea terapeutică putea fi privită cu ușurință într-o lumină mai sinistră. Numeroși pacienți asemănau experiența cu închiderea de viu într-un mormânt, un cimitir pentru cei care încă mai respirau. În plus, casele de nebuni din această perioadă, cu gratii la ferestre, cu ziduri împrejmuitoare înalte, izolate de comunitate și învăluite într-un secret impus, trezeau publicului larg fantezii gotice cu privire la ceea ce se putea întâmpla departe de privirile sale. Aceste povestiri începuseră să circule în secolul al XVIII-lea, imediat ce au apărut astfel de așezăminte, și nu dădeau semne că se vor împuțina în secolul al XIX-lea, când numărul nebunilor închiși a crescut semnificativ.

Unele povestiri erau declarat fictive. Charles Reade (1814-1884), la vremea lui un romancier aproape tot atât de îndrăgit ca Dickens, a creat o melodramă scandaloasă și cu un succes imens, *Hard Cash* (1863), care însăila laolaltă versiuni prelucrate ale ororilor ieșite la iveală în investigațiile parlamentare și în presă pentru a alcătui un rechizitoriu al azilurilor și al celor care le conduceau. John Conolly, cel mai renumit alienist englez al epocii, apare într-o formă abia mascată ca dr. Wycherly cel plin de ifose, care este acuzat că a complotat pentru închiderea lui Alfred Hardie, eroul absolut sănătos mintal din povestirea lui Reade. Hardie consemnează sardonic că Wycherly „e omenia întruchipată" și că în azilul lui „nu există torturi, nici

Ci doar imensul naufragiu a tot ce-am prețuit în viață;/ Și chiar și cei mai dragi – pe care i-am iubit mai mult –/ Sunt străini – ba mai străini ca toți" (n.tr.).

cătușe, nici lanțuri la picioare, nici brutalitate". Dar „imensa bunăvoință a purtării sale" și „perifrazele onctuoase" din conversațiile lui ascundeau o minte de mâna a doua, „orbită de interesul personal" și înclinată „să perceapă nebunia oriunde privea". În satira virulentă a lui Reade, pretențiile nu foarte bunului doctor la statutul de gentleman sunt batjocorite, iar pătrunderea psihologică cu care se laudă e demascată ca înșelătorie virtuoasă. „Nesărat și chel", acest expert în chestiuni psiho-cerebrale era „un om foarte citit și înzestrat cu tactul necesar pentru a face lecturile să-i sprijine interesele" și „un scriitor prolific pe anumite subiecte medicale". În calitate de „colecționar de nebuni [a cărui] înclinație a minții, cooperând cu interesele lui, îl făcea să-l declare smintit pe orice om al cărui intelect era vizibil superior celui propriu", este păcălit cu ușurință să diagnosticheze drept nebun un om sănătos mintal, după care își susține cu încăpățânare opinia până când nefericitul închis în azil este dispus să încuviințeze că „Hamlet era nebun"[26].

Însă alte istorisiri despre ororile trăite de cei capturați de afacerea cu nebunia erau cât se poate de adevărate, sau cel puțin așa susțineau autorii lor. Căci aproape de îndată ce a apărut casa de nebuni s-a materializat și o literatură a protestelor pacienților. În secolul al XIX-lea, când reformatorii nebuniei au provocat adevărata Mare Închidere a nebunilor, mii și mii de pacienți năvălind în imperiul tot mai vast al azilurilor, asemenea proteste s-au înmulțit cu iuțeală. Toate eforturile celor care căutau acum să se reeticheteze alieniști sau psihologi medicali („doctor de nebuni" era un termen prea ambiguu și, poate, prea oportun*) s-au dovedit zadarnice. Aceștia n-au putut să convingă publicul că au un talent infailibil ca diagnosticieni, nici n-au reușit să discrediteze afirmațiile foștilor pacienți că sunt o șleahtă de mercenari fără scrupule, oricând dispuși să comploteze cu rude răuvoitoare pentru a încălca drepturile englezilor născuți liberi. În broșuri, la tribunal, în paginile presei populare și serioase deopotrivă, alieniștii se vedeau defăimați, cu priceperea și motivația ridiculizate și mijloacele de a-și câștiga traiul amenințate.

Victorienii au căpătat un apetit de nepotolit pentru aceste povestiri despre omul sănătos mintal aruncat printre nebuni. Aproape fără excepție, cei care se plângeau erau bogați și adesea cu o poziție socială importantă. Majoritatea au scris pe larg despre detenția lor, spre neplăcerea rudelor, ori au fost subiecții uneia dintre anchetele întreprinse de Tribunalul lordului cancelar atunci când oameni înstăriți erau acuzați de nebunie. Pe lângă faptul că aceste procese au

* În engleză, *mad-doctor*, care se poate traduce și ca „doctor de nebuni", dar și ca „doctor nebun" (n.tr.).

dat naștere legilor dezastruoase satirizate memorabil de Charles Dickens în *Casa Umbrelor* (1853)[27], ele au avut loc în ședințe deschise – și nu doar în fața unei mulțimi de privitori ațâțați, ci și în fața a zeci de mii de martori posibili atunci când ședințele au fost exploatate de ziariști de la *The Times* și *Daily Telegraph* (ca să nu mai amintim presa de scandal) aflați în căutare de întâmplări picante pe care domnii (și chiar doamnele) să le citească la micul dejun.

Persoana cu cea mai înaltă poziție socială care a contribuit la această literatură a fost, poate, John Perceval (1803-1876), fiul lui Spencer Perceval, unicul prim-ministru britanic care avea să fie asasinat. Student la Oxford în anul 1830, tânărul Perceval a fost clientul unei prostituate. Creștin evanghelic cucernic, s-a temut că s-a molipsit de sifilis, și-a administrat mercur și în scurt timp a căzut într-o stare de delir religios, astfel că familia l-a închis, mai întâi la Brislington House, casa de nebuni a lui Edward Long Fox de lângă Bristol, și apoi la Ticehurst House din Sussex, care a devenit azilul preferat al claselor superioare englezești. Oricât de elegante ar fi fost aceste instituții, n-au putut oferi condiții pe măsura așteptărilor lui Perceval. Acesta se plângea de violență din partea îngrijitorilor și de insuficienta deferență manifestată de aceștia față de distinsul lor pacient gentilom. Afirma că era tratat

> de parcă aș fi fost o piesă de mobilier, un chip de lemn, incapabil de dorințe sau voință, ca și de judecată [...] oamenii se purtau de parcă trupul, sufletul și spiritul meu ar fi fost cu totul sub controlul lor, ca să le supună prostiilor care le treceau prin cap [...]. Am fost legat pe pat; mi s-a dat o hrană sărăcăcioasă; aceasta și doctoriile îmi erau băgate cu de-a sila pe gât sau în sensul opus; voința mea, dorințele mele, aversiunile mele, obișnuințele mele, delicatețea mea, înclinațiile mele, nevoile mele n-au fost nici măcar o dată consultate, ba aș spune nici măcar luate în seamă. N-am avut parte nici măcar de respectul care se arată de obicei unui copil.

După ce și-a obținut eliberarea, spre groaza familiei lui, a scris două relatări despre tratamentul pe care-l suportase, numai una dintre ele anonimă, și, împreună cu alți foști pacienți nemulțumiți și cu rudele acestora, a fondat Societatea Prietenilor Presupușilor Nebuni[28].

Mulți dintre cei mai de seamă protestatari erau femei. În Statele Unite, Elizabeth Packard (1816-1897) fusese internată la azilul de stat Illinois din Jacksonville de către soțul ei, cleric, în anul 1860. La acea vreme, legea statului Illinois permitea internarea femeilor căsătorite de către soții lor fără dovezile de nebunie independente cerute în alte cazuri. Doamna Packard a susținut cu înverșunare că este sănătoasă psihic și că a fost închisă pur și simplu deoarece avea concepţii spiritualiste neortodoxe, iar după obţinerea eliberării a lansat în mai multe state o campanie pentru reformarea legilor cu privire la internarea în azil, reuşind să convingă o serie de state să adopte legislaţii care le dădeau viitorilor pacienţi dreptul la un proces cu juri. Alieniştii au argumentat zadarnic că rezultatul era echivalarea bolnavilor psihici cu infractorii puşi sub acuzare şi a azilurilor cu închisorile. Analogiile erau inconfortabil de apropiate.

Reverendul Packard n-a fost singurul bărbat care şi-a regretat încercarea de a-i închide gura unei femei nesupuse şi hotărâte internând-o într-o casă de nebuni. Sir Edward Bulwer Lytton (1803-1873; autorul acelei prime propoziţii atât de des ironizate „Era o noapte întunecată şi furtunoasă"), romancier şi politician, avea o soţie risipitoare şi cu voinţă puternică, lady Rosina (1802-1882), de care s-a săturat în cele din urmă. Cum romanele lui înregistraseră un imens succes, şi-a luat o mulţime de amante. Fericirea conjugală a soţilor se încheiase. Bulwer Lytton o bătea ocazional pe Rosina şi poate că o sodomiza. În anul 1836, după nouă ani de căsnicie, s-au despărţit oficial. Lady Lytton şi-a început apoi propria carieră de scriitoare, multe din scrierile ei constând în critici abia mascate la adresa soţului înstrăinat, debordând de furie şi de sentimentul trădării. El a ameninţat că o va distruge dacă va continua. O aventură amoroasă la Dublin a costat-o custodia copiilor şi trista poveste a unei căsnicii victoriene destrămate s-a înrăutăţit şi mai mult când lady Lytton a descoperit că fiica ei, pe moarte din cauza febrei tifoide, fusese exilată la o pensiune prăpădită.

Rosina a început să-şi bombardeze soţul, care avea relaţii suspuse, şi pe puternicii prieteni ai acestuia cu scrisori pline de obscenităţi şi calomnii: acuzaţii de adulter şi odrasle nelegitime, incest, ipocrizie şi ticăloşii nespecificate. A ameninţat că va veni la premiera piesei *Not So Bad As We Seem* a lui Bulwer Lytton şi va arunca în regină – mai bine zis, în persoana pe care ea o numea „mica regină senzuală şi îndărătnică" – cu ouă clocite. În cele din urmă, în anul 1858, când Bulwer Lytton a candidat pentru realegerea ca parlamentar la Hertford, ea a venit şi l-a denunţat în faţa alegătorilor, ţinându-le o tiradă de aproape o oră.

Reacţia soţului înfuriat a fost imediată: i-a tăiat pensia de întreţinere (pe care i-o plătea oricum cu intermitenţe şi fără tragere de inimă) şi i-a refuzat contactul cu fiul lor. Apoi a mai luat o măsură, pe care avea să ajungă s-o regrete: obţinând certificate de nebunie de la doi medici maleabili, a aranjat ca Rosina să fie luată pe sus cu trăsura şi dusă la casa de nebuni condusă de Robert Gardiner Hill (1811-1878), alienistul căruia ar fi trebuit să i se recunoască meritul pentru abolirea mijloacelor mecanice de imobilizare, atribuit în schimb lui John Conolly, alt prieten al lui Bulwer Lytton[29]. (Lady Rosina a comentat acru că John Conolly „şi-ar vinde şi mama pentru bani".)

Un portret înfăţişând-o pe lady Rosina Bulwer Lytton (pictor necunoscut, şcoala irlandeză). Aerul modest era înşelător.

Dacă internarea la casa de nebuni trebuia să-i închidă gura Rosinei, efectul a fost opus. Bulwer Lytton credea, evident, că numeroasele sale relaţii – de exemplu, prietenia apropiată cu John Forster (1812-1876), unul dintre membrii Comisiei pentru alienare mintală, şi cu editorul ziarului *The Times* (care a încercat într-adevăr să-l protejeze interzicând orice referire la scandal) – vor ţine ascunsă întreaga poveste. Dar marele rival al *The Times*, ziarul *Daily Telegraph* (a cărui existenţă se datora în bună măsură, în mod ironic, tocmai eforturilor lui Bulwer Lytton de a diminua taxa de timbru pe care trebuiau s-o plătească ziarele), s-a desfătat cu urmărirea obscenului scandal. După câteva săptămâni, Bulwer Lytton, confruntat cu o avalanșă de publicitate negativă, a capitulat, eliberându-și soția cu condiția ca aceasta să se mute în străinătate – ceea ce a și făcut pentru scurt timp, după care s-a întors și și-a petrecut restul vieții ponegrindu-l, fără să înceteze nici chiar după ce el a murit din cauza complicațiilor ivite în urma unei operații la ureche[30].

Degenerați

În Franța, criza legitimității psihiatriei, izvorâtă deopotrivă din incapacitatea de a vindeca și din litaniile pacienților protestatari, a fost resimțită deosebit de acut. Pe tot parcursul anilor 1860 și o parte a anilor 1870, sentimentele antipsihiatrice s-au intensificat, apărând atât în presa populară liberală, cât și în cea conservatoare, proaspăt eliberate de cenzura statului, într-o serie de cărți ce atacau competența alieniștilor și presupusa lor tendință de a-i închide pe cei sănătoși mintal etichetându-i drept nebuni și în presiunea venită din partea politicienilor. În anul 1864, importantul alienist Jules Falret (1824-1902) s-a plâns că „legea din 1838 și azilurile pentru alienați mintali sunt atacate din toate părțile. Se propune să se răstoarne totul, să se distrugă totul [...]”[31]. În profesia medicală, mulți, îndoindu-se de pretenția psihiatriei că ar avea vreo competență, păreau dispuși să se alăture corului dezaprobator. Deși subliniau că nebunii manifestă o violență imprevizibilă și constituie un pericol major pentru societate, alieniștii se aflau vădit în defensivă.

Alieniștii francezi au fost cei care au găsit o cale de a merge înainte – un mijloc de a întări afirmația că nebunia este o problemă medicală și, totodată, o nouă justificare pentru închiderea nebunilor în aziluri. Respectivele concepții s-au dovedit atât de atractive din punct de vedere ideologic, încât s-au răspândit cu iuțeală pe tot cuprinsul Europei și al Americii de Nord și au influențat politica și percepțiile publice vreme de generații. În 1857, Bénédict-Augustin Morel (1809-1873) a publicat un *Tratat asupra degenerării fizice, intelectuale și morale a speciei umane*. După zece-cincisprezece ani, ideile lui Morel deveniseră un bun comun. Nebunia – asemenea altor forme de patologie socială – era socotită acum produsul degenerării și decăderii. Așadar, departe de a fi victimele civilizației și ale stresului acesteia, nebunii erau scursura societății, un grup inferior biologic. Iar inferioritatea era întipărită clar în multe cazuri, dacă nu chiar în toate, pe fizionomia lor. După cum s-a exprimat Daniel Hack Tuke (1827-1895), strănepotul întemeietorului Refugiului York, nebunii erau „o categorie infirmă a omenirii [...]. La internare li se citește clar pe frunte «om de nimic»”[32].

Lucrarea *Originea speciilor* a lui Darwin a apărut în 1859, la doi ani după *Tratatul* lui Morel. Însă alieniștii făceau apel nu la conceptul darwinist de selecție naturală, ci la teoria alternativă, susținută de francezul Jean-Baptiste Lamarck (1744-1829), care punea accent pe trăsăturile moștenite. Adoptând această concepție, nebunia putea fi privită drept prețul păcatului – un preț pe care uneori nu-l plătea păcătosul inițial pentru preacurvie, beție sau alte încălcări ale moralității convenționale (sau ale „legilor naturii”, cum preferau să le considere apărătorii teoriei), ci copiii, nepoții sau strănepoții săi. Obișnuim să ne gândim la evoluție ca la o forță a progresului, însă aceasta era presupusa ei latură întunecată: odată apărută, degenerarea avea să avanseze rapid de la o generație la alta. Nebunia, pe urmă idioția și apoi sterilitatea erau etapele drumului spre dispariția deplină a acestor ființe inferioare și constituiau prețul suprem plătit pentru viciu și imoralitate, deoarece, după cum scria Henry Maudsley (1835-1918) în *Revista de știință mentală* în 1871, „așa-zisele legi morale sunt legi ale naturii pe care [omul] nu poate să le încalce, așa cum nu poate încălca nici legile fizicii, fără urmări care să le răzbune [...]. Așa cum picătura de ploaie se formează și cade negreșit, supusă fiind legilor fizicii, la fel de negreșit domnesc cauzalitatea și legea în producerea și distribuția moralității și imoralității [și în egală măsură, aș putea adăuga, a sănătății mintale și nebuniei] pe pământ”[33].

Astfel, doctrina unei generații anterioare cu privire la legătura dintre civilizație și nebunie era inversată subit: „Cea mai multă nebunie este acolo unde sunt cele mai puține idei, cele mai simple simțăminte, cele mai grosolane dorințe și purtări”[34]. Dar ca ideologie, noua teorie a degenerării avea o valoare superioară pentru alieniști, ceea ce explică parțial, poate, repeziciunea cu care s-au răspândit și au căpătat susținere aceste idei. Pentru profesie, aceste explicații ale nebuniei erau formulate în termeni de patologie fizică. În locul interpretărilor nebuniei pe baza simptomelor ca melancolie, manie, demență și felurite monomanii (nimfomania, cleptomania și altele), pe care o generație anterioară de alieniști căutase să le legitimeze, apărea o explicație versatilă a tuturor formelor de nebunie, de la cele mai ușoare la cele mai groaznice, care le punea pe seama creierelor defecte. Faptul că creierele defecte nu puteau fi observate în natură nu conta câtuși de puțin. Această problemă minoră era rezultatul limitărilor tehnice negreșit temporare ale microscopiei.

Aspectul exterior deteriorat al multora dintre cei închişi în aziluri atesta cu elocvenţă forţele aflate în acţiune şi era acum „documentat" prin intermediul fotografiei moderne. Pentru alienişti conta faptul că aveau o explicaţie pentru nebunie care corespundea cu unele evoluţii contemporane din teoria medicală în general şi care plasa fără nici o ambiguitate cauzele nebuniei în organism.

Mai mult decât atât, teoria degenerării oferea o nouă justificare pentru izolarea nebunilor în aziluri şi o explicaţie a aparentelor eşecuri terapeutice ale psihiatriei. Problema nu consta în neputinţa profesiei, ci în însăşi natura bolii psihice. Mai mult, „eşecurile" psihiatriei erau de fapt un noroc deghizat, o demonstraţie a faptului că Natura însăşi adopta acea viclenie a raţiunii invocată de Hegel. Oricât de greu ar fi fost de privit în faţă realităţile dure, ştiinţa psihiatrică descoperise acum că

> distrugerea raţiunii presupune nu numai incompetenţa prezentă, ci şi o viitoare susceptibilitate la boală, o înclinaţie spre recidivă [...]. Psihicul nu iese neschimbat din greaua încercare [...]. Însănătoşirea [...] ar putea să nu fie decât exercitarea unei mari viclenii sau autocontrol pentru ascunderea semnelor rătăcirii şi extravaganţei[35].

Iar după externare, negreşit, avea să urmeze ceva şi mai rău. În definitiv, nebunii erau „fiinţe corupte", cărora le lipseau prin definiţie voinţa şi autocontrolul. Eliberaţi într-o societate încrezătoare, erau predispuşi la „a da curs chemărilor instinctelor şi metehnelor lor aşa cum o face animalul fără judecată" şi la „a juca rolul de părinţi pentru [...] centrele de infecţie intenţionat create ale generaţiei următoare, şi noi ne minunăm că bolile de nervi se înmulţesc"[36].

Degenerarea era invocată pentru a explica nu doar nebunia, ci mult mai multe. Toate patologiile vieţii moderne erau puse pe seama ei: prostituţia, crimele, delincvenţa, alcoolismul, sinuciderea, epilepsia, isteria, debilitatea mintală, diformităţile fizice ale multora din clasele inferioare (în realitate, rezultatul lipsurilor şi malnutriţiei) – ce nu putea fi atribuit ravagiilor ei? Era o poveste care alimenta temerile de decădere şi declin naţional ale sfârşitului de secol, deosebit de puternice în Franţa după umilinţa înfrângerii de către Prusia, în 1870-1871, dar resimţite pretutindeni, chiar şi în Germania, după cum arată elocvent cartea *Entartung* (*Degenerare*, 1892) a lui Max Nordau[37]. (Cartea a provocat mari controverse – William James, filosof şi psiholog de la Harvard, a ridiculizat-o – şi, ca o ironie, dat fiind că Nordau era evreu şi sionist, ideile ei au fost împrumutate ulterior de nazişti.) Dar teoria degenerării n-a avut nicăieri mai multă forţă decât în sfera nebuniei, unde „ştiinţa psihiatrică" a fost mobilizată pentru a-i da aparent substanţă.

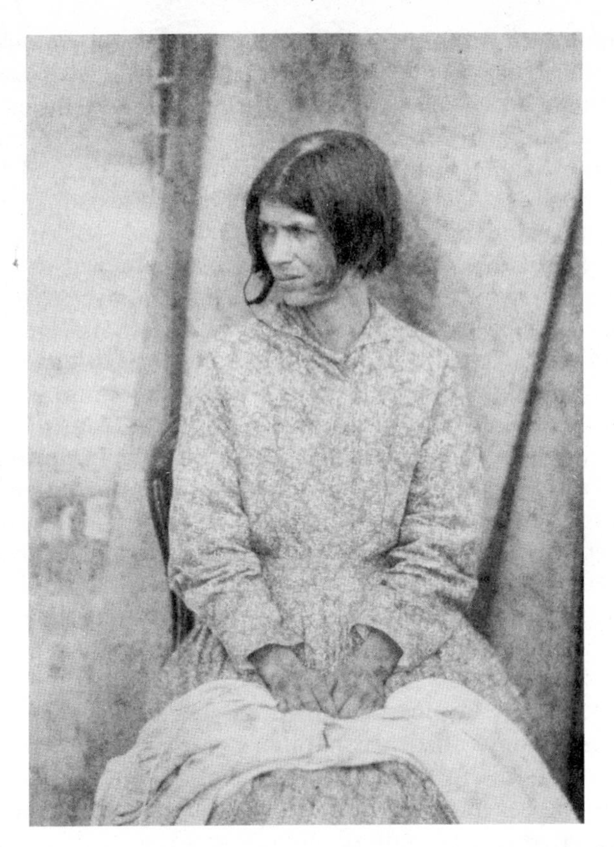

Hugh W. Diamond (1809-1886), directorul azilului districtual Brookwood din Surrey, a susţinut de timpuriu folosirea fotografiei în tratarea bolilor psihice. Aceasta este una dintr-o serie de fotografii făcute de el pacienţilor între anii 1850 şi 1858. Ideea că nebunia ar putea să se arate pe chip avea o istorie lungă, iar fotografiile pacienţilor psihiatrici erau o sursă de mare fascinaţie pentru Darwin.

Licenţa artistică

În răspândirea acestor concepţii despre un pericol social cu rădăcini biologice, ale cărui manifestări extreme erau pasiunile necontrolate, violenţa şi nebunia, nimic n-a avut mai multă influenţă decât ficţiunea lui Émile Zola şi îndeosebi ciclul său de douăzeci de romane *Les Rougon-Macquart*. Deşi în anumite privinţe avea ecouri evidente din *Comedia umană* balzaciană, orizontul ales de Zola era unul mult mai îngust: nu vasta întindere a societăţii contemporane, ci istoria unei singure familii, o familie care, aşa cum s-a exprimat el în prefața romanului *La fortune des Rougon* (1871), era marcată și viciată de „apetitul ei nesățios” și a cărei soartă, având rădăcini fizice, plănuiește s-o urmărească „prin succesiunea lentă a accidentelor nervoase și sangvine care se declară într-o rasă, în urma unei prime leziuni organice [isterice]”*, ducând irevocabil la depravare sexuală, incest, omor și nebunie. Excesul și decăderea se găsesc pretutindeni, în beția din *L'Assommoir* (1877), prostituția și destrăbălarea din *Nana* (1880), crima și nebunia ce populează paginile din *Thérèse Raquin*. Pasiunile primitive, necontrolate copleșesc conștiința și restricțiile raționale și, ca niște marionete, personajele lui Zola își traduc în fapte destinul cu baze biologice.

Thérèse Raquin este unul dintre primele romane din serie, publicat în 1867, la numai un deceniu după *Tratatul* lui Morel despre degenerare. Căsătoria Thérèsei cu un văr, Camille, alături de care a crescut este aproape incestuoasă și impusă de mătușa ei. În scurt timp, eroina se lansează într-o aventură înfocată cu unul dintre prietenii din copilărie ai soțului ei, iar când întâlnirile secrete le sunt amenințate, cei doi îl iau pe Camille într-o excursie cu barca și îl îneacă, susținând apoi că moartea lui a fost accidentală. Coșmarurile și halucinațiile despre Camille și lupta lui cu moartea amenință să-i înnebunească pe cei doi amanți. Între timp, mama lui Camille, cu care locuiesc, a suferit un șir de atacuri de apoplexie, al doilea lăsând-o paralizată, capabilă să-și miște doar ochii. Amanții se ceartă în fața ei și-și dau la iveală vina, iar nefericita mamă nu poate decât să-i privească cu ură. Totuși, în cele din urmă, chinuiți de remușcări, cei doi criminali plănuiesc să se ucidă reciproc, își dau seama fiecare ce are celălalt de gând și-și pun capăt chinurilor luând amândoi otravă și murind în fața implacabilei madame Raquin, care, în sfârșit, se vede răzbunată.

Violența, patima sexuală și nebunia ce se regăsesc obsesiv în paginile acestui roman constituie o trăsătură recurentă a seriei *Rougon-Macquart*, iar caracterul explicit al prozei lui Zola a stârnit la acea vreme mari controverse. Însă ele n-au avut nici un efect negativ asupra vânzărilor, astfel că ficțiunea lui Zola a avut un rol însemnat în formularea pentru un public mai larg a abstracțiunilor teoriei degenerării. Toate zbaterile personajelor, decăderea lor până la nebunie și sinucidere pot fi urmărite în ultimă instanță pe firul timpului, în trecut, până la defectele psihice aparent mărunte ale unei strămoașe din secolul al XVIII-lea, Adélaïde Fouque. De-a lungul generațiilor, acea deficiență inițială generează, așa cum susținuse Morel, niveluri tot mai grave de patologie. Apariția instinctelor și

* Émile Zola, *Izbânda familiei Rougon*, traducere de Al. Dimitriu Păușești, ESPLA, 1956 (n.tr.).

pasiunilor primitive şi agresivitatea fizică umplu paginile romanelor, cu inevitabilul acompaniament al alcoolismului, crizelor de epilepsie, isteriei, idioţeniei, nebuniei şi morţii.

Însuşi titlul *La bête humaine* (1890) semnalează ce va urma. Ticurile şi convulsiile, spasme involuntare ale corpului, îşi au echivalentele psihologice în acţiuni instinctive şi impulsive, instigate de pasiuni ce scapă controlului raţiunii. Despre unul dintre antieroi, Jacques Lantier, aflăm că „*Toujours le désir l'avait rendu fou, il voyait rouge*" („Totdeauna dorinţa îl zăpăcise, făcându-l să vadă roşu"). Repezindu-se la femeia care era obiectul dorinţei sale, îi sfâşie bluza. „Atunci el se opri, gâfâind, şi-o privi, în loc s-o posede... Părea că-l cuprinde o furie." Dar de această dată fuge. Este astfel alcătuit, încât nu se poate abţine: „*c'etaient dans son être, de subites pertes d'équilibre, comme de cassures, des trous par lesquels son moi lui échappait au milieu d'une sorte de grande fumée qui déformait tout. Il ne s'appartenait plus, il obéissait à ses muscles, à la bête enragée*" („se produceau în făptura sa pierderi bruşte de echilibru, un fel de spărturi, de găuri prin care raţiunea scăpa. Nu mai era atunci stăpân pe sine, se supunea muşchilor, bestiei îndârjite"*). În ultimă instanţă, Lantier omoară unul dintre obiectele dorinţei sale, dar crima lui nu este nici pe departe singura. Dimpotrivă, personajele desfrânate şi degenerate care populează romanul fac prăpăd în jurul lor, gelozia, pofta trupească, lăcomia şi băutura ducând inexorabil la violenţă, omor, sinucidere, moartea unor nevinovaţi.

Deşi nici un alt romancier n-a explorat aceste idei degeneraţioniste cu aceeaşi intensitate şi atenţie susţinută ca Zola, ele şi-au făcut apariţia în proză şi în teatru pe tot cuprinsul Europei. *Vor Sonnenaufgang* (*Înainte de răsărit*, 1889) de Gerhart Hauptmann a adus pe scenă degenerarea unei familii de ţărani, provocată de alcool, şi a reprezentat începutul unei cariere care avea să-i aducă autorului un Premiu Nobel pentru literatură. Şi mai explicită a fost piesa de teatru *Reigen* (1900) a lui Arthur Schnitzler, mai bine cunoscută publicului vorbitor de limbă engleză sub titlul în franceză, *La Ronde*, care înfăţişează viaţa în Viena pragului dintre secole printr-un şir de întâlniri sexuale: prostituată şi soldat, soldat şi servitoare, servitoare şi tânăr gentleman, tânăr gentleman şi tânără soţie, tânără soţie şi soţ, soţ şi micuţă domnişoară, micuţă domnişoară şi poet, poet şi actriţă, actriţă şi conte, apoi contele din nou în pat cu prostituata – subtextul fiind răspândirea sifilisului de la un personaj la altul. Deşi piesa de teatru s-a vândut într-un ritm susţinut în forma tipărită, cenzorii vienezi au interzis prompt punerea ei în

* Émile Zola, *Bestia umană*, traducere de Ion Pas, Editura Narcis, 1992 (n.tr.).

scenă, astfel că n-a fost jucată în public decât abia în decembrie 1920 la Berlin și în luna februarie a anului următor la Viena. Chiar și la acea dată, perspectiva ei sardonică asupra condiției umane a atras reacții violente, iar autorul ei a fost atacat drept pornograf evreu. Schnitzler s-a simțit obligat să-și retragă permisiunea pentru noi spectacole cu piesa lui în țările vorbitoare de limbă germană, deși gestul nu l-a împiedicat să devină una din țintele principale ale antisemiților austrieci. (Hitler avea să-i declare ulterior opera un excelent exemplu de „murdărie evreiască" ce se dă drept artă.)

Ficțiunea de senzație britanică din aceeași epocă s-a folosit mult de exemple similare de „teme șocante – instabilitate psihică, nebunie morală, boală venerică și amenințările reprezentate de acestea pentru sanctitatea și puritatea căsătoriei și familiei"[38]. Însă efectele contaminatoare ale eredității defectuoase și urmările ei drastice pentru destinele omenești apar și în opere literare mai serioase, cel mai pregnant în romanele lui Thomas Hardy. În *Tess d'Urberville* (1891), legăturile lui Tess cu degenerata familie d'Urberville, spre exemplu, o împing fără putință de împotrivire în prăpastie, ducând-o la crimă și la distrugerea propriei vieți. „N-am ce face!", strigă ea – și, într-adevăr, n-are ce face. Când John Durbeyfield, tatăl lui Tess, află că este urmașul lui sir John d'Urberville, nesăbuitul ia acest fapt drept semn al distincției. În realitate, statutul lui inferior întruchipează ideea degenerării, declinul de neoprit de la bogăție, poziție socială înaltă și putere la un loc în rândurile țărănimii.

Neamul d'Urberville e aproape stins. Tess și tatăl ei sunt ultimii din această spiță, așa cum cere teoria declinului biologic. Tess seamănă cu portretele femeilor d'Urberville aristocrate, dar la ea asemănarea e rău prevestitoare, căci ascunde un defect fatal. În noaptea nunții ei cu Angel Clare, fiu de cleric ajuns fermier, acesta îi mărturisește o aventură amoroasă anterioară, iar ea dezvăluie, la rândul ei, că nu e fecioară, nu ca urmare a unei nechibzuințe anterioare, ci pentru că a fost violată de Alec, fiul libertin al bărbatului care a cumpărat dreptul la numele d'Urberville. Angel nu poate să-i ierte acest „păcat" și o părăsește în scurt timp, plecând într-o călătorie lipsită de noroc în Brazilia.

Fără îndoială, Hardy a intenționat în această parte a intrigii să critice aspru standardele sexuale duble, dar tema degenerării străbate totuși întregul roman. Angel îi spune înverșunat lui Tess că, după părerea lui, problemele ei se trag în ultimă instanță de la familie. „Familiile vechi înseamnă voință slabă, purtări slabe [...] Te credeam copila proaspătă a naturii, când tu erai vlăstarul întârziat al unei aristocrații decăzute." Ba chiar al unei familii aristocratice în trecutul căreia a existat crima: Angel știe că unul dintre strămoșii ei „a făptuit o crimă cumplită în trăsura familiei", iar violatorul, Alec d'Urberville, o informează mai târziu pe Tess că, pe cât se spune, bărbatul „a răpit o femeie tânără şi frumoasă, care a încercat să scape din trăsura în care o urcase el, şi, luptându-se, a omorât-o – sau l-a omorât ea pe el, am uitat cum a fost". În cele din urmă, Tess cedează insistenţelor lui Alec şi, la asigurările lui că soţul ei nu se va mai întoarce, îi devine amantă; numai că Angel, pocăit, se întoarce.

Femeia condamnată „n-are ce face". Pentru a se elibera, îl înjunghie pe Alec şi fuge la soţul ei, după care nepotrivita pereche reuşeşte să aibă câteva zile de fericire. Apoi însă, disperaţi şi siliţi să plece din ascunzătoarea lor temporară, se refugiază peste noapte la Stonehenge. Ca o victimă a unui ritual de sacrificiu, Tess se întinde să doarmă pe un altar din piatră. A doua zi dimineaţă totul se termină. În locuinţa scumpă închiriată în care ea l-a ucis pe Alec d'Urberville, crima e descoperită repede: „Tavanul dreptunghiular alb, cu pata de un roşu-aprins în mijloc, arăta ca un imens as de cupă". Proprietăreasa descoperă cadavrul. Găsită şi înconjurată de poliţie, Tess se trezeşte ca să-şi afle soarta: închiderea la Wintoncester (Winchester) şi moartea în ştreang. Execuţia ei este anunţată lumii întregi, inclusiv soţului ei, atunci când este înălţat un steag negru. Cu această moarte, degenerata spiţă d'Urberville se stinge. Declinul şi căderea ei au ajuns la capăt.

Mai e şi piesa de teatru *Fantomele* (1882) a lui Ibsen, cu accentul ei hotărât pe beţie, incest, sifilis congenital şi nebunie. Piesa a zguduit sensibilităţile publicului burghez, scoţându-i totodată la iveală ipocriziile. Familia Alving este bogată şi respectabilă. Deşi căpitanul Alving e un crai brutal, soţia nu-l poate părăsi, căci, după cum o informează clericul local, pedeapsa ar fi dizgraţia socială. La moartea căpitanului, ea decide să construiască un orfelinat. Prin fapta caritabilă vrea, pasămite, să cinstească amintirea soţului, dar în realitate urmăreşte să-i risipească moştenirea, căci doreşte ca fiul lor, Oswald, să moştenească cât mai puţin posibil, financiar şi în alte privinţe, de la tatăl degenerat. Însă Oswald a moştenit deja altceva: un sifilis congenital. Mai mult, s-a îndrăgostit de slujnica familiei, Regina Engstrand, care e în realitate sora lui vitregă, rodul uneia din multele aventuri ale tatălui său. Viciat până-n străfunduri, fizic şi moral, Oswald Alving e întruchiparea vie a degenerării, iar mama lui, mai preocupată de aparenţe şi de păstrarea moralităţii convenţionale decât de adevăr, este silită în cele din urmă să privească în faţă rezultatele devotamentului ei faţă de „datorie".

Intenţionat insultătoare, drama lui Ibsen a atras reacţia vehementă la care autorul probabil că s-a aşteptat. La o recepţie dată în cinstea lui, regele Suediei i-a spus în faţă că este o piesă de teatru foarte proastă. Ibsen n-a fost câtuşi de puţin stingherit. Când a fost pusă în scenă, tradusă în engleză, criticul de la *Daily Chronicle* a denunțat-o drept „revoltător de sugestivă și de blasfematoare"; omologul său de la *Era* a considerat-o „cea mai odioasă și mai murdară născocire din câte au fost îngăduite vreodată să facă de ocară scena unui teatru englez". Ca să nu se lase mai prejos, *Daily Telegraph*, mereu modelul sensibilităților burgheze, s-a declarat de asemenea revoltat. *Fantomele* era „o reprezentare dezgustătoare [...] a unui canal de scurgere deschis, a unei oribile răni nebandajate, a unui act murdar făptuit în public [...] o lipsă de bună-cuviință scabroasă, aproape scârnavă [...] un hoit literar". Pe cât se pare, teoria degenerării era minunată cât timp era folosită pentru a explica patologia și nebunia claselor inferioare – dar nu tocmai minunată când lua în vizor morala claselor de mijloc.

Ca o ironie, dat fiind faptul că adoptase și el ideile degeneraționiste, Zola s-a trezit inclus într-o panoplie de personalități literare defăimate de Nordau ca artiști degenerați. Unii au ales să se fălească cu această etichetă. Perversiunea, murdăria și nefirescul sunt îmbrățișate, iar convențiile sunt batjocorite: să ne gândim la Baudelaire, Rimbaud sau Oscar Wilde ori la decadentele demimondene pariziene ale lui Toulouse-Lautrec. Mulți au trăit la înălțimea rolului. Baudelaire și amanta lui, haitiana Jeanne Duval, au murit amândoi de sifilis, la fel ca Maupassant și Nietzsche, care și-au sfârșit zilele nebuni[39]. A mai fost și *„le fou roux"*, nebunul cu părul roșu, Vincent van Gogh, ale cărui picturi înfățișând alieniști, pacienți și aziluri le-am întâlnit deja. Alcoolism, epilepsie, boli venerice repetate, șiruri de interacțiuni cu prostituate și bordeluri, nebunie, internare într-un azil, automutilare și sinucidere – un exemplu perfect pentru degeneraționiști, a cărui artă a ajuns să fie apreciată abia după moartea sa prematură.

Desigur, ideea caracterului degenerat al artei moderne și al artiștilor moderni a rămas vie în secolul al XX-lea. Hitler ura arta expresionistă și progenitura ei, denunțându-le drept produsul celor impuri rasial și o trădare a tradiției „greco-nordice". În 1937, la ordinul lui Hitler, *entartete Kunst*, „arta degenerată", picturi și sculpturi deopotrivă, a fost confiscată și dusă la München. În total s-au adunat 15.997 de piese, dintre care operele a 112 artiști plastici au fost selectate și prezentate la „Expoziția de artă degenerată", aranjată ca o demonstrație a impactului perfid al bolșevicilor și evreilor asupra artelor. Mii de lucrări de artă confiscate, semnate de Picasso, Braque, Kandinsky, Gauguin, Mondrian și alții, au fost arse după aceea – deși altele au fost vândute profitabil.

Măsuri în privința vicioșilor

În ce privește soarta nebunilor, mesajul trecerii la idei degeneraționiste era clar. William Booth (1829-1912), primul general al Armatei Salvării, l-a anunțat pe un ton apocaliptic, așa cum se cuvenea.

> [Odată ce s-a] recunoscut faptul că a devenit alienat mintal, dement moral, incapabil de autoguvernare [...] trebuie să i se dea sentința izolării definitive de o lume în care nu e vrednic să trăiască liber [...]. Este o crimă împotriva speciei să li se îngăduie celor învederat depravați libertatea de a circula în voie, de a-și molipsi semenii, de a ataca societatea și de a se înmulți[40].

Construirea unor imense muzee ale nebuniei nu așteptase teoria degenerării, însă după răspândirea acestor idei azilurile au început să depășească limitele anterioare. Autoritățile londoneze au construit aziluri pentru 2.000 de pacienți și chiar mai mulți la Caterham și Leavesden, la Darenth, Sutton și Tooting, care s-au adăugat azilurilor uriașe de la Hanwell, Colney Hatch, Banstead și Cane Hill, aflate în responsabilitatea acelorași autorități. Când și acestea s-au dovedit insuficiente, au construit încă o vastă constelație de clădiri la Claybury, în Essex, și o alta la Bexley. Însă chiar și așa cererea nu părea satisfăcută. A fost achiziționat un teren de 400 de hectare lângă Epsom și s-au ridicat nu mai puțin de cinci aziluri-cazarmă, care puteau adăposti peste 12.000 de pacienți.

Aceste aziluri-mamut, cu propria sursă de apă, poliție, brigadă de pompieri, propriile generatoare electrice, cimitire și așa mai departe – tot ce era necesar pentru a răspunde nevoilor pacienților de la internare și până la mormânt –, nu erau câtuși de puțin monopol britanic. La Viena, de exemplu, autoritățile austriece au deschis în 1907 un azil nou, Am Steinhof, cu șaizeci de „pavilioane" răspândite pe un teren întins, construit pentru 2.200 de pacienți și ajungând în scurt timp să adăpostească mai mulți. În Germania, azilurile erau adesea și mai mari. Bielefeld, la nord de Rin în Westfalia, de pildă, adăpostea peste 5.000 de pacienți – „deținuți" ar fi, poate, termenul mai corect. În Statele Unite, Milledgeville din Georgia semăna cu un oraș nu tocmai mic, având peste 14.000 de rezidenți. Însă chiar și el a ajuns să pară pitic față de construcțiile din Long Island (New York), unde s-a ridicat un grup de aziluri (sau spitale de psihiatrie, cum preferau acum să le spună cei care le conduceau): Central Islip, Kings Park și Pilgrim adăposteau peste 30.000 dintre nebunii New Yorkului.

La un anumit nivel, psihiatrii (etichetă pe care o putem folosi acum fără a comite un anacronism) erau stăpânii autocrați ai acestor lumi autonome. La alt nivel însă, psihiatrii au constatat în scurt timp că aparenta lor neputință terapeutică și adoptarea ideilor degeneraționiste, asociate cu scepticismul popular vizavi de capacitatea lor de a-i diferenția consecvent pe nebuni de cei sănătoși psihic, îi puneau într-o postură deosebit de precară. Medicina în ansamblu, cu apariția teoriei microbilor, a chirurgiei aseptice și a laboratorului, își vedea prestigiul crescând și perspectivele îmbunătățindu-se cu pași repezi. În prima parte a secolului al XIX-lea, pe fondul optimismului anilor de început și al securității pe care o oferea conducerea unui azil, îngrijirea bolnavilor psihici păruse o carieră atractivă. În ultima treime a secolului nu mai era câtuși de puțin așa.

În multe privințe, psihiatrii erau captivi în instituțiile lor în egală măsură cu pacienții și, totodată, suportau la rândul lor stigmatul aplicat bolnavilor psihici (stigmat întărit, desigur, de insistența lor că majoritatea bolilor psihice constituie un pericol social cu origini biologice). Cu unica excepție a Germaniei, unde domina alt model (prezentat mai jos), caracterul insular al profesiei se reflecta în lipsa oricărei legături consistente cu facultățile de medicină sau cu simbolurile pline de forță ale medicinei științifice moderne. Recrutarea se făcea prin intermediul unei ucenicii în calitate de medic asistent prost plătit (unul dintr-o întreagă ierarhie de asistenți, pe măsură ce azilurile își sporeau dimensiunile), o inițiere într-o specialitate administrativă plictisitoare ce le părea multor critici ai vremii mai preocupată de chestiuni ca gestionarea fermei azilului și eliminarea deșeurilor decât de investigarea și tratarea bolilor psihice.

După cum s-a exprimat cu dispreț în anul 1878 Edward Spitzka (1852-1914), neurolog la New York, psihiatrii erau „experți în toate, mai puțin în diagnosticarea, patologia și tratarea nebuniei”[41]. În momentele de neatenție, liderii profesiei mărturiseau și ei acest lucru. Bedford Pierce (1861-1932), directorul Refugiului York, vorbea despre „reflecția umilitoare” că „deocamdată nu este posibil să alcătuim o clasificare științifică a bolilor psihice”[42]. David Ferrier (1843-1928), unul dintre cei mai distinși savanți victorieni preocupați de studierea fiziologiei creierului, care își petrecuse primii ani de carieră la azilul de nebuni West Riding din Yorkshire, observa cu tristețe:

> S-a scris mult despre simptomatologia și clasificarea diferitelor forme de nebunie, dar cred că nu știm realmente nimic cu privire la condițiile fizice aflate la baza acelor manifestări [...] nu se poate spune că dispunem de cunoștințe reale [...][43].

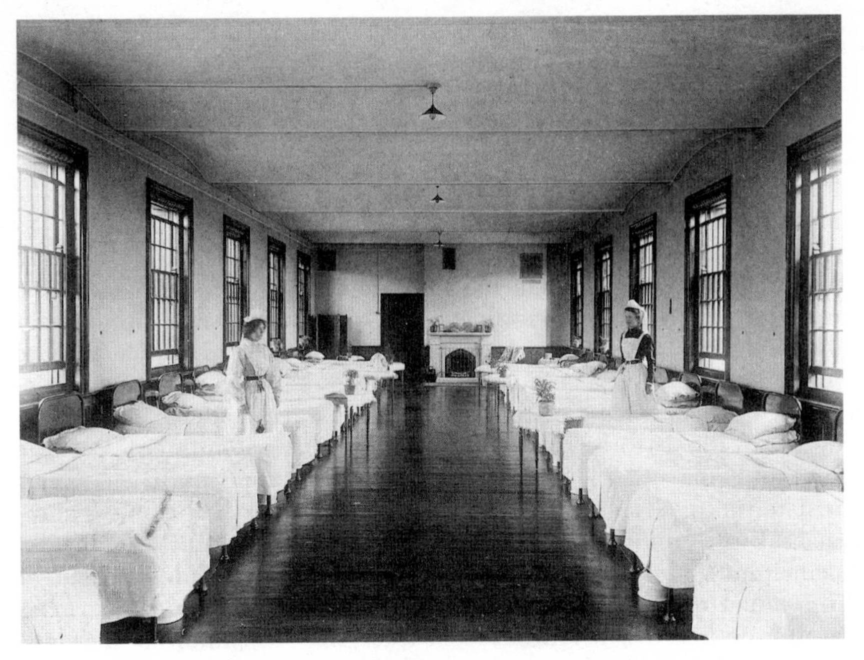

Azilul Claybury din Essex era o vastă colonie pentru mai bine de 2.000 de alienaţi mintali, cu câteva sute de angajaţi. Aici (1893) vedem un dormitor tipic, cu paturi de-a lungul a doi pereţi şi surori medicale în uniforme apretate, stând într-o poziţie de drepţi rigidă; pacienţii se remarcă prin absenţă.

Un deceniu şi jumătate mai târziu, în 1907, când s-a ridicat să se adreseze adunării psihiatrilor americani în calitate de preşedinte al lor, Charles Hill s-a exprimat şi mai succint, recunoscând: „Mijloacele noastre terapeutice sunt pur şi simplu o grămadă de baliverne"[44].

Rădăcinile nebuniei

Doar în Germania existase o încercare serioasă de a elabora un drum alternativ pentru profesia psihiatrică şi de a desfăşura cercetări hotărâte şi susţinute asupra etiologiei nebuniei. În a doua jumătate a secolului al XIX-lea, psihiatria germană încercase să copieze abordarea ce catapultase medicina generală germană în fruntea lumii întregi. Unificarea Germaniei rămăsese incompletă până în 1870, iar în anii de la jumătatea secolului al XIX-lea multe principate aleseseră să concureze pentru vizibilitate şi prestigiu prin finanţarea de universităţi, progresul ştiinţei conferind strălucire celor care o sponsorizau. Exploatând această generozitate, institutele lor academice deveniseră fabrici de cunoştinţe, propulsând ştiinţa şi medicina germană pe primul loc în lume. Clinicile şi institutele ataşate universităţilor au reunit învăţământul şi cercetarea în moduri noi şi au creat o cultură cu un rol însemnat în revoluţionarea înţelegerii bolilor şi în consacrarea rolului central al laboratorului şi al microscopului în generarea de noi cunoştinţe.

Acesta a fost modelul adoptat de psihiatria germană. Germanii aveau aceleaşi aziluri-cazarmă ca toate celelalte popoare, dar, după numirea lui Wilhelm Griesinger (1817-1868) în postul de profesor de psihiatrie la Berlin, în 1865, au avut şi clinici mai mici, ataşate universităţilor, unde se puteau desfăşura cercetări intensive. Griesinger dedicase medicinei interne cea mai mare parte a carierei sale, deşi încă din 1845 scrisese un tratat de psihiatrie influent. O ediţie revăzută apărută în 1861 a fost întâmpinată cu multe elogii, iar insistenţa lui Griesinger că „pacienţii cu aşa-zise «boli psihice» sunt, în realitate, indivizi cu boli ale nervilor şi creierului"[45] a devenit principiul călăuzitor al următoarei generaţii. Moartea lui Griesinger din cauza unei apendicite perforate, la vârsta de numai cincizeci şi unu de ani, n-a perturbat câtuşi de puţin răspândirea abordării introduse de el.

În deceniile ce au urmat, psihiatrii germani au părut să se angajeze în aceleaşi tipuri de cercetare ca şi colegii lor din medicina generală şi în anumite privinţe au obţinut rezultate impresionante, care au jucat, poate, un rol în a-i convinge pe alieniştii din alte părţi să adopte denumirea germană a specialităţii lor. S-au efectuat studii amănunţite de anatomie a creierului şi a măduvei spinării. S-au introdus noi tehnici de fixare şi pigmentare a celulelor pentru examinarea la microscop. Ocazional, acestea au dus la descoperiri care au demonstrat că unii dintre locatarii imenselor aziluri sufereau într-adevăr de boli cu cauze cerebrale. În anul 1906, în Germania, Alois Alzheimer (1864-1915) a detectat plăcile senile şi agregatele neurofibrilare asociate cu forma de demenţă care îi poartă acum numele, iar în 1913, în Statele Unite, Hideyo Noguchi (1876-1928) şi J.W. Moore au demonstrat decisiv ceea ce se bănuia de peste două decenii, şi anume că paralizia generală a alienaţilor (GPI) era, de fapt, stadiul terţiar al sifilisului. Identificarea spirocheţilor sifilisului în creierul paraliticilor, cum erau numiţi adesea cei care sufereau de GPI, a înlăturat orice îndoială[46].

Aceste corelaţii între unele simptome psihice şi o patologie subiacentă a ţesuturilor au servit la întărirea impresiei că cercetările biologice ar putea ajuta la descoperirea etiologiei nebuniei, dar, pentru majoritatea copleşitoare a bolilor psihice, presupusele leziuni cerebrale au rămas la fel de ascunse. Mai rău chiar, descoperirea bolii Alzheimer și a originii sifilitice a GPI a tins să intensifice pesimismul și deznădejdea ce învăluiau profesia psihiatrică, în loc să le atenueze. Asemenea patologilor care introduseseră în premieră medicina spitalicească în Parisul secolului al XIX-lea și contribuiseră la încheierea lungii povești de dragoste a Occidentului cu medicina umorilor, acești clinicieni germani nu erau câtuși de puțin interesați de munca anevoioasă a tratării și vindecării pacienților. Azilurile constituiau pentru ei doar sursa de specimene patologice pentru masa de disecție și microscop. Pacienții vii nu prezentau nici un interes și erau practic lăsați în voia sorții.

A existat o excepție importantă de la această generalizare. Printre membrii acestei generații de psihiatri germani s-a aflat unul, Emil Kraepelin (1856-1926), pe care vederea proastă l-a împiedicat să-și facă o carieră bazată pe laborator. El și-a construit în schimb renumele prin examinarea sorții miilor și miilor de pacienți care înțesau azilurile germane, investigând boala psihică așa cum ar face-o un naturalist, căutând tipare în patologia lor și încercând să construiască inductiv o listă sau clasificare descriptivă – o nosologie – a diferitelor tipuri de nebunie. Concretizate în edițiile succesive ale unui tratat cu influență tot mai mare, concluziile pe care le-a tras din nesfârșitele sale însemnări au fost că nebunia putea fi subîmpărțită în două tipuri de bază: o afecțiune pernicioasă, probabil ireversibilă, ce urma un curs al deteriorării fără perspective de ameliorare, demența precoce; și un diagnostic rezidual ce permitea o undă de speranță – pentru că era o formă de boală psihică în care apărea uneori remisia: psihoza maniaco-depresivă.

Nosologiile complexe fuseseră pretutindeni o caracteristică a psihiatriei secolului al XIX-lea. Căutând să-și diferențieze cunoștințele ezoterice de presupozițiile comune pe care membrii obișnuiți ai societății se bazau implicit de multă vreme pentru a-i deosebi pe nebuni de oamenii sănătoși psihic, alieniștii inventaseră monomaniile și concepte precum cel de nebunie morală. Aceasta din urmă era o afecțiune în care persoana își păstra uzul rațiunii, dar vădea „o pervertire morbidă a simțămintelor, emoțiilor, înclinațiilor, temperamentului, obiceiurilor, dispozițiilor morale și impulsurilor firești”[47]. Întâmpinate adesea cu scepticism și de tribunale, și de public, doctrinele de felul acesta au alimentat o neliniște persistentă care s-a manifestat periodic prin accese de anxietate ca nu cumva granița amorfă dintre nebunie și sănătatea psihică să fie exploatată în așa fel încât orice deviere de la standardele morale și sociale convenționale să fie echivalată cu nebunia. Pentru clinicieni, aceste acrobații verbale ridicau un alt set de probleme: erau aproape imposibil de pus în practică. Cu duritatea-i caracteristică, alienistul englez Henry Maudsley a vorbit caustic despre „numeroasele și complicatele

Emil Kraepelin fotografiat în 1926: „marele papă" al psihiatriei, cum îl numea sarcastic Freud.

clasificări care, într-o succesiune aproape deconcertantă, au fost avansate oficial drept exhaustive și condamnate tacit drept inutile [...] numeroasele denumiri erudite [...] care au fost inventate într-un număr înspăimântător pentru a numi lucruri simple"[48].

Versiunea lui Kraepelin era sau se voia diferită, căci se pretindea derivată inductiv din experiența clinică. În scurt timp a crescut în complexitate – demența precoce a fost subîmpărțită în formele hebefrenică, catatonică și paranoică –, iar în practică era instabilă. Diagnosticul unui pacient care își revenea putea fi schimbat în psihoză maniaco-depresivă, pe când cel care nu reușea cu nici un chip să se însănătoșească putea foarte bine să fie reetichetat drept caz de demență precoce, o etichetă diagnostică modificată în scurt timp de psihiatrul elvețian Eugen Bleuler (1857-1939), care a introdus în anul 1910 termenul „schizofrenie" – în sens literal, scindarea psihicului. Aceasta era o boală ale cărei simptome caracteristice reprezentau o înșiruire de dezastre: incoerență, agitație, incapacitatea de a lega relații cu alții, procese de gândire puternic afectate ce mergeau până la idei delirante și halucinații, urmate în final de alunecarea într-un univers psihic sărăcit la extrem, o demență la care Kraepelin făcea aluzie prin denumirea aleasă inițial pentru boală. Aici nu exista nimic care să lumineze perspectiva sumbră ce înghițea psihiatria și pe pacienții ei.

Însuși limbajul folosit pentru cei care sufereau de nebunie este un indiciu al asprimii cu care erau priviți. Un psihiatru britanic se lamenta că în fiecare an se nășteau degenerați „cu pedigriuri care ar condamna cățeii la [înecul în] iazul pentru adăpat caii"[49]. Cei bolnavi psihic erau numiți „tarați", „leproși", „gunoaie morale", „de zece ori mai răi și mai dăunători și infinit mai incapabili de ameliorare decât sălbaticii barbariei primitive" și înzestrați cu „caractere deosebit de respingătoare"[50] – și tocmai de către cei care susțineau că se ocupă cu tratarea lor. Se făceau comentarii nu tocmai în surdină care deplângeau faptul că mila ce însoțea creșterea gradului de civilizație împiedicase „acțiunea acelor legi care îi elimină și-i exterminǎ pe cei atinși de boală și pe cei inapți în vreo altă privință pe toate treptele vieții naturale"[51]. Alții vorbeau sumbru despre „purificarea de otrăvuri vii a sângelui raselor"[52].

O consecință a acestei concepții la modă a fost apariția eugeniei, încercarea de a înfrâna înclinația spre reproducere a săracilor și a celor deficienți și de a încuraja reproducerea celor superiori. Această idee a atras intelectuali de frunte, între care Francis Galton (vărul lui Darwin), George Bernard Shaw, H.G. Wells și John Maynard Keynes, precum și distinsul economist american Irving Fisher, ca să nu-i mai amintim pe Winston Churchill și Woodrow Wilson. Multe state americane au dat legi ce urmăreau interzicerea căsătoriei celor inapți psihic și, în unele cazuri, prevedeau sterilizarea silită a acestora, pentru a împiedica nașterea și mai multor indivizi anormali. În cele din urmă, în 1927, procesul *Buck v. Bell*, care punea problema acestor sterilizări, a ajuns la Curtea Supremă a Statelor Unite. Majoritatea de opt la unu a decis că nu există nici un obstacol constituțional în calea sterilizării silite a unui cetățean american. Oliver Wendell Holmes Jr., considerat de mulți unul dintre cei mai eminenți juriști din istoria țării, a primit sarcina de a redacta opinia și a susținut răspicat poziția statului: „Este mai bine pentru întreaga lume, a scris el, dacă, în loc să aștepte să execute o progenitură degenerată pentru crime sau s-o lase să moară de foame din cauza imbecilității, societatea poate să-i împiedice pe cei care sunt vădit inapți să-și perpetueze spița. Principiul care susține vaccinarea

Personalul de la Hadamar, aprox. 1940-1942, spital de psihiatrie folosit în programul de eutanasiere T-4, relaxat și fericit după o zi grea de muncă în care i-a eliminat pe cei despre care naziștii considerau că „nu merită să trăiască".

obligatorie este suficient de larg pentru a acoperi și secționarea trompelor uterine [...]. Trei generații de imbecili sunt de ajuns"[53]. Patruzeci din cele patruzeci și opt de state americane de atunci urmau să aibă legi privind sterilizarea forțată în anul 1940, deși numai câteva le-au aplicat într-o manieră cât de cât serioasă, printre ele numărându-se progresistul stat California.

În alte părți, opoziția grupărilor religioase și echilibrul instituțional al unui regim democratic au inhibat adoptarea și aplicarea de legi similare. Nu a fost și cazul Germaniei naziste. Ideile de „puritate" rasială s-au aflat, desigur, în centrul ideologiei naziste. Unii psihiatri germani de seamă fuseseră susținători entuziaști ai eugeniei în anii 1920 și nu șovăiseră să tragă concluzii logice din convingerea lor că pacienții psihiatrici sunt specimene biologice inferioare lipsite de orice speranță. Încă din 1920, psihiatrul german Alfred Hoche (1863-1943) și colegul său jurist Karl Binding (1841-1920) ceruseră suprimarea „vieților ce nu merită să fie trăite". Aproape imediat după ce a ajuns la putere, în iulie 1933, Hitler a obținut adoptarea

Legii pentru prevenirea descendenților cu afecțiuni ereditare, alcătuită explicit după modelul precedentelor din statele americane California și Virginia[54]. Cu participarea activă și entuziastă a multor psihiatri germani de frunte, între anii 1934 și 1939 au fost sterilizați între 300.000 și 400.000 de oameni[55]. Apoi, în octombrie 1939, Hitler a dat un decret prin care a fost lansat așa-numitul program T-4. Iarăși, psihiatrii s-au implicat cu entuziasm în punerea în aplicare a noii politici: bolnavii psihici – „consumatori de hrană inutili", în terminologia nazistă – au fost ridicați și trimiși în mai multe spitale de psihiatrie. Acolo au fost „dezinfectați", adică exterminați, la început prin injecții letale sau prin împușcare, iar când aceste căi s-au dovedit prea lente și greoaie, s-au construit camere de gazare și au fost mânați la „dușuri" pentru a fi omorâți cu monoxid de carbon. Peste 70.000 au pierit într-un an și jumătate, 250.000 până la finalul războiului – ba chiar și după aceea, căci și după căderea regimului nazist, fără știrea puterilor de ocupație, unii psihiatri au continuat să omoare persoane pe care le considerau „viciate"[56]. Da, nebunie în civilizație!

Capitolul 9

Demi-fous

Evitarea azilului

Cele dintâi case de nebuni aducătoare de profit își găsiseră piața principală în rândul celor bogați și înstăriți. Acest lucru n-ar trebui să ne surprindă. În cuvintele nemuritoare – chiar dacă, poate, apocrife – ale lui Willie Sutton, jefuitor american de bănci, acolo erau banii. Totuși, era o stare de lucruri paradoxală, căci până la sfârșitul secolului al XIX-lea și progresele asociate cu inventarea tehnicilor chirurgicale aseptice, cei bogați au ocolit ca pe ciumă tratamentul la spital pentru boli fizice. Săracii și cei săraciți erau cei tratați în spitale, pe când bogații optau pentru tratarea acasă.

Această aversiune față de instituții nu dispărea când venea vorba de gestionarea nebuniei. Scrisorile, jurnalele și autobiografiile victoriene sunt pline de dovezi că autorii lor se temeau de aziluri și aveau așteptări scăzute cu privire la genul de îngrijiri pe care-l vor primi rudele lor în astfel de locuri. Cu banii se puteau cumpăra alternative și exista o tentație considerabilă de a recurge la ele: construirea unei căsuțe pentru închiderea unei rude nebune într-o zonă izolată a unei proprietăți aristocratice și angajarea personalului necesar; plasarea celor cu mintea tulburată în camere de închiriat mobilate (cartierul St John's Wood din Londra a devenit o zonă preferată pentru astfel de locuințe, având avantajul suplimentar al accesului facil la sfatul medicilor discreți ai înaltei societăți – reputația lui de loc privilegiat pentru privarea ilicită de libertate a fost exploatată de Wilkie Collins în romanul său *Femeia în alb*, 1859)[1]; sau pacienții puteau fi trimiși pur și simplu în străinătate, la adăpost de privirile iscoditoare ale oficialităților și în locuri care ofereau un plus de protecție în fața bârfelor, scandalului și stigmatizării[2]. Azilurile franceze și elvețiene, de exemplu, își făceau reclamă fățiș la Londra și Paris, încercând să atragă această clientelă.

Poate cel mai izbitor exemplu de apel la astfel de expediente îl oferă cazul lui Anthony Ashley Cooper, din 1851 al șaptelea conte de Shaftesbury. Shaftesbury a fost președintele Comisiei engleze pentru alienare mintală de la înființarea acesteia, în 1845, și până la moartea lui, în 1885, promovând în această calitate azilul drept unica soluție corespunzătoare în cazurile de nebunie. Făcând depoziție într-o anchetă parlamentară din anul 1859 asupra modului cum funcționau legile engleze privind nebunia, el a remarcat că, dacă soția sau fiica lui ar ajunge alienate mintal, le-ar aranja fără întârziere internarea într-un azil modern, care asigura cel mai bun mediu posibil pentru o îngrijire omenoasă și vindecare. Poate că a ales deliberat să se refere la aceste rude, căci purtarea și declarațiile lui publice nu se potriveau. Maurice, al treilea fiu al său, era epileptic și alienat mintal. În ciuda opoziției sale vehemente de o viață față de această practică, Shaftesbury a aranjat să fie închis într-un azil privat și în secret, iar când situația risca să devină publică, l-a trimis în străinătate, mai întâi în Olanda, apoi la Lausanne, în Elveția, unde bietul tânăr a și murit în 1855, la doar douăzeci de ani.

Familiile înstărite erau adesea dispuse să meargă foarte departe înainte să opteze pentru închiderea rudelor lor cu probleme psihice. Două cazuri extrase din registrele de la Ticehurst, azilul englez privat cel mai exclusivist, ar trebui să fie suficiente pentru a ilustra acest aspect[3]. Doamna Anne Farquhar, descrisă drept o femeie distinsă, suferise o căzătură în anul 1844, pe când era însărcinată. După aceea s-a retras treptat în rolul de invalidă, ajungând să nu mai coboare deloc din pat la un moment dat, în 1854 sau 1855. A început să sufere de o teamă morbidă de a nu cădea din patul „foarte mare" în care se retrăsese. Așadar, servitorii au primit ordin să îngrămădească în jurul lui „mese, canapele, scaune etc." pentru a preîntâmpina acest lucru. Și aceasta nu era singura ei excentricitate:

> Zăcea în pat de trei ani și nu îngăduise să fie spălată sau îngrijită corespunzător – rufăria de corp și de pat neschimbată cu lunile – mâinile și brațele murdare de fecale uscate – obloanele și ferestrele bine închise – perdelele trase în jurul patului ei – un foc zdravăn pe vreme caldă, nici un fel de foc când era frig – învelită cu șaluri murdare și jupoane vechi de flanel [...] doarme cea mai mare parte din zi și stă trează noaptea, mănâncă mai degrabă ca un animal decât ca o ființă umană, la orice oră din zi și din noapte – de regulă își mestecă mâncarea de animal și o scuipă.

Și așa mai departe. Ani la rând, „a fost fie vizitată, fie sub îngrijirea celor mai mulți medici eminenți din Anglia", dar în tot acest timp n-a fost declarată oficial nebună. Dincolo de complezența privitoare la starea psihică a doamnei Farquhar, medicii înaltei societăți nu făcuseră mare lucru pentru sănătatea ei fizică: la internarea la Ticehurst, aceasta era murdară, plină de furuncule, constipată și avea hepatită[4]. Chiar și pentru personalul de la Ticehurst, obișnuit cu pacienţii incontinenţi, acest caz a fost unul dificil. Îngrijitorii care o aduseseră din locuinţa ei din Blackheath continuau, după trei zile, să se plângă de greaţa pe care le-o provocase intrarea în camera ei.

Sau să luăm cazul lui Charles de Vere Beauclerk, absolvent de Eton şi urmaşul unui fiu ilegitim al lui Carol al II-lea cu Nell Gwyn. Trecut cu puţin de douăzeci de ani, Beauclerk a început să aibă idei delirante paranoide cum că părinţii lui şi-au pus în gând să-l otrăvească. După ce un specialist în boli psihice l-a declarat „nesănătos psihic", părinţii lui au apelat la obişnuitul expedient al trimiterii în colonii, unde a făcut datorii mari la jocuri de noroc. Când a apărut în Australia, părinţii i-au cumpărat un post în armată şi, considerându-l întru câtva ameliorat, şi-au folosit relaţiile ca să-i obţină transferul ca aghiotant al lordului Elgin, viceregele Indiei. A fost o spectaculoasă greşeală de judecată, deoarece ciudăţeniile psihice bătătoare la ochi ale lui Charles au ameninţat să stârnească un scandal, astfel că părinţii i-au aranjat în pripă întoarcerea în Anglia. După puţin timp a atras o atenţie nedorită încercând să-şi dea în judecată tatăl, al zecelea duce de St Albans, pentru că l-a făcut să chelească. Excentricităţile lui s-au înmulţit: a devenit absolut inactiv şi mânca la fiecare masă câte patru sau cinci porţii; totuşi, din fericire, dormea cea mai mare parte din timp. Protejată de marea ei avere, familia a izbutit să-l ţină acasă, până când moartea ducelui, în anul 1898, a forţat mâna rudelor. Charles, devenit al unsprezecelea duce, a fost certificat oficial ca nebun şi trimis la azilul Ticehurst, unde a rămas până la moartea sa, în 1934, „fără urmaşi", după cum s-a exprimat delicat *Debrett's Peerage*.

Violenţa, teama că o rudă nebună ar putea risipi banii familiei, simpla extenuare provocată de încercarea de a se descurca pe cont propriu cu rude dificile sau imposibile ori un eveniment ce ameninţa să demaşte secretul de familie – toate acestea le puteau îndemna în cele din urmă chiar şi pe cele mai bogate familii să adopte o alternativă instituţională la îngrijirea la domiciliu. Când boala psihică a ajuns să fie explicată de alienişti drept rezultatul degenerării şi al inferiorităţii biologice, nevoia de a masca prezenţa nebuniei în pedigriul familiei a devenit mai imperativă, deşi greu de satisfăcut. La fel şi tentaţia de a opta pentru altă variantă în locul azilului: un sanatoriu, o clinică privată sau balneară, un cămin de bătrâni sau un azil de alcoolici – orice ar fi asigurat un scut cât de firav în faţa acuzaţiei de nebunie. În ciuda profunzimii tulburării romancierei Virginia Woolf (1882-1941) şi a perioadelor anterioare în care se ştiuse că are porniri suicidare, psihiatrul ei, George Savage (1842-1921), a trimis-o la Burley, un sanatoriu particular din Twickenham, ca să n-o expună stigmatului închiderii într-un azil. S-a întors ulterior la

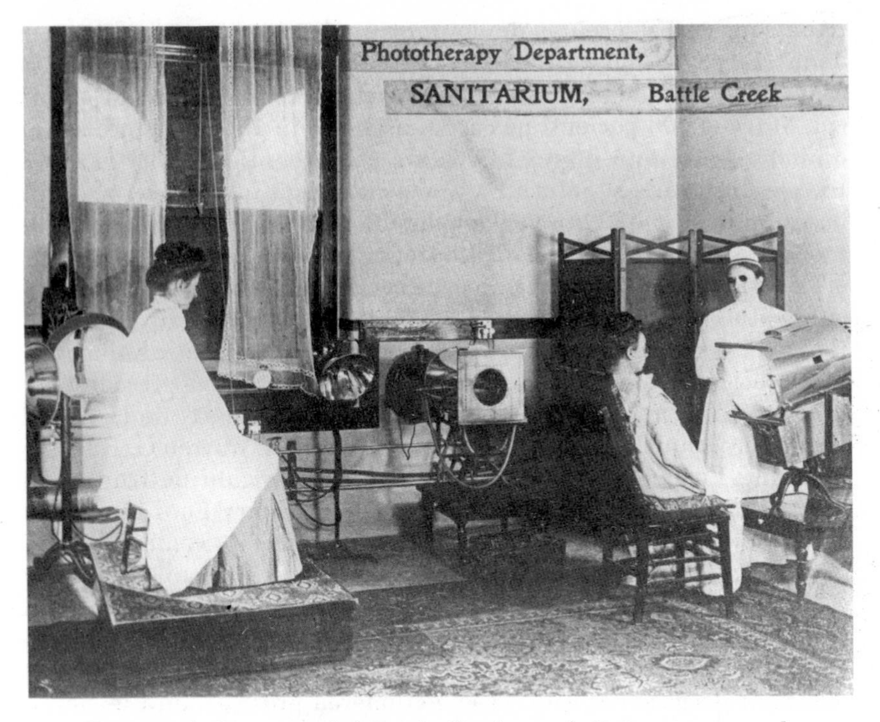

Fototerapie la sanatoriul Battle Creek, unul dintre numeroasele tratamente oferite acolo.

acel sanatoriu de mai multe ori, când starea ei perturbată n-a mai putut fi controlată acasă, nici măcar cu cele patru surori medicale pe care ea și soțul ei Leonard le angajaseră pentru a o ajuta cu anorexia, insomniile și depresia. Așezămintele de acest fel pentru tratarea bolnavilor de nervi s-au înmulțit pe tot cuprinsul Europei în secolul al XIX-lea, mai cu seamă în stațiuni balneare ca Lamalou-les-Bains (Franța) și Baden-Baden (Germania), unde se putea pretinde că pacienții „nevropați" fac cură de ape[5]. Regina Victoria, kaizerul Wilhelm I, Napoleon al III-lea, Hector Berlioz, Feodor Dostoievski, Johannes Brahms și Ivan Turgheniev au fost doar cele mai mari dintre numeroasele celebrități care au vizitat Baden-Baden.

Au început să apară așezăminte similare și în Statele Unite. Cel mai mare și mai de succes dintre ele se afla la Battle Creek, Michigan. Sanatoriul Battle Creek (scris Sanitarium, ca truc de marketing) avusese un început nefavorabil. Fusese creat, sub denumirea de Institutul Occidental de Reformă a Sănătății, de către Ellen White (întemeietoarea Bisericii Adventiste de Ziua a Șaptea, una dintre numeroasele noi religii și secte religioase care au răsărit în Statele Unite în secolul al XIX-lea), care s-a luptat cu dificultățile până când a fost preluat de doi dintre adepții ei, frații William și John Harvey Kellogg. Deși clădirea inițială a ars din temelii în anul 1902, așezământul a fost reconstruit, rebotezat și mult extins (**pl. 36**). Cei 106 pacienți pe care îi atrăsese în 1866 au reprezentat o nimica toată față de cei 7.006 care erau clienți plătitori în 1906. În cele din urmă, sanatoriul a ajuns să atragă tot felul de pacienți bogați și nevropați, care veneau să-și încarce bateriile printr-o alimentație vegetariană purificatoare, clisme frecvente, hidroterapie și electroterapie care folosea aparate complexe generatoare de electricitate statică, precum și masaje și mult exercițiu fizic în aer liber. Pe lângă o sumedenie de celebrități mai mărunte, frații Kellogg au atras pacienți mergând de la Mary Todd Lincoln, văduva președintelui Lincoln, până la renumita aviatoare Amelia Earhart; de la Alfred Dupont la John D. Rockefeller; de la președintele Warren G. Harding la Irving Fisher, unul dintre economiștii americani de frunte din prima jumătate a secolului al XX-lea; de la Henry Ford la Johnny Weissmuller (mai bine cunoscut ca Tarzan) – toți au venit să beneficieze de îngrijirile fraților Kellogg și să-și calmeze nervii. Ca afacere colaterală, frații au întemeiat un imperiu al cerealelor pentru micul dejun ce urmărea să-și țină clienții corect hrăniți și „cu evacuare regulată”, afacere de un extraordinar succes, care a rezistat mult mai mult decât sanatoriul – căci extinderea prost gândită la sfârșitul anilor 1920, chiar înaintea Marii Depresiuni, a pecetluit soarta acestuia.

Ținuturile de graniță ale nebuniei

Desigur, cei foarte agitați, cei cu porniri suicidare, cei care nu mai aveau nici măcar o umbră de autocontrol ori aveau tendințe spre violență nu erau câtuși de puțin potriviți pentru Sanitarium sau pentru majoritatea instituțiilor omoloage din alte părți. Însă existau o multitudine de alți candidați pentru aceste așezăminte și chiar o piață în plină înflorire pentru tratamente ambulatorii, la cabinet. Una dintre cele mai spectaculoase trăsături ale poveștii nebuniei în secolul al XIX-lea a fost creșterea explozivă a numărului de pacienți din aziluri. Nu doar aglomerarea acestor instituții cu pacienți cronici, ci și creșterea ratei internărilor îi tulburau profund pe oamenii acelor vremuri și au stârnit controverse științifice de atunci încoace. Unii au fost tentați să vadă în populațiile sporite ale acestor așezăminte simptomul unei creșteri reale a numărului de nebuni, poate chiar rezultatul unui nou și misterios virus slobozit asupra pământului[6]. Alții, între care mă număr și eu, au arătat că aceste teorii nu au la bază decât speculații neîntemeiate și au adus dovezi că mecanismul cauzator a fost o lărgire constantă a criteriilor folosite pentru a eticheta un om drept bolnav psihic, un proces de „dilatare diagnostică" de care George Cheyne profitase deja când își convinsese pacienții bogați că suferă de „maladia englezească". Procesul a fost la fel de evident, după cum vom vedea, în ultimul sfert de secol și mai bine, perioadă ce a asistat la proliferarea de noi categorii oficiale de boală psihică și a dat naștere la epidemii de boli ca tulburările bipolare și autismul, tot mai multe cazuri ambigue adăugându-se la nucleul de populație care a dus cândva la identificarea acestor afecțiuni[7].

Francezii vorbeau despre *demi-fous*, cei pe jumătate nebuni, iar alieniștii englezi și-au luat obiceiul de a se referi la cei care sălășluiau în ținuturile de graniță ale nebuniei drept locuitori ai Mazeland, Dazeland și Driftland[8*]. Între acești „nebuni incipienți", purtători ai unor „boli latente ale creierului", se afla o gamă întreagă de nevrotici, isterici, anorectici și suferinzi de o tulburare ajunsă recent la modă, „neurastenia" sau slăbiciunea nervilor, termen devenit popular datorită neurologului american George M. Beard (1839-1883), care nu numai că a etichetat boala, ci s-a și declarat victima sa. Ei au format baza pornind de la care unele sectoare a ceea ce putem de-acum să începem să numim psihiatrie s-au aventurat să evadeze din mohorâta și izolata „noapte valpurgică" a lumii azilurilor[9] și să inventeze o nouă formă de practică, la cabinet, pe seama unei clientele profitabile din punct de vedere financiar, chiar dacă frustrantă terapeutic, suferind de formele mai ușoare ale bolilor nervoase, cei care „zăboveau pe terenul de graniță îngust ce desparte isteria de nebunie"[10], cum s-a exprimat William Goodell (1829-1894), ginecolog din Philadelphia.

Suferinzii de „nervi zdruncinați" nu erau o simplă creație a unui grup de medici imperialiști porniți să-și lărgească parametrii activității. Dimpotrivă, s-a dovedit că exista o clientelă pentru acești *Nervenarzten*, cum și-au spus membrii germani ai confreriei. Statele Unite n-au făcut excepție de la această tendință, ba în unele privințe chiar au deschis calea. Unul dintre primele exemple ale războiului proaspăt industrializat a fost Războiul Civil American (1861-1865). În acel carnaj – au murit mai bine de jumătate de milion de soldați, iar numărul celor răniți a depășit un milion – au fost implicați o sumedenie de bărbați care au suferit leziuni cerebrale și ale sistemului nervos, oferindu-le celor care îi tratau numeroase ocazii de a învăța din ceea ce observau. Textul clasic care descrie ce au văzut

* În traducere aproximativă, Țara Zăpăcelii, Țara Năucelii și Țara Fanteziei (n.tr.).

aceştia şi implicaţiile pentru medicină a fost *Plăgi împuşcate şi alte leziuni ale nervilor*, publicat în 1864 de S.W. Mitchell, G.R. Morehouse şi W.W. Keen. După încheierea războiului, în oraşele de pe coasta estică, mulţi chirurgi militari şi-au deschis cabinete de neurologi – specialişti în tratarea bolilor sistemului nervos. Şi şi-au găsit sălile de aşteptare înţesate. Nu veneau doar cei care suferiseră traumatisme fizice grave, ci şi soldaţi ce acuzau afecţiuni nervoase mai difuze. Şi nu numai soldaţi. Plăcile de bronz ce anunţau cabinetele lui Silas Weir Mitchell, neurolog, şi William Alexander Hammond, neurolog, atrăgeau şi civili în număr mare, deopotrivă bărbaţi şi femei. Ba poate chiar mai multe femei decât bărbaţi.

Aceşti pacienţi le păreau obositori lui Mitchell şi colegilor săi. Nu o dată Mitchell s-a referit la isterie numind-o „misiunea detestată" a neurologului. Acuzele celor care le aglomerau sălile de aşteptare erau nenumărate, însă greu de înţeles sau de corelat cu imaginea sistemului nervos pe care Mitchell şi alţii începuseră s-o contureze. Frustrat, Mitchell a remarcat că isteria – afecţiunea de care a conchis că sufereau mulţi dintre aceşti bolnavi de nervi – ar trebui redenumită „misterie". Dar, în final, nici el, nici colegii săi nu-şi permiteau să-i respingă pe aceşti oameni, pacienţi prea profitabili şi care cereau prea insistent ca doctorii de nervi să recunoască realitatea somatică a afecţiunilor lor difuze. „Isteria" era, după cum am văzut în capitolul 2, un termen cu rădăcini istorice străvechi[11]. Neurologii americani îi adăugaseră noua boală, neurastenia.

Nevropatia americană, asemenea „maladiei englezeşti" mai devreme, era zugrăvită drept rezultatul şi preţul civilizaţiei mai avansate a Statelor Unite. Ritmul vieţii moderne, cu telegraful electric, trenurile rapide, lupta acerbă pentru succes material, chiar şi cu decizia îndoielnică de a permite unor femei să facă studii superioare, solicita extrem de mult sistemul nervos, cel mai mult la oamenii de afaceri şi la categoriile profesionale superioare. Era în mod copleşitor, chiar dacă nu exclusiv, o boală a celor înstăriţi şi rafinaţi. Suprasolicitarea sistemului nervos, descărcarea bateriilor, epuizarea rezervelor, falimentarea echilibrului psihic prin depăşirea limitei contului – metaforele folosite pentru a descrie ce li se întâmplase mulţimilor de oameni care înţesau sălile de aşteptare îi măguleau şi totodată îi linişteau că suferă de o boală reală, cu origini fizice, una cu care aproape că se puteau mândri, în loc să se ruşineze. Mitchell a scris un bestseller cu sfaturi care rezuma chestiunea într-un singur cuvânt, acela ales drept titlu: neurastenicii erau victimele fenomenului numit *Uzura* (1871). Iar soluţia pentru chinurile lor se afla la îndemână. Aşa cum îi informa titlul cărţii ulterioare, trebuiau să fie atenţi la acumularea de *Grăsime şi sânge* (1877), să-şi alimenteze şi să-şi refacă rezervele epuizate de forţă şi energie psihică.

Diagnosticul de neurastenie al lui Beard explica oboseala, anxietatea, durerile de cap, insomnia, impotența, nevralgiile și depresia de care se plângeau că suferă pacienții cu probleme nervoase. Crucial pentru consacrarea statutului medical al afecțiunii și pentru atragerea viitorilor pacienți, Beard insistase că „nevropatia este o stare fizică, nu psihică, iar fenomenele sale nu vin din excesul sau din excitabilitatea emoțională”[12]. Însă Mitchell a fost cel care a inventat cel mai practic tratament pentru afecțiune. Mai bine zis, practic dacă clientul era suficient de bogat: prin definiție, așa-zisa lui cură de odihnă nu era câtuși de puțin o soluție practică pentru muncitori și muncitoare. Pentru cei care-și permiteau, ea promitea o terapie care, după toate aparențele, avea efectul de a reface organismul omului de afaceri sau specialistului extenuat ori al soției sale din înalta societate.

Virginia Woolf s-a numărat printre pacienții supuși tratamentului lui Mitchell, chiar dacă aplicat de o serie de psihiatri și neurologi britanici, căci tratamentul s-a răspândit cu iuțeală în Europa, alături de termenul „neurastenie” – lucru foarte neobișnuit la acea vreme, căci Statele Unite erau considerate (pe bună dreptate) un deșert al medicinei, iar medicii lor erau în general socotiți inferiori și priviți cu dispreț[13]. Și cu toate că satira mușcătoare a Virginiei Woolf la adresa tratamentului îi reflectă furia trezită de propria experiență, ea îi surprinde corect elementele centrale: „Invoci proporția; impui odihnă la pat; odihnă în solitudine; tăcere și odihnă; odihnă fără prieteni, fără cărți, fără mesaje; șase luni de odihnă; până când cel care cântărea la început cincizeci de kilograme ajunge la optzeci”[14]. Grăsime și sânge, cu vârf și îndesat: izolare socială și fizică deplină, masaj în locul mișcării, o lenevie fizică impusă, o alimentație cu conținut caloric ridicat. Woolf n-a fost singura care a protestat[15], dar alți pacienți par să fi privit cu mai multă bunăvoință procesul[16]. Acesta era fără doar și poate îndrăgit de medicii lor, cărora le oferea o abordare științifică și cu baze somatice, una care avea, poate nu întâmplător, o considerabilă tentă punitivă și disciplinară[17].

Electricitatea era un element al tratamentului lui Mitchell, o intervenție terapeutică folosită deja la scară largă de colegii săi. Nu electricitate folosită pentru a cauza convulsii – aceasta avea să fie o invenție a secolului al XX-lea –, ci electricitate cu voltaj scăzut sau statică, pusă la dispoziție, cu pârâituri și scântei, de niște mașinării complexe, impresionante, numai crom și bronz lustruit. Dacă impulsurile nervoase sunt electrice, ce modalitate mai bună de tratament putea fi întrebuințată? Minunile fizicii moderne erau astfel mobilizate pentru a-l liniști pe pacientul nevropat că tulburarea sa e într-adevăr de natură fizică și pentru a alunga spectrul bolii imaginare. Caracterul incontestabil somatic al tratamentului dădea o

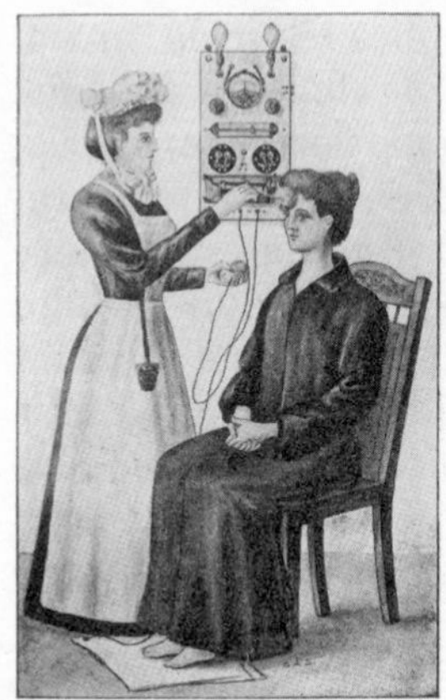
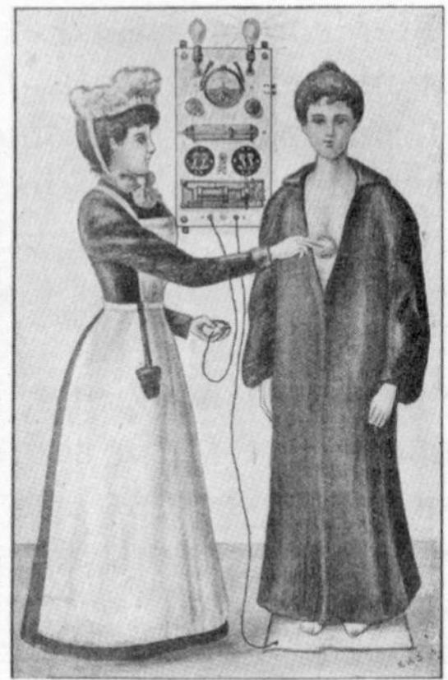
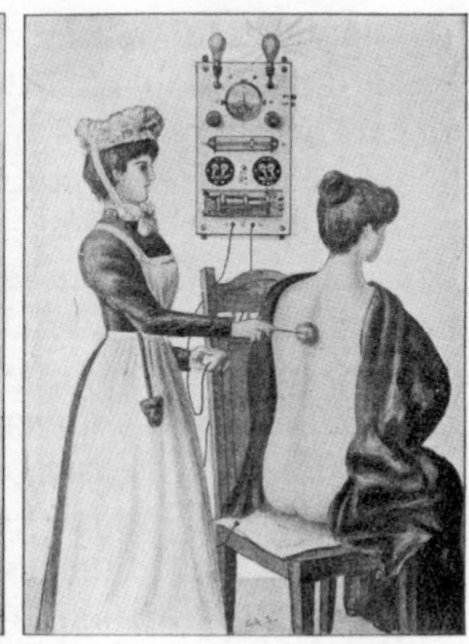

Tratament cu un aparat electric vibrator (1900): o asistentă îi aplică unei paciente curent faradic.

ripostă grăitoare oricui ar fi fost înclinat să se îndoiască de statutul moral al neurastenicului.

Nevropatia nu era monopol american și tocmai din această cauză neurastenia și cura de odihnă au traversat Atlanticul cu iuțeala fulgerului, instalându-se, indispensabile, în cabinetele specializate ale doctorilor de nervi, fie ei psihiatri aflați în căutarea unei pauze de la ororile vieții în casa de nebuni, fie neurologi care încercau să-și creeze o specialitate alternativă încă fragilă, pretinzându-se experți în tratarea bolilor de nervi și psihice. Directorii azilurilor de nebuni n-au primit cu plăcere concurența neurologilor, pe când neurologii și-au privit la început cu dispreț confrații din instituții. „Tehnicile voastre nu sunt și tehnicile noastre", a spus Mitchell tăios. Doctorii de azil se izolaseră de confrații de profesie și pierduseră complet contactul cu progresul medicinei științifice[18].

În cele din urmă s-a produs totuși un fel de apropiere. Disputele publice amenințau reputația ambelor tabere și, oricum, au început să se contureze două modalități de practică distincte. Azilurile aveau să rămână centrele de tratament majore pentru pacienții cu cele mai grave tulburări timp de peste jumătate de secol. Iar acei neurologi care au început să se specializeze în tratarea formelor „funcționale" de boală psihică s-au trezit în scurt timp că li se alătură în acest demers alieniști decepționați de monotonia practicii instituționale – mulți dintre ei venind din elita psihiatrică și fiind dornici să-și atragă porția de pacienți din rândurile celor mai profitabili, mai puțin deranjați și, posibil, mai tratabili[19].

Isteria pe scenă

Deși neurastenia s-a dovedit a fi un diagnostic cu mare popularitate de ambele părți ale Atlanticului, isteria a fost boala de nervi care a ocupat cel mai însemnat loc în Europa *fin-de-siècle*. Inițial și-a dobândit cel mai mare renume la Paris, unde eminentul neurolog francez Jean-Martin Charcot (1825-1893) a produs un spectacol longeviv pe o scenă cât se poate de pariziană, *Leçons du mardi* de la spitalul Salpêtrière. Acolo avea sub conducerea lui saloane adăpostind o combinație eclectică de pacienți ce acopereau toată gama disfuncțiilor neurologice, deși nu avea nici un contact cu medicina psihiatrică a sistemului azilurilor. (Isteria avea să dobândească o importanță și mai mare ulterior, la Viena, unde Sigmund Freud, cândva elevul lui Charcot, a construit un model alternativ al etiologiei tulburărilor psihice și o abordare terapeutică nouă, pur psihologică, în urma întâlnirilor sale cu mai multe astfel de paciente – chestiuni discutate mai jos.)

La început, faima de neurolog a lui Charcot se întemeiase pe activitatea sa în domeniul sclerozelor, al ataxiei locomotorii (una dintre complicațiile sifilisului terțiar), al bolii Parkinson și al altor afecțiuni cerebrale și ale măduvei spinării[20]. Către isterie s-a orientat treptat și în mare măsură întâmplător, ca urmare a unei reorganizări interne la Salpêtrière. Din vastul depozit de specimene patologice împovărate de sărăcie care alcătuia spitalul, lui Charcot i s-a încredințat o secție mixtă cu epileptici și pacienți care erau numiți pe atunci epileptici isterici. Venită din rândurile sărăcimii pariziene, această parte a clientelei lui Charcot se afla într-un contrast cum nu se poate mai puternic cu genul de pacienți care se înghesuiau în sălile de consultație ale neurologilor americani. (Dar nici o grijă, cabinetul particular extrem de profitabil îi aducea pacienți de pe tot cuprinsul Europei, între care personalități ca baroana Anna von Lieben din Viena, una dintre cele mai bogate femei ale epocii, și o serie de milionari ruși, germani și spanioli, plus ocazionalul american.)

De la bun început și pe tot parcursul carierei, Charcot a fost convins că isteria își are locul alături de scleroze și alte afecțiuni similare. Era o boală neurologică reală, cu originea într-un set deocamdată misterios de leziuni la nivelul creierului și sistemului nervos, poziție de care s-a agățat cu tărie chiar și atunci când propriile observații clinice au demonstrat că unele paralizii isterice urmau traiectorii aflate în dezacord total cu cunoștințele acceptate de anatomie a sistemului nervos și reflectau idei profane eronate despre alcătuirea organismului. Cu trei ani înainte să moară, el insista:

„Leziunea sa anatomică scapă în continuare mijloacelor noastre de investigaţie, dar se exprimă într-o manieră inconfundabilă pentru observatorul atent, prin tulburări tropice analoage celor văzute în leziunile organice ale sistemului nervos central". Şi şi-a exprimat convingerea că, „într-o bună zi, metoda anatomo-clinică va repurta încă un succes, dezvăluind, în sfârşit, cauza primordială, cauza anatomică, cunoscută în prezent prin atât de multe efecte fizice"[21].

Astfel, de la începutul interacţiunilor sale cu isteria, Charcot şi-a pus prestigiul profesional deja considerabil în slujba afirmaţiei că boala nu este una pretinsă sau mimată, ci o perturbare reală, somatică (deşi cu nuanţe psihologice evidente). Isteria i-a răsplătit serviciul. Nu imediat, poate, dar decizia lui Charcot de a accepta legitimitatea medicală a hipnozei (acea versiune reetichetată de mesmerism care fusese propusă iniţial de chirurgul scoţian James Braid [1795-1860] cu nişte ani mai devreme)[22] şi demonstraţiile lui publice cu pacienţi isterici în cadrul *Leçons du mardi* au făcut senzaţie. Toată lumea venea să vadă circul istericilor, iar faima lui Charcot a crescut exponenţial.

În ciuda asocierilor generale făcute între isterie şi sexul feminin (corelaţie cuprinsă chiar în numele tulburării), Charcot era convins că, asemenea neurasteniei, era o tulburare ce ataca deopotrivă bărbaţii şi femeile. Iar unii dintre pacienţii săi bărbaţi erau antiteza tipului de bărbat isteric efeminat zugrăvit de Wilkie Collins în *Femeia în alb* (unde sistemul nervos de o sensibilitate extraordinară al lui Frederick Fairlie este strâns corelat cu interesul său senzual pentru băieţei): fierari, de exemplu, şi alţi meşteşugari viguroşi. Însă nu bărbaţii isterici atrăgeau publicul la demonstraţiile clinice ale lui Charcot, ci femeile şarmante, îmbrăcate sumar, care, sub influenţa privirii masculine hipnotizatoare, prezentau în mod repetat diferitele stadii ale crizei isterice: convulsiile şi contorsiunile aparent imposibile ale corpului, desigur, dar, şi mai captivant, *attitudes passionelles*, gesturi, strigăte şi şoapte încărcate de emoţie, cu un inconfundabil iz erotic. Un ziarist a relatat că i s-a acordat o audienţă particulară, în timpul căreia Charcot i-a efectuat compresii ovariene unei „fete tinere şi frumoase, cu o siluetă superbă şi păr blond bogat". Apoi a început spectacolul pentru publicul larg, pe scenă, „targa pacientei fiind aranjată în aşa fel încât să poată fi văzută din toate părţile încăperii, cu ajutorul unui reflector", şi de aşa manieră încât „exclamaţiile ei puteau fi auzite [de oricine]"[23].

Câţiva critici feminişti ai vremii au protestat la acest „gen de vivisecţie a femeilor sub pretextul studierii unei boli căreia nu îi cunoaşte nici cauza, nici tratamentul"[24]. Charcot a fost condamnat drept orchestratorul

Jean-Martin Charcot, „Napoleon al nevrozelor”, cu maimuța sa în brațe.

> unor experimente dezgustătoare făcute pe nebune și pe paciente isterice la Salpêtrière. Surorile medicale le trag pe nefericitele femei, fără a le lua în seamă țipetele și împotrivirea, în fața bărbaților care le fac să cadă în catalepsie. Exploatează aceste organisme dezechilibrate, cărora experimentul le suprasolicită sistemul nervos și le agravează afecțiunile morbide, de parcă ar fi un instrument care ar trebui să ofere toată gama de aberații psihice și de pasiuni depravate. O prietenă mi-a spus că ea și ducesa de P... au văzut un medic foarte reputat făcând o nefericită pacientă să treacă direct de la o beatitudine celestă la o stare de senzualitate infamă. Și aceasta în fața unui grup de literați, artiști plastici și oameni de lume[25].

Și unele personalități literare de sex masculin, între care Tolstoi și Maupassant, și-au arătat desconsiderarea. Dar, așa cum se întâmplă deseori, criticile par să fi avut drept unic efect creșterea numărului celor care insistau să vadă spectacolul.

În *Cartea de la San Michele*, lucrare autobiografică, medicul Axel Munthe (1857-1949) ne-a oferit o reconstituire vie a unei scene pe care a observat-o el însuși și la care a participat: „Amfiteatrul uriaș era plin până la ultimul loc cu un public pestriț, atras din *tout Paris*, scriitori, ziariști, mari actori și actrițe, demimondene" – toți adunați să vadă spectacolul. Au apărut apoi actorii, Charcot cel sobru, cu haină cenușie, maestrul de ceremonii, iar după el femeile care aveau să-i asculte poruncile, aparent sub influența transei hipnotice:

> Unele din ele miroseau încântate un flacon cu amoniac când li se spunea că e apă de trandafiri, altele mâncau o bucată de cărbune când le era înfățișată drept ciocolată. O alta se târa în patru labe pe podea, lătrând de zor, când i se spunea că e câine, flutura brațele de parcă ar fi încercat să zboare când era transformată în porumbel, își ridica poalele cu un țipăt de groază când i se arunca la picioare o mănușă cu sugestia că e șarpe. O alta se plimba cu un joben în brațe, legănându-l și sărutându-l cu duioșie când i se spunea că e copilașul ei[26].

Dominația masculină, ca și nesăbuința și fragilitatea feminină erau etalate în mod decisiv.

Pacientele care se expuneau prinse în ghearele bolii lor erau înregistrate și cu ajutorul obiectivului fotografic. *Iconografiile*, colecțiile de fotografii ale interpretelor care alcătuiau circul, au avut o circulație largă și au diseminat viziunea lui Charcot asupra isteriei la nivelul unui public care putea să observe doar virtual scena pariziană. Ele au avut o contribuție importantă la întipărirea imaginii isteriei în mintea publicului și, poate, la răspândirea sugestivă a unor documente ce se pretindeau neutre și naturaliste privitoare la o tulburare nevropată. Fotografia (cel puțin înaintea epocii manipulării digitale) purta în ea iluzia că oferă adevărul, un portret

Planche XXIII.

ATTITUDES PASSIONNELLES

EXTASE (1878).

Attitudes passionelles: extase *(1878). Încărcătura erotică a fotografiilor făcute de Charcot pacientelor sale isterice de la Salpêtrière nu e nicăieri mai evidentă decât aici.*

direct, lipsit de orice mediere sau chiar o oglindă a naturii, reprezentarea instantanee a ceea ce se petrecea în fața obiectivului fotografic.

Însă limitările iluminatului și tehnica de realizare a fotografiilor cu plăci umede acoperite cu colodiu și chiar și cu stratul de bromură de argint mai târziu presupuneau timpi de expunere lungi, uneori douăzeci de minute per placă. Poate în mod oportun, dat fiind faptul că criticii postumi ai lui Charcot (între care s-au numărat, după cum vom vedea, chiar și – ba nu, îndeosebi – colaboratorii și protejații săi) considerau că demonstrațiile clinice ale acestuia erau frauduloase, fotografiile „obiective" care consemnau patologiile au fost în mod necesar construcții puse în scenă, studiate și fabricate, al căror statut de „fapte" este tot atât de lunecos ca și demonstrațiile pe viu pe care susțineau că le consemnează[27].

În timpul vieții lui Charcot, cu excepția importantă a lui Hippolyte Bernheim (1840-1919) în orașul de provincie Nancy, criticile la adresa lui au venit preponderent din străinătate, căci era un om puternic și deopotrivă iritabil, întru totul capabil să distrugă cariera altora mai puțin însemnați care îl supărau. Nu degeaba se desfăta cu reputația de „Napoleon al nevrozelor". Însă după moartea lui, în anul 1893, lucrurile s-au schimbat. Chiar și cei mai apropiați protejați s-au întors împotriva lui, negând realitatea dramelor la a căror punere în scenă contribuiseră. *Leçons du mardi* erau, a spus Axel Munthe, „o farsă absurdă, un amestec inextricabil de adevăr și înșelătorie"[28].

Freud și nașterea psihanalizei

Dar când faima lui Charcot era la apogeu, în anul 1885, în vârtejul străinilor care căutau la marele om iluminare și, poate, un loc sub aripa sa, un tânăr medic austriac a cărui carieră șchiopăta își făcuse apariția ca să lucreze în subordinea lui timp de cinci luni, sperând fierbinte să-și reînvie norocul acasă, la Viena. Sigmund Freud (1856-1939) nu intenționase la început să-și concentreze atenția asupra isteriei. Avea o educație convențională în anatomia sistemului nervos și neurologie și aspirații în acele direcții. Însă a fost atras de isterie, ca mulți alții. După ce s-a întors la Viena și a renunțat fără tragere de inimă la speranțele de a face o carieră academică în favoarea practicii private, a continuat să trateze cazuri neurologice convenționale, îndeosebi copii cu paralizie cerebrală. Dar, cum aceștia erau prea puțini ca să-i permită să-și întrețină soția și copiii tot mai numeroși, a fost un noroc că spre cabinetul lui au fost atrași mai mulți pacienți cu isterie. Poate că ar fi dorit, asemenea

Într-una din primele sale gravuri în lemn și cea mai veche imagine păstrată a bolii,
brecht Dürer înfățișează un bărbat sifilitic (1496). Globul de deasupra capului acestuia
ce aluzie la o cauză astrologică a bolii, iar legătura dintre sifilis și anumite tulburări
ihice s-a făcut abia după mai multe secole.

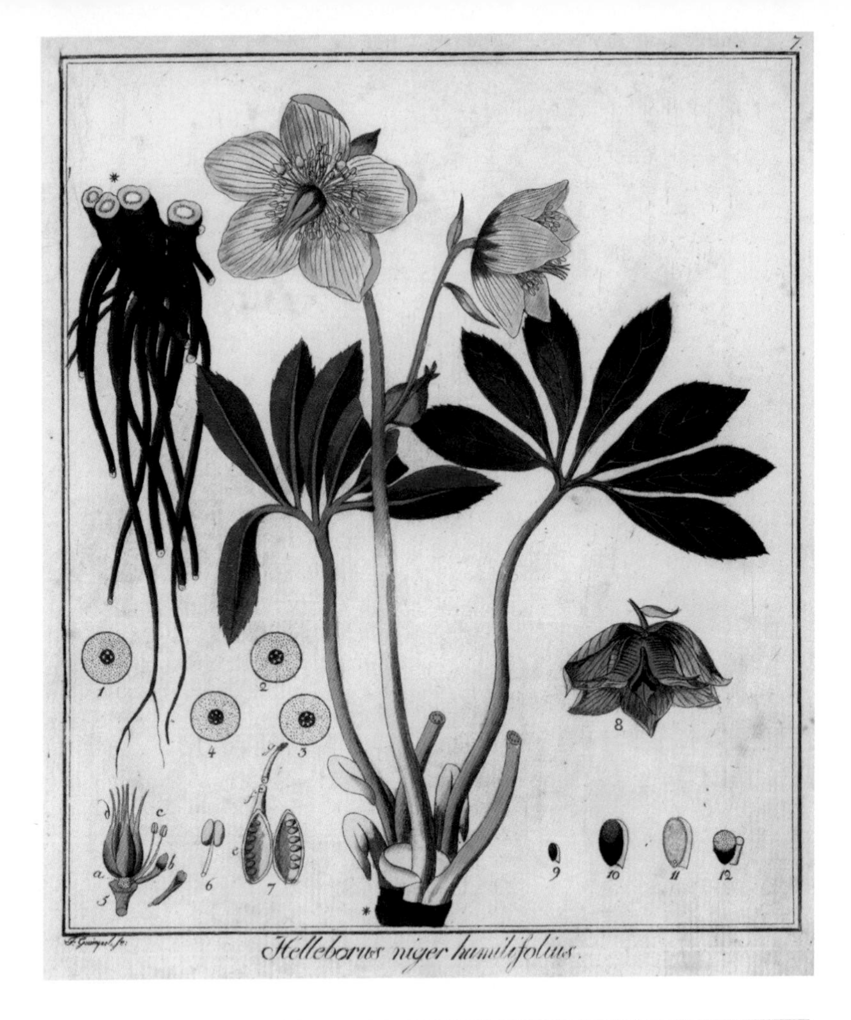
7.
1
2
3
4
5
6
7
8
9
10
11
12
Helleborus niger humilifolius.

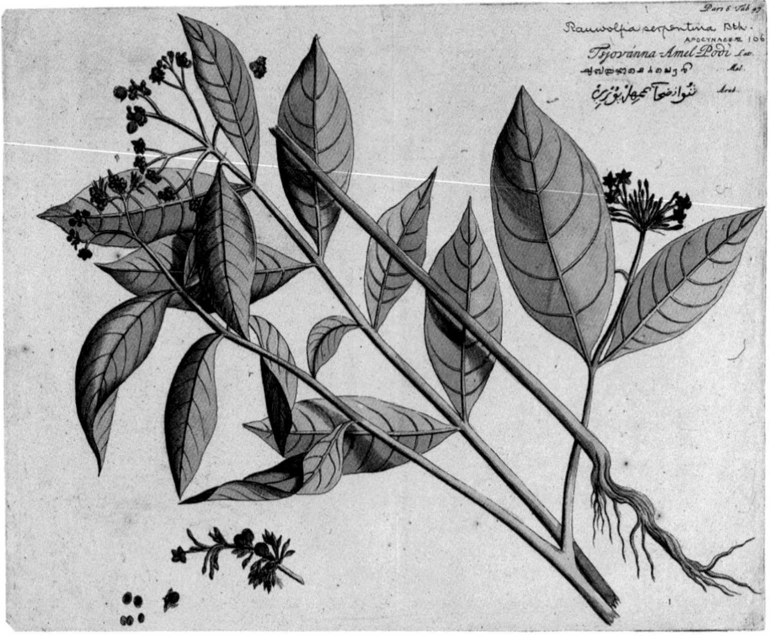
Pars 6 Tab 47
Rauwolfia serpentina Bth.
APOCYNACEAE 106
Tsjovánna-Amel-Podi Lat.
Mal.
Arab.

PAGINA ALĂTURATĂ, SUS
antă otrăvitoare
n familia piciorului-
coşului, spânzul
elleborus niger) era
numit pentru proprietăţile
le antimaniacale, fiind
osit din vremea Greciei
tice atât de medici, cât şi
vracii din popor ca
nediu pentru nebunie.

27 PAGINA ALĂTURATĂ, JOS
Rauvolfia serpentina *sau iarba-şarpelui era utilizată ca remediu pentru nebunie (între alte boli) în medicina indiană. Un alcaloid izolat din ea a fost introdus în psihiatria occidentală, sub numele rezerpină, în anii 1950, dar a fost înlocuit în scurt timp de alte medicamente.*

28 SUS Secţia femeilor nebune din Spitalul San Bonifacio, Florenţa *(1865) de Telemaco Signorini. Spitalul San Bonifacio a fost înfiinţat la Florenţa în anul 1377, devenind azil de nebuni în secolul al XVIII-lea, în timpul marelui duce Pietro Leopoldo I.*

29 Corral de locos *sau* Curtea unei case de nebuni *(1793-1794) de Francisco Goya.*
Goya a pictat această scenă când se temea că înnebunește. Viziunea sumbră și tulburătoa înfățișează doi pacienți dezbrăcați prinși într-o încăierare și bătuți în același timp de paznic un tablou nemilos, plin de suferință și emanând puternic deznădejdea rațiunii pierdute.

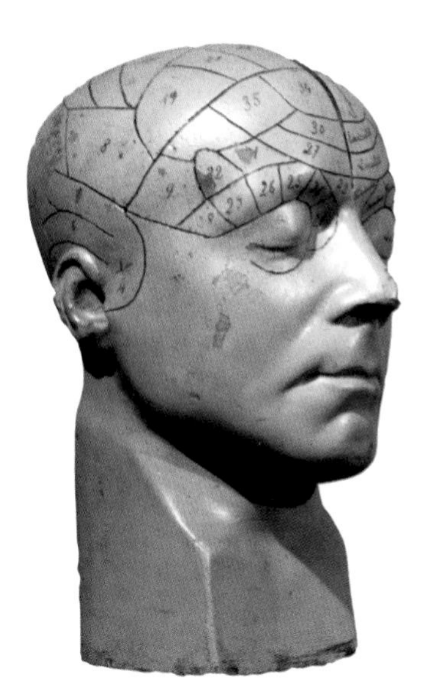

DREAPTA *Busturi*
nologice aparţinându-i
Jean-Martin Charcot,
urologul francez care s-a
ecializat în tratarea
eriei. Ideea localizării
ncţiilor cerebrale,
ntrală în teoriile
nologice ale lui Franz
seph Gall şi Johann
urzheim, a avut o
luenţă continuă asupra
aginaţiei neurologilor.

JOS *Franz Joseph Gall*
amineazǎ capul unei
ere atrăgătoare, în timp
trei domni îşi aşteaptă
ndul pentru a le fi
scifrat caracterul, într-o
agine satirică publicată
1825.

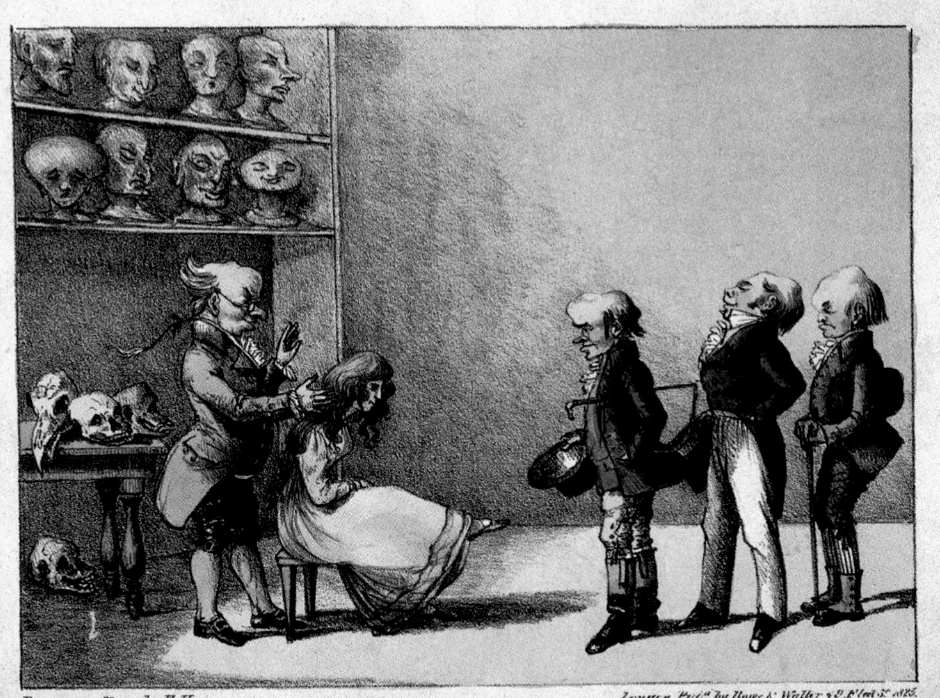

32 SUS *Portretul lui sir Alexander Morison (1852) pictat de Richard Dadd îl înfățișează pe medicul măcinat de griji al Spitalului Bedlam la țară, pe moșia sa scoțiană, peisaj pe care Dadd îl cunoștea doar din schițe.*

33 DREAPTA *Dr. Félix Rey l-a tratat pe Vincent van Gogh când acesta a fost închis pentru nebunie în spitalul de la Arles, iar pictorul i-a făcut portretul (1889) în semn de recunoștință, deși Rey s-a declarat „de-a dreptul îngrozit" de el.*

34 PAGINA ALĂTURATĂ Portretul doctorului Heinrich Stadelmann *(1922) de Otto Dix. Stadelmann a fost psihiatru, hipnotizator și specialist în tratarea bolilor nervoase.*

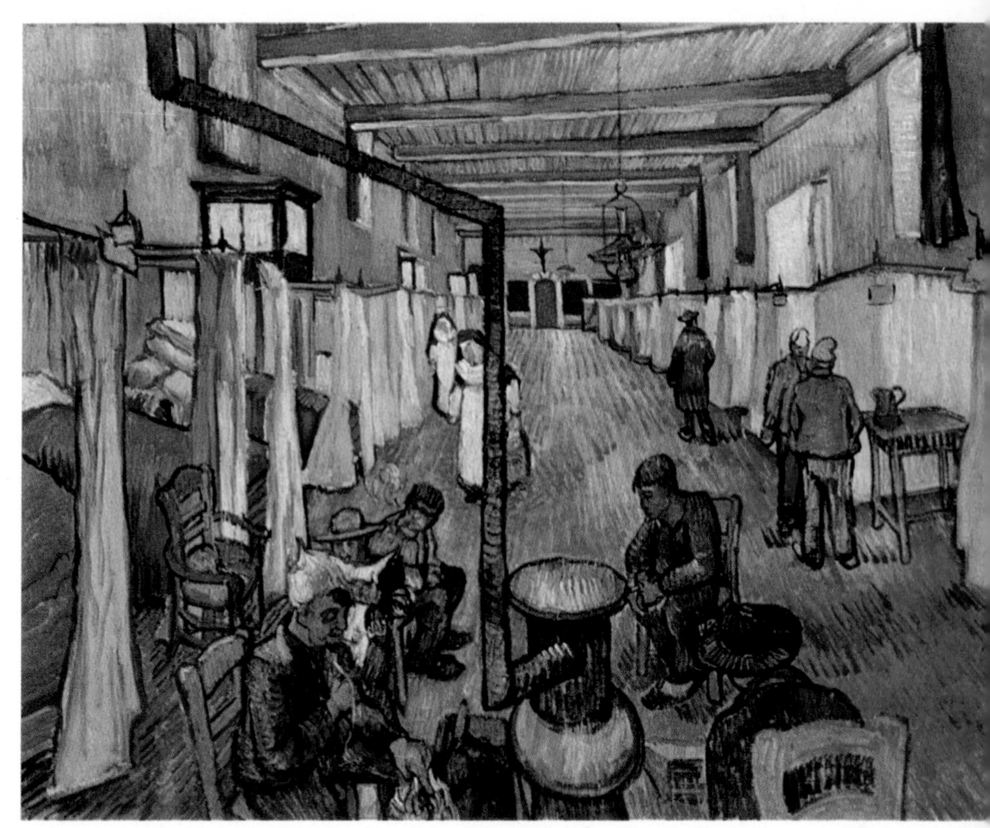

35 Secţia spitalului de la Arles *(1889) de Vincent van Gogh. Van Gogh a stat aici mai întâ*
pentru scurtă vreme, după episodul din decembrie 1888 când şi-a tăiat o parte din urechea
stângă, apoi a fost spitalizat din nou în februarie 1889. A pictat scena din secţie în aprilie
el locuind în încăperi ce aparţineau medicului său, Félix Rey.

neurologilor americani, să nu se fi întâmplat așa, dar istericii constituiau o sursă de venit indispensabilă, astfel că a început să-și concentreze eforturile în această direcție.

Freud făcuse tot posibilul să obțină un loc în cercul de apropiați al lui Charcot cât s-a aflat la Paris, câștigând recunoștința marelui om când s-a oferit să traducă al treilea volum al lucrării acestuia, *Leçons sur les maladies du système nerveux* (*Prelegeri asupra bolilor sistemului nervos*), în germană – în ciuda limitărilor pe care și le recunoștea în privința limbii franceze. Adusese cu el accentul pus de Charcot pe cauzele somatice ale isteriei, precum și folosirea hipnozei în tratarea ei. Primul avea să rămână central în gândirea lui până la sfârșitul anilor 1890, când a renunțat fără tragere de inimă la mărețul său „Proiect de psihologie științifică", în care avea ambiția să coreleze complexitățile experienței lăuntrice cu procese neurale de bază. Hipnoza a abandonat-o ceva mai devreme. Nu ajunsese niciodată să stăpânească tehnica, iar colegii lui vienezi, privind-o drept „simplă" sugestie, au urmat exemplul marelui neuropatolog Theodor Meynert (1833-1892) și au respins întreaga abordare drept șarlatanie.

Charcot încercase să susțină altceva. A insistat că numai cei cu sistemul nervos deficient al istericilor erau susceptibili la transa hipnotică. Adoptarea acestei poziții i-a permis să utilizeze ceea ce altora le părea a fi o terapie psihologică bazată pe sugestie, în timp ce continua să afirme că, la nivel fundamental, isteria este o boală somatică. Poziția a fost adoptată de mulți dintre admiratorii britanici ai lui Charcot, pentru care a cocheta cu explicațiile psihologice ale bolilor psihice însemna o ruptură cu disciplina științei medicale în favoarea șarlataniei, amăgirii de sine și fraudei. Așadar, a exprimat consensul neurologul britanic Horatio Donkin (1845-1927), „este cert, pe baza experienței generale, că ființele omenești sunt hipnotizabile direct proporțional cu instabilitatea lor nervoasă"[29].

Activitatea lui Hippolyte Bernheim discreditase în mare măsură această poziție, căci experimentele lui păreau să arate că chiar și cei „psihologic normali" pot fi hipnotizați[30]. Concepțiile lui Charcot au avut foarte puțin ecou și în rândul medicilor austrieci. Așadar, renunțarea lui Freud la hipnoză se poate să fi avut cauze multiple. Îl tradusese pe Bernheim în germană în 1888, presărându-și traducerea cu comentarii editoriale care îi semnalau dezacordul, dar, după câteva luni, nu mai apăra poziția lui Charcot în această chestiune și, bănuim, începea să caute o manieră de a reformula legăturile dintre procesele psihice și boala psihică.

Când și-a văzut nimicite speranțele la o carieră academică, orientându-se în schimb spre practica privată ca neurolog, Freud și-a câștigat cu dificultate existența. Chiar și în anii 1890 depindea în

Sigmund Freud în 1891, la treizeci și cinci de ani.

mare măsură de pacienții primiți (și chiar și de împrumuturile) de la eminentul medic vienez Josef Breuer (1842-1925), cu aproape un deceniu și jumătate mai în vârstă decât el și binecuvântat cu o practică privată înfloritoare, care-i aducea o clientelă prea numeroasă ca să-i facă față. Era o dependență iritantă, iar după ruptura intervenită între cei doi la jumătatea anilor 1890 Freud a ajuns să-l disprețuiască pe Breuer. Însă prin intermediul acestuia a avut Freud contact cu primele paciente isterice și volumul publicat împreună în 1895, *Studien über Hysterie* (*Studii asupra isteriei*), a fost cel care a pus bazele carierei de psihoterapeut a lui Freud și totodată a dus, în timp foarte scurt, la crearea psihanalizei, o nouă abordare a tratării tulburărilor psihice și o nouă conceptualizare a etiologiei lor.

„Anna O.", probabil cea mai faimoasă pacientă din istoria psihanalizei, a fost de fapt pacienta lui Breuer, nu a lui Freud. Numele ei real era Bertha Pappenheim (1859-1936) și, la fel ca mulți dintre pacienții lui Breuer (și ai lui Freud), se trăgea dintr-o familie bogată de evrei, cu o poziție însemnată în marea burghezie vieneză. Intrase

„Anna O.", în realitate Bertha Pappenheim (1882), cea dintâi pacientă a psihanalizei, fotografie făcută la Sanatoriul Bellevue de la Kreuzlingen, unde a fost internată ca pacientă psihiatrică după ce Josef Breuer a tratat-o cu pretins succes.

în atenția lui Breuer în anul 1880, când îi devenise pacientă. Anna/ Bertha petrecuse luni la rând îngrijindu-și cu devotament tatăl muribund. După moartea acestuia a ajuns să prezinte unele dintre simptomele enigmatice și descurajante care, la acea vreme, conduceau de obicei la diagnosticul de isterie. Avea o tuse persistentă, insomnii, apoi spasme care semănau cu convulsiile, urmate de paralizia membrelor pe partea dreaptă. Vederea a început s-o lase. Femeia înainte bine-crescută ceda unor episoade de furie incontrolabilă. A început să nu mai stăpânească germana și, în scurt timp, a ajuns să vorbească și să înțeleagă numai engleza. Existau perioade în care refuza alimentele și lichidele.

Tratamentul aplicat de Breuer a constat în conversaţii frecvente şi prelungite cu ea. În timp, pacienta a început să-şi cearnă memoria ei remarcabilă şi să-şi amintească episoade traumatice care erau asociate cu fiecare dintre simptomele ei, iar evocarea acestor scene, a declarat Breuer, a avut un efect cathartic. Una câte una, patologiile ei dramatice au dispărut. Potrivit lui Breuer, Anna însăşi a fost cea care a botezat tratamentul „cura verbală"[31]. Un deceniu mai târziu, Breuer i-a trimis tânărului său prieten şi protejat un şir de paciente cu simptome isterice, iar Freud a susţinut că a constatat acelaşi lucru:

> Am descoperit, la început spre marea noastră surprindere, că *fiecare simptom isteric dispărea imediat şi definitiv după ce reuşeam să aducem la lumină, cu claritate, amintirea evenimentului care îl provocase şi să deşteptăm afectul însoţitor şi după ce pacienta descria acel eveniment cu cel mai mare lux de amănunte posibil şi punea afectul în cuvinte*[32].

Aceste istorii de caz – Anna O., Frau Emmy von N., Fräulein Elisabeth von R., miss Lucy R., Katherina şi Frau Cäcilie M. – l-au îndemnat pe Freud să-i propună lui Breuer scrierea şi publicarea unei cărţi despre isterie, sugerându-i formatul: o serie de viniete cu încărcătură psihologică ce puteau fi citite ca nişte nuvele sau povestiri poliţiste. Căci mesajul central al *Studiilor asupra isteriei* era că *„istericii suferă în principal din cauza reminiscenţelor"*[33], amintiri care stăruiau cumva sub pragul evocării conştiente, otrăvind psihicul şi generând simptomele misterioase care se dovediseră atât de frustrante pentru numeroşii medici care încercaseră să trateze astfel de pacienţi. Amintirile pe jumătate ucise trebuiau readuse la viaţă, căci, atunci când se realiza acest lucru, puterile lor patologice dispăreau şi simultan dispărea şi isteria pacientului.

După cum a spus-o chiar el, la începutul anilor 1890, Breuer îşi pierduse complet interesul de a trata în continuare cazuri de isterie[34]. Practicarea încununată de succes a medicinei generale îi asigura un trai generos şi, în plus, era prea ocupat pentru metoda cathartică, consumatoare de timp. Freud însă a primit cu braţele deschise „mulţimile de nevrotici" care au început să se înghesuie în sala lui de consultaţie şi, imediat, a „abandonat tratarea bolilor nervoase organice"[35]. Aproape simultan, a abandonat şi hipnoza, a întrerupt metoda cathartică, declarând-o prea simplistă, a rupt relaţiile sociale şi intelectuale cu Breuer şi a început să elaboreze un sistem terapeutic alternativ, centrat pe „asocierile libere" făcute de pacient, a abandonat eforturile de a reduce evenimentele psihologice la neuropatologia subiacentă şi a optat în schimb pentru o explicaţie psihodinamică tot mai complexă a originilor bolii psihice.

Refularea

Această serie de alegeri a fost remarcabil de riscantă, riscul fiind amplificat de adoptarea de către Freud, aproape simultan, a unei noi explicații a originii simptomelor pacienților săi. El a ajuns să creadă că tulburările acestora își aveau originea în sexualitate, mai corect spus în traume sexuale – amintiri refulate ale unor agresiuni sexuale și relații incestuoase în perioada copilăriei. Aceste episoade se aflau, spunea el, întotdeauna și pretutindeni la baza isteriei. Afirmația a făcut ca Freud să fie ridiculizat imediat, chiar și de către Richard von Krafft-Ebing (1840-1902), cel mai mare psihiatru și sexolog vienez. Acesta a declarat că ideile lui Freud sunt „un basm științific”[36].

După un an, Freud a pornit într-o altă direcție: sexualitatea a rămas centrală în explicația oferită de el, dar în locul traumelor și agresiunilor reale se afla acțiunea fantasmelor din copilărie și a refulării acestora. De-a lungul a mai bine de un deceniu, el și-a rafinat modelul, argumentând că libidoul, energia furnizată de pulsiunile sexuale inconștiente, era sursa tuturor tipurilor de neplăceri și conflicte psihice. Viața psihică, susținea el, urma o logică deterministă care se preta la studiu și analiză științifică la fel de mult ca și realitățile fiziologice pe care alții le examinau în laborator. Deduse cu migală din vise, lapsusuri și asocierile libere pe care pacienții erau încurajați să le facă, sursele problemelor subiacente puteau fi dezvăluite și, prin procesul conștientizării a ceea ce era inconștient, pacientul putea fi condus spre autovindecare.

Așa cum îl zugrăvea Freud, inconștientul era un loc de temut. Era creat (și, în general, viciat) din chiar primele săptămâni și luni de viață de prezența dominatoare a figurilor parentale în universul psihic al nou-născutului, iar tabloul devenea și mai întunecat pe parcursul pruncIei. Familia era scena unei puzderii de psihodrame înfricoșătoare și primejdioase care populau inconștientul copilului, instigau refulările și-i creau psihopatologiile. Siliți să-și refuleze dorințele inacceptabile și să-și nege fantasmele oedipiene de a-și poseda părintele de sex opus și de a elimina părintele de același sex, adică să le împingă și mai adânc în inconștient, copiii trăiau într-o lume a conflictului psihic ascuns. Iată deci o nouă explicație a conexiunilor între patologiile psihicului și progresele civilizației. Dorințele și reprimările, căutarea unor satisfacții înlocuitoare și a unor căi de a sublima ceea ce nu putea fi recunoscut în condiții de siguranță, falsa uitare, toate restricțiile deformatoare ale moralității „civilizate” creau un câmp minat din care puțini ieșeau nevătămați și fără cicatrice.

Majoritatea copleşitoare a psihiatrilor contemporani cu Freud considerau că ideile aberante, percepţiile perturbate, stările afective recalcitrante ce exercitau o influenţă atât de persistentă asupra pacienţilor lor erau de fapt mult zgomot pentru nimic. Unica lor semnificaţie era aceea de simptome ale unor creiere perturbate. Altfel, nu erau decât nişte epifenomene care nu meritau să fie luate în seamă. În schimb, pentru Freud şi adepţii lui erau cruciale. Nebunia îşi avea rădăcinile în semnificaţii şi simboluri şi trebuia tratată la nivelul semnificaţiilor. Faptele, ideile şi stările afective perturbate aveau cea mai mare importanţă, iar sarcina extrem de dificilă aflată în faţa medicului şi a pacientului consta în a cerne indiciile oferite de ele, scoţând la iveală ceea ce psihicul îngropase cu o uriaşă investiţie de energie. În mod inevitabil, aceste săpături erau un proces intens şi tensionat. Se susţinea că e nevoie de luni, dacă nu de ani de tatonări pentru a trece dincolo de barierele şi rezistenţele interne şi a sili conţinuturile inconştiente să treacă în zona conştiinţei.

Unul dintre marile puncte de atracţie ale edificiului intelectual creat de Freud consta în faptul că modelul psihicului şi tehnica de tratare a manifestărilor sale perturbate erau împletite foarte strâns şi se consolidau reciproc. Deşi elaborat iniţial pentru a diagnostica şi trata pacienţi încă funcţionali (la limită), chiar dacă perturbaţi şi suferinzi, etichetaţi ca având boli nevrotice, el putea să fie (şi a fost în anii care au urmat) lărgit pentru a explica şi psihozele. Şi, la capătul opus al spectrului, susţinea că oferă o interpretare a personalităţii „normale". Emil Kraepelin („marele papă" al psihiatriei, cum îl numea Freud cu dispreţ) ridicase o barieră aparent impenetrabilă între specimenele degenerate biologic şi inferioare fizic care umpleau azilurile de nebuni şi majoritatea alcătuită de cetăţenii sănătoşi mintal. Freud însă a negat ideea că nebunia este pur şi simplu problema Celuilalt. Pe cât se pare, ea pândeşte în fiecare dintre noi, cel puţin într-o anumită măsură. Aceleaşi forţe care duc un om la boală psihică îi permit altuia să aibă realizări de o importanţă culturală excepţională. Civilizaţia şi insatisfacţiile pe care le generează, a proclamat Freud, sunt prinse inevitabil şi iremediabil într-o îmbrăţişare strânsă.

Capitolul 10

Remedii disperate

Grelele încercări ale războiului total

Pe 28 iulie 1914, lumea a înnebunit. Sau, mai bine zis, Europa a înnebunit și s-a asigurat în scurt timp că restul lumii îi va împărtăși sminteala. Kaizerul german și-a asigurat tinerii soldați că nebunia se va sfârși până la Crăciun – și așa a fost, dar patru Crăciunuri mai târziu. Asasinarea pe 28 iunie a arhiducelui Franz Ferdinand, un om șters și nepopular, moștenitorul tronului austro-ungar, de către sârbul bosniac Gavrilo Princip a dus rapid la declararea unui război care a ajuns în scurt timp să înghită continentul și, în cele din urmă, a iscat conflicte în lumea întreagă. Era un război la scară mare sau, mai bine zis, îngrozitoare, uriașa putere industrială a lumii moderne fiind îndreptată spre distrugere. Armatele combatante s-au împotmolit rapid în noroiul Flandrei. Nordul Franței a fost pustiit. S-au săpat tranșee, s-au ridicat fortificații cu sârmă ghimpată și a urmat un război de uzură. Ambele tabere susțineau că luptă pentru civilizație. Tancurile, artileria, mitralierele și baionetele își făceau treaba sângeroasă, sfârtecând trupuri, și, ca și cum asta n-ar fi fost de ajuns, oamenii de știință au pus la dispoziție gaze otrăvitoare, iar păzitorii civilizației le-au aruncat pe câmpul de luptă. Milioane de oameni au pierit. Alte milioane au suferit răni cumplite – și-au pierdut membrele, au ajuns paralizați sau desfigurați. Generalii din ambele tabere, lipsiți parcă de conștiință, au trimis ofițeri inferiori și soldați de rând cu milioanele în mașina de tocat, distrugând fizic sau psihic aproape o generație întreagă de bărbați tineri. Răscoalele, căderea regimului țarist în Rusia, amploarea carnajului, deplina inutilitate a luptei, nimic n-a părut să-i poată influența pe politicieni. Nebunia trebuia să continue, ca nu cumva să piară civilizația. Și n-a lipsit mult să piară cu adevărat.

Timp de patru ani, soldații au tremurat în tranșee, potopiți de moarte și distrugere. Se lansau atacuri sinucigașe. Trupele care avansau erau secerate de mitraliere ca niște lanuri de porumb luate cu asalt de o combină agricolă. Bărbați grav răniți zăceau în locuri unde nu putea ajunge nimeni, țipând și gemând în chinuri, până când moartea le amuțea strigătele. Cu imense pierderi de vieți omenești, era cucerită periodic câte o sută de metri de teritoriu anonim, pentru a fi pierdută la următoarea ofensivă a inamicului. Noroi și sânge, sânge și noroi. Apoi au venit gazele, cu spectacolul camarazilor care mureau sufocați când plămânii li se umpleau cu sânge și apă, măruntaiele li se lichefiau, ochii li se bășicau și ardeau, iar din gură le curgeau spume; era o moarte lentă, agonizantă. Ieșirea din coșmar era imposibilă. A dezerta însemna să fii prins și împușcat pentru lașitate. A rămâne însemna să trăiești zilnic traume, să fii martor și să iei parte la fapte de neconceput, să auzi gemetele, hohotele și țipetele celor schiloditi și muribunzi, să vezi trupuri sfârtecate și apoi lăsate să putrezească: umflate, duhnind, înnegrite.

Toate acestea depășeau puterea de a îndura a multora. Înainte de Crăciunul din 1914 – când glorioasa aventură trebuia să se fi încheiat –, strategii militari erau nevoiți să facă față unei probleme acute și absolut deloc anticipate. N-ar fi trebuit să fie atât de neașteptată, date fiind lecțiile din Războiul Civil American și din războiul cu burii purtat de britanici în Africa de Sud, la început de secol. Dar acele semnale de alarmă fuseseră ignorate; problemele care au apărut de timpuriu în rândul soldaților din Marele Război nu puteau să existe. Poetul englez Wilfred Owen (1893-1914) scria în poezia sa „Mental Cases":

Soldați germani plecând voioși la război în 1914, „de la München, prin Metz, la Paris". Luptele se vor încheia până la Crăciun, îi asigurase kaizerul; va fi floare la ureche.

These are men whose minds the Dead have ravished.
Memory fingers in their hair of murders,
Multitudinous murders they once witnessed.
Wading sloughts of flesh these helpless wander,
Treading blood from lungs that had loved laughter.
Always they see these things and hear them,
Batter of guns and shatter of flying muscles,
Carnage incomparable, and human squander
Rucked too thick for these men's extrication.

Therefore still their eyeballs shrink tormented
Back into their brains, because on their sense
Sunlight seems a blood-smear; night comes blood-black;
Dawn breaks open like a wound that bleeds afresh.
This their head wear this hilarious, hideous,
Awful falseness of set-smiling corpses.
This their hands are plucking at each other;
Picking at the rope-knouts of their scourging;
Snatching after us who smote them, brother,
Pawing us who dealt them war and madness[1]*.

Având-u-i în fața ochilor pe cei „care mor precum vitele"[2], majoritatea lor muți pentru posteritate, unii soldați au căutat cuvinte și imagini cu care să consemneze atât cât puteau ororile războiului. Poeziile și picturile lor au slujit drept mementouri puternice ale carnajului și nebuniei care i-au înghițit pe camarazii lor de arme și, adesea, pe ei înșiși. Unii au pierit – Owen avea să moară în ultimele ceasuri ale războiului, cu doar o săptămână înaintea armistițiului de la 11 noiembrie. Alții, între care pictorul german Max Beckmann (1884-1950), care se înrolase voluntar ca brancardier, au intrat în rândurile celor care au avut psihic de suferit de pe urma conflictului: în 1915 a fost spitalizat, inapt să rămână la datorie. *Noaptea* (*Die Nacht*), pictată imediat după conflagrație, evocă cu forță spectrul

---

* „Sunt oameni cu mințile răvășite de Moarte./ Degetele amintirii în pletele crimelor,/ Nenumărate crime la care au fost martori./ Prin mlaștini de carne rătăcesc neajutorații,/ Călcând pe sânge din plămâni ce iubeau râsul./ Neîncetat văd și aud aceste lucruri,/ Lătratul puștilor, sfârtecarea mușchilor zburând,/ Carnaj cum altul n-a fost și irosire omenească/ Într-un strat prea gros ca ei să poată ieși. // Așa că ochii li se retrag, chinuiți,/ În fundul capului, pentru că-n fața lor/ Lumina soarelui pare dâră de sânge, noaptea cade sângeros de neagră,/ Zorii se crapă ca o rană ce sângerează iar./ De aceea, capetele lor poartă cununa ilară, hidoasă,/ Cumplit de falsă a leșurilor cu zâmbet fix./ De aceea, mâinile lor se frâng una într-alta,/ Trăgând de nodurile osândei lor;/ Furișându-se după noi, cei care i-am nimicit, frate,/ Pipăindu-ne pe noi, cei care le-am dat război și nebunie" (n.tr.).

violenţelor, violurilor, omorurilor şi torturilor cumplite şi inutile (**pl. 38**). În nuanţe de brun şi roşu, lipsită de convenţiile „civilizate" ale artei plastice, imaginea înfăţişează o realitate deformată grotesc, un simţ al perspectivei distrus, colţuros, neregulat, de coşmar: viziunea unui iad psihotic din care nu există scăpare. Paleta cubismului, apelul lui la fragmentare şi geometria greoaie ofereau un set nou de resurse artistice la care Beckmann a putut să apeleze, alături de caracterul „bestial" şi liniile frenetice ale fovismului („*fauve*" înseamnă în franceză „animal sălbatic"). Panorama plată şi haotică a picturii, violentă, lipsită de orice indiciu de tridimensionalitate, dă impresia că personajele ei au fost strivite pe pânză, aşa cum războiul a strivit fiinţe omeneşti şi civilizaţia lor, totul a fost turtit cu forţă pe acelaşi plan dement[3]. Nu există ieşire, nu poate fi concepută nici o cale de scăpare. Suntem condamnaţi.

Dacă viziunea lui Beckmann este o alegorie, cea a contemporanului său Otto Dix (1891-1969) ne oferă în schimb o imagine neînfrumuseţată a „lucrării diavolului" – „păduchi, şobolani, sârmă ghimpată, purici, obuze, bombe, grote subterane, leşuri, sânge, alcool, şoareci, pisici, gaze, artilerie, mizerie, gloanţe, mortiere, foc, oţel: asta e războiul!". El luptase ca mitralior la Artois, Champagne şi în bătălia de pe Somme. Trăise experienţa în care „cineva de lângă mine se prăbuşeşte brusc, mort, după ce un glonţ l-a nimerit în plin"[4]. Amintirile îl obsedau; după mai bine de un deceniu de la sfârşitul războiului, a creat o serie de gravuri intitulate *Der Krieg* (*Războiul*) şi un monumental triptic pictat, *Tripticul războiului* (**pl. 39**), care au redat în alb-negru sever şi apoi în culori vii lucruri la care cei mai norocoşi nu sunt martori niciodată. *Gott mit uns* (*Dumnezeu cu noi*) proclamau cataramele centurilor uniformelor germane. Mai degrabă iadul pe pământ, viziuni cu bărbaţi „*guttering, choking, drowning... the blood / Come gargling from the froth-corrupted lungs*"[5]*, apoi cadavrele lor pline de viermi şi larve, împresurate de muşte, putrezind şi scoţând la iveală oase albite şi tigve rânjind.

Generalii se aşteptaseră la mutilaţi şi morţi. Dar cu ceilalţi ce era? Soldaţi care amuţiseră. Care tremurau incontrolabil. Care petreceau nopţi albe, urmăriţi de coşmaruri. Care declarau că au orbit peste noapte, deşi cu siguranţă nu orbiseră. Care se plângeau de palpitaţii cardiace – aşa-zisa „inimă de soldat". Care se declarau paralizaţi, deşi nu părea să se fi produs vreun eveniment fizic care să provoace paralizia. Ale căror corpuri erau deformate şi care mergeau cu un pas ciudat, nefiresc. Care plângeau şi ţipau fără oprire. Care susţineau că şi-au pierdut cu totul memoria. Generalii credeau că

---

* „Gâtuiţi, sufocaţi, înecaţi... sângele/ Gâlgâind din plămâni plini de spume" (n.tr.).

Otto Dix a realizat o serie de portrete crude ale realităţilor războiului de tranşee, Der Krieg *(*Războiul*) – imagini urâte, de coşmar, un memento vizual al efectelor războiului asupra fiinţelor omeneşti. Aceasta se intitulează* Întâlnire nocturnă cu un nebun.

ştiu despre ce e vorba: boală prefăcută, voinţă slabă. Aceşti bărbaţi erau laşi şi se sustrăgeau de la datoria lor patriotică. Meritau să fie împuşcaţi. Iar unii chiar au fost, *pour encourager les autres*.

Șocul de obuz

Sanitarii militari au ajuns la altă concluzie: acești bărbați erau bolnavi psihic, dărâmați – cu nervii distruși. Nu meritau asta. Medicii germani au conchis că respectivii militari sufereau de *Schreckneurose*, nevroza groazei. Britanicii i-au spus „șoc de obuz”, expresie care cuprindea primele teorii medicale despre ceea ce mersese prost: efectele violente ale explozibililor puternici traumatizaseră creierul și sistemul nervos, pricinuind leziuni invizibile la oameni aparent nevătămați fizic. Rupturile la nivelul măduvei spinării sau hemoragiile cerebrale minuscule nu puteau fi detectate, cel puțin nu în organismul viu, dar erau adevăratele cauze fizice ale simptomelor versatile cu care se confruntau acum medicii.

Nu toți erau convinși de asta. Mulți psihiatri au înclinat inițial să dea vina pe inamicul lor tradițional, degenerarea. Chiar înainte să izbucnească războiul, Charles Mercier (1815-1919), unul dintre cei mai de seamă psihiatri britanici, insistase că o cădere nervoasă „nu se produce la oamenii cu o constituție psihică robustă. [Boala psihică] nu-i afectează fără discriminare pe cei slabi și pe cei puternici, ca variola și malaria. Ea apare în principal la cei a căror constituție psihică este din capul locului deficientă și la care defectul se manifestă prin lipsa puterii de a se controla și de a renunța la satisfacția imediată”[6]. Impregnați de învățăturile lui Charcot, neuropsihiatrii francezi au fost de aceeași părere: numeroșii soldați cu simptome psihice erau degenerați viciați, slabi, îngroziți, suflete decrepite, ale căror căderi nervoase erau întru totul previzibile și nu aveau nici o legătură cu exigențele războiului[7]. Psihiatrii germani aveau în general păreri similare.

Lărgirea experienței în privința șocului de obuz a dus la sporirea îndoielilor față de afirmația că simptomele lui erau rezultatul unor evenimente violente care zguduiseră sistemul nervos. Simptomele tulburării apăreau la unii soldați care nu călcaseră nici măcar la câțiva kilometri de linia frontului. Cei bolnavi fizic și schilodiți păreau să se bucure de o imunitate remarcabilă față de ravagiile ei. Iar prizonierii de război, scăpați de pericolele frontului, erau și ei cruțați în mod miraculos. Nu trebuia să fii cinic sau ofițer de armată ca să te îndoiești de primele ipoteze medicale cu privire la originea șocului de obuz.

Dacă vătămarea creierului și a sistemului nervos central nu explica situația acestor soldați, atunci ce putea s-o explice? Dacă problemele lor ar fi fost pur și simplu o boală prefăcută, era ciudat că nici măcar presiunile extreme nu-i puteau determina să renunțe la simptome.

Soldatul „orb", de exemplu, nu clipea când i se apropia tot mai mult de ochi o lumânare aprinsă. Cel „surd" nu reacţiona la zgomote bruşte, neaşteptate. Mutismul persista în ciuda aplicării de stimuli dureroşi. Ideea că şocul de obuz ar putea fi o formă de isterie i-a atras pe mulţi. Şi părea tot mai plauzibil că stresul psihic al luptei putea fi factorul declanşator al colapsului stoicismului obişnuit.

Psihiatrii din toate taberele puteau, cu foarte puţine dificultăţi, să îmbrăţişeze astfel de ipoteze şi să continue totodată să fie convinşi că bolnavii psihici formau un grup inferior biologic. Această concepţie fusese elaborată de Charcot şi şcoala lui la Paris şi era larg răspândită şi în rândul *Nervenarzten* germani şi austrieci. Totuşi, aplicarea etichetei de degeneraţi celor care luptau pentru *la patrie* sau patria-mamă crea un oarecare disconfort, mai cu seamă că şocul de obuz apărea şi la ofiţeri, şi la militarii de rang inferior, iar unii soldaţi care dovediseră un curaj deosebit de-a lungul multor luni cădeau mai târziu pradă bolii. Tot mai mulţi medici militari erau atraşi de ideea că, supusă la suficient stres, chiar şi cea mai puternică minte ceda. Nebunia şi trauma psihică păreau strâns legate între ele, iar dacă trauma nu era de genul celei de ordin sexual pe care pusese Freud accentul, ideile lui de conflict inconştient şi de convertire a problemelor psihice în simptome fizice păreau să fie confirmate cel puţin parţial de aceste experienţe din vreme de război. În condiţii de pericol infernal, evadarea în boală părea cum nu se poate mai logică. Iată zeci de mii, sute de mii de oameni înainte „normali", chinuiţi de amintiri traumatice, încercând cu disperare să reprime ceea ce văzuseră şi făcuseră, obsedaţi de vise şi coşmaruri; şi iată dovada, la scară mare, a faptului că aceste presiuni şi conflicte psihologice ieşeau la suprafaţă sub forma simptomelor fizice.

În unele cazuri, această trecere la un accent mai mare pe originile psihologice ale tulburărilor mintale a fost asociată cu adoptarea tratamentului cu baze psihologice. Carismaticul psihiatru german Max Nonne (1861-1959) a folosit hipnoza cu mare succes, după declaraţiile sale. W.H.R. Rivers (1864-1922), neurolog la Cambridge, detaşat la spitalul pentru ofiţeri de la Craiglockhart (fostă instituţie de hidroterapie transformată, lângă Edinburgh), şi-a tratat pacienţii, între care s-au numărat poeţii războiului Siegfried Sassoon (1886-1967) şi Wilfred Owen, cu tehnici psihoterapeutice având o doză mare de freudism şi cu multă compasiune[8]. Sassoon şi-a botezat noul cămin „Dottyville"* (**pl. 37**).

Ar fi însă o greşeală să presupunem că, dacă au acordat o pondere mai mare factorilor psihologici în apariţia şocului de obuz, psihiatrii au fost mai înţelegători. Dimpotrivă, dacă simptomele acestor bărbaţi

* „Oraşul afectuos" (n.tr.).

erau rezultatul sugestibilității lor – al vulnerabilității lor psihice –, atunci puteau fi trase cu totul alte concluzii. Psihiatrul german Karl Bonhöffer (1868-1948) nu-și făcea nici o iluzie cu privire la ceea ce credea el că se petrece:

> Reacțiile isterice [ale celor cu șoc de obuz] sunt rezultatul dorinței mai mult sau mai puțin conștiente de autoconservare. Diferența de comportament între germanii veniți la spital direct din bătaia gloanțelor și prizonierii francezi era izbitoare. La germani, formele familiare de reacții isterice puteau fi întâlnite foarte frecvent, pe când la francezi, care veniseră din aceleași condiții de front, nu se vedea nici o urmă de isterie [...]. *„Ma guerre est finie”* era propoziția auzită adesea. Așadar nu mai exista nici un motiv să apară o boală[9].

Doar o graniță subțire despărțea asemenea concepții de convingerea ofițerilor superiori că „victimele” șocului de obuz nu erau în nici un caz victime, ci doar chiulangii și lași care nu meritau câtuși de puțin înțelegere, ci doar pedeapsă. Iar genul de tratament aplicat multora sugerează că înțelegerea pe care psihiatrii o aveau față de acești oameni se apropia de concepțiile superiorilor lor militari. Sadismul, componenta punitivă a practicilor lor, este cât se poate de evident. Paraliziilor isterice ale celor cu șoc de obuz și paraliziilor simulate ale bolnavilor prefăcuți le lipsea ancorarea într-o boală neurologică reală, și unele, și celelalte fiind manifestări ale unei voințe slabe. În plus, existau o imensă presiune ca pacienții să se întoarcă pe front și prea puțină preocupare la nivel oficial față de sănătatea psihică pe termen lung a cărnii de tun. Atenuarea temporară a simptomelor era suficientă. Nu e deloc de mirare că atât de mulți au cedat tentației de a recurge la metode de tratament autocratice, câteodată brutale, și au găsit căi de a-și raționaliza practicile drept o formă de terapie.

Separat și, pe cât se pare, independent, psihiatrii germani, austrieci, francezi și britanici au întrebuințat curentul electric puternic pentru a le pricinui pacienților dureri mari, în încercarea de a-i sili să renunțe la simptome, de a-i face pe muți să vorbească, pe surzi să audă, pe ologi să meargă. Între germani, cel mai faimos a fost Fritz Kaufmann (1875-1941), inventatorul curei Kaufmann, care combina șocuri electrice deosebit de dureroase, aplicate ore în șir asupra membrelor aparent paralizate, cu ordine răstite de a efectua manevre militare. Obiectivul era acela de a-l determina pe pacient să cedeze, să renunțe la atașamentul față de simptomele sale și să fie pregătit să se întoarcă pe câmpul de luptă. În armata austro-ungară, Julius Wagner-Jauregg (1857-1940), distinsul profesor de psihiatrie de la Universitatea din Viena, nu s-a coborât să administreze un tratament similar, ci își superviza îndeaproape un subaltern, dr. Kozlowski, care aplica șocuri electrice puternice în zona gurii și testiculelor militarilor. Alți soldați cu șoc de obuz erau obligați să privească în timp ce așteptau să le vină rândul pe masa de tratament.

Pe cine ar putea surprinde un astfel de tratament barbar din partea celor pe care britanicii îi numeau cu dispreț „huni"? Numai că neuropsihiatrii francezi și cei britanici au utilizat cu entuziasm exact aceeași abordare. La Tours, neurologul francez Clovis Vincent (1879-1947) a folosit un tratament cu curent faradic pe care l-a numit *torpillage*. Pe corpul pacientului erau fixați electrozi special concepuți pentru a administra un curent galvanic extrem de puternic, în aparență pentru a-l încuraja să-și miște membrele „paralizate", manevră însoțită de alte tehnici menite să intensifice spaima pacientului. Tratamentul trebuia să fie rapid și necruțător. Vincent stătea în picioare lângă pacient, absolut implacabil, și repeta că durerea va continua până când bolnavul avea să capituleze. André Gilles, un discipol tânăr și entuziast, s-a exprimat astfel: „Acești pseudoneputincioși cu vocea, brațele sau picioarele suferă doar de neputința voinței; este datoria medicului să aibă voință în locul lor"[10]. Într-o situație memorabilă, dar numai în una, aceste „intervenții terapeutice" au dus la atacarea lui Vincent de către un pacient, Baptiste Deschamps. Pentru suferințele sale, Deschamps a fost judecat de curtea marțială.

Lewis Yealland (1884-1954), un tânăr neurolog canadian, a fost detașat la cel mai reputat spital britanic de boli nervoase din Queen Square, Londra. Și el a adoptat, împreună cu colegul său Edgar Adrian (1889-1977; care avea să primească mai târziu Premiul Nobel), o abordare severă. În timpul tratamentului, pacientul cu șoc de obuz „nu este întrebat dacă poate sau nu să-și ridice brațul paralizat; i se ordonă să-l ridice și i se spune că este pe deplin capabil s-o facă, dacă încearcă. Rapiditatea și o atitudine autoritară sunt factorii principali în procesul de reeducare"[11]. Din păcate, ele nu erau suficiente de fiecare dată, astfel că deveneau necesare măsuri alternative.

Un soldat mut e adus într-o încăpere întunecoasă. Este legat pe un scaun și i se introduce în gură un apăsător de limbă. E informat în termeni tranșanți că va pleca de acolo putând din nou să-și folosească vocea. Tăcere. I se fixează electrozi pe limbă. Forța curentului îl face să-și arcuiască spatele, o mișcare atât de violentă încât electrozii i se desprind de pe limbă. Iar tăcere. Nu se supune ordinului de a vorbi. Procesul este repetat. După o oră, omul articulează un „a" abia audibil. Implacabil, Yealland merge mai departe. Trec ore. Soldatul începe să se bâlbâie și să plângă. Alte șocuri. În cele din urmă vorbește, dar trebuie să-i spună „mulțumesc" terapeutului și torționarului său înainte de a i se îngădui să plece[12].

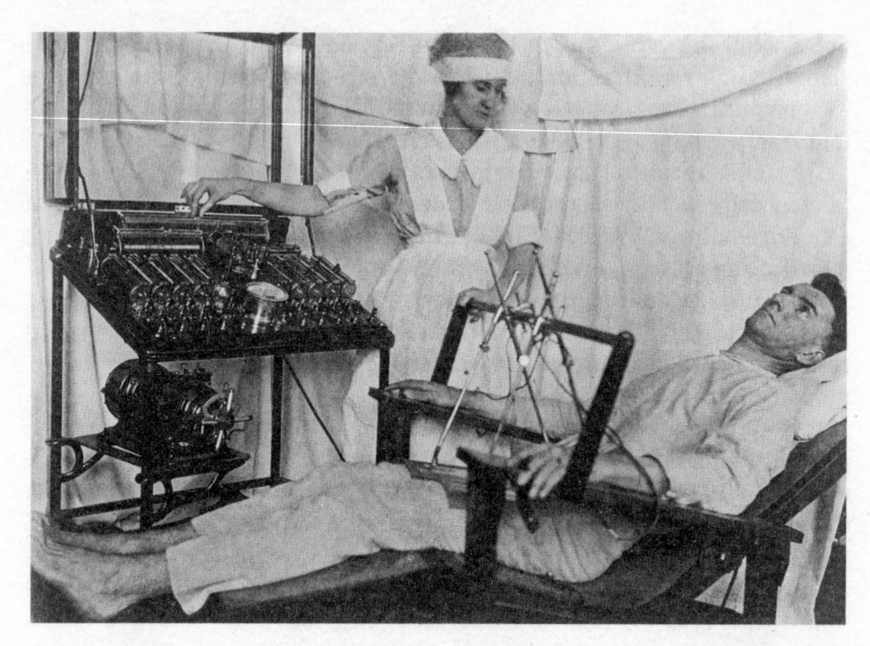

Tratament electric pentru șocul de obuz. Pe coapsele bărbatului au fost fixați electrozi și urmează să fie folosit curentul electric pentru a-i trata tremurul sau paralizia picioarelor.

Vincent și Yealland s-au aflat de partea învingătorului la sfârșitul războiului. Oricât de mult ar fi urât pacienții lor tratamentul ce li se aplicase, cu asta chestiunea s-a încheiat. În haosul Vienei postbelice, cu căderea Imperiului Austro-Ungar și pe fundalul amar al înfrângerii, Julius Wagner-Jauregg s-a confruntat cu posibilitatea unei sorți foarte diferite. Mai mulți veterani nemulțumiți au impus judecarea lui pentru crime de război, invocând cruzimea cu care își tratase pacienții și torturile pe care le aplicase. Wagner-Jauregg a insistat că motivele sale fuseseră bune. Voise doar să ajute. L-a chemat pe Sigmund Freud să depună mărturie în favoarea lui și Freud a făcut-o, absolvindu-și colegul de vină. Membrii profesiei medicale au strâns rândurile. Judecătorii l-au achitat pe inculpat. Wagner-Jauregg s-a întors triumfător pe fotoliul său de profesor[13].

Febra

Wagner-Jauregg avansase de mult timp ipoteza că creșterea temperaturii corporale la cei afectați de nebunie ar putea să le vindece boala și, de la sfârșitul anilor 1880, încercase o varietate de căi de

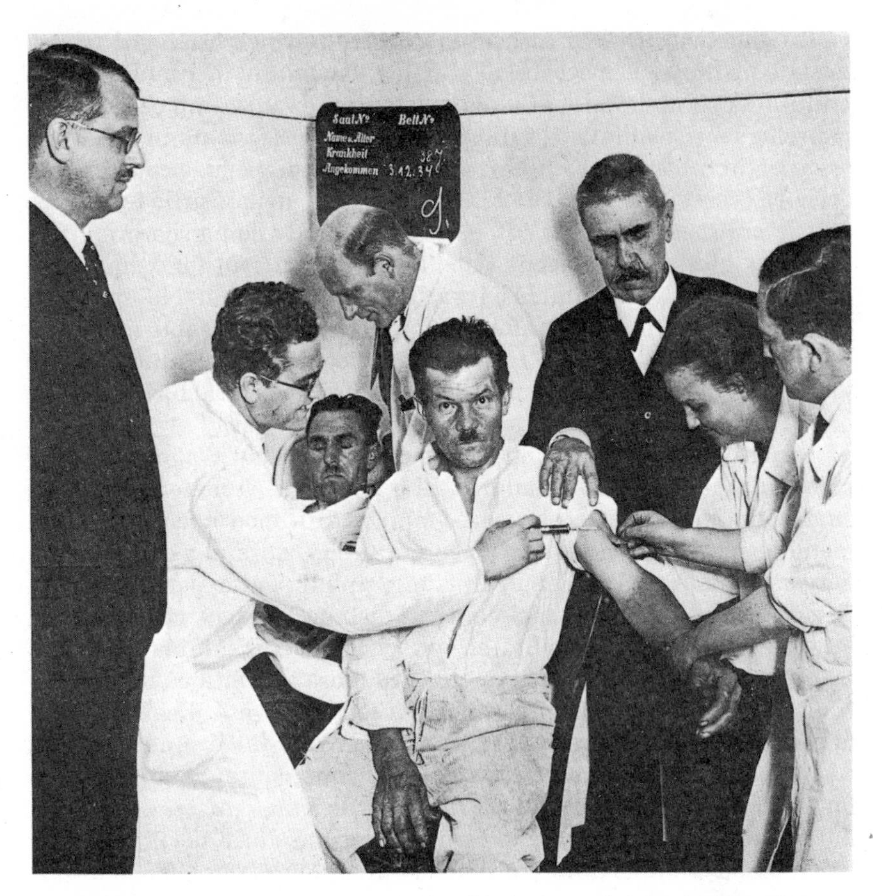

Julius Wagner-Jauregg supraveghind injectarea de sânge contaminat cu malarie la un pacient (1934). Sângele recoltat de la un pacient cu malarie (în fundal) îi este transfuzat unui pacient cu sifilis terțiar (centru). Wagner-Jauregg este cel cu haină neagră din spatele pacientului cu GPI.

a declanșa afecțiuni cu febră, între care infectarea pacienților cu *Streptococcus pyogenes*, o bacterie ce provoca erizipel (tactică foarte periculoasă într-o epocă anterioară antibioticelor)[14]. Rezultatele terapeutice jalnice n-au părut să-l descurajeze; iar atunci când, în ultimele luni de război, a întâlnit un prizonier italian care suferea de malarie vivax, Wagner-Jauregg a profitat de ocazie ca să efectueze o nouă rundă de experimente, de această dată limitându-și atenția la pacienții care sufereau de paralizia generală a alienaților (GPI). Recoltându-i sânge bolnavului de malarie, Wagner-Jauregg i l-a injectat apoi celui cu paralizie generală, provocând astfel puseurile de febră despre care era convins că vor duce la vindecare.

Diagnosticul de GPI fusese una dintre puţinele realizări autentice ale psihiatriei în secolul al XIX-lea, iar în anii de dinaintea Primului Război Mondial, bănuiala existentă de mult timp că urmările neurologice şi psihiatrice înfiorătoare ale acestei maladii îşi aveau originea în contractarea anterioară a sifilisului primise confirmarea decisivă (vezi *supra*, pp. 236-237)[15]. Dincolo de nenorocirile teribile pe care le prevestea diagnosticul, GPI era un motiv de îngrijorare major deoarece afecta un procent substanţial al pacienţilor psihiatrici, poate până la 15-20% dintre bărbaţii internaţi în aziluri la începutul secolului al XX-lea (deşi afecta o proporţie considerabil mai mică a femeilor internate). Şi la nivel simbolic, şi la nivel practic, orice lucru care oferea speranţa opririi cumplitei degenerări a victimelor bolii ar fi avut, fireşte, o importanţă extraordinară[16].

Tocmai acesta a fost rezultatul pe care l-a obţinut Wagner-Jauregg prin tratamentul său cu malarie. El a presupus că metoda învingea cumva bariera sânge-creier care împiedica în mod normal medicamentele să ajungă la ţesuturile cerebrale, permiţând astfel pătrunderea salvarsanului şi mercurului (agenţii terapeutici pentru infecţia cu sifilis într-un stadiu incipient) în sistemul nervos central. Alţii au vorbit despre vulnerabilitatea spirochetului sifilisului la încălzirea într-o eprubetă şi au avansat ipoteza că febra asociată cu malaria ar fi distrus parazitul[17]. Controversa n-a fost rezolvată niciodată, dar, la câţiva ani după sfârşitul războiului, inovaţia lui Wagner-Jauregg s-a răspândit la nivel mondial. În scurt timp, spitalele au ajuns să folosească paralitici cu malarie ca sursă de sânge infectat, iar lichidul preţios circula între ele în termosuri trimise prin poştă[18]. O analiză a 35 de studii asupra tratamentului, publicată în 1926, a arătat că, din cei trataţi, la ceva mai mult de un sfert, 27,5%, s-a obţinut o remisiune deplină a simptomelor[19], iar clinicienii şi pacienţii lor au început să ceară zgomotos noul „leac". Dacă înainte pacienţii cu sifilis neurologic fuseseră de două ori stigmatizaţi – ca nebuni şi ca suferinzi de o boală cu transmitere sexuală –, acum s-au redefinit ca bolnavi somatici şi s-au prezentat să fie trataţi. Medicii lor au răspuns cu aceeaşi monedă, înlocuind cu o abordare mai empatică şi mai optimistă respingerea anterioară a acestor pacienţi ca degeneraţi „fără speranţă", „imorali" şi „idioţi"[20]. Terapia cu malarie i-a adus lui Wagner-Jauregg un Premiu Nobel în anul 1927, primul din cele doar două acordate pentru intervenţii psihiatrice.

După orice standard, tratamentul cu malarie era o experienţă înfricoşătoare şi violentă fizic. Accesele de febră şi frisoanele pe care le provoca erau trăite de mulţi pacienţi ca o experienţă la limita morţii. Dar cei care scăpau cu bine (şi nu toţi pacienţii reacţionau la chinina care ar fi trebuit să controleze malaria) erau convinşi că a meritat, la fel şi psihiatrii lor. Noi nu putem fi la fel de siguri.

Tratamentul cu malarie n-a fost niciodată supus rigorilor unui studiu controlat pe pacienți, iar cursul natural incert al GPI complică tabloul. Perioadele în care deteriorarea încetinea sau rămânea o vreme la un anumit nivel erau o caracteristică a bolii, iar simpla convingere a medicilor și pacienților că tratamentul dădea rezultate este sugestivă, dar nu decisivă[21]. În definitiv, lăsările de sânge, purgativele și vomitivele fuseseră recomandate milenii la rând ca remedii suverane pentru tot felul de boli. Întâmplător însă, după un deceniu și jumătate, apariția penicilinei a făcut ca aceste chestiuni să devină irelevante, căci noul antibiotic era într-adevăr un glonț fermecat când era administrat celor cu sifilis.

Indiferent dacă acceptăm sau nu verdictul „nedemonstrat" în ce privește tratamentul malaric pentru GPI, două lucruri esențiale au decurs din descoperirile medicale de la începutul secolului al XX-lea privind etiologia bolii și din inovația terapeutică ulterioară a lui Wagner-Jauregg. În primul rând, munca de laborator care a scos la iveală cauza infecțioasă a bolii de care suferea o proporție semnificativă a pacienților ce înțesau saloanele azilurilor a oferit un sprijin considerabil ideii că nebunia își are originea în corp și, pe alocuri, ideii chiar mai concrete că, așa cum despre multe alte boli începea să se înțeleagă că au origine bacteriologică, și cauza nebuniei s-ar fi putut dovedi similară. Iar în al doilea rând, tratamentul creat de Wagner-Jauregg a părut să sugereze că această presupusă afecțiune biologică ar putea fi vindecată prin intervenții terapeutice biologice de un tip sau altul.

O criză a legitimității

În percepția multora, necazurile celor care ajungeau să fie internați în spitale de psihiatrie se deosebeau de acuzele celor care apăreau în sălile de așteptare ale doctorilor de nervi și psihanaliștilor. „Nebunii de tip Bedlam" închiși forțat în aziluri erau în multe cazuri oameni care prezentau tulburări ample și durabile de comportament, afectivitate și gândire – semne ce indicau o pierdere totală a contactului cu realitatea simțului comun pe care o împărtășesc ceilalți. Ei se agățau de convingeri pe care alții le socoteau cu totul delirante. Aveau halucinații, vedeau și auzeau lucruri fără o realitate externă. Vădeau o izolare socială extremă, însoțită adesea de o pierdere profundă a reactivității afective, iar mulți alunecau în ultimă instanță într-o stare de demență.

Aceștia erau oamenii cărora victorienii le spuneau alienați mintali sau nebuni. La începutul secolului al XX-lea, acești termeni erau tot mai des socotiţi anacronici. Cei care se numiseră cândva doctori de nebuni, alienişti sau medico-psihologi (şi care preferau tot mai mult să răspundă la titlul de „psihiatru") îi numeau acum pe aceşti pacienţi ai lor „psihotici". Unii au început să adopte nomenclatura propusă de psihiatrul german Emil Kraepelin (vezi *supra*, p. 237) şi vorbeau despre oameni afectaţi de demenţă precoce sau boală maniaco-depresivă. În primele patru decenii ale secolului al XX-lea şi ulterior, aceştia au devenit termenii preferaţi pentru a descrie astfel de forme de tulburare psihică – deşi pacienţii cu demenţă precoce au fost etichetaţi tot mai des drept schizofrenici după ce psihiatrul elveţian Eugen Bleuler a inventat acest termen în anul 1908, nu în ultimul rând pentru că părea să sugereze o prognoză mai puţin disperată decât eticheta de demenţă prematură. Dar sub fiecare dintre aceste două umbrele diagnostice principale se aduna o colecţie derutantă de simptome, iar distincţia între diagnostice se făcea mai uşor în teorie decât în practică. De asemenea, nu toată lumea era convinsă că acestea sunt două forme radical diferite de tulburare psihiatrică, iar pacienţii maniaco-depresivi care nu se însănătoşeau se puteau trezi mutaţi în categoria schizofrenicilor. Totuşi, crearea unor denumiri noi pentru nebunie a părut măcar să facă puţină ordine în haos şi a oferit o bază pornind de la care profesia putea să încerce să înţeleagă patologiile pe care căuta să le trateze.

Din punct de vedere numeric şi politic, ramura psihiatriei care se îngrijea de nevoile acestor pacienţi a ocupat în cadrul profesiei poziţia dominantă. Decenii la rând, acea facţiune conducătoare adoptase o perspectivă pesimistă şi reducţionistă biologic asupra bolii psihice. Membrii ei îşi învăţau studenţii că nebunia este expresia inevitabilă şi ireversibilă a unui defect constituţional morbid. Acest lucru absolvea de orice vină profesia pentru incapacitatea ei de a vindeca şi permitea psihiatriei să se prezinte ca îndeplinind un rol social de valoare inestimabilă, „sechestrarea" unor „soiuri morbide sau degenerate ale omenirii", care puteau chiar să fie „expulzate violent"[22]. Dar redefinirea misiunii profesiei drept punerea în carantină a celor incurabili, şi nu refacerea sănătăţii psihice a celor temporar perturbaţi i-a pus într-o poziţie foarte incomodă pe membrii unei specializări despre care se considera că face parte dintr-o profesie a vindecării. Să joace rolul unor gardieni mai de soi nu era nicidecum pe măsura aspiraţiilor lor de statut profesional, iar problemele ridicate de această situaţie au devenit tot mai presante pe măsură ce comparaţiile cu situaţia restului profesiei medicale au devenit tot mai marcate şi mai pline de invidie.

Căci în ultimele decenii ale secolului al XIX-lea şi primii ani ai noului secol medicina se transformase. Revoluţia a fost una lentă, îngreunată de conservatorismul majorității medicilor și de devotamentul lor față de modele de boală care se păstrau de secole. Însă descoperirile lui Louis Pasteur (1822-1895) și Robert Koch (1843-1910) obligaseră în cele din urmă chiar și cele mai reacționare elemente să adopte teoria microbiană a bolii. Munca în laborator a părut la început izolată de realitățile de la patul bolnavului și în multe locuri a existat o rezistență înverșunată la noile cunoștințe[23]. Spre exemplu, în 1884, când Koch a anunțat că a descoperit bacteria ce provoca holera, una dintre cele mai cumplite boli în secolul al XIX-lea, în intestinele și fecalele victimelor de la Calcutta ale bolii, descoperirea lui a fost întâmpinată cu scepticism în Germania și respinsă prompt de o comisie științifică britanică alcătuită din treisprezece medici eminenți, unul dintre aceștia declarând activitatea lui Koch „un fiasco lamentabil"[24].

Dar scepticismul a început să slăbească pe măsură ce s-au creat vaccinuri împotriva unor boli mortale, ca rabia și difteria, și medicii din noua generație au învățat în ce măsură apelul la autoritatea științei de laborator le poate legitima propria practică. Joseph Lister (1827-1912) folosise cercetările lui Pasteur ca să justifice folosirea acidului carbolic ca antiseptic în sala de operație, constatând și el că ideile sale privind reducerea mortalității și cauzalitatea bacteriană a infectării plăgilor sunt respinse cu dispreț de colegii săi. Totuși, după nu foarte mult timp, valoarea chirurgiei aseptice a ajuns să fie recunoscută pe scară largă, iar urmarea a fost diversificarea remarcabilă a tipurilor de operații posibile din punct de vedere tehnic, precum și scăderea drastică a mortalității și morbidității postoperatorii. Într-adevăr, la începutul secolului al XX-lea, prestigiul chirurgiei și al medicinei generale creștea vertiginos. Perspectivele specialiștilor din cele două domenii se schimbaseră și toți așteptau încrezători ca medicina să stăpânească în curând arii tot mai mari ale bolii și dizabilității. Recompensele practice ale revoluției bacteriologice păreau nelimitate.

Psihiatria nu avea de anunțat nici un triumf similar, cel puțin nu înainte ca Wagner-Jauregg să înceapă să se laude cu marele progres reprezentat de tratamentul său malaric. Neputința terapeutică a disciplinei putea fi explicată prin prisma eredității defectuoase, dar cu prețul marginalizării profesionale a specializării și al unei profunde deziluzii a practicanților ei mai ambițioși. Așadar, nu este deloc de mirare că mai mulți dintre aceștia, continuând să se agațe cu putere de convingerea că boala psihică are rădăcini biologice, au căutat o cale de ieșire din fundătura în care se aflau. În unele locuri a început în scurt timp căutarea unor căi de intervenție și a unor teorii alternative privind originea bolii psihice care să ducă în direcții mai promițătoare.

Kraepelin însuşi cochetase cu o posibilă etiologie alternativă a nebuniei şi a devenit tot mai convins de importanţa ei. N-ar fi oare posibil, a reflectat el în mai multe ediţii ale tratatului său de mare autoritate, ca demenţa precoce şi boala maniaco-depresivă să se dovedească a fi, în realitate, rezultatul autointoxicării, al autootrăvirii creierului ca urmare a unor infecţii cronice care pândesc altundeva în organism?[25] Mai multe personalităţi eminente ale medicinei generale începuseră să adopte idei similare, încercând să aducă o diversitate de maladii cronice – artrita, reumatismul, bolile cardiace şi renale – în paradigma bacteriologică ce exercita acum o influenţă atotcuprinzătoare în medicină. Pentru mulţi psihiatri, confirmarea originii sifilitice a GPI părea să sugereze o ipoteză mai generală privind originile bolii psihice.

Microbul nebuniei

Între aceşti psihiatri ieşea în evidenţă Henry Cotton (1876-1933), un tânăr american cu un CV academic impresionant. Adolf Meyer (1866-1950), un psihiatru educat în Elveţia care emigrase în Statele Unite în anul 1892, crease în 1896 un program de studiu extrem de selectiv la spitalul de stat din Worcester, Massachusetts, menit să educe o nouă generaţie de practicieni care să servească apoi drept trupe de şoc ale unei psihiatrii noi, ştiinţifice, care să orienteze instrumentele şi tehnicile laboratorului spre dificila problemă a tratării nebuniei. Cotton lucrase în subordinea lui, apoi, cu sprijinul lui Meyer, plecase în Germania pentru a studia direct cu cei care erau unanim consideraţi cele mai mari personalităţi din domeniu la acea vreme, între care Alois Alzheimer (cu al cărui nume a fost botezată boala Alzheimer) şi însuşi Kraepelin. Întors în Statele Unite, abia trecut de treizeci de ani, Cotton a obţinut unul dintre premiile strălucitoare ale profesiei sale, funcţia de director al unui spital de stat.

Odată instalat la Trenton, în New Jersey, în 1907, Cotton s-a decis să-şi transforme azilul într-un spital modern. În mai puţin de un deceniu avea o nouă sală de operaţii, îmbunătăţise laboratoarele şi alcătuise o bibliotecă substanţială, cu literatură medicală la zi. Mai important din punctul lui de vedere şi dezvoltând sugestiile făcute de Kraepelin, căpătase convingerea că a descoperit etiologia nebuniei. Toate formele de boală psihică, a anunţat el, de la cele mai uşoare la cele mai grave, erau manifestarea unei singure tulburări subiacente: „Nu cred să existe vreo diferenţă fundamentală între psihozele funcţionale. Cu cât studiem mai mult cazurile la care lucrăm, [cu atât] suntem obligați să conchidem că [...] nu există entități patologice distincte la nivelul grupului funcțional"[26]. Însăși denumirea de „boală psihică" era eronată, din moment ce pacienții psihiatrici sufereau doar de o boală ca oricare alta, cu rădăcini în perturbări organice. Din fericire, patologiile în cauză nu erau urmarea eredității defectuoase, așa cum credeau în mod eronat majoritatea colegilor săi psihiatri, ci erau provocate tot de microbii pe care știința medicală modernă îi implicase în etiologia atâtor altor boli. Prezența lor putea fi demonstrată în laborator, iar efectele lor pernicioase puteau fi eliminate prin practicarea a ceea ce el numea bacteriologie chirurgicală.

Cotton susținea că în diferite părți ale corpului pândesc nevăzute infecții cronice, eliberând toxine care se răspândesc prin circulația sangvină și otrăvesc creierul. Convins inițial că dinții și amigdalele sunt cauza principală a problemei, a încercat scoaterea lor pe scară largă. Când acest lucru nu a fost suficient pentru obținerea vindecării, a căutat în altă parte. „Metodele moderne de diagnoză clinică, a anunțat el, cum ar fi radiografia, examenele bacteriologice și serologice – în asociere cu o anamneză atentă și un examen fizic minuțios –, vor scoate la lumină în majoritatea cazurilor aceste infecții ascunse, de obicei necunoscute pacientului."[27] Stomacul, splina, colul uterin și îndeosebi colonul erau surse plauzibile de neplăceri și putea fi necesară extirparea chirurgicală a tuturor, integral sau parțial. Pe unii puteau să-i îngrijoreze efectele acestui program de eviscerare chirurgicală. Cotton s-a grăbit să le alunge îndoielile: „Stomacul este pentru toată lumea precum betoniera folosită adesea la ridicarea clădirilor mari și tot atât de necesar. Intestinul gros are și el rol de depozitare și ne putem lipsi de el tot atât de bine ca de stomac"[28]. Tratamentul agresiv pe baza acestor principii vindeca, spunea el, până la 85% dintre nebuni.

Cotton nu era singurul care-și propusese ca obiectiv vindecarea bolilor psihice prin înlăturarea infecțiilor cronice. În Anglia, Thomas Chivers Graves (1883-1964), care avea în grijă toate spitalele de psihiatrie din Birmingham și din împrejurimi, ajunsese în mod independent la concluzii similare și, cu toate că-i lipseau resursele necesare pentru a efectua intervenții chirurgicale abdominale, scotea energic dinți și amigdale, deschidea și spăla sinusuri și curăța materiile fecale din organism prin irigații de colon prelungite. Când Cotton a făcut două vizite în Marea Britanie în anii 1920, și el, și Graves s-au bucurat de aprobarea minților luminate ale comunității medicale britanice. Cu prilejul primei vizite a lui Cotton, în 1923, sir Frederick Mott (1853-1926), membru al Societății Regale și patolog la toate spitalele psihiatrice londoneze, i-a lăudat extravagant activitatea, cum a făcut și proaspăt înscăunatul președinte al

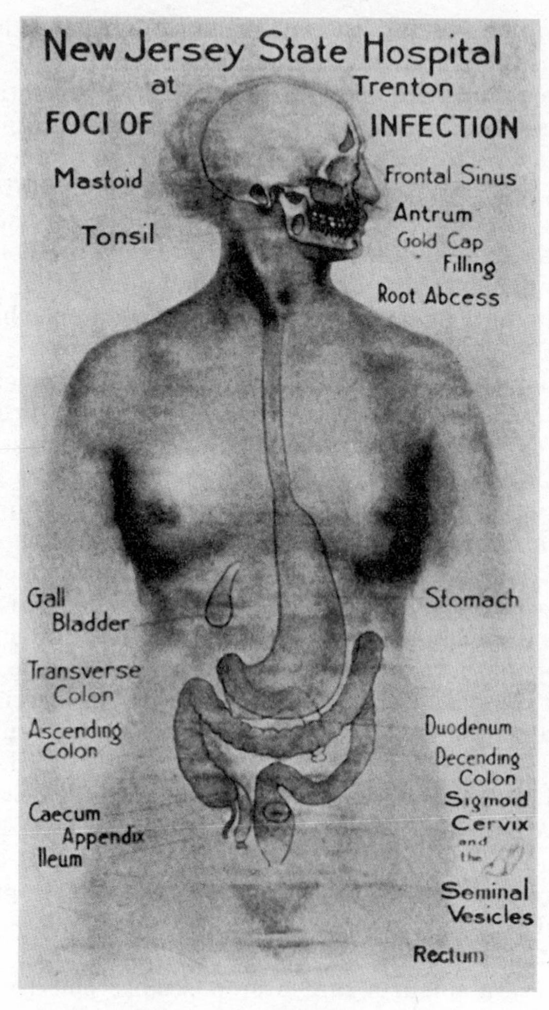

Focare de infecție: o diagramă pe care Henry Cotton o folosea în mod repetat, ilustrând toate ungherele organismului în care focarele septice puteau să pândească nedepistate, otrăvind insidios corpul și creierul.

al principalei asociații psihiatrice britanice, Edwin Goodall (1863-1944)[29]. Patru ani mai târziu, după ce vorbise la o întrunire comună a Asociației Medicilor Britanici și a Asociației Medico-Psihologice, Cotton a fost elogiat de președintele Colegiului Regal al Chirurgilor, sir Berkeley Moynihan (1865-1936), care l-a numit Lister al psihiatriei. „Nici un spital de psihiatrie din viitor, a prezis acesta, nu va fi socotit dotat corespunzător decât dacă va avea un laborator de radiologie, un bacteriolog priceput și va putea apela la serviciile unui chirurg luminat."[30]

Deşi Cotton şi Graves au avut admiratori importanţi – în Statele Unite, printre ei se numărau John Harvey Kellogg, magnatul cerealelor pentru micul dejun şi directorul faimosului Sanatoriu Battle Creek (vezi capitolul 9), Hubert Work (1860-1942), preşedintele Asociaţiei Medicilor Americani, şi Stewart Paton (1865-1942), autorul celui mai influent tratat american de psihiatrie de la începutul secolului al XX-lea –, ei şi-au atras şi critici vehemente. În mod curios, nici unul dintre critici nu s-a folosit de mărturisirea lui Cotton că operaţiile abdominale efectuate de el erau însoţite de o rată a mortalităţii care se apropia de o treime din numărul celor trataţi[31]. Psihiatrii se plângeau că sunt asaltaţi de familii care îi îndeamnă insistent să folosească leacul miraculos promis de tratamentul lui Cotton şi-şi exprimau neliniştea în legătură cu afirmaţiile lui extravagante şi cu „estimarea exagerat de optimistă a ceea ce se poate obţine pe căi chirurgicale şi bacteriologice"[32]. Însă aproape nici unul nu punea la îndoială legitimitatea desfăşurării unor experimente pe scară atât de largă pe pacienţi captivi şi nici nu găsea de cuviinţă să facă în vreun fel caz de numărul mare de pacienţi schilodiţi sau chiar morţi în urma operaţiilor. Cel mai influent şi mai important psihiatru american, Adolf Meyer, care îşi asumase sarcina îndoielnică din punct de vedere etic de a superviza o anchetă asupra rezultatelor activităţii protejatului său, Henry Cotton (şi aflase că adevărata cifră a mortalităţii în urma operaţiilor se apropia de 45%), a tăinuit pur şi simplu cele aflate, preferând să evite un posibil scandal decât să intervină pentru a proteja viaţa pacienţilor[33].

Terapia de şoc

Experimentele lui Wagner-Jauregg cu malaria şi căutarea obsesivă de către Cotton şi Graves a pericolului infecţiilor cronice s-au dovedit a fi începutul unui val de experimente psihiatrice pe corpurile vulnerabile ale celor închişi în spitale de psihiatrie. Pe tot cuprinsul Europei şi Americii de Nord, în anii 1920 şi 1930 a fost introdusă o gamă remarcabilă de tratamente somatice menite să smulgă din rădăcini nebunia şi să le redea nebunilor sănătatea mintală. Pretutindeni, disperarea familiilor celor scoşi din minţi, ambiţiile profesionale ale psihiatrilor dornici să-şi depăşească rolul de curatori ai muzeelor de nebuni şi presiunile fiscale exercitate de povara nebuniei cronice au încurajat experimentele terapeutice, care nu au fost limitate de nici o forţă contrară. Pacienţii, desigur, nu aveau dreptul la o părere în această chestiune. Eliminaţi moral, social şi fizic din rândurile omenirii, închiși în instituții în care privirea celor din afară nu putea pătrunde, privați de statutul de actori morali și presupuși, în virtutea stării lor psihice, a nu avea capacitatea de a face alegeri în cunoștință de cauză pentru ei înșiși, ei erau în general incapabili să se împotrivească celor care le controlau existența, deși unii au reușit să o facă.

Multe dintre intervențiile mai extravagante ni s-au șters acum din memoria colectivă. Cine își mai amintește că barbituricele au fost folosite pentru a induce un somn adânc și prelungit ca mijloc de a întrerupe legătura bolnavului psihic cu gândurile sale nebunești?[34] Sau că se injecta ser sangvin de cal în canalul spinal pentru a cauza meningita, provocându-se astfel o febră mare și mobilizându-se sistemul imunitar al organismului, pentru ca „acțiunea necrofagă a acestor celule să scape sistemul nervos central de toxinele dăunătoare funcționării sale corespunzătoare"?[35] Sau că psihiatrii de la Harvard efectuau la spitalul McLean, „hotelul" particular al elitei cu probleme psihice din Boston, experimente în care temperatura corpului era coborâtă deliberat la 29°C și mai jos, valori care abia permit (iar uneori s-a dovedit că nu permit deloc) viața?[36] Sau că se făceau injecții cu stricnină, calciu coloidal sau cianură?[37]

Dacă aceste intervenții s-au bucurat de o popularitate limitată și o viață scurtă, altele, ca lobotomia și terapia electroconvulsivă, s-au dovedit durabile, s-au răspândit mult mai mult și au avut un impact spectaculos asupra percepțiilor publicului în ce privește boala psihică și tratarea ei. După cum vom vedea mai jos, în ultimă instanță, când niște psihiatri apostați au adoptat „anti-psihiatria" în anii 1960 și după aceea, ei aveau să-și găsească o nouă reprezentare în cultura populară. În romane și în filmele făcute la Hollywood, psihiatrii aveau să apară adesea ca parte dintr-un portret al unei profesii a vindecării care o luase razna și folosea cu sadism arme deghizate în tratamente pentru a-i subjuga pe nebuni. Totuși, când au apărut aceste noi tratamente, profesia psihiatrică și noua categorie a jurnaliștilor științifici le-au salutat aproape unanim ca pe niște demonstrații ale progresului științei medicale aplicat în sfârșit în terapeutica tulburărilor psihice.

La sfârșitul secolului al XIX-lea și începutul secolului al XX-lea, revoluția laboratorului în medicină se extindea dincolo de investigarea originilor bacteriologice ale bolilor. Unul dintre cele mai spectaculoase progrese terapeutice care a rezultat din cercetările asupra sistemului endocrin s-a produs în 1922 în Canada, când Frederick Banting (1891-1941) și Charles Best (1899-1978) au reușit să izoleze insulina și au folosit-o pentru a readuce la viață o întreagă secție de copii comatoși și muribunzi. Cum altfel se mai putea dovedi util acest compus magic?

Născut în Nadwórna, oraș aflat pe atunci într-o provincie a Imperiului Austro-Ungar (dar parte a Poloniei între cele două războaie mondiale și aparținând în prezent Ucrainei), Manfred Sakel (1900-1957) practica medicina, la sfârșitul anilor 1920, la spitalul Lichterfelde din Berlin, o instituție psihiatrică privată, unde trata dependenți de morfină și heroină. Căutând să le ușureze pacienților săi simptomele de sevraj și să le stimuleze pofta de mâncare, a început să folosească noul hormon. Ocazional, pacienții intrau în comă hipoglicemică. Mutându-se la Viena în 1933, a fost repartizat într-o secție pentru schizofrenici și a început să facă experimente cu intervenția pe care a numit-o tratament prin șoc insulinic. În noiembrie 1933 a anunțat primele rezultate la Verein für Neurologie und Psychiatrie. În scurt timp a ajuns să declare o rată de remisiune de 70% și ameliorarea considerabilă a multor altor pacienți. În 1937, la vremea întrunirii Societății Psihiatrice Elvețiene[38], existau rapoarte favorabile din douăzeci și două de țări privind eficacitatea tratamentului. Totuși, confruntat cu un val crescând de antisemitism austriac, Sakel s-a mutat la New York, primind un post la spitalul de stat Harlem Valley, și a rămas în America până la moartea sa, provocată de un infarct în anul 1957. Sakel s-a străduit să caute susținători pentru descoperirea sa, comentând:

> Ea constă în esență în producerea de șocuri zilnice consecutive cu doze foarte mari de insulină; acestea provoacă ocazional crize convulsive epileptice, dar mai des produc somnolență sau comă, însoțită de transpirații abundente – în orice caz, un tablou clinic care în mod normal ar fi alarmant [...]. Însă când ne gândim că pacienții care vin la noi pentru tratament sunt considerați în general pierduți sau oricum foarte grav bolnavi, cred că există o justificare foarte bună pentru încercarea unei terapii care promite într-o anumită măsură succesul, oricât de periculoasă ar fi[39].

Tratamentul era cu certitudine periculos și dramatic. Atenția medicilor și asistentelor medicale trebuia să fie constantă și neîntreruptă, căci pacienții erau în pragul morții. În ciuda celei mai asidue atenții, între 2% și 5% dintre cei tratați mureau. Ceilalți erau resuscitați prin injecții cu glucoză. Fiecărui pacient i se administrau zeci de tratamente de acest fel și terapia a fost adoptată la scară largă[40], deși de ea beneficia doar o mică parte dintre pacienți, deoarece era costisitoare, iar resursele erau puține.

Sakel credea că „maniera de acțiune a crizei convulsive epileptice este aceea a unui berbec de luptă care străpunge barierele în cazurile rezistente, astfel încât să poată pătrunde «trupele regulate» ale hipoglicemiei”[41]. Studiile au demonstrat în cele din urmă că terapia prin comă insulinică era inutilă, deşi reacţia iniţială a multor mari psihiatri la această contestare a fost furia[42], iar în unele locuri tratamentul a continuat să fie folosit până la începutul anilor 1960. La spitalul de stat din Trenton, de exemplu, în anul 1961, matematicianului John Nash de la Princeton (care a primit în 1994 Premiul Nobel pentru contribuţiile sale la teoria jocurilor) i s-a administrat terapia prin comă insulinică pentru a i se trata schizofrenia[43].

Dacă resursele limitate au impus întotdeauna restricţii în folosirea comei insulinice, utilizarea altor forme de terapie de şoc create în anii 1930 nu s-a confruntat cu probleme similare. La doar un an după ce Sakel şi-a anunţat noul tratament, Ladislas Meduna (1896-1964), un psihiatru maghiar care lucra la Budapesta, a început să experimenteze modalităţi de a le declanşa pacienţilor săi convulsii. Argumentul său şubred era afirmaţia (falsă) că schizofrenia şi epilepsia nu pot să coexiste. Mai întâi a utilizat injecţii cu camfor în ulei, dar acestea au fost prost tolerate şi s-au dovedit a fi o cale nesigură de a declanşa crize convulsive, pe lângă faptul că se corelau cu „o anxietate frizând panica, asociată cu un comportament agresiv şi suicidar"[44]. Fără a se lăsa descurajat, a încercat stricnina, iar când şi aceasta s-a dovedit a fi nesatisfăcătoare, s-a oprit la injecţiile cu pentylenetetrazol (cunoscut în scurt timp sub denumirea de metrazol în Statele Unite).

Metrazolul, deşi cu efecte întru câtva mai previzibile, avea consecinţe la fel de cumplite ca şi camforul pentru cei cărora le era injectat. Meduna însuşi a vorbit despre folosirea unei „forţe brute [...] asemănătoare cu a dinamitei, când încerci să arunci în aer secvenţele patologice şi să readuci organismul bolnav la funcţionarea normală [...] un asalt violent [...] căci în momentul de faţă numai un astfel de şoc pentru organism are suficientă forţă ca să întrerupă lanţul proceselor nocive care duce la schizofrenie"[45]. Un observator al vremii a comentat că „între celelalte reacţii foarte puternice ies în evidenţă expresiile faciale şi verbale ale pacienţilor, care atestă că sunt speriaţi din cale-afară, chinuiţi şi copleşiţi de teama morţii iminente"[46]. Această groază existenţială nu era singurul efect secundar, ba nici măcar cel mai grav dintre ele. După cum a anunţat un alt psihiatru, „cel mai grav dezavantaj al acestui tratament este apariţia unor complicaţii ca dislocări articulare, fracturi, afecţiuni ale inimii, traumatisme cerebrale ireversibile şi chiar, ocazional, moartea. Din cauza fricii şi a neliniştii extreme vădite de majoritatea pacienţilor faţă de tratament şi din cauza convulsiilor violente şi a complicaţiilor grave care apar uneori, în prezent se caută un substitut satisfăcător"[47].

Ugo Cerletti a observat cum erau ameţiţi porcii cu electrozi ca aceştia la un abator din Roma, ceea ce a inspirat administrarea de electroşocuri pacienţilor psihiatrici.

Acesta a fost descoperit repede. La Roma, doi medici italieni, Ugo Cerletti (1877-1963) şi Lucio Bini (1908-1964), făceau experimente în care aplicau şocuri electrice câinilor pentru a observa efectele fiziologice. Multe dintre animale mureau, dar o vizită întâmplătoare la un abator, unde porcii erau ameţiţi prin aplicarea unui curent electric în zona capului, înainte să li se taie gâtul, a sugerat că folosirea unei tehnici similare pe oameni (minus sacrificarea) ar putea oferi posibilităţi terapeutice. În aprilie 1938, cei doi au făcut prima încercare pe om a ceea ce a ajuns să poarte numele de terapie electroconvulsivă (TEC), iar după ce la început au folosit prea puţin curent, au reuşit să-i provoace pacientului o criză gravă de epilepsie. S-a constatat că TEC era mai ieftină şi totodată mai demnă de încredere decât metrazolul, iar efectele erau practic instantanee: nu exista perioada lungă şi incertă de groază în aşteptarea convulsiei, iar după ce-şi revenea, susţinea Cerletti, pacientul nu-şi amintea ce se petrecuse. Simplă şi ieftin de administrat, TEC a fost adoptată în scurt timp la scară mondială[48]. Şi ea se asocia cu fracturi, mai ales ale articulaţiei şoldului şi ale coloanei vertebrale, astfel că, pentru evitarea acestor probleme, TEC a început încă din 1942 să fie administrată împreună cu un miorelaxant, mai întâi curara şi apoi succinilcolină, care impunea folosirea anesteziei şi oxigenării[49].

S-au iscat numeroase controverse pe tema dacă noile terapii de şoc îşi făceau efectul lezând creierul. Stanley Cobb (1887-1968), neurolog la Harvard, a efectuat o serie de experimente pe animale şi a conchis că „efectul terapeutic al insulinei şi metrazolului s-ar putea

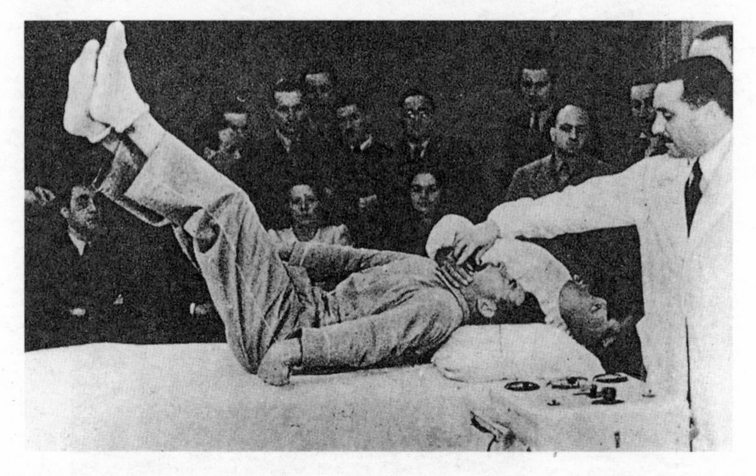

Un pacient are convulsii după administrarea TEC nemodificate (1948): Lucio Bini este personajul din dreapta, care controlează gutiera pacientului.

datora distrugerii unui număr mare de celule nervoase la nivelul scoarței cerebrale. Această distrugere este ireparabilă [...]. Folosirea acestor măsuri în tratarea unor psihoze și nevroze în care ar putea să survină însănătoșirea îmi pare absolut inadmisibilă"[50]. Sakel a tras concluzia opusă: deși a acceptat că întreruperea aprovizionării cu oxigen a creierului în timpul comei insulinice provoca leziuni cerebrale, a avansat, fără nici o dovadă, ipoteza că celulele omorâte erau cele maligne, care provocau psihoza[51]. Susținătorii TEC n-au vădit nici o tendință de a accepta ideea că utilitatea tratamentului folosit de ei s-ar putea întemeia pe efectele lui de lezare a creierului și, cu toate că unii critici au susținut și continuă să susțină acest lucru, partizanii procedurii i-au ridiculizat[52].

Creierul în vizor

Nimeni n-a susținut însă că celălalt tratament somatic major elaborat în a doua jumătate a anilor 1930 nu duce la leziuni cerebrale, pentru că însuși fundamentul acestei abordări ținea de un atac chirurgical direct asupra lobilor frontali ai creierului. Leucotomia (sau lobotomia, cum au preferat s-o numească principalii ei susținători americani) a fost o idee elaborată de neurologul portughez Egas Moniz (1874-1955). La jumătatea anilor 1930, Portugalia era o țară înapoiată și sărăcită, condusă de un dictator de dreapta, António Salazar, iar în mod normal, un experiment la scară mică desfăşurat acolo ar fi putut să nu aibă nici o importanţă. Moniz nu putea să execute el însuşi operaţiile, pentru că avea mâinile deformate de artrită, astfel că pentru aceasta s-a bazat pe un coleg, Pedro Almeida Lima (1903-1986). În primele câteva operaţii s-au făcut orificii în craniu şi s-a injectat alcool în lobii frontali pentru distrugerea ţesutului cerebral. Rezultatele au fost încurajatoare, cel puţin pentru Moniz, deşi în operaţiile ulterioare s-a folosit un dispozitiv mic, ca un cuţit, pentru extirparea unor porţiuni din substanţa albă a lobilor frontali. Între noiembrie 1935 şi februarie 1936, operaţia a fost efectuată pe douăzeci de pacienţi, dintre care unii erau „bolnavi" de puţin timp, chiar şi numai de patru săptămâni. Cu toate că urmărirea acestora a fost superficială, Moniz a recunoscut că mulţi pacienţi prezentau incontinenţă, apatie şi dezorientare. A insistat însă că aceste efecte aveau să se dovedească tranzitorii şi că 35% dintre cei trataţi de el prezentau o ameliorare substanţială, iar alţi 35%, o ameliorare uşoară. Afirmaţiile i-au fost puse la îndoială de Sobral Cid (1877-1941), psihiatrul care îi trimisese lui Moniz pacienţii. Acesta a declarat că bolnavii operaţi, departe de a se ameliora, erau profund vătămaţi, aşa încât a refuzat să-i mai trimită pacienţi care să aibă aceeaşi soartă.

Totuşi, Moniz publicase în grabă, la Paris, o monografie în care susţinea că a obţinut ameliorarea la 70% dintre schizofrenicii pe care îi operase[53]. Afirmaţia l-a impresionat pe Walter Freeman (1895-1977), neurolog din Washington, DC; în septembrie 1936, el şi colegul său, neurochirurgul James Watts (1904-1994), efectuau deja prima operaţie americană. În următorul an, cei doi au modificat operaţia, făcând orificiile în craniu şi apoi introducând un instrument asemănător cu un cuţit de unt pentru a face incizii ample prin lobii frontali, întrerupând legături cerebrale şi, susţineau ei, obţinând rezultate remarcabile. Au numit noua operaţie lobotomie standard sau „de precizie", deşi provocarea unor leziuni aleatorii în creierul pacienţilor nu avea nimic precis.

Freeman şi Watts aveau dificultăţi în a decide cât ţesut cerebral să distrugă: dacă distrugeau prea puţin, pacientul rămânea nebun; dacă distrugeau prea mult, rezultatul era o legumă umană sau chiar moartea pe masa de operaţie. S-au convins singuri că soluţia era să taie până când pacientul prezenta semne de dezorientare. Aceasta însemna, fireşte, să facă operaţia sub anestezie locală. Watts tăia, în timp ce Freeman punea o serie de întrebări şi se ocupa de transcrierea răspunsurilor. Dialogurile scrise la maşină sunt o lectură tulburătoare, dar nici un schimb de replici nu este mai impresionant decât acela în care Freeman l-a întrebat pe cel aflat pe masa de operaţie ce-i trece prin minte, iar pacientul, după o scurtă tăcere, a răspuns „un cuţit".

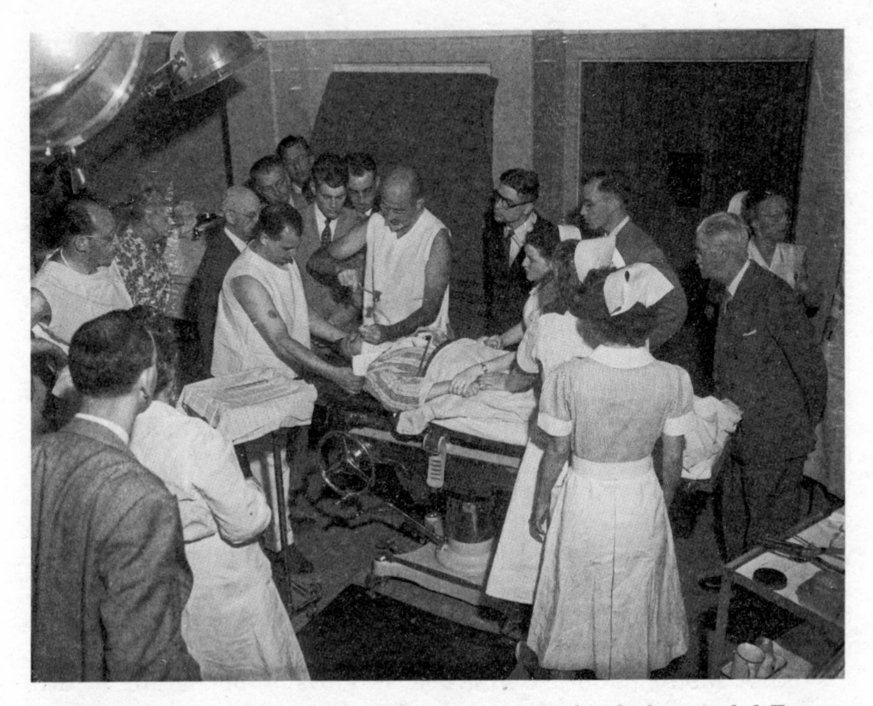

Walter Freeman efectuând o lobotomie transorbitală la spitalul Fort Steilacoom din statul Washington, pe 8 iulie 1948. Un spărgător de gheață este introdus în creierul pacientului prin orbită, pe deasupra ochiului.

Chirurgii au declarat că operațiile erau un mare succes, salvând numeroși pacienți de la o viață de boală cronică în secțiile spitalelor de psihiatrie. Mulți dintre colegii lor n-au fost deloc convinși. Ba chiar, când Freeman a anunțat pentru prima oară ce făceau, la o întrunire la Baltimore a Societății Medicilor din Sud, a fost întâmpinat „cu critici acerbe și strigăte alarmate [...] un cor de [...] interogări ostile" care s-au potolit abia când Adolf Meyer, eminentul profesor de psihiatrie de la învecinata universitate Johns Hopkins, a intervenit îndemnând publicul să lase experimentul să continue[54]. Și a continuat.

Treptat, insistența lui Freeman că operația face minuni a dat roade și spitalele de psihiatrie din Statele Unite au început s-o utilizeze[55]. William Sargant (1907-1988), un psihiatru britanic care împărtășea în mare măsură zelul evanghelic al lui Freeman și convingerea acestuia că nebunia își avea originea în creier și care primise o bursă de cercetare din partea Fundației Rockefeller pentru a petrece câtva timp la Harvard, a venit să vadă rezultatele. Apoi a plecat în Marea Britanie, unde a efectuat la rândul lui multe lobotomii și și-a încurajat colegii să-l imite[56]. Al Doilea Război Mondial a încetinit lucrurile; o problemă mai presantă era aceea că la vremea respectivă existau foarte puțini neurochirurgi, iar operația „de precizie" dura chiar până la două ore.

Căutând o cale de a grăbi procesul, astfel încât operația să-i împuțineze semnificativ pe cei aproape jumătate de milion de nebuni înghesuiți în saloanele spitalelor de psihiatrie americane, Freeman a dat peste un articol din literatura medicală italiană care descria o cale mult mai simplă de a avea acces la lobii frontali[57] – atât de simplă, încât Freeman s-a lăudat mai târziu că-l poate învăța pe orice neghiob, în douăzeci de minute, să facă o lobotomie, chiar și pe un psihiatru. (Psihiatria era o profesie pe care Freeman, cu educația sa de neurochirurg, nu o stima prea mult.) Lobotomia transorbitală, cum și-a botezat Freeman noua abordare, era o procedură pe care a încercat-o mai întâi în ambulatoriu. Se administrau două-trei electroșocuri în succesiune rapidă, pacientul devenind astfel inconștient. Se introducea pe sub pleoapă un spărgător de gheață, apoi se folosea un ciocan pentru a străpunge orbita și a pătrunde în lobii frontali. Cu o mișcare amplă, se secționa țesutul cerebral, pacientului i se puneau ochelari de soare ca să i se acopere ochii învinețiți în urma operației și, după ce redevenea conștient, era capabil, potrivit lui Freeman, să-și reia activitățile normale după surprinzător de puțin timp.

Lobotomia transorbitală a devenit imediat controversată. James Watts, vechiul partener al lui Freeman, a fost oripilat și între cei doi s-a produs o ruptură. John Fulton (1899-1960), mentorul lui Watts de la Facultatea de Medicină Yale, și-a manifestat nemulțumirea scriindu-i lui Freeman și amenințându-l cu violența fizică în cazul în care avea de gând să se apropie de New Haven. Însă Freeman nu s-a lăsat câtuși de puțin descurajat. A insistat că noua lui operație e mai eficientă și mai puțin vătămătoare pentru creier decât procedurile mai complexe pe care le elaborau neurochirurgii. A colindat Statele Unite demonstrând cât de ușor puteau fi făcute operațiile transorbitale. Dacă o lobotomie standard „de precizie" cerea între două și patru ore, Freeman a demonstrat că putea să opereze peste o duzină de pacienți într-o singură după-amiază[58]. Între 1936 și 1948, el și Watts efectuaseră împreună 625 de operații. Până în 1957, Freeman făcuse singur încă 2.400 de operații transorbitale, iar la sfârșitul anilor 1940 spitalele de stat din toată țara adoptaseră procedura[59].

Adoptarea acestor diferite forme de tratament somatic era un motiv de mare mândrie pentru psihiatri, administratorii spitalelor de psihiatrie și politicieni. Ele erau simbolurile vizibile ale reconectării psihiatriei la medicina științifică și ale evadării ei din izolarea și

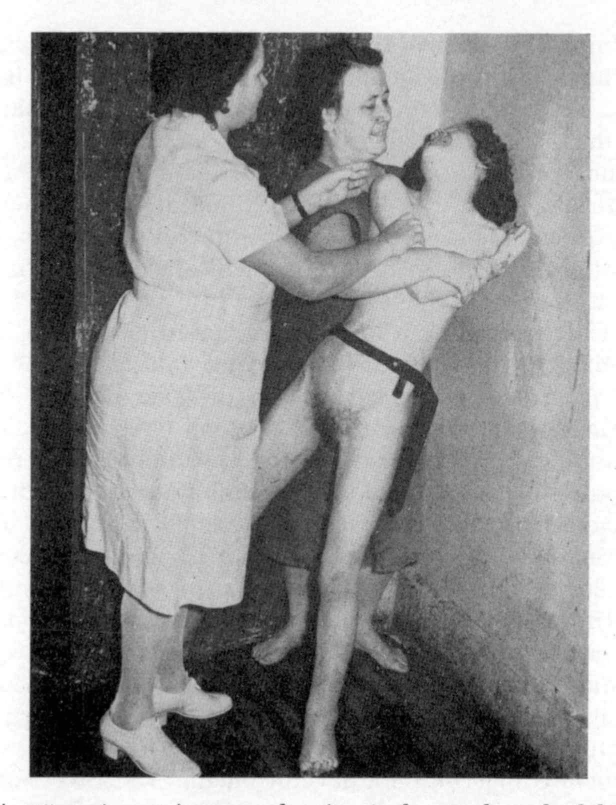

O pacientă se împotriveşte zadarnic când este dusă la lobotomie. Freeman nu ascundea faptul că era dispus să le facă lobotomii pacienţilor care se împotriveau chirurgiei psihiatrice – pentru că erau nebuni, preferinţele lor puteau fi ignorate. Această imagine este preluată din ediţia a doua a cărţii Chirurgia psihiatrică *scrisă de el şi Watts.*

neputinţa terapeutică de la începuturi. Revista oficială a uriaşei reţele de spitale psihiatrice din statul New York (optsprezece în total) le trâmbiţa ca pe un semn cert de progres:

> Terapiile somatice au subliniat unitatea esenţială dintre minte şi corp. Faptul că bolile psihice răspund într-o anumită măsură la proceduri înţelese cu uşurinţă de toţi drept „tratament" ajută mult la impunerea opiniei potrivit căreia acestea sunt realmente boli ca toate celelalte, şi nu reacţii de neînţeles, care despart victima de restul omenirii şi de conceptele obişnuite de boală şi tratament[60].

În cultura de masă, tratamentul somatic al psihozelor s-a bucurat de o primire la fel de laudativă. Revista *Time* l-a elogiat pe Sakel, „un tânăr psihiatru vienez care vindecă [...] minţile rătăcite cu ajutorul insulinei"[61], iar câţiva ani mai târziu William Lawrence, reporter științific la *New York Times*, l-a numit „Pasteur al psihiatriei”[62]. Când Hollywoodul a înfățișat suferințele din spitalele de psihiatrie americane după război, electroșocul a fost prezentat unui public larg ca fiind esențial pentru grăbirea însănătoșirii Virginiei Cunningham, eroina filmului *Groapa cu șerpi* (interpretată de Olivia de Havilland). Terapia verbală administrată de chipeșul ei psihiatru, „dr. Kik”, a fost cea care i-a adus în cele din urmă vindecarea, însă terapia de șoc a jucat un rol indispensabil, făcând-o accesibilă analizei. Filmul cu cele mai mari încasări în 1948, *Groapa cu șerpi* a fost prezentat pe ecrane în Marea Britanie cu un anunț impus de Comisia de Cenzură, care amintea publicului britanic că este un film american și că în spitalele de psihiatrie britanice condițiile sunt minunate – departe de saloanele înfiorătoare prezentate pe ecran.

Lobotomia și principalul ei protagonist, Walter Freeman, au fost prezentați în termeni și mai pregnant pozitivi. Încă de la început, *Washington Evening Star* și-a informat cititorii că lobotomia „reprezintă probabil una dintre cele mai mari inovații chirurgicale ale acestei generații [...]. Pare incredibil că tristețea cu neputință de controlat poate fi transformată în resemnare normală cu un burghiu și un cuțit”[63]. Mai târziu, reporterul științific Waldemar Kaempffert a scris un eseu hagiografic pentru *Saturday Evening Post*, cu fotografii ale lui Freeman și Watts operând, materialul ajungând la un public și mai larg atunci când a fost scurtat și publicat în *Reader's Digest*, care se bucura de o imensă circulație internațională[64]. Un articol al Associated Press a avut același ton pozitiv, spunând despre lobotomie că ar „reîntineri personalitatea”, eliminând „nervii îngrijorării”, și că nu prezenta aproape nici un risc – „este doar puțin mai periculoasă decât operația de scoatere a unui dinte infectat”[65]. La scurt timp după aceea, operația a primit indiscutabil cea mai clară confirmare a meritelor sale când comitetul Premiului Nobel i-a acordat lui Egas Moniz premiul din 1949 pentru medicină sau fiziologie[66]. Premiul lui Moniz a dus la o înmulțire explozivă a lobotomiilor. Numai în Statele Unite s-au făcut de două ori mai multe operații în ultimele patru luni ale anului 1949 decât în cele opt precedente. Până în 1953, alți 20.000 de americani suferiseră lobotomii[67], pe lângă alte mii de oameni din toată lumea.

Reculul

Totuși, entuziasmul populației și al specialiștilor față de aceste remedii disperate n-a durat. În anii 1950, sprijinul lor era deja în scădere constantă, iar în anii 1960 comele insulinice, terapia de șoc și chirurgia psihiatrică au fost atacate drept simboluri ale oprimării psihiatrice. O serie de psihiatri apostați, care au ajuns în scurt timp să fie grupați sub eticheta de „anti-psihiatri", între care oameni cu vederi politice opuse precum Thomas Szasz (1920-2012) și R.D. Laing (1927-1989), au pledat împotriva lor din interiorul profesiei (oarecum) și, cel puțin în această chestiune, mulți dintre colegii de specialitate au fost de acord cu ei. Și mai tăioase au fost însă criticile tot mai numeroase venite din cercurile literare și din cultura populară.

Din cauza depresiei tot mai puternice, Ernest Hemingway (1899-1961) a fost internat la Clinica Mayo în decembrie 1960, unde i s-a administrat o serie de TEC. Externat la jumătatea lui ianuarie 1961, starea lui psihică a rămas fragilă până la reinternarea din aprilie, când a fost iarăși tratat cu terapie de șoc. Externat pe 30 iunie, s-a sinucis două zile mai târziu, zburându-și creierii cu o pușcă de vânătoare. A lăsat în urmă o denunțare a tratamentului pe care-l suportase:

> Acești medici care administrează șocuri nu știu nimic despre scriitori [...] și despre ce le fac acestora [...]. Ce rost are să-mi distrugă mintea și să-mi șteargă memoria, care e capitalul meu, și să mă tragă pe linie moartă? Tratamentul a fost strălucit, dar am pierdut pacientul[68].

Dacă über-masculinul Hemingway a fost autorul unui atac incriminator asupra terapiei de șoc, Sylvia Plath (1932-1963), poetă și emblemă a feminismului, a oferit un altul. *Clopotul de sticlă* este un *roman à clef* abia mascat și conține o descriere elocventă a propriilor experiențe cu TEC, folosită (împreună cu terapia prin comă insulinică) pentru depresie și pentru o tentativă de sinucidere eșuată:

> Am încercat să zâmbesc, dar pielea îmi înțepenise, ca pergamentul.
> Doctorul Gordon îmi fixă două plăcuțe de metal, câte una de fiecare parte a capului. Strânse cu o cataramă cureaua pe care erau puse și care-mi tăia fruntea și îmi dădu să mușc o sârmă.
> Am închis ochii.
> A urmat o tăcere scurtă, ca și cum ai trage aer în piept.
> Apoi ceva s-a aplecat și m-a cuprins și m-a scuturat de parcă ar fi fost sfârșitul lumii. Uiii-ii-ii-ii-ii țiuia prin aerul brăzdat de lumini albastre și, cu fiecare fulger, o imensă zdruncinătură mă ciomăgea, până când am crezut că o să-mi crape oasele și-o să curgă seva din mine ca dintr-o plantă ruptă.
> M-am întrebat care era lucrul acela oribil pe care-l făcusem[69].

După toate aparențele, faptul că Plath s-a sinucis la doar o lună după publicarea primului și singurului ei roman, în 1963, n-a avut nici o legătură cu tratamentul pe care-l primise cu un deceniu mai devreme. Sinuciderea a ajuns rapid să fie corelată cu acuzații aduse de alții soțului ei, Ted Hughes. Dar, întrucât ea a ajuns să fie privită, chiar dacă simplist, drept un simbol al disperării femeii casnice și tinerei mame, trădată de un soț perfid și incapabilă să-și pună în valoare talentul, tratamentul ei psihiatric anterior putea fi interpretat foarte ușor ca încă un exemplu al oprimării pe care a suferit-o din partea societății patriarhale.

Apărătorii TEC (și mulți psihiatri și pacienți contemporani continuă să aibă toată încrederea în ea, deși alții o critică cu tot atâta fervoare) s-ar plânge pe bună dreptate că Hemingway și Plath sunt simple istorii individuale, fără vreo influență asupra valorii clinice a TEC. Dar mărturiile acestora au alimentat și au făcut totodată parte dintr-o mare schimbare a atitudinilor culturale față de psihiatrie și mai ales față de tratamentele somatice pe care o generație anterioară fusese înclinată să le salute ca pe niște dovezi ale progresului științific. Cu excepția ideii cu care au cochetat câteva cercuri că focarele de infecție intoxică creierul și, astfel, produc boli psihice (vezi *supra*, pp. 278-279), nici un tratament somatic din gama celor introduse în anii 1920 și 1930 n-a dispus de rațiuni plauzibile care să explice de ce funcționa. Aceste tratamente pur și simplu dădeau rezultate. Apoi s-a dovedit că nu dau. Iar când s-a pierdut încrederea în coma insulinică, în convulsiile induse electric, în valoarea provocării unor leziuni cerebrale ireversibile ca mijloc de a „vindeca” bolile psihice, reculul a fost puternic.

Romane ca *Zbor deasupra unui cuib de cuci* (1962) de Ken Kesey și *Chipuri în apă* (1961) de Janet Frame au pus psihiatria într-o lumină teribilă. Kesey lucrase ca infirmier la un spital psihiatric din Menlo Park (California) și a descris o instituție care folosea cu o nepăsare arogantă electroșocurile pentru a-și disciplina și supune pacienții. Când acest tratament n-a reușit să-l potolească pe Randle P. McMurphy, nestăpânitul erou al romanului, s-a făcut apel la arma supremă: acesta a fost supus lobotomiei. Romanciera neozeelandeză Janet Frame cunoscuse mult mai îndeaproape tratamentele psihiatriei de orientare somatică. Internată într-o serie de spitale de psihiatrie dezumanizante timp de mulți ani, începând de la jumătatea anilor 1940, a fost tratată cu come insulinice și peste două sute de electroșocuri; când mai erau câteva zile până la lobotomia ce urma să i se facă la spitalul de psihiatrie Seacliff, a primit Premiul Memorial Hubert Church, unul dintre cele mai mari premii literare din țară, și asta a anulat operația. De-a lungul anilor ce au urmat și-a câștigat un renume internațional, iar romanele sale, presărate cu trimiteri la tratamentul dur suportat din partea psihiatrilor incompetenți și sadici, au fost depășite ca impact numai de autobiografia în trei volume și de adaptarea ei pentru ecran de către regizoarea neozeelandeză Jane Campion, cu titlul *Un înger la masa mea* (1990).

Dacă filmul lui Campion a avut succes în rândul criticii și al publicului rafinat, câștigând o serie de premii importante, adaptarea pentru ecran a romanului *Zbor deasupra unui cuib de cuci*, semnată de Miloš Forman și lansată cu cincisprezece ani mai devreme, în 1975, a avut un succes extraordinar la marele public. A câștigat cinci premii Oscar și rămâne, după patruzeci de ani de la lansare, un film emblematic și vizionat de mulți. Nu este nici pe departe singurul film în care Hollywoodul a prezentat lobotomia ca pe o operație brutală și criminală, făcută de medici sadici și nepăsători. Filmul *Frances* al lui Graeme Clifford din 1982, cu Jessica Lange în rolul starletei hollywoodiene Frances Farmer, este la fel de necruțător. Lange e torturată cu come insulinice și o serie de electroșocuri, violată în mod repetat cât timp zace legată cu lanțuri de pat, apoi e supusă lobotomiei de un bărbat care, nu întâmplător, arată exact ca Walter Freeman. Însă jocul lui Lange, deși convingător, pălește pe lângă portretizarea lui Randle P. McMurphy de către Jack Nicholson. După ce a pus la cale să fie internat într-un spital de psihiatrie, presupunând că „balamucul" va fi un loc mai plăcut de lenevie decât închisoarea în care-și execută ultima parte a sentinței pentru viol asupra unei minore, McMurphy provoacă scandaluri. Zeflemitor, nesupus, sfidător, la început îi îndeamnă zadarnic pe colegii săi de suferință, al căror spirit a fost zdrobit, să i se alăture în revoltă, ca să descopere că data eliberării e acum în mâinile temnicerilor psihiatri. Refuzând să cedeze la ceea ce filmul înfățișează drept pură opresiune psihiatrică, este trimis la un tratament cu electroșocuri, al cărui scop e vădit punitiv. Tratamentul nu dă rezultatul dorit. Numai lobotomia, operația care-l transformă într-o legumă umană, îi poate zdrobi spiritul. Așa că asta va fi soarta lui.

Aceste imagini au modificat definitiv felul în care publicul percepea diferitele tratamente somatice din psihiatrie și au mânjit reputația profesiei. La vremea când au fost făcute filmele, profesia renunțase la toate, în afară de TEC, având acum la dispoziție o varietate de remedii psiho-farmaceutice pentru schizofrenie și depresie, ca și pentru o mulțime de alte probleme psihice mai ușoare (după cum vom vedea în capitolul 12). Psihiatrii puteau continua să protesteze că tratamentul cu electroșocuri merita un loc în arsenalul lor terapeutic pentru formele maligne de depresie, rezistente la remediile chimice. Dar în cultura populară se dăduse verdictul: TEC era o practică periculoasă și inumană, o intervenție care prăjea creierul oamenilor și le distrugea amintirile. Cât privește lobotomia,

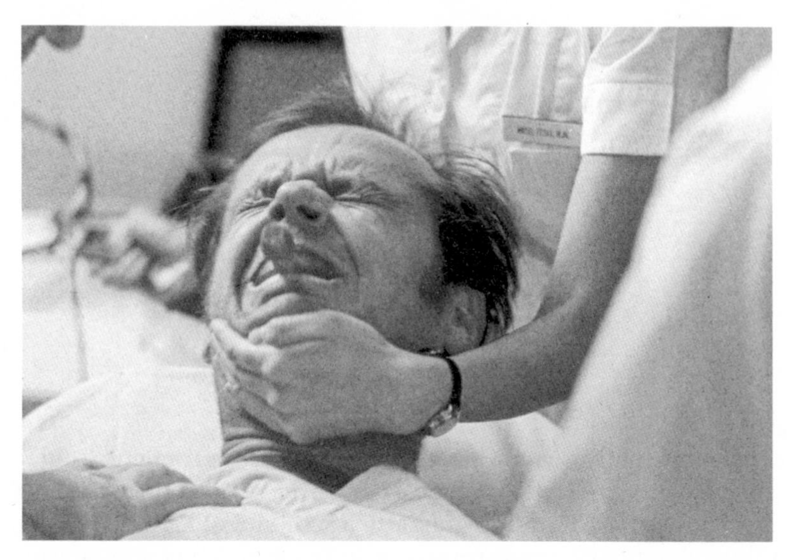

Jack Nicholson (în rolul lui Randle P. McMurphy), în filmul Zbor deasupra unui cuib de cuci *(1975), este supus TEC ca pedeapsă pentru că a perturbat rutina din salon și pentru a fi obligat să se conformeze. Când TEC dă greș, ultima soluție este lobotomia.*

câțiva istorici ai profesiei au încercat recent să o reabiliteze, cel puțin parțial. Demersul lor s-a dovedit fără speranță. Nu numai în rândul scientologilor – pentru care este un cadou inepuizabil –, ci și în rândul publicului larg, consensul este clar: lobotomia a fost o crimă, iar principalul ei autor, Walter Freeman, a fost un adevărat monstru din punct de vedere moral.

Capitolul 11

Un interludiu semnificativ

Căutarea sensului

Psihiatria instituțională și pasiunea ei pentru tratamente somatice au fost răspunzătoare de îngrijirea imensei majorități a pacienților cu probleme psihice în prima jumătate a secolului al XX-lea. Mai mult, spitalele de psihiatrie și terapiile recomandate de cei care le conduceau s-au răspândit în această perioadă pe tot globul. Francezii și britanicii au dus plini de zel aceste embleme ale civilizației occidentale în coloniile lor, chiar dacă localnicii au părut câteodată nu tocmai seduși de aceste semne ale progresului și modernității. În Africa și India[1], ca să nu mai amintim țările care reușiseră în mare măsură să-și elimine sau să-și marginalizeze populațiile indigene – Australia, Noua Zeelandă, Argentina[2] –, spitalele de psihiatrie au proliferat, la fel și comele insulinice, electroșocurile, metrazolul și lobotomiile care alcătuiau instrumentarul psihiatriei moderne, științifice. Chiar și China, fără a fi întru totul colonizată de puterile apusene, dar luptându-se cu statutul ei semisubordonat, a fost martora introducerii impuse a câtorva spitale de psihiatrie în stil occidental. Așezămintele de acest gen coexistau însă greu cu concepțiile despre nebunie și abordările ei adânc înrădăcinate în tradițiile medicale străvechi ale Chinei[3].

Dar un alt gen de psihiatrie, foarte diferit, devenea acum influent. În anii dintre cele două războaie mondiale, teoriile lui Freud cu privire la boala psihică și abordarea lui terapeutică s-au bucurat de tot mai multă popularitate, deși doctrina freudiană a constituit întotdeauna o preferință a unei minorități. Experiența războiului de tranșee și căderile nervoase pe care le-a adus cu sine au conferit pe diferite căi plauzibilitate ideii că trauma și nebunia sunt strâns legate între ele. Pacienții care se îmbulziseră cândva în stațiuni balneare sau fuseseră clienții curelor de odihnă și ai mașinăriilor generatoare de electricitate statică ale neurologilor păreau deja tentați, în primele decenii ale secolului al XX-lea, să încerce psihoterapia în locul

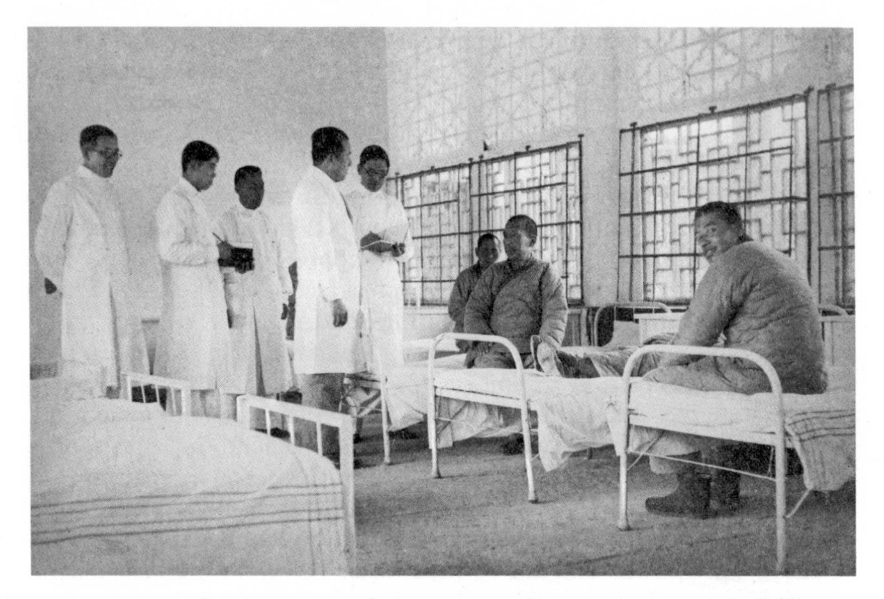

Medici și pacienți la azilul din Beijing, în anii 1930. Fondurile asigurate de Fundația Rockefeller au contribuit la introducerea modelului de azil occidental în China.

acestora. Iar la nivel organizațional, deși controversele și sciziunile interne nu lipseau, psihanaliza avea și puncte forte și elemente de atractivitate distinctive, care au ajutat-o să supraviețuiască și să înflorească. Traiectoria urmată de psihanaliză de-a lungul unei părți considerabile a secolului al XX-lea merită așadar să fie explorată la un nivel general, înainte de a trece la o explorare mai amănunțită a destinului ei.

Genurile de tulburări mintale care aduceau un număr tot mai mare de pacienți înstăriți pe canapeaua psihanalitică erau, de regulă, profund supărătoare pentru cei care le trăiau. Pentru privitori, mulți dintre acești oameni păreau niște narcisiști binecuvântați sau blestemați cu prea mulți bani și prea mult timp la dispoziție, ducând o viață lipsită de țeluri și predispuși la forme de egocentrism exagerate, care nu erau altceva decât ipohondrie[4]. Alții însă li se păreau cu adevărat suferinzi celor care-i întâlneau: copleșiți de un sentiment de deznădejde, roși de chinuri paralizante, fără a ști de unde izvorăsc, sau comportându-se în maniere derutante și aproape intolerabile pentru cei cu care trăiau. În cazurile individuale era oarecum discutabil să stabilești cine și în care categorie se situează. Totuși, era evident faptul că acuzele nu le subminau neapărat acestor pacienți capacitatea de a gândi coerent în cea mai mare parte a timpului sau de a demonstra un minimum de control asupra acțiunilor proprii, oricât de precară ar fi părut domnia rațiunii în alte momente. Dacă dispuneau de mijloace suficiente, ei alcătuiau o clientelă care putea să constituie baza unui alt model al practicii psihiatrice.

În cele două decenii de după armistițiul din 1918, psihanaliza a înflorit ca niciodată în multe privințe, mai cu seamă în regiunile din Europa unde se vorbea limba germană. Din punct de vedere economic, erau vremuri grele. Înfrângerea lăsase puterile Axei distruse, împovărate de despăgubiri de război – pedeapsa pentru că pierduseră –, iar Austria era doar o umbră a ceea ce fusese la vremea apogeului său imperial, fiind despuiată de teritoriile sale, devenite noi state naționale. Grandoarea Vienei s-a păstrat, deși orașul era doar o rămășiță micșorată și zdrobită a ceea ce fusese cândva. O hiperinflație distructivă a lăsat în 1929 locul unui colaps economic mondial. Însă de-a lungul unei mari părți a acestei perioade, întreprinderea intelectuală a lui Freud s-a dezvoltat. Atractivitatea ei era limitată de clasa socială și, într-o anumită măsură, de etnie – pacienții și practicienii proveneau în continuare într-o măsură disproporționat de mare din rândul evreilor –, precum și de sciziunile și certurile care debutaseră înaintea izbucnirii Primului Război Mondial, odată cu plecarea lui Carl Gustav Jung (1875-1961), prințul moștenitor ales de Freud. Alte schisme vor continua să marcheze demersul psihanalitic vreme de decenii.

Deși terapia psihanalitică fusese folosită doar în cazuri rare și excepționale în tratarea șocului de obuz, mulți considerau că accentul pus de ea pe conflictul psihic, trauma psihică și refulare ca origini ale perturbărilor psihice oferea cea mai plauzibilă explicație pentru căderile nervoase în masă care constituiseră o trăsătură atât de remarcabilă a conflagrației. Victimele șocului de obuz nu s-au făcut nevăzute după război, dar s-au trezit disprețuite și ignorate. Promisiunile de pensie au fost retrase, mai puțin în Statele Unite, țară care intrase în război târziu, avusese puține astfel de victime și, după propriul Război Civil, își luase obiceiul de a le oferi militarilor săi lăsați la vatră o serie de beneficii sociale pe care le refuză și astăzi majorității populației. Dar, în general, acești bărbați, asemenea camarazilor lor care aveau cicatrice mai vizibile drept amintiri ale evenimentelor prin care trecuseră, erau o rușine și o povară. Curajul le fusese exploatat în timpul războiului; sănătatea și viața le fuseseră distruse. Acum erau lăsați în mare măsură să-și poarte singuri de grijă.

Accentul pus de Freud pe simboluri, pe conflicte psihice și refulare, pe sensuri ascunse și pe complexitățile culturii contemporane i-a făcut pe artiști, scriitori, dramaturgi și producătorii de film să-i utilizeze ideile în diferite moduri. Concepțiile freudiene s-au infiltrat în domeniul publicității nu în ultimul rând prin demersurile lui Edward Bernays (1891-1995), nepotul lui Freud, care a pus bazele relațiilor publice moderne la New York și a convins firmele comerciale că reclama subliminală poate face minuni pentru vânzări. Psihanaliza a ajuns totodată să exercite o influență imensă în mișcarea modernistă și în apariția culturii de masă, ca să nu mai amintim impactul universal asupra practicilor de creștere a copiilor, cel puțin o vreme, și asupra limbajului și conversațiilor noastre cotidiene. Chiar și în ziua de azi, judecând după parada caricaturilor cu pacienți pe canapea, imaginea publică a psihiatriei rămâne legată în multe privințe de cura verbală și de marii preoți ai „științei" psihanalitice. Iar cărțile despre Freud și despre psihanaliză sunt publicate într-un număr uluitor de mare, puține având ceva nou de spus, dar majoritatea aducându-le probabil un profit celor implicați.

Ce curios! Curios deoarece majoritatea pacienților cu probleme psihice din secolul al XX-lea și începutul secolului al XXI-lea nu au ajuns niciodată să dea ochii cu un psihanalist. Curios deoarece curentul principal al psihiatriei, cu excepția unei perioade relativ scurte în Europa Centrală vorbitoare de limbă germană, până la venirea lui Hitler la putere, a unui sfert de secol după al Doilea Război Mondial în Statele Unite și a ceva mai mult în Argentina, a privit în general opera lui Freud cu indiferență, ostilitate și dispreț. Curios deoarece psihologia academică n-a dat importanță ideilor freudiene, al căror loc în fabricile moderne de cunoștințe pe care le numim universități s-a limitat aproape exclusiv la catedrele de literatură, antropologie și, ocazional, filosofie. Și curios deoarece, în afara unui grup nu prea numeros de partizani fideli, puțini oameni care caută o transformare a propriei vieți psihice mai apelează la psihanaliză – și oricum contabilii care gestionează costurile îngrijirilor medicale moderne n-ar permite așa ceva. Un anumit public cult continuă să fie atras de edificiul intelectual complex care promite la nesfârșit să dezvăluie mecanismele ascunse ale psihologiei umane, țesând totodată povești fascinante despre sinele nostru inconștient și viața noastră lăuntrică. În Marea Britanie și în Franța, ca și în câteva mari metropole americane, o minoritate restrânsă continuă să frecventeze canapeaua psihanalitică. Dar în cea mai mare parte a lumii, ca intervenție terapeutică, psihanaliza este practic muribundă.

Mișcarea psihanalitică

Adepții pe care și i-a atras psihanaliza în primele trei decenii și jumătate din secolul al XX-lea, atâția câți au fost, s-au concentrat în principal în zonele din Europa unde se vorbea limba germană – în Austro-Ungaria, la Zürich și în unele regiuni ale Elveției și, în timpul Republicii de la Weimar create după Primul Război Mondial, chiar în Germania, îndeosebi la Berlin. În primii ani ai noului secol, Freud reușise să atragă pentru scurtă vreme atenția și simpatia lui Eugen Bleuler, șeful spitalului Burghölzli din Zürich (și cel care a inventat termenul „schizofrenie" – vezi *supra*, pp. 238-239). La fel ca majoritatea psihiatrilor din generația sa, Bleuler era profund devotat explicației somatice a originii bolilor psihice, dar era mai dispus decât majoritatea contemporanilor lui să se preocupe de dimensiunile psihologice ale tulburărilor mintale. După ce a recenzat favorabil *Studii asupra isteriei* de Freud și Josef Breuer, i-a încurajat pe medicii din subordinea lui, inclusiv pe tânărul Carl Jung, să exploreze literatura psihanalitică. Mai mulți dintre aceștia s-au convertit la abordarea lui Freud, în timp ce Bleuler s-a distanțat de psihanaliză. Era mult prea dogmatică pentru gustul lui. În 1911 și-a dat demisia din Asociația Internațională de Psihanaliză, informându-l direct pe Freud că tendințele ei sectare, „acest «totul sau nimic», sunt în opinia mea necesare pentru comunitățile religioase și utile pentru partidele politice [...] dar pentru știință le consider dăunătoare"[5].

Apostazia lui Bleuler n-a părut să-i descurajeze pe discipolii lui. Câțiva dintre ei, precum Karl Abraham (1877-1925), Max Eitingon (1881-1943) și Jung însuși, au continuat să proclame virtuțile psihanalizei. La începutul activității sale, Jung a folosit studiul asocierilor de cuvinte în încercarea de a scoate la iveală complexe inconștiente. Faptul că făcea apel la laborator și folosea tehnici cantitative a conferit un aer științific unui demers care se bazase până atunci pe studii de caz clinice și a părut să lege psihanaliza de psihologia empirică. Jung a atras o atenție considerabilă din afara curentului psihanalitic propriu-zis, iar importanța lui crescândă, precum și legăturile lui cu un spital de psihiatrie care trata pacienți cu boli grave au constituit un capital considerabil pentru Freud. Pe această cale, ideile lui au fost cel puțin auzite de unii psihiatri care, altfel, ar fi putut să-l ignore pur și simplu și concepțiile freudiene au fost asimilate de psihiatrii străini veniți să studieze la Burghölzli. Însă convertiții atrași cu ajutorul lui Jung formau totuși o minoritate restrânsă. Cea mai mare parte a reprezentanților profesiei din Germania și Austria, având-ul în frunte pe Emil Kraepelin, a continuat să privească psihanaliza cu suspiciune, dacă nu chiar cu dispreț fățiș.

În același timp, psihiatria franceză n-a vrut să audă de teoriile lui Freud, iar această atitudine nu avea să cunoască vreo schimbare majoră până în anii 1960. Naționalismul pare să fi jucat un rol însemnat în respingerea inițială a psihanalizei de către francezi. Războiul Franco-Prusac din 1870-1871 și ororile Primului Război Mondial generaseră o antipatie față de tot ce era german și, în mod ironic, dat fiind ce avea să se întâmple în anii 1930, Freud a fost prins în curentul antiteuton. Francezii susţineau că toate ideile lui interesante fuseseră anticipate de oameni (francezi) ca Pierre Janet (1859-1947), care studiaseră cu Charcot. În realitate, teoriile şi abordarea lui Janet erau mult mai puţin dezvoltate şi elaborate decât ale lui Freud, iar atractivitatea lor pentru o clientelă bogată era puternic subminată de insistenţa lui Janet că susceptibilitatea la psihoterapie este dovada unei degenerări biologice subiacente. Chiar şi aşa, ideile lui Freud nu au reuşit să se facă auzite prea mult în cercurile franceze.

În Marea Britanie, cel mai important recrut freudian din primii ani ai secolului al XX-lea a fost Ernest Jones (1879-1958), care avea să devină cu timpul biograful şi unul dintre cei mai apropiaţi asociaţi ai lui Freud. Dar când Jones şi David Eder (1865-1936) au încercat să vorbească despre psihanaliză în faţa Asociaţiei Medicilor Britanici, în 1911, întregul public a ieşit din sală înainte ca ei să-şi poată prezenta lucrările. Ca situaţia să devină şi mai rea, Jones a fost silit la scurt timp după aceea să fugă din Anglia, în urma unor acuzaţii de comportament sexual incorect faţă de unele paciente[6]. Majoritatea psihiatrilor britanici păreau să împărtăşească evaluarea pe care i-o făcuse sir James Crichton-Browne lui Freud (sau Fraud, cum au început să-l numească unii dintre ei). Acesta se plângea că activitatea lui Freud era bazată pe deliberata „dezgropare a unor amintiri vagi, dăunătoare", care era mai bine să rămână refulate[7]. Oameni ca sir Thomas Clifford Allbutt (1836-1925) şi Charles Mercier, aflaţi printre cei mai influenţi autori eduardieni de lucrări pe tema bolilor nervoase, au protestat vehement faţă de tendinţa psihanalizei de a încuraja „bărbaţii şi femeile să se bălăcească chiar în nefericirile care îi obsedau. Ori dezgropa amintiri care era mai bine să rămână îngropate, ori permitea sugestiilor puternice ale medicului să creeze aşa-zise amintiri care îi chinuiau pe pacienţi cu mai multă cruzime decât o făcuseră vreodată propriile lor gânduri"[8].

În esenţă, majoritatea psihiatrilor britanici din primele decenii ale secolului al XX-lea considerau că psihanaliza încuraja introspecţia morbidă, când de fapt era nevoie să strângi din dinţi[9]. Astfel, personalităţile britanice de frunte au strâns rândurile în faţa a ceea ce aveau convingerea că este o absurditate germano-iudaică, iar când Hugh Crichton-Miller (1877-1959) a înfiinţat Clinica Tavistock, în 1920, pentru a le oferi psihanaliştilor britanici un punct focal, Edward Mapother (1881-1940), şeful Institutului de Psihiatrie, şi-a folosit influenţa politică pentru a se asigura că clinica nu va avea afilieri academice, nici legături cu Universitatea din Londra şi nici acces la fondurile publice[10]. O altă complicaţie a fost faptul că Clinica Tavistock era prea eclectică pentru a fi pe gustul psihanaliştilor ortodocşi, care, prin urmare, s-au ţinut departe de ea.

Freud și americanii

Lumea Nouă s-a dovedit din nou diferită. Cu doar cinci ani înainte să izbucnească Primul Război Mondial, Freud fusese invitat în America, numărându-se printre cei douăzeci și nouă de vorbitori la o conferință organizată pentru a sărbători aniversarea a douăzeci de ani de la înființarea Universității Clark din Massachusetts. El avea o părere proastă despre americani și, inițial, refuzase invitația. S-a răzgândit parțial datorită insistențelor lui Carl Jung, pe atunci cel mai apropiat discipol al său, dar și pentru că i-a fost mărit onorariul, iar data a fost schimbată în așa fel încât să-i convină. Titlul onorific de doctor în drept pe care l-a primit avea să rămână singura distincție academică din viața lui, iar vizita a slujit la crearea unui mic, dar important cap de pod al psihanalizei în America de Nord.

Totuși, a fost un eveniment dulce-amar. Freud nu a fost considerat nici pe departe un participant deosebit de important – între ceilalți vorbitori s-au numărat doi fizicieni laureați ai Premiului Nobel, precum și psihologi și psihiatri din mediul academic cu profiluri mult mai importante decât al lui[11]. Iar recunoașterea venea de la americani; și America, avea să remarce el mai târziu, „este imensă – o imensă greșeală"[12]. Întreaga țară, l-a informat el pe Arnold Zweig (1887-1968), era un „anti-paradis" populat de „sălbatici" și șarlatani cărora le lipsea orice urmă de cultură intelectuală. Trebuia rebotezată „Dolaria", după zeul căruia i se închina. Înaintea vizitei i se destăinuise lui Jung: „Eu [...] cred că, după ce vor descoperi miezul sexual al teoriilor noastre psihologice, se vor lepăda de noi"[13]. Nici timpul nu i-a atenuat ura: „La ce folosesc americanii, l-a întrebat agresiv pe Ernest Jones în 1924, dacă nu aduc bani? Nu sunt buni de nimic altceva". Așadar, este o mare ironie a istoriei că psihanaliza avea să se bucure de cel mai mare succes tocmai în Statele Unite, deși Freud n-a apucat să vadă acest succes.

Vizita lui Freud în Statele Unite avusese loc într-un moment norocos. Era o țară a noutăților, și printre noutățile inventate de americani se numărau religii noi sau variante noi ale unora vechi: mormonismul sau Biserica lui Isus Hristos a Sfinților din Zilele din Urmă, cum preferă credincioșii săi; adventiștii de ziua a șaptea (gruparea care a fondat sanatoriul Battle Creek); și martorii lui Iehova, ca să numim doar câteva. Unele dintre aceste noi religii sau confesiuni protestante declarau că se ocupă cu vindecarea trupului și sufletului, cea mai insistentă fiind Biserica lui Hristos Scientistă, întemeiată de Mary Baker Eddy în 1879. Adversarii preceptelor ei au declarat că creștinii scientiști sunt membrii unui cult de vindecare psihică, dar spre învățăturile lor s-au îndreptat mulți, inclusiv cei chinuiți de probleme nervoase. Poate parțial ca reacție la acest lucru, bisericile protestante mai tradiționaliste intraseră în competiție. Una dintre ele, condusă de reverendul Elwood Worcester (1862-1940) de la Biserica Emmanuel din Boston, o biserică exclusivistă din punct de vedere social, a căutat să combine alinarea religioasă și psihoterapia cu o spoială de supraveghere medicală. La început, Worcester a obținut participarea unor oameni precum William James și James Jackson Putnam (vezi mai jos), profesori la Harvard, dar apoi aceștia s-au retras oripilați în fața monstrului Frankenstein la a cărui creare și-au dat seama cu întârziere că era posibil să fi contribuit. Pentru scurtă vreme, a părut că psihoterapia ar putea să scape din mâinile medicilor și să reintre pe terenul religiei. Așa ceva era inacceptabil. Respingerea vehementă de către Freud a acestor afronturi la adresa „științei și rațiunii" pe parcursul prelegerilor sale de la Clark a fost cu adevărat bine-venită pentru medicii care l-au auzit vorbind, iar el a căutat să transmită unui public mai larg mesajul, într-un interviu acordat lui Adelbert Albrecht și publicat în *Boston Evening Transcript*. „La instrumentul sufletului nu e deloc ușor de cântat, a afirmat el solemn, iar tehnica mea este foarte minuțioasă și obositoare. Orice încercare de amator poate avea cele mai funeste urmări."[14]

Conferința Universității Clark, 10 septembrie 1909. Freud (rândul din față, al patrulea din dreapta) a pozat alături de ceilalți participanți la eveniment, între care G. Stanley Hall, la dreapta lui, și Carl Jung, la stânga. William James este al treilea din stânga, în primul rând.

Edith Rockefeller McCormick, autoritara și risipitoarea fiică a lui John D. Rockefeller, a fost prima Dollar Tante *a lui Carl Jung.*

În timpul vizitei sale, Freud îl cucerise pe James Jackson Putnam (1846-1918), care era nu numai profesor de neurologie la Harvard, ci și membru al unei familii din elita Bostonului, a cărei importanță se întindea în trecut până înainte de Revoluția Americană. A fost o convertire esențială, căci binecuvântarea lui Putnam a contribuit deopotrivă la potolirea unor griji legate de psihanaliză și sexualitate și la atragerea unor pacienți bogați. Tot Putnam a fost cel care a înființat, în 1914, Societatea de Psihanaliză din Boston. Mai puțin impresionat a fost William James (1842-1910), colegul lui Putnam și fratele romancierului Henry James. James a audiat doar una din prelegerile lui Freud, deși a discutat cu el în timpul unei plimbări lungi, dialogul fiind întrerupt la răstimpuri de angina lui James, boală de inimă care avea să-l ucidă după puțin timp. James nu s-a declarat convins, văzând în Freud „un om obsedat de idei fixe. Personal, nu obțin nici un rezultat cu teoriile lui despre vise și, evident, «simbolismul» este o metodă deosebit de periculoasă". Într-o scrisoare ulterioară s-a exprimat și mai caustic: „Am o puternică bănuială că Freud [...] este un *halluciné* obișnuit"[15].

Vizita lui Freud nu a fost urmată câtuși de puțin de o cascadă de convertiți la teoriile sale. Publicarea unei versiuni în engleză a prelegerilor de la Clark, pe care Freud le ținuse în germană, a făcut totuși ca ideile lui să fie pentru prima oară accesibile unui public anglofon și probabil că acest lucru împreună cu *Trei eseuri asupra teoriei sexualității* (1905) au avut o contribuție mai mare pe termen lung la răspândirea teoriilor sale în cercurile americane. Epidemia de șoc de obuz a avut și ea un rol în a face ideile despre rădăcinile psihice ale tulburărilor mintale mai plauzibile pentru unii americani, cum se întâmplase și în alte părți. Însă curentul principal al psihiatriei americane a rămas ostil, considerând terapia verbală irelevantă – sau chiar mai rău – în tratarea pacienților care erau considerați victime ale unor boli mintale cu rădăcini ferme în tulburări somatice.

În schimb, unii membri ai claselor bogate și dornice de taclale au fost atrași de ideile lui Freud și au încercat să facă terapie psihanalitică. Totuși, spre consternarea lui Freud, cele mai bogate persoane din această categorie, Edith Rockefeller McCormick (1872-1932) și Mary Mellon (m. 1946), au fost atrase de apostatul Carl Jung și și-au investit o parte substanțială a averii într-o încercare – în mare măsură inutilă – de a stimula răspândirea ideilor jungiene[16]. Relațiile dintre Freud și Jung se înrăutățiseră după întoarcerea din America, devenind în 1912 de-a dreptul veninoase. În ianuarie 1913, cei doi au întrerupt orice legătură și până în anul următor ruptura a devenit iremediabilă. Cel care fusese cândva prințul moștenitor al psihanalizei a tăiat toate legăturile pe care le mai avea cu mișcarea freudiană și a început să-și dezvolte propria abordare, psihologia analitică. De aici înainte, Jung și jungienii au fost anatemizați de Freud și adepții lui, iar jungienii au răspuns cu aceeași monedă[17].

Freud a reușit totuși să atragă la Viena câțiva americani bogați[18], dar nici unul cu resursele financiare uriașe ale lui Edith Rockefeller McCormick sau Mary Mellon. Comparația invidioasă cu succesul lui Jung în a atrage *Dollar Onkels* (unchi) sau, mai degrabă, *Dollar Tanten* (mătuși) i-a alimentat și mai mult ura față de fostul său discipol. E foarte probabil să-i fi exacerbat și dezgustul profund față de Statele Unite.

Totuși, în mod ironic, psihanaliza se bucura deja de un oarecare succes în America. Unii psihiatri cărora viața în aziluri li se părea sufocantă și care tânjeau după o practică la cabinet au început să adopte psihoterapia, la fel și unii neurologi nemulțumiți de o specializare ce îmbina precizia în diagnosticarea sifilisului și sclerozelor cu neputința terapeutică. Existau unele teritorii noi pe care acest nou grup de psihiatri putea să le colonizeze, de exemplu clinicile de consiliere maritală și a copiilor, care începuseră să apară după

Primul Război Mondial. Iar apetitul publicului pentru explicațiile psihanalitice despre inconștient pare să fi crescut, dacă e să judecăm după spațiul pe care îl alocau acestui subiect revistele de mare popularitate. Însă curentul principal al medicinei a rămas sceptic și chiar ostil față de o practică socotită de mulți un soi de șarlatanie. Și apoi mai era întrebarea: ce se înțelege prin psihanaliză?

Americanii n-au fost niciodată prea atrași de latura mai sumbră a viziunii lui Freud. Scrierile sale din anii 1920 adoptau tot mai mult o imagine lugubră a tensiunilor fundamentale dintre civilizație și individ și sugerau că refularea și sentimentele perpetue de nemulțumire reprezintă, poate, prețul existenței civilizate, prin urmare ei au căutat o alternativă mai puțin dezagreabilă. Declarația anterioară a lui Freud, din *Viitorul unei iluzii* (1927), că religia este o nevroză, iar Dumnezeu, rodul tânjirii copilărești după o figură paternă nu l-a făcut deloc iubit într-o societate plină de credincioși. Acest lucru n-a contat mult la început, căci americanii care se declarau adepții lui Freud ignorau fără nici o problemă acele părți din gândirea lui care nu le plăceau.

Cum nimeni nu impunea o ortodoxie, psihanaliza în forma ei americană a fost diluată, deformată și reconstruită într-o manieră absolut eclectică, devenind o perspectivă mult mai pregnant pozitivă și mai optimistă asupra problemelor psihice și a posibilităților de vindecare a lor. Optimismul era la ordinea zilei. Un exemplu important al acestei schimbări îl oferă scrierile refugiatului vienez Heinz Hartmann (1894-1970; un favorit al lui Freud), care a început să elaboreze concepția numită de el „psihologia eului" – o poziție teoretică ce minimaliza conflictele psihice și pulsiunile și punea în schimb accentul pe eu și pe rolul acestuia în promovarea adaptării la realitate. Aceasta era o abordare pe care mulți americani au găsit-o mai atrăgătoare decât sentințele profund pesimiste ale lui Freud. Pe scară mai largă, în numeroasele ei forme americane, psihanaliza promitea eliberarea de anxietăți și probleme psihice, iar aceste promisiuni au atras un număr de pacienți perturbați și bogați care nu ar fi luat niciodată în calcul tratamentul într-un spital de psihiatrie.

Hollywoodul, unde afacerea cinematografiei se dezvolta cu pași repezi, era vizibil vrăjit de ideile freudiene, după cum vom vedea ulterior în acest capitol. Erau vrăjiți atât cei care jucau în fața camerelor de filmare, cât și cei care îi angajau, iar după 1945 pasiunea pentru psihanaliză avea să iasă la suprafață cât se poate de evident în multe dintre filmele de succes ale epocii[19]. Psihanaliza a găsit amatori și pe Coasta de Est, mai cu seamă în rândul membrilor înstăriți ai comunității evreiești considerabile din nord-est. Era o piață mult mai mică decât sutele de mii de indivizi cu boli psihice grave care înțesau saloanele tot mai aglomeratelor și mai dărăpănatelor spitale de psihiatrie statale. Dar era un grup educat și cu importanță socială, posesorul unui capital social și cultural considerabil, ca să nu mai amintim mijloacele financiare generoase, esențiale pentru a-și permite ora terapeutică de câteva ori pe săptămână, timp de luni și chiar de ani de zile, condiția prealabilă pentru terapia psihanalitică clasică. Ambulatori, înstăriți, elocvenți și totuși plângându-se de anxietăți și nevroze profunde, rezistente la tratamentele facile și care, așadar, necesitau o terapie prelungită – un grup de pacienți mult mai atractiv decât oamenii de la periferia societății, adesea săraciți și needucați, care umpleau spitalele de psihiatrie, cu idei delirante, cu halucinații, profund deprimați și închiși în ei sau, pur și simplu, demenți.

Devierile și diluările care au contribuit la răspândirea evangheliei psihanalizei în rândurile publicului american mai larg îi supărau foarte tare pe discipolii mai ortodocși ai lui Freud, însă aceștia nu aveau puterea de a le suprima. Încă din 1921, Isador Coriat (1875-1943), care venise să-l asculte pe Freud vorbind la Universitatea Clark, a glumit că a încercat să psalmodieze „nu există altă psihoterapie decât psihanaliza și Freud este profetul ei", dar incantația a ajuns la urechi surde[20]. În schimb, accentul pus pe dezvoltarea psihică și pe potențial a ajuns la ordinea zilei atât în rândul psihanaliștilor americani, ca frații Menninger (care aveau o afacere de familie profilată pe psihoterapie în Topeka, Kansas), cât și în rândul unora dintre psihanaliștii de origine străină care trăiau pe Coasta de Est – ființe superioare (cel puțin în propriii ochi), care îi priveau de sus pe confrații lor americani, socotindu-i niște apostați materialiști cu foarte vagi sclipiri de înțelegere a măreţului edificiu freudian.

În exil

Apoi a apărut Hitler. Venirea naziștilor la putere a pus capăt în scurt timp psihanalizei în Germania și a inițiat ceea ce avea să devină un fluviu de refugiați, unii la Londra, mulți alții în metropolele răsăritene ale Statelor Unite, îndeosebi la New York. Institutul de la Berlin, predominant evreiesc, a fost primul care s-a confruntat cu persecuțiile și conducerea lui a fugit în America la începutul anilor 1930. Spre sfârșitul deceniului, li s-au alăturat austrieci și maghiari[21]. Viena s-a reconstituit pur și simplu în Manhattan, emigranții ajungând rapid să domine Societatea Psihanalitică din New York[22].

Anschluß-ul, anexarea Austriei de către Germania, a avut loc pe 12 martie 1938. Freud, grav bolnav de cancerul bucal cu care se lupta de un deceniu și jumătate, se afla în pericol de moarte, la fel și familia sa, fapt pe care a fost silit să-l înțeleagă când Gestapoul a chemat-o pe fiica lui, Anna (1895-1982), la un interogatoriu înfricoșător. Cu ajutorul lui Ernest Jones și al unei subvenții din partea vechiului său înger financiar, prințesa Marie Bonaparte (1882-1962), care a achitat taxa de emigrare impusă de naziști, Freud a reușit să plece la Londra împreună cu soția sa Martha, fiica Anna, o servitoare și un medic.

În exil la Hampstead, familia lui Freud i-a reconstituit cabinetul de consultații vienez în casa din Maresfield Gardens nr. 20, iar el a continuat să primească pacienți (**pl. 41**). Dar starea fizică i s-a înrăutățit treptat și durerea a devenit insuportabilă. Cancerul a început să-i afecteze fața. Carnea mirosea atât de rău, încât până și câinele lui refuza să se apropie de el. Suferințele s-au accentuat, astfel că până și stoicul Freud s-a săturat. I-a amintit lui Max Schur (1897-1969), de mult timp medicul lui, că i-a promis să-l ajute *in extremis*. „Acum totul e un chin și nu are nici un sens." Pe 21 septembrie 1939, Schur i-a administrat lui Freud morfină pentru prima oară. Pe 22 septembrie i-a făcut încă o injecție. A doua zi, Freud era mort.

Moartea lui Freud a survenit la nici o lună după primele focuri de armă trase în al Doilea Război Mondial. Mulți psihanaliști fugiseră din Europa continentală. Majoritatea celor care n-au făcut-o au pierit în carnajul ce a însoțit dominația nazistă. În mod inevitabil, venirea refugiaților în Statele Unite a sporit considerabil numărul psihanaliștilor care căutau să-și practice profesia. Totodată însă, a intensificat tensiunile. Central-europenii îi stimau prea puțin pe omologii lor americani, chiar și pe cei care respectaseră rezonabil de îndeaproape ortodoxia freudiană. Îi considerau pe americani inferiori din punct de vedere intelectual și cultural și se purtau cu ei în consecință. Sentimentele erau intense și pornirile sectare, mereu prezente pe terenul psihanalizei, au devenit tot mai puternice. Au avut loc sciziuni și certuri, deși ele au atras prea puțină atenție în afara cercurilor de adepți. Și, în mod ironic, războiul care a distrus psihanaliza în vechea-i patrie din centrul Europei avea să ducă, în ultimă instanță, la o lărgire spectaculoasă a perspectivelor ei în Statele Unite, în ciuda luptelor interne de la nivelul institutelor de psihanaliză.

Freud își adusese și el contribuția la schisme în timpul vieții. Intoleranța lui față de părerile diferite și imensa capacitate de a urî erau legendare, iar cei care îl contraziceau erau de obicei expulzați din cercul intim și trimiși într-un exil veșnic[23]. Însă pentru majoritatea celor din afară, ciorovăielile de felul acesta păreau să aibă prea puţină importanţă în peisajul general. La moartea lui Freud, lumea se afla încă o dată pe punctul de a fi înghiţită de ani de război, luptele urmând să se încheie cu descătuşarea puterii cumplite a atomului asupra civililor nevinovaţi. După ce făcuseră tot posibilul să-i extermine pe pacienţii psihiatrici germani, naziştii îşi transferau acum personalul şi instalaţiile în lagăre destinate exterminării evreilor, a altor grupuri „inferioare rasial" şi a adversarilor lor politici. Poleiala de civilizaţie era pe cale să dispară. Intraseră din nou în acţiune forţe tenebroase, distructive şi, în slujba lor, puterile medicinei şi ştiinţei moderne au fost pervertite pentru crearea unui iad făcut de om – de fapt, a unei multitudini de iaduri.

Războiul total şi urmările lui

Chiar şi Freud, profetul pesimismului, s-ar fi cutremurat, poate, dacă ar fi supravieţuit ca să vadă barbaria abătută acum asupra lumii. Şi totuşi, tocmai acest război cumplit, mai mult decât orice altceva, a ajutat la propăşirea cauzei psihanalizei – într-o măsură limitată în Marea Britanie, dar la o scară mult mai amplă şi într-o manieră mai durabilă în Statele Unite, unde o versiune a viziunii lui Freud a ajuns să domine psihiatria timp de mai bine de un sfert de secol şi unde ideile şi conceptele psihanalitice au ajuns să inunde chiar şi cultura populară. Faptul că nebunia e învestită cu sens, ba mai mult, că la baza ei se află sensuri care explică de unde vine şi arată calea spre vindecarea sa a ajuns să le pară multora de la sine înţeles.

Noul conflict care a cuprins aşa-zisa lume civilizată oferea încă o dovadă, dacă mai era nevoie, că războiul industrializat, mecanizat şi stabilitatea psihică a soldaţilor sunt adesea incompatibile. Lecţia avea să fie învăţată pe căi dureroase în Războiul din Coreea, în Vietnam, în nesfârşita serie de conflicte militare care au marcat şi viciat aşa-numitul Război Rece şi perioada ce i-a urmat şi în cele două războaie din Golf. După Vietnam, influenţa politică a veteranilor americani avea să ducă la crearea unei noi categorii nosologice, tulburarea de stres posttraumatic (TSPT), boală care în scurt timp avea să-şi lărgească definiţia pentru a cuprinde şi victimele altor forme de violenţă, cu precădere de tip sexual. Dar problemele psihiatrice ale militarilor n-au aşteptat politizarea psihiatriei din a doua jumătate a secolului al XX-lea. Ele au constituit o realitate ineluctabilă cu care s-a confruntat armata în timpul celui de-al Doilea Război Mondial.

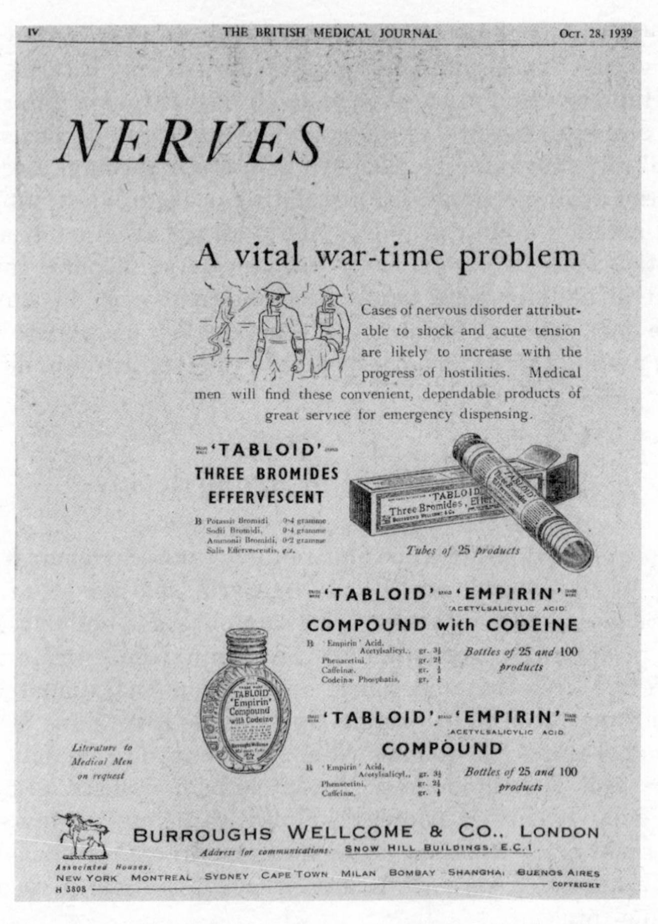

Nervii în vreme de război. Anticipând o avalanșă de boli nervoase pricinuite de presiunile din timpul războiului, compania farmaceutică Burroughs Wellcome s-a grăbit să ofere un remediu chimic.

Naziștii au avut o soluție simplă la problemă. Așa cum nu avuseseră scrupule să omoare pacienți psihiatrici, n-au recurs la jumătăți de măsură nici când militarii cedau psihic. Soldații Wehrmachtului care înnebuneau se puteau aștepta să fie disciplinați, dacă nu împușcați[24]. Psihiatrii germani erau cu toții de acord că victimele șocului de obuz din Primul Război Mondial fuseseră bolnavi prefăcuți și lași, iar greșeala de a-i trata ca pe niște adevărați bolnavi nu avea să fie repetată. Înaltul Comandament german a sprijinit cu entuziasm această poziție. Căderile nervoase au continuat să apară, îndeosebi pe Frontul de Est, însă fără a fi recunoscute oficial și fiind întâmpinate cu sancțiuni barbare, cu plutoane de execuție improvizate și cu azvârlirea nevroticilor de război înapoi în luptă.

Britanicii erau mai puţin dornici să-şi împuşte soldaţii, dar la fel de hotărâţi să evite o repetare a epidemiei de şoc de obuz. Politica oficială, elaborată de psihiatri de frunte, era de a se elimina „orice posibilă recompensă [dacă cineva prezenta simptome nevrotice]: nimeni n-ar trebui să poată părăsi armata din motive de nevroză şi n-ar trebui să se plătească nici o pensie"[25]. Tratamentul complicat trebuia evitat, întrucât el nu făcea decât să-l încurajeze pe soldat să se considere bolnav; acesta trebuia în schimb să fie ţinut aproape de linia frontului şi trimis înapoi la unitatea lui cât mai rapid posibil.

Totuşi, pe parcursul războiului, victimele psihiatrice s-au acumulat. În medie, pe toate teatrele de luptă, între 5% şi 30% dintre bolnavii şi răniţii evacuaţi din bătălii au fost victime psihiatrice. Statisticile oficiale reduceau în mod constant amploarea problemei, iar acolo unde se dădeau luptele cele mai aprige, incidenţa căderilor psihice era cea mai mare. „Stresul de luptă" a reprezentat motivul oficial al internării pentru doar 10% dintre cei admişi pentru tratament medical în timpul retragerii de la Dunkerque[26], dar aceasta este probabil o subevaluare gravă a amplorii reale a problemei, din moment ce mulţi evacuaţi au fost internaţi în secţii militare de psihiatrie după întoarcerea în Marea Britanie[27]. De-a lungul războiului, 40% dintre soldaţii britanici consideraţi inapţi să continue serviciul militar au fost lăsaţi la vatră din motive psihiatrice[28].

În 1944, o divizie canadiană a fost implicată în două bătălii dure consecutive în Italia. Rata victimelor psihiatrice a variat în cele nouă unităţi care alcătuiau divizia: între 17,4% şi 30,5% în prima luptă şi între 14,6% şi 30% în a doua. Dar, deşi comandanţii primiseră înaintea celei de-a doua bătălii instrucţiuni să adopte „o atitudine disciplinară severă în cazurile psihiatrice, considerându-le datorate delăsării sau slăbiciunii", procentul victimelor psihiatrice la nivelul diviziei în ansamblu a crescut, de la 22,1% la 23,2%. Numărul victimelor psihiatrice în rândul trupelor britanice şi canadiene din timpul invaziei în Normandia a fost cel puţin la fel de ridicat şi numai o mică parte din cei trataţi – sub 20% din total – a revenit ulterior la serviciul pe front[29]. Spike Milligan (1918-2002), care avea să devină ulterior un comic britanic celebru, a fost o astfel de victimă. Luptele intense de la Montecassino, în Italia, l-au dus la o primă cădere nervoasă. A fost tratat timp de trei zile în spatele liniilor şi trimis înapoi la unitatea lui. Dar, timp de o săptămână, a plâns, a bâiguit şi a tremurat la zgomotele bătăliei, până când comandanţii lui s-au săturat. De această dată a fost trimis departe de câmpul de luptă, la o bază militară, unde a fost angajat – cine spune că armatele nu au simţul ironiei? – ca funcţionar la psihiatrie. Pentru el, războiul se terminase, dar, asemenea multor altor victime psihiatrice, spunea că „n-am depășit niciodată sentimentul acela [de rușine]" și considera ziua în care a fost evacuat „printre cele mai triste zile din viața mea"[30].

Situația avea să stea altfel pentru americani, care nu s-au implicat în război decât atunci când atacul japonez de la Pearl Harbor, din 7 decembrie 1941, le-a forțat mâna. Însă toți, în afară de izolaționiștii cu ochelari de cal, știau că războiul se apropie, iar psihiatria americană s-a mobilizat pentru a convinge autoritățile militare că modalitatea cea mai sigură de a evita problemele din Primul Război Mondial era trierea tuturor viitorilor recruți și eliminarea celor inapți psihiatric. Astfel, problemele logistice și de moral asociate cu pierderile psihiatrice în masă puteau fi evitate. Noua politică a fost declarată un succes răsunător. Ea a eliminat aproape 1.750.000 de posibili recruți – o cifră înspăimântătoare, dar cel puțin armata avea să fie scutită de problemele asociate cu căderile nervoase pe front.

Numai că n-a fost. Încă din 1942, la doar câteva luni după intrarea Statelor Unite în război, numărul victimelor psihiatrice din rândurile soldaților a început să crească, de parcă trierea nici n-ar fi existat. Ororile de pe câmpul de luptă – uneori chiar și perspectiva lor – au dus la un mare număr de noi victime psihiatrice și, desigur, la o cerere pe măsură adresată psihiatrilor și psihologilor de a răspunde pericolului iminent ce pândea moralul și eficacitatea armatei. Nu șocul de obuz, căci termenul fusese abandonat, ci „nevroza de război" sau „extenuarea combatantului" prolifera în ritm alert[31]. În anii războiului, spitalele americane au înregistrat peste un milion de internări pentru probleme neuropsihiatrice. În rândul unităților de luptă din teatrul de război european, în 1944, internările au atins cifra de 250 din 1.000 de militari pe an, un procent extraordinar[32]. Iar în campania siciliană din 1943, de exemplu, dintre victimele psihiatrice americane care au fost evacuate în Africa de Nord pentru tratament, doar 3% s-au întors la luptă[33]. În același timp, „dintre victimele cu probleme suficient de grave pentru a necesita evacuare în timpul campaniei principale a Statelor Unite în Pacific, la Guadalcanal, în vara și toamna anului 1942, 40% au fost psihiatrice"[34]. Creșterea bruscă a numărului celor incapacitați psihiatric n-a fost urmată de o scădere imediat după conflict. În 1945, 50.662 de victime psihiatrice aglomerau saloanele spitalelor militare, iar la numărul celor instituționalizați trebuie să-i adăugăm pe cei 475.397 de militari lăsați la vatră cărora Administrația Veteranilor a ajuns până în 1947 să le plătească pensie pentru dizabilități psihiatrice[35].

În mod ciudat, dată fiind poziția periferică a freudienilor în psihiatria antebelică, armata britanică și cea americană își încredințaseră conducerea serviciilor psihiatrice pe timpul războiului unor oameni deschiși față de psihanaliză: J.R. Rees (1890-1969) de la Clinica Tavistock în cazul britanicilor și William Menninger (1899-1966) de la Clinica Menninger din Topeka (Kansas) în cazul americanilor. Poate că a fost un ecou al învățămintelor trase în Primul Război Mondial: victimele psihiatrice erau rezultatul stresului psihic. Dar, indiferent de motiv, insuficiența gravă a personalului psihiatric (Asociația Psihiatrilor Americani număra doar 2.295 de membri în 1940, majoritatea lucrând în spitale de psihiatrie, iar armata avea să angajeze singură cel puțin tot atâția până în 1945) a impus ca medicii să fie reinstruiți rapid și puși la treabă, iar instruirea, condusă de Menninger, a fost în psihoterapie, nu în terapii somatice. Dat fiind numărul mare al victimelor, psihoterapia individuală era imposibilă, astfel că a intrat în acțiune terapia de grup.

Psihanaliza în stil american

După război, psihiatrii britanici mai eclectici au extras din experiențele lor ideea de comunitate terapeutică și au căutat să remodeleze în acest sens spitalele de psihiatrie pentru civili. Accentul se punea pe latura socială și cea psihologică și pe mobilizarea pacienților și a cadrelor medicale deopotrivă pentru crearea unui mediu care să stimuleze însănătoșirea; totuși, în ciuda rolului însemnat pe care mai mulți psihanaliști britanici l-au jucat în elaborarea acestei abordări – Wilfred Bion (1897-1979), John Rickman (1891-1951), Harold Bridger (1909-2005) și S.H. Foulkes (1898-1977) –, psihoterapia oferită, atâta câtă era, se făcea prin ședințe de grup, nu prin analiză individuală. Etosul mai „democratic" al comunității terapeutice – despre care se susținea că șterge sau minimizează diferențele de rang și statut, deși acesta era idealul, nu realitatea – se potrivea bine cu cultura mai pregnant egalitară a Marii Britanii postbelice, iar terapia de grup era, firește, mult mai ieftină decât psihanaliza individuală[36].

În ansamblu, războiul îi smerise pe psihiatrii britanici și istoria oficială a Clinicii Tavistock accepta că „nu am adus, practic, nici o nouă contribuție majoră la tratarea nevrozelor traumatice" în timpul luptelor[37]. Era o evaluare sobră, pe care foștii lor superiori militari o împărtășeau pe deplin. La sfârșitul războiului, corpul ofițerilor britanici i-a concediat pe „bicicliștii acrobați", cum îi numea în derâdere, etichetându-i ca „naivi, lipsiți de experiență, ignoranți în privința realităților militare și din cale-afară de dogmatici"[38]. Nemaiavând cine știe ce nevoie sau dorință de servicii psihiatrice odată cu încheierea luptelor, vechiul dispreț al militarilor față de această profesie a reapărut.

Omologii americani ai psihiatrilor britanici însă, binecuvântați cu o piață mai înstărită și mai amabilă și, poate, mai talentați în a-și promova realizările în fața unui public credul, și-au montat firmele și au început să practice psihoterapia individuală. Încă din 1947, într-o rupere remarcabilă de precedentele antebelice, peste jumătate dintre psihiatrii americani lucrau în cabinete particulare sau în clinici ambulatorii; iar în 1958 doar 16% își practicau profesia în spitale de stat tradiționale. Mai mult, această mutare rapidă a centrului de greutate al profesiei a survenit în contextul unei creșteri extraordinare a dimensiunilor ei absolute. De la nici 5.000 de membri în 1948, Asociația Psihiatrilor Americani ajunsese la peste 27.000 în 1976[39]. În 1948, William Menninger, devenit între timp general de brigadă, a fost ales președintele APA, primul dintre mulți psihanaliști care vor îndeplini acest rol, iar revista *Time* a celebrat evenimentul punându-i pe copertă portretul, cu o ilustrație înfățișând un creier uman prevăzut cu broască și cheie. Lumea se putea aștepta acum ca tainele nebuniei să fie repede descoperite.

În anii 1960, decanii majorității catedrelor universitare de psihiatrie din Statele Unite erau psihanaliști ca formație și convingere[40], iar tratatele de bază ale disciplinei puneau accentul pe perspectivele psihanalitice[41]. (În Europa nu survenise nici o evoluție comparabilă.) Psihiatria americană atrăgea un număr tot mai mare de candidați la programele ei de stagiu și rezidență, iar cei mai buni dintre aceștia își completau instruirea universitară cu analize didactice la institute psihanalitice importante, care rămâneau separate de universitățile de medicină. Formarea în psihanaliză era soluția, dacă nu chiar condiția *sine qua non* pentru o carieră reușită ca psihiatru universitar în America și pentru o practică cu statut superior, constând în principal în psihoterapie desfășurată la cabinet. Pacienții cu forme grave și cronice de tulburări psihice erau marginalizați și ignorați în mare măsură de elita profesiei, care prefera de departe clientela prosperă din ambulator.

Era nevoie de bani – mulți bani – pentru a-ți permite cura psihanalitică clasică. Și totuși, o vreme, numeroși membri ai marii burghezii americane s-au convins singuri că merită – și, la New York, Boston, Chicago, Los Angeles, San Francisco și în alte părți, s-au înghesuit pe canapeaua psihanalitică în număr suficient de ridicat pentru a le permite terapeuților lor să trăiască pe picior mare. După o vreme, cel puțin teoretic, tratamentul psihanalitic a ajuns să fie considerat posibil relevant chiar și în tratamentul psihozelor, iar în unele așezăminte particulare elegante – cum ar fi Clinica Menninger, Chestnut

William Menninger în cabinetul său de la Clinica Menninger din Topeka (Kansas).

Lodge, Austen Riggs și Spitalul McLean – s-au făcut încercări de a-i trata pe schizofrenici prin cura verbală[42].

Aceasta a fost epoca de aur a psihanaliștilor din Statele Unite. Siguri pe statutul lor, se uitau de sus la psihiatrii „directiv-organici" care continuau să stea ascunși în spitalele de stat, mulți dintre ei fiind recrutați din străinătate, de nevoie. Dacă venitul mediu pe anul 1954 al colegilor lor din spitalele de stat era de numai 9.000 de dolari, în rândul psihanaliștilor cifra corespunzătoare era mai mult decât dublă – 22.000 de dolari. Iar punctele de atracție nu erau doar cele financiare. Psihiatrii din instituții, cu excepția celor care lucrau în câteva așezăminte mici, dedicate celor foarte bogați, erau prizonierii unui sistem copleşit de un număr imens de pacienţi cronici, din clasele inferioare, în spitale de psihiatrie rurale, izolate, duhnind la propriu a putregai şi eşec. Omologii lor psihanalişti se ocupau de o clientelă bogată, elocventă şi educată, provenită din acelaşi mediu cultural ca şi ei şi locuind în oraşe pe care, poate cu îngâmfare, le considerau cele mai vii şi mai atractive centre urbane americane.

Mămici patologice

Perspectivele psihanalitice se bucurau şi de o respectabilitate tot mai mare în cultura generală. Mobilitatea geografică postbelică a făcut ca proaspetele mame să aibă o nevoie disperată de sfaturi privind creşterea copiilor. În acest gol şi-a făcut apariţia dr. Benjamin Spock (1903-1998), primul pediatru format ca psihanalist. *Cartea de bun-simţ despre îngrijirea bebeluşului şi copilului* a apărut în 1946 şi s-a vândut în jumătate de milion de exemplare în primele şase luni. Până la moartea lui Spock, în 1998, se vânduse în peste 50 de milioane de exemplare şi fusese tradusă în peste treizeci de limbi. A fost cartea cu cele mai mari vânzări după Biblie în America postbelică. Explicaţiile ei privind creşterea copiilor şi maturizarea erau inspirate consistent din concepţiile freudiene, prezentate într-o manieră populară şi prietenoasă care le-a făcut să intre într-un fond general de idei culturale[43].

Britanicii nu l-au primit pe dr. Spock chiar cu braţele deschise, însă aveau doi mari psihanalişti influenţi, John Bowlby (1907-1990) şi Donald Winnicott (1896-1971), astfel că ideile psihanalitice au avut un impact larg asupra practicilor britanice de creştere a copiilor şi chiar asupra ideilor despre originile delincvenţei juvenile. Opera lui Bowlby se baza pe conceptul ataşamentului dintre mamă şi copil şi problemele pe care părea să le pricinuiască lipsa mamei[44]. În timpul războiului, mulţi copii fuseseră evacuaţi din Londra şi din alte centre urbane pentru a scăpa de bombardamentele germane; alţii fuseseră încredinţaţi creşelor, pentru ca mamele lor să poată contribui la efortul de război; şi mai erau şi copiii evrei refugiaţi, care fugiseră de ororile Soluţiei Finale.

Winnicott, care lucrase cu copii evacuaţi, punea mare accent pe importanţa jocului şi a afecţiunii într-o copilărie fericită. Gândirea freudiană clasică zugrăvea relaţiile dintre părinte şi copil drept încordate şi pline de conflicte, clocotind de dorinţe şi sentimente sexuale inconştiente, refulate cu greu. În schimb, afirmaţiile lui Winnicott erau liniştitoare: mamele (şi figurile parentale în general) ar trebui să se mulţumească să aibă „un devotament obişnuit” şi să fie „suficient de bune”, în loc să aspire la o perfecţiune imposibilă. El insista că astfel de părinţi pot să-şi ghideze copiii spre o independenţă şi o vârstă adultă sănătoase. Sublinia necesitatea de a se oferi „tinerelor mame [...] sprijin ca să capete încredere în tendinţele lor fireşti”[45], ceea ce i-a adus, bineînţeles, popularitate în rândul acestora.

Pe de altă parte, pentru că minimaliza elementele erotice şi elementele mai dure din teoriile lui Freud, nu s-a bucurat întotdeauna de aceeaşi popularitate în rândul psihanaliştilor mai tradiţionalişti. Avantajul era însă că, dacă psihanaliza adultului rămăsese la periferia psihiatriei din Marea Britanie, psihanaliza copilului, în această formă modificată (să îndrăznesc să spun „îmblânzită”?), s-a dovedit surprinzător de influentă, la aceasta contribuind faptul că Serviciul Naţional de Sănătate a acceptat, în cele din urmă, să-şi dea girul terapeuţilor pediatri de orientare psihanalitică[46]. Poate că impactul pe care continuă să-l aibă aceste scrieri explică, în parte, şi respectul pe care mulţi nespecialişti educaţi din Marea Britanie continuă să-l arate ideilor psihanalitice.

Însă nu toate portretele psihanalitice ale vieţii de familie erau atât de blânde. Teoriile lui Freud discernuseră originile psihopatologiei în acest mediu, iar adepţii lui americani au pus pe seama familiei o serie întreagă de probleme. Analiştii le condamnau cu precădere pe mamele americane, sursa, se părea, a unei game tot mai largi de boli şi debilităţi şi chiar o ameninţare la adresa sănătăţii ţării.

Nefiind mulţumită cu îngrijirea a ceea ce fusese socotit până atunci boală psihică, psihanaliza începuse să sugereze că sfaturile ei ar putea fi utile şi în înţelegerea şi tratarea unei clase mai ample de tulburări. Asemenea isteriei înaintea lor, şocul de obuz şi nevroza de război presupuseseră adesea o aparentă convertire a tensiunilor psihice în simptomatologie fizică. În anii 1930, psihanalistul Franz Alexander (1891-1964), strămutat de la Berlin la Chicago, începuse să vorbească de tulburări psihosomatice. Ideea că psihicul şi fizicul ar putea să se suprapună şi să se întrepătrundă într-un fel sau altul s-a dovedit foarte atractivă pentru alţii, nu în ultimul rând pentru Fundaţia Rockefeller, a cărei conducere hotărâse, la începutul anilor 1930, să facă din psihiatrie un punct focal al activităţii ei filantropice în domeniul medicinei. Alexander a fost scurtă vreme destinatarul largheţei acestei fundaţii, până când s-a descoperit că mare parte a beneficiilor rezultate din donaţii fuseseră transferate în buzunarul lui Herr Doktor Professor Alexander, care aspira să ducă viaţa unui aristocrat german. Institutul de Psihanaliză din Chicago a supravieţuit oricum şi, în anii de după al Doilea Război

Mondial, ideile lui Alexander în privința bolilor psihosomatice au ajuns tot mai la modă. Tulburările cu origini psihosomatice s-au înmulțit cu repeziciune și psihanaliștii au elaborat un model tot mai complex al manierei în care frământările psihice ies la suprafață ca simptome fizice. „Simptomele gastrice nevrotice, declara Alexander, au o psihologie foarte diferită de cea a diareii sau constipației emoționale; cazurile cardiace se deosebesc în ceea ce privește fundalul lor afectiv de cele de astm."[47]

Psihologie diferită poate, dar constanta era „mama". În culise, ea făcea ravagii. Să luăm, de exemplu, astmul. Originea lui, ne învățau psihanaliștii, ține de „mama astmatogenă" – ambivalentă, măcinată de vinovăție, ostilă și cu comportament de respingere, dar negând senină aceste sentimente inconștiente și transformându-le într-un simulacru de părinte protector (de fapt, hiperprotector la un nivel patologic)[48]. Și mai devastator era rolul părinților, cu precădere al mamei, în geneza bolilor psihice evidente: cazurile „borderline" (cei aflați la granița dintre nevroză și psihoză), schizofrenicii și copiii autiști (victimele unei tulburări identificate pentru prima oară în 1943 de Leo Kanner [1896-1961], profesor de psihiatria copilului la Universitatea Johns Hopkins)[49].

Toate aceste tulburări erau percepute ca avându-și originea într-un comportament matern pervertit sau, poate, într-o combinație de părinți inadecvați: o mamă dominatoare, agresivă, cu comportament de respingere, care își alesese drept partener un bărbat inadecvat din punct de vedere psihic, pasiv și închis în sine. Kanner a avansat în 1949 ipoteza potrivit căreia copiii autiști sunt prizonierii unor relații familiale patologice, expuși „de la început la răceala și tendințele obsesive ale părinților și la o atenție de tip mecanic acordată strict nevoilor materiale [...]. Au fost ținuți cu grijă în frigidere care nu se dezghețau"[50]. Avea să revină la această metaforă după mai bine de un deceniu, când a declarat, într-un interviu căruia i s-a acordat o mare atenție, că un copil autist este produsul unor părinți înghețați afectiv, care, din nefericire, „s-au dezghețat în mod accidental doar atât cât să conceapă un copil"[51]. Concepțiile lui au fost adoptate cu entuziasm și puse în aplicare de Bruno Bettelheim (1903-1990), psihanalist vienez strămutat, la a sa Școală Ortogenică de la Universitatea din Chicago. Asemenea omologilor lui de la spitalul de psihiatrie de orientare psihanalitică Chestnut Lodge din Maryland, care tratau schizofrenici considerați produsul unor „mame-frigider", Bettelheim a încercat o „parentectomie", o excludere deplină a părinților copiilor pe care îi trata. Iar în cărțile sale devenite best-selleruri, între care *Fortăreața goală* (1967), a acuzat mame și tați care, susținea el, generaseră un mediu familial ce semăna cel mai bine cu un lagăr de concentrare[52].

Peter Gay (n. 1923), istoricul Iluminismului de la Yale și admirator al lui Freud, i-a declarat „eroi" pe Bettelheim și pe asociații acestuia în *The New Yorker* și a susținut cu un aer de autoritate că „teoria lui Bettelheim despre autismul infantil este în toate privințele net superioară rivalelor ei"[53]. Însă mulți ani mai târziu, James D. Watson (n. 1928), genetician laureat al Premiului Nobel, co-descoperitor al structurii ADN-ului și tatăl unui fiu schizofrenic, a dat fără îndoială glas părerii multor părinți când l-a acuzat pe Bettelheim că, „după Hitler, este cea mai diabolică persoană din secolul al XX-lea"[54]. Dar o astfel de furie era exprimată rareori deschis la acea vreme, căci Bettelheim vorbea cu autoritatea științei psihanalitice, aflată pe atunci la apogeul popularității. În general, părinții, împovărați cu două stigmate, de a avea un copil bolnav psihic și de a fi socotiți răspunzători pentru nebunie, tăceau rușinați.

Hegemonia freudiană

Ernest Jones, discipolul indispensabil care contribuise la alcătuirea gărzii pretoriene ce-l apărase pe Freud în timpul vieții, a început să publice în 1953 biografia în trei volume a maestrului său; ultimul volum a apărut în 1957. Hagiograf de încredere, Jones s-a folosit de faptul că avea acces la scrisorile și documentele lui Freud pentru a le-o plăti acelora care îl „trădaseră", expediindu-i pe rând drept eretici psihotici; însă portretul lui Freud, zugrăvit ca intelectualul solitar eroic, uriașul de pe scena psihicului al cărui loc era în același panteon cu Copernic, Galilei sau Darwin, a fost cel care a captivat imaginația contemporanilor lui Jones. Afirmația ziarului *The New Yorker* că această descriere a vieții lui Freud era „cea mai măreață biografie a zilelor noastre"[55] reflecta un sentiment la fel de exagerat al importanței subiectului ei, însă aprecierea a fost împărtășită pe scară largă în cercurile intelectuale ale vremii.

La moartea lui Freud, W.H. Auden (1903-1973) i-a comemorat dispariția: *„to us he is no more a person / now, but a whole climate of opinion / under whom we conduct our different lives"*[56]*. Era o reflectare corectă a statutului pe care-l dobândise Freud în anumite cercuri literare și artistice. În *Studii asupra isteriei*, textul primordial al psihanalizei care apăruse sub semnătura sa și a lui Breuer, Freud recunoscuse că studiile de caz cu care contribuise la acel

* „Pentru noi, el nu mai e acum/ un om, ci un climat de opinie/ în care ne ducem fiecare viața" (n.tr.).

volum, o serie de viniete cu încărcătură psihologică, se citeau „ca niște povestiri". Ca atare, spunea el cu regret, le lipsea „amprenta serioasă a științei"[57]. Era o idee supărătoare și Freud a încercat imediat să preîntâmpine orice obiecție afirmând că, „evident, de acest lucru este răspunzătoare natura subiectului și nu o preferință a mea personală". Oricât de dureroasă pentru el, remarca era însă perspicace. Și a fost, poate, una dintre sursele entuziasmului cu care cei ce se îndeletniceau cu istorisirea de povești – în proză, poezie sau pictură – au ajuns să-i privească opera. Asta și fascinația față de limbaj, simboluri, amintiri, vise, deformări și sexualitate, ca să nu mai amintim excesele și refulările despre care Freud susținea că marchează viața psihică și semnificațiile cu care el a reușit să învestească purtări, gânduri și trăiri afective pe care alții le ignoraseră mult timp, socotindu-le lipsite de sens.

Auden a fost atras în mod direct într-o asemenea istorisire imediat după sfârșitul celui de-al Doilea Război Mondial, când compozitorul rus exilat Igor Stravinski (1882-1971) l-a ales să scrie libretul unei opere despre nebunie și excese. Stravinski vizitase o expoziție cu *Viața unui libertin* a lui Hogarth în 1947, la Chicago. S-a gândit că seria de gravuri semăna foarte bine cu succesiunile de imagini care, la jumătatea secolului al XX-lea, constituiau prezentările preliminare pentru filmele de la Hollywood. Stravinski a fost captivat de ideea de a transforma povestea lui Tom Rakewell într-o operă. Avea să fie singura lui operă de dimensiuni ample, cu premiera în 1951, și a devenit una dintre puținele opere postbelice puse în scenă cu oarecare regularitate – o popularitate datorată, poate, într-o măsură deloc neînsemnată partiturii neoclasice, minunat de potrivită pentru o poveste din secolul al XVIII-lea[58].

Însă vizibilitatea operei și atractivitatea ei contemporană s-au datorat negreșit în mare măsură și persoanei alese de Stravinski pentru a scrie libretul – un om pe care mulți îl considerau unul dintre cei mai mari scriitori ai secolului al XX-lea, W.H. Auden[59] (care l-a scris împreună cu Chester Kallman, iubitul său necredincios) – și, pe alt front (deși un sfert de secol mai târziu), asocierii cu o altă mare personalitate din domeniul artelor, David Hockney (n. 1937), ale cărui decoruri pentru o producție a *Vieții unui libertin* la Glyndebourne, în 1975, par să fi dobândit un statut emblematic aproape comparabil cu originalele lui Hogarth (**pl. 40**). Hockney și-a ales intenționat ca sursă de inspirație gravurile lui Hogarth, nu versiunile pictate ale decăderii lui Tom Rakewell, folosind caroiajul și alte tehnici atât pentru decoruri, cât și pentru costume și preluând subtil elemente din alte opere ale lui Hogarth. Aceste alegeri sunt cât se poate de vizibile în decorul pentru scena de final de la Bedlam, cu nebunii arhetipali ai lui Hogarth transformați într-o serie de capete demente care se uită la public din boxele sau celulele individuale și având deasupra lor, în stânga-sus, o versiune prelucrată a hărții iadului făcute de Hogarth, pe care Hockney a împrumutat-o dintr-o satiră de mai târziu a acestuia ce corela entuziasmul religios cu nebunia (vezi *supra*, p. 157)[60]. Asemenea partiturii lui Stravinski și libretului lui Auden, la care imaginile lui Hockney fac subtil referire prin liniaritatea lor, rezultatul este o artă vizibil modernă și totodată vizibil îndatorată sursei sale de inspirație din secolul al XVIII-lea.

Lucrarea lui Stravinski nu a fost singura operă compusă în primii ani postbelici care a cochetat cu limitele nebuniei. *Peter Grimes* de Benjamin Britten (1913-1976), compusă în timpul războiului și interpretată pentru prima oară la Londra pe 7 iunie 1945, între încheierea conflictului în Europa și capitularea Japoniei, a fost un succes neplauzibil. Compusă de un pacifist și homosexual cunoscut, într-o epocă în care și un fapt, și celălalt atrăgeau o cenzură morală severă și represiuni legale, a fost totuși aclamată imediat ca o capodoperă și în decurs de trei ani a fost interpretată la Budapesta, Hamburg, Stockholm, Milano, New York, Berlin și cel puțin alte opt metropole din întreaga lume.

Refularea în sens freudian era un laitmotiv al libretului, cu aluzii la sadism și pederastie și o condamnare abia mascată a homofobiei epocii. Britten crescuse pe coasta Suffolkului, la Aldeburgh, și concepuse opera în timp ce el și partenerul lui, Peter Pears, trăiau la Escondido (California), plini de nostalgie după Anglia pe care o părăsiseră. Povestea pescarului din Suffolk, labil din capul locului și împins la nebunie furioasă și, în cele din urmă, la moarte de ostilitatea sătenilor în mijlocul cărora trăiește („Pe acela care ne disprețuiește îl vom distruge", cântă gloata pornită să-l găsească și să-l atace în ultima parte culminantă a operei), a fost negreșit inspirată de sentimentul obsedant de alteritate și marginalitate al lui Britten – în definitiv, cea mai apropiată relație a lui era una care putea să-l ducă oricând la izolare, persecuție și punere sub acuzare din partea celor ce-i lăudau măiestria.

După mai mulți ani, cu inima șubrezită, Britten avea să abordeze din nou tema dorințelor homosexuale reprimate, a afecțiunii, obsesiei și morții, într-o versiune a nuvelei parțial autobiografice din 1912 a lui Thomas Mann *Moartea la Veneția*, care avea să fie ultima lui operă, cu premiera în 1973. Între timp, legislația britanică înlăturase parțial amenințarea legală ce plana asupra relațiilor homosexuale prin Decretul privind delictele sexuale din 1967, dar publicul condamna relațiile între persoane de același sex aproape la fel de aspru ca înainte, o prejudecată ce se vădea și în afirmația multor psihiatri ai vremii, între care freudienii ocupau o poziție de frunte, că a fi homosexual înseamnă, *ipso facto*, a fi bolnav psihic. Încărcată de simbolism, partitura împletește din nou ispita și refularea, de astă dată corelate cu teama chinuitoare de a fi umilit și cu prețul pe care-l plătești atunci când te ascunzi, și obsesia față de un băiat frumos, care se sfârșește inevitabil cu dezamăgire și moarte. Ecourile dorințelor lui Britten ce au ca obiect băieți adolescenți, niciodată împlinite, pe cât se pare, sunt transparente pentru publicul informat, contribuind poate la o mai mare identificare cu tensiunile și cu elementele de autoflagelare ce marchează muzica – pe rând lirică, agitată, chinuită, sălbatică și sinistră[61]. Nebunia este aici mai puțin fățișă, cu o prezență mai puțin insistentă decât în *Peter Grimes* (sau chiar decât în *O coardă prea întinsă*, altă operă a lui Britten având legături cu Veneția, solicitată pentru Bienala din 1954 a orașului, când a avut și premiera), dar pândește totuși, omoloaga întunecată a suferinței și nefericirii ce însoțesc portretul iubirii imposibile. Pasiunea și iraționalul se luptă de-a lungul întregii opere cu rațiunea și intelectul, iar rezultatul este moartea – poate un ecou inconștient al unei tradiții anterioare din domeniul operei, conceptul wagnerian de *Liebestod* (Iubire/Moarte)[62], și al accentului tot mai mare pus de Freud însuși, spre sfârșitul vieții, pe *Eros* și *Todestrieb* sau *Thanatos*, pulsiunea sau instinctul morții[63].

Psihanaliza a oferit un nou tezaur extrem de bogat de concepte cu care puteau fi abordate misterele vieții și în alte zone ale artelor. În artele plastice și literatură, influența lui Freud a fost amplă: pictorii suprarealiști au explorat ca amatori visele, picturile lor debordând de deformări și referiri subliminale la sex și la inconștient[64]; au proliferat experimentele de pictat și scris „automat", subminând concepțiile dominante despre ordine și realitate și estompând granița dintre vise și viața în stare de veghe; iar romancierii și dramaturgii au pus un mai mare accent pe introspecția psihologică, folosind teme sexuale cu tot mai multă franchețe și tot mai direct. Nu toate aceste evoluții pot fi puse în mod direct pe seama influenței lui Freud. D.H. Lawrence (1885-1930), care a împins temele sexuale dincolo de toleranța cenzorilor britanici, nutrea doar dispreț față de psihanaliză și s-a declarat dezgustat de acest demers[65]. La mulți alți scriitori influența freudiană trebuie dedusă, chiar și atunci când nu poate trece neobservată. Nu toți au fost la fel de expliciți ca James Joyce (1882-1941), care vorbea despre stăpân ca *„traumconductor"*, numea incestul *„a freudful mistake"* și și-a caracterizat un personaj ca fiind *„yung and easily freudened"*[66]*.

---

* Jocuri de cuvinte intraductibile plecând de la *tram* („tramvai") și *traum* („vis" în germană) și de la numele lui Freud și Jung (n.tr.).

Cele mai reușite scrieri ale lui Tennessee Williams (1911-1983) din anii 1940 și 1950 sunt străbătute de trimiteri autobiografice la traumele din copilărie: tatăl care a părăsit familia, mama nevrotică și isterică, sora lui, Rose, cu psihicul șubred, diagnosticată în cele din urmă cu schizofrenie și supusă unei lobotomii (dezastruoase). Propria lui homosexualitate într-o perioadă intolerantă n-a ajutat nici ea, iar depresia recurentă, ca să nu mai amintim dependența tot mai mare de droguri și alcool, toate și-au pus amprenta asupra scrierilor lui. Suferința emoțională, mama insuportabilă, refulările din familie, violența fizică și simbolică deopotrivă, curentele sexuale subterane de un tip absolut neconvențional și violul sunt laitmotivuri ale pieselor sale de teatru, de la *Menajeria de sticlă* (1944) la *Un tramvai numit dorință* (1947), *Trandafirul tatuat* (1951) și *Pisica pe acoperișul fierbinte* (1955). Cine poate s-o uite, de exemplu, pe Blanche Dubois, o ființă care face paradă de snobism social și bunăcuviință și-l tachinează pe cumnatul ei Stanley ca pe un maimuțoi? În realitate, s-a refugiat la familia Kowalski ca să scape de scandalul sinuciderii soțului ei pe care îl prinsese făcând sex cu un bărbat, rușinea socială fiind sporită de șirul de aventuri fără sens care îi făcuse pe vecini s-o eticheteze drept „femeie de moravuri ușoare". Și cumplita ei soartă: violată de Stanley la beție, în timp ce sora ei naște în afara scenei, e dusă pe sus la azil, la început luptându-se să scape și apoi, când pierde contactul cu realitatea, anunțând: „Am contat mereu pe bunătatea străinilor".

Cum însă noile sale piese de teatru, începând cu *Orfeu în infern* (1957), au fost eșecuri comerciale și popularitatea i-a scăzut vertiginos[67], Williams a apelat la terapie psihanalitică. Terapia nu a avut succes, nu în ultimul rând pentru că i-a fost recomandat Lawrence Kubie (1896-1973), un important psihanalist din New York care făcuse avere pe seama clienților din industria spectacolului și care considera homosexualitatea o boală ce trebuie vindecată pe cale psihanalitică. (Kubie le făcuse cunoștință altor doi pacienți ai săi din industria spectacolului, Kurt Weill și Moss Hart, iar musicalul pe care l-au compus cei doi împreună, *Lady in the Dark*, l-a adus pe Sigmund Freud pe Broadway.) Dar pe parcursul terapiei psihanalitice Williams a scris *Deodată, vara trecută* (1958), o piesă de teatru în care Violet Venable, o teribilă matroană din New Orleans, complotează să-și supună la lobotomie nepoata care amenință să dea în vileag secretul întunecat din viața femeii mai vârstnice, legătura aproape incestuoasă cu propriul fiu, Sebastian, acum mort, și rolul ei de momeală sexuală pentru a-i atrage pe bărbații tineri cu care el dorea să se culce. Violet speră că operația „îi va scoate din creier acea poveste hidoasă!". Trimiterea la lobotomia surorii lui Williams, Rose, este clară, însă ecourile psihanalitice apar pe tot parcursul

Vivien Leigh în rolul lui Blanche Dubois și Marlon Brando în rolul lui Stanley Kowalski, în adaptarea cinematografică a piesei de teatru Un tramvai numit dorință *(1951). Criticul de film Pauline Kael a comentat: „Vivien Leigh joacă în acea manieră rară despre care se poate spune cu adevărat că trezește milă și groază".*

piesei. Acestea merg chiar până la numele psihiatrului care amenință să-i șteargă amintirile lui Catherine, dr. Cukrowitz, patronimic care, își informează el publicul, înseamnă „zahăr" în poloneză. Dr. Zahăr / dr. Kubie: Williams se amuză, iar gluma e pe seama psihanalistului său.

Dacă scriitorii s-au inspirat tot mai mult din temele freudiene, filologii le-au adoptat cu și mai mult entuziasm. Universitarii aflați în căutarea unei „teorii" care să justifice superioritatea interpretării date de ei literaturii s-au aruncat asupra operelor lui Freud. Acesta le-o luase înainte, de exemplu în discuțiile despre Hamlet și Lear, ca să nu mai amintim că-și însușise de la Sofocle povestea lui Oedip, botezând complexul din care a făcut elementul central al teoriilor sale ulterioare privind dezvoltarea psihosexuală umană cu numele personajului din acea piesă, a cărei temă era incestul între mamă și fiu. O serie de mari critici, între care I.A. Richards (1893-1979), Kenneth Burke (1897-1993) și Edmund Wilson (1895-1972), s-au inspirat din gândirea psihanalitică, iar începând din anii 1950, Lionel Trilling (1905-1975) și Steven Marcus (n. 1928), personalități centrale în cercurile literare din New York, au adoptat cu înflăcărare ideile lui Freud. Trilling era îndrăgostit de *Disconfortul în cultură* (1929) a lui Freud și de conceptul de *Todestrieb* adoptat de el spre sfârșitul vieții. Marcus făcuse o interpretare freudiană a multora dintre operele lui Dickens[68] și scrisese un studiu asupra pornografiei victoriene îndatorat în foarte mare măsură ideilor psihanalitice[69]. Puternica investiție a celor doi în psihanaliză s-a reflectat în colaborarea lor ca redactori ai biografiei lui Freud scrise de Ernest Jones. Pe cealaltă coastă a Americii, formidabilul Frederick Crews (n. 1933) a declarat: „Psihanaliza este singura psihologie care ne-a modificat semnificativ maniera de a citi literatură [...]. Literatura e scrisă cu motive și despre motive, iar psihanaliza este singura teorie minuțioasă a motivelor pe care a conceput-o omenirea"[70]. (Mai târziu s-a căit, respingându-l pe Freud ca pe un fals profet și psihanaliza ca pe o pseudoștiință.)[71]

Nu doar criticii literari, ci și alți intelectuali cunoscuți publicului din anii 1950 și 1960 au adoptat deschis psihanaliza. Norman O. Brown (1913-2002) a încercat să psihanalizeze istoria și a atras mulțimi de studenți înflăcărați la Santa Cruz, unde preda. Bestsellerul său *Life Against Death: The Psychoanalytical Meaning of History* (1959) avansa ideea că indivizii și societatea sunt prizonierii refulării freudiene, din care trebuie să se elibereze prin afirmarea vieții. Continuarea lui, *Love's Body* (1966), s-a centrat pe lupta între erotism și societate. Brown s-a alăturat lui R.D. Laing, anti-psihiatrul scoțian, avansând ipoteza că schizofrenicii ar putea fi mai sănătoși mintal decât cei care nu suferă de această boală. Contracultura anilor 1960 s-a desfătat cu această idee[72].

Din zona dreptei conservatoare, Philip Rieff (1922-2006) a vorbit despre apariția omului psihologic și despre triumful terapeuticii[73]. Din zona stângii radicale, Herbert Marcuse (1898-1979) a propus propriul amalgam de Marx și Freud[74]. Și poate că Freud n-a fost nicăieri acceptat într-o mai mare măsură decât în rândul antropologilor, personalități ca Margaret Mead (1901-1978), Ruth Benedict (1887-1948), Clyde Kluckhohn (1905-1960) și Melford Spiro (1920-2014) considerând ideile psihanalitice esențiale pentru opera lor. Pentru moment, critica formulată de Karl Popper (1902-1994) din poziția sa de decan al London School of Economics, conform căreia psihanaliza nu este falsificabilă și, ca atare, este o pseudoștiință care explică totul și nimic, și-a găsit prea puțini ascultători care să rezoneze cu ea, în afara colegilor săi filosofi ai științei.

Nebunia și filmele

Dacă impactul tot mai mare al ideilor psihanalitice asupra psihiatriei americane după al Doilea Război Mondial a avut, așadar, un corespondent într-o arie largă a culturii înalte și în arte, mai există o ultimă arenă care a fost extraordinar de importantă pentru a prezenta maselor psihanaliza, cel puțin într-o formă cenzurată. Una dintre marile inovații culturale ale secolului al XX-lea a fost cinematografia, iar nebunia s-a dovedit făcută parcă anume pentru a fi subiect de film. Imediat după Primul Război Mondial, în Germania s-a produs primul film mut clasic având boala psihică drept temă centrală. *Cabinetul doctorului Caligari* (1920, în regia lui Robert Wiene) avea o premisă șocantă: un doctor de azil, el însuși nebun, folosea hipnoza pentru a obține un pacient somnambul, care cutreiera apoi comunitatea, omorând la comandă. Senzația de dezorientare a spectatorului era intensificată prin filmarea acțiunii pe fondul unor decoruri pictate care conțineau unghiuri ascuțite și perspective deformate pentru a crea o lume de coșmar, unde înflorea nebunia violentă și nestăpânită. Diformitatea morală și cea fizică se oglindeau una pe cealaltă într-o manieră ireală, o cascadă vizuală mergând de la amenințător la hidos și bizar și evocând starea psihică dementă a protagoniștilor. Apoi, în chiar ultimul moment (și a fost într-adevăr o adăugire), intriga se întorcea pe dos: toată povestea, avându-l în centru pe psihiatrul sălbatic și lipsit de conștiință, se dovedea a fi un delir, reprezentarea cinematică a imaginației nebune a unuia dintre pacienții azilului.

Industria americană a filmului își începuse în anul 1910 migrația către sudul Californiei, iar în anii 1920 filmele de la Hollywood aveau deja încasări mai mari decât cele realizate oriunde altundeva. Mai târziu, industria cinematografică americană avea să devină, din punct de vedere comercial, chiar dacă nu și artistic, forța dominantă

Cabinetul doctorului Caligari *(1920): Cesare este hipnotizat și pus înapoi în lada asemănătoare unui sicriu în care e ținut în intervalele dintre crizele lui ucigașe.*

la nivel mondial. Și încă de la început, mogulii cinematografiei care au făcut averi imense oferind divertisment maselor, oamenii angajați de ei (și pe care i-au controlat decenii la rând prin sistemul studiourilor) și multe dintre filmele pe care le-au produs au fost influențați într-un fel sau altul de ideile freudiene. Chiar în toamna anului 1924, Samuel Goldwyn (1879-1974) a traversat Atlanticul cu vaporul și și-a făcut apariția la Viena, cu carnetul de cecuri în mână. Plănuia să-i ofere lui Sigmund Freud 100.000 de dolari ca să vină la Hollywood „să-și comercializeze studiile și să scrie o poveste pentru ecran". Cine era mai potrivit decât Freud pentru a scrie „o poveste de dragoste cu adevărat reușită"? Goldwyn a fost trimis la plimbare cu niște vorbe usturătoare, fără a fi obținut audiența dorită[75].

Mogulii de la Hollywood erau un grup obtuz și venal. Pudici cel puțin în public (în particular, povestirile despre tinerele starlete și canapeaua pe care se făcea castingul reflectau sumbra realitate a exploatării), știau că sexul și violența se vând, cu condiția să fie menținute între limitele cuviinței. Apoi erau talentele de care se foloseau și se descotoroseau ca de tot atâtea gunoaie umane interșanjabile, valoroase doar atât timp cât încasările erau bune. Carierele în domeniul actoriei și regiei, cu tot narcisismul și toate nesiguranțele lor, creau un mediu de seră în care nevrozele și dependențele proliferau. Producătorii, regizorii, scenariștii, actorii, toți componenții Orașului Poleielii au decis în scurt timp că au nevoie de psihiatru. Așa și-a întemeiat psihanaliza cea mai profitabilă dintre enclavele ei. Cei care se îngrijeau de apetiturile vorace ale mogulilor și de sufletele rănite care creau iluzii de celuloid au constatat că venitul lor depășea chiar și sumele câștigate de cei care puseseră mâna pe râvnitele *grandes dames* din societatea newyorkeză.

Se părea că la Hollywood toți aveau un psihanalist. Chiar și mogulul care nu alegea pentru sine canapeaua își trimitea copiii neglijați și soțiile trădate să-și verse necazurile și, poate, să primească un dram de consolare pentru viața lor aurită, dar zbuciumată[76]. Banii curgeau în industria cinematografiei și o mare cantitate și-a croit drum spre buzunare freudiene, chiar dacă nu și spre buzunarele lui Freud. Însă această latură a scenei hollywoodiene rămânea în mare măsură domeniul inițiaților, mai puțin atunci când ziariștii de scandal, îndemnați ocazional de studiouri, dezvăluiau câte ceva publicului larg.

David O. Selznick (1902-1965), dependent de amfetamine, afemeiat și împătimit compulsiv al jocurilor de noroc, un om obsedat de nevoia de a-i controla pe alții, a intrat în tratament psihanalitic pentru scurt timp când depresia l-a doborât după ce a produs *Pe aripile vântului* (1939), filmul cu cel mai mare succes financiar al epocii. După o vreme a insistat ca soția lui, Irene (1907-1990), fiica fostului său partener, rival aprig și mogul chiar mai puternic, Louis B. Mayer (1884-1957), să facă și ea tratament cu aceeași psihanalistă, May Romm. Selznick s-a plictisit curând de experiență și a renunțat. Soția lui însă a continuat și, poate pentru că a dobândit o oarecare perspectivă asupra situației sale, și-a părăsit soțul și a început o carieră nouă ca impresar de teatru. El a reacționat căsătorindu-se cu ultimul său flirt extraconjugal, actrița Jennifer Jones, care a trebuit mai întâi să divorțeze de soțul pe care-l înșelase. Doamna Jones a ajuns în scurt timp să stea cu schimbul, cu Irene, pe canapeaua doamnei doctor Romm. Tatăl lui Irene, Louis B. Mayer, s-a alăturat și el pentru o vreme acestei *ronde*, când soția lui, Margaret, a ajuns în pragul unei căderi nervoase, după care a internat-o într-un spital de psihiatrie și a divorțat de ea. Înarmată cu giruri atât de însemnate, dr. Romm a ajuns după puțin timp să îngrijească o sumedenie de personaje importante din cinema, bărbați și femei, inclusiv stele ale box-office-ului precum Ava Gardner, Joan Crawford, Robert Taylor și Edward G. Robinson.

În același timp, rivalii lui Romm se ocupau de rănile psihice ale unei panoplii comparabile de personalități de la Hollywood. Karl Menninger (1893-1990; fratele lui William) zbura periodic din Omaha la Hollywood pentru a sta la taclale cu starurile. Din New York, Lawrence Kubie a adunat o colecție de „artiști creativi". Pe plan local, personalități ca Ernst Simmel (1882-1947), Martin Grotjahn (1904-1990), Judd Marmor (1910-2003), Ralph Greenson (1911-1979) și un nume pronunțat dickensian, Frederick Hacker (1914-1989), au făcut avere pe seama celebrităților zilei și a negustorilor agresivi ale căror marionete erau acestea.

Nu e de mirare că jargonul psihiatric a apărut în scurt timp pe ecran și că evanghelia după Freud (sau versiunea ei oferită de Orașul Poleielii) a pătruns în subconștientul colectiv al întregii Americi și pretutindeni unde a reușit să ajungă industria tot mai globalizată a cinematografiei de la Hollywood. Din anii 1940 și până în anii 1960, ba chiar și în anii 1970, imaginea psihanalistului și a puterilor profesiei a fost în general deosebit de favorabilă. Ideile lui Freud și aplicațiile lor clinice erau simplificate constant pentru a corespunde nevoilor Hollywoodului, dar, spre deosebire de psihiatrii somatici înfățișați ca niște psihopați cruzi și obsedați de control, care le aplicau pacienților electroșocuri și-i mutilau pentru a-i face să se poarte cum trebuie, psihanaliștii au avut parte de o presă destul de bună.

Lady in the Dark, având la bază marele succes înregistrat pe Broadway de Moss Hart în 1941 (Hart a scris cartea, Ira Gershwin textul, iar Kurt Weill muzica) și lansat în 1944, a fost primul dintr-un șir de filme cu inflexiuni psihanalitice. Omniprezentul Joseph Mankiewicz (1909-1993) și-a dat toată silința să transforme într-o profeție care se autoîmplinește predicția făcută în fața lui Karl Menninger cum că „următorii ani vor aduce psihiatria în general și psihanaliza în special pe o poziție de mare importanță ca sursă de material literar, teatral și cinematografic"[77], dar a avut și ajutor din belșug. *Dangerous Moonlight*, un îndoielnic film comercial din 1941 al RKO, prezintă un personaj cu o nevroză de război atât de profundă, încât nu-și poate aminti absolut nimic. Și alte filme ale perioadei – *Blind Alley*; *Now, Voyager*; *Kings Row*; *Home of the Brave* – au avut psihiatri în centrul acțiunii. Fred Astaire a jucat chiar rolul unui psihiatru dansator de step în *Carefree* (1938)[78]. După ce a produs *I'll Be Seeing You* (1944), o prezentare sentimentalizată a rănilor psihice suferite în luptă de veteranul Zach Morgan, David O. Selznick l-a angajat pe Alfred Hitchcock și un an mai târziu a lansat poate cea mai evidentă încercare dintre toate de a-l face cunoscut pe Freud maselor.

Spellbound i-a reunit pe Ingrid Bergman, jucând rolul unei psihanaliste freudiene frigide, dr. Constance Petersen, și pe Gregory Peck,

Salvador Dalí privind un model pentru scena visului din Spellbound *(1945).*

care sosește la spitalul de psihiatrie Green Manors ca dr. Anthony Edwardes, dar se dovedește a fi un veteran amnezic și un posibil criminal, pe nume John Ballantyne. Odată cu genericul de început, publicul află că misterul pe care-l va viziona demonstrează puterile psihanalizei, „știința modernă" care a reușit finalmente „să deschidă ușile încuiate" ale psihicului. I se va dezvălui cum, „odată ce complexele care l-au tulburat pe pacient sunt scoase la iveală și interpretate, boala și confuzia dispar [...] și demonii iraționalului sunt alungați din sufletul omenesc".

Muzica se avântă și melodrama începe. Pentru a da producției o spoială științifică, Selznick a angajat-o (menționând-o în generic) drept consultantă pe propria lui psihanalistă, May Romm. Și, mereu grijuliu să poleiască un conținut siropos cu ceea ce credea el că e artă înaltă, l-a angajat pe pictorul suprarealist Salvador Dalí să elaboreze scenele de vis ale filmului, pline de simboluri psihanalitice – foarfece, ochi, cortine, cărți de joc, aripi și o roată (ca să nu mai amintim altele, la care s-a renunțat când i s-a explicat lui Selznick „semnificația" lor, mai ales un prim-plan cu un clește reprezentând castrarea). Adevărul iese la iveală când Peck își recapătă amintirile refulate legate de o traumă din copilărie și de efectele războiului asupra psihicului său. Analogiile între psihanaliză și căutarea semnificațiilor ascunse, pe de o parte, și cercetarea și elucidarea crimelor, pe de alta, sunt un element comun în filmele *noir*, o caracteristică importantă a anilor 1940 și 1950 la Hollywood[79], iar aici ele primesc o tușă caracteristică suplimentară când Constance își scoate ochelarii, pasiunea ei sexuală ieșind clocotitor la suprafață (cel puțin în măsura în care permitea Codul de producție al epocii), și Ingrid Bergman, devenită fermecătoare, renunță la masca glacială de până atunci pentru a-și îmbrățișa iubitul.

În mod straniu, unii psihanaliști, între care Karl Menninger, au protestat văzând cum era reflectată în film profesia lor, supărați de simplificări, dar și de portretul unui alt psihanalist, demascat într-un final de neobosita Constance Petersen ca fiind ticălosul criminal. A fost o reacție exagerată și prostească, întrucât filmul a avut un succes zdrobitor de box-office și o contribuție însemnată la răspândirea ideii că psihanaliza deține cheia secretelor nebuniei și leacul pentru ea. A fost primul dintr-un șir întreg de filme care au prezentat psihanaliza și pe psihanaliști într-o lumină pozitivă. Apogeul acestui omagiu trebuia să fie filmul biografic *Freud* al lui John Huston. Huston filmase în 1946 un documentar despre soldații cu șoc de obuz, *Let There Be Light*. Dar, deși filmul lăsa impresia (absolut falsă) a unor vindecări miraculoase, Departamentul de Război a decis că efectul lui asupra recrutărilor în armată ar fi devastator și a interzis vreme de treizeci și cinci de ani orice prezentare a lui în cinematografe.

Huston căuta acum să-l elogieze pe Freud[80] și, cum un titan al intelectului merita un altul, l-a angajat pe filosoful existențialist francez Jean-Paul Sartre să scrie scenariul și plănuia să-i încredințeze lui Marilyn Monroe rolul lui Frau Cäcilie, pacienta lui Freud. Însă scenariul lui Sartre a ajuns la 1.500 de pagini și s-a dovedit absolut imposibil de filmat, iar Anna Freud, hotărâtă să nu lase Hollywoodul să înjosească moștenirea lăsată de tatăl ei, și-a folosit legăturile cu Ralph Greenson (1911-1979), psihanalistul lui Marilyn, pentru a bloca propunerea ca domnișoara Monroe să joace în film. Huston l-a realizat oricum și onestitatea filmului a făcut ca, atunci când a fost distribuit, în 1962, să fie un eșec lamentabil la critică și la public. Totuși, Hollywoodul a continuat să venereze psihanaliza, până la *Nu ți-am promis o grădină de trandafiri*, din 1977, și la debutul regizoral din 1980 al lui Robert Redford cu *Oameni obișnuiți*.

Bazat pe un *roman à clef* publicat de Joanne Greenberg în 1964 și cu acțiunea plasată într-o versiune fictivă a spitalului Chestnut Lodge, o instituție psihiatrică din Maryland pentru cei foarte bogați, unde psihozele erau tratate cu psihanaliză, *Nu ți-am promis o grădină de trandafiri* urmărește povestea unei adolescente cu porniri suicidare, idei delirante, halucinații și comportamente de automutilare, interpretată de Kathleen Quinlan, care este readusă treptat la realitate, cu toate problemele ei, de o psihanalistă plină de compasiune, dr. Fried (în viața reală, miniona Frieda Fromm-Reichmann, interpretată de înalta actriță suedeză Bibi Andersson). Deși filmul zugrăvește situații dureroase de maltratare a pacienților, mesajul copleșitor despre cura verbală este acela că perseverența și talentul îi permit doamnei doctor Fried să descopere originile traumatice ale problemelor pacientei sale și s-o readucă în rândul celor sănătoși mintal. *Oameni obișnuiți*, care înfățișează moartea într-un accident a unuia dintre fiii unei familii din pătura superioară a clasei de mijloc, căderea nervoasă a fratelui acestuia și reacția lipsită de compasiune a unei mame care se lamentează că a murit fiul care nu trebuia, are și el ca personaj un psihanalist care descâlcește refulările subiacente și sursele psihopatologiei, ajutându-l pe băiat să-și revină, deși mama rămâne un „frigider" și-și părăsește atât soțul cel anost, cât și fiul pe care-l respinge, pentru consolarea rece a familiei sale de origine.

Portretul eminamente pozitiv al psihanaliștilor din aceste filme și din altele anterioare era într-un contrast izbitor cu imaginea psihiatriei instituționale oferită de *Zbor deasupra unui cuib de cuci* (1975) și *Frances* (1982), două filme de la Hollywood care au abordat ceea ce producătorii de film au zugrăvit drept brigada „electroșoc și mutilare" a psihiatrilor somatici, pe care am examinat-o în capitolul anterior. Dar în scurt timp avea să triumfe biologia, nu psihologia. Perioada de trei decenii și jumătate în care psihanaliza a dominat psihiatria și cultura americană, o epocă în care nebunia a fost definită și tratată prin presupusele ei semnificații, urma să aibă un sfârșit remarcabil de brusc. Povestea de dragoste cu Freud era aproape încheiată.

Capitolul 12

O revoluție psihiatrică?

Sfârșitul azilurilor

Vizitând Veneția, călătorul înstărit are opțiunea de a evada din mulțimile de turiști făcând o plimbare de douăzeci de minute pe apă, peste lagună, până la Insula San Clemente (**pl. 43**). Acolo îl așteaptă un hotel de cinci stele, cu coridoare și scări de marmură și toate accesoriile industriei hoteliere de lux, adăpostite de o clădire prezentată ca fostă mănăstire – ceea ce a și fost într-adevăr, până când Napoleon a închis-o, împreună cu alte instituții religioase, la începutul secolului al XIX-lea. Proprietarii se laudă cu „atmosfera originii ei străvechi, cu fresce și o impresionantă fațadă renascentistă" și le promit oaspeților că „toate urmele istoriei insulei au fost păstrate, [formând] [...] o oază primitoare și tihnită, cu vedere spre Veneția".

Ca în cazul multor materiale de marketing, acesta nu e chiar tot adevărul. Palatul San Clemente a jucat un cu totul alt rol în viața venețiană dintre anii 1844 și 1992, această perioadă din istoria lui fiind una pe care actualii proprietari sunt dornici s-o mascheze, ba chiar s-o șteargă din istorie. În nici una dintre broșurile lucioase care fac reclamă farmecelor hotelului ca unica construcție (în afara unei capele) ce împodobește mica insulă nu se menționează faptul că, în acei ani nu prea îndepărtați, ea a jucat rolul de azil al Veneției pentru femei nebune, omologul casei de nebuni de la San Servolo vizitată cândva de Shelley și Byron:

As thus I spoke,
Servants announced the gondola, and we
Through the fast-falling rain and high-wrought sea
Sailed to the island where the madhouse stands.
We disembarked. The clap of tortured hands,
Fierce yells and howlings and lamentings keen,
And laughter where complaint had merrier been,
Moans, shrieks, and curses, and blaspheming prayers
Accosted us. We climbed the oozy stairs
Into an old courtyard...[1*]

---

* „Când am spus aceasta,/ Servitorii au anunțat gondola și,/ Prin ploaia iute, pe marea frământată,/ Am navigat spre insula pe care se înalță casa

FRENOCOMIO

FEMMINILE CENTRALE
VENETO

ISOLA S. CLEMENTE
VENEZIA

N.° d'ordine 83
ANNO 1882

N.° progressivo generale

TABELLA NOSOLOGICA

Diagnosi della frenopatia desunta dai documenti accompagnatori

di Lorenzon Santa
Entrata il 27 Maggio

N.° e data del documento accompagnatorio

Paternità, maternità, e condizione dei genitori

Età 19

Religione catt.

Luogo di nascita / residenza / provenienza

Occupazione o mestiere

Stato civile

Denominazione e occupazione del marito

Figliuolanza

Stato economico

Spettanza della retta

Data d'uscita 28 Ottobre 1880

Giornate di permanenza

Costituzione fisica

Stato della nutrizione

Diagnosi frenopatica

Mania con furore

Cause

Epoca dell'invasione

Recidività

Indole del delirio

Epifenomeni

Nevropatie e processi morbosi concomitan

Successioni morbose

Esito

Certificatul de internare al unei paciente la azilul San Clemente din Veneția, în anul 1880. Complexul de clădiri este acum hotel de lux.

de nebuni./ Am debarcat. Bătăi din palme chinuite,/ Strigăte și urlete teribile, jelanii ascuțite/ Și râsete unde boala era mai voioasă,/ Gemete, țipete, blesteme și rugăciuni blasfematoare/ Ne-au întâmpinat. Am urcat scările ude/ Într-o curte veche..." (n.tr.).

Azilul de femei avea aceeași reputație de temut. Pentru venețieni, a merge la San Clemente a devenit sinonim cu a înnebuni; când s-a săturat de amanta lui, Ida Dalser, Mussolini a trimis-o pe biata femeie acolo, între nebune, unde a rămas închisă și sechestrată pentru tot restul vieții[2]. Abandonată în 1992, casa de nebuni a jucat temporar rolul de cămin al pisicilor vagaboande din Veneția, înainte ca niște speculanți să o cumpere și să o transforme în rivala hotelului Cipriani de pe Giudecca. Achiziționată recent de niște întreprinzători turci, după ce primii proprietari ai hotelului au dat faliment, în prezent este renovată și mai luxos. Se pare că exorcizarea fantomelor ghinioniste ale trecutului se dovedește puțin cam dificilă.

În anul 2010, celor aflați în căutarea unei locuințe de lux permanente în nordul Londrei li s-a oferit ocazia de a achiziționa un apartament într-un complex nou, Princess Park Manor, botezat după prințesa Diana. Posibilii cumpărători au fost asigurați că puteau trăi într-o „capodoperă victoriană care i-a încântat și inspirat pe cunoscătorii arhitecturii de calitate vreme de generații [...] o reședință de o eleganță supremă [...] o splendoare italienească [ce] și-a păstrat de-a lungul întregii sale istorii aura de grandoare". A avut un succes imens. Pe lângă obișnuita paradă a cumpărătorilor străini bogați care se înghesuie în ziua de azi să achiziționeze proprietăți-trofeu în Londra, a atras membri ai trupei One Direction și un număr însemnat de fotbaliști generos plătiți din prima ligă.

Întreprinzătorii se lăudau că oferă șansa ocupării unei clădiri ce fusese creată în urma unui concurs la care au participat peste treizeci dintre cei mai mari arhitecți londonezi de la jumătatea secolului al XIX-lea, însă erau rezervați în ce privește obiectivul concursului. Princess Park Manor este versiunea convertită a fostului Colney Hatch, al doilea azil de nebuni al districtului Middlesex, deschis cu mare pompă în anul 1851 de prințul Albert, căminul a zeci de mii dintre nebunii capitalei de-a lungul anilor. La vremea respectivă era socotit cel mai modern azil din lume. Vizitatorii Marii Expoziții din 1851, care veniseră să vadă acel tribut adus înfăptuirilor Marii Britanii moderne industrializate, au primit un ghid care să le arate minunile noului azil și invitația de a vizita o înfăptuire arhitecturală considerată aproape la fel de spectaculoasă ca Palatul de Cristal ce adăpostea expoziția. Colney Hatch a căpătat în scurt timp o reputație mai sumbră, cei zece kilometri de coridoare unind saloane suprapopulate ce adăposteau mulțimi de cazuri fără speranță, iar „a intra la Hatch" a devenit pe plan local sinonimul argotic pentru „a înnebuni". Toate acestea sunt trecute sub tăcere, căci nu ar concorda câtuși de puțin cu încercarea de a vinde acest spațiu londonezilor *nouveaux riches*.

Întinsul azil Colney Hatch, al doilea azil districtual din Middlesex.

Însă Palatul San Clemente și Princess Park Manor sunt excepțiile, nu regula. Majoritatea azilurilor victoriene au avut cu totul altă soartă. Ruinele lor mucegăite, obsedante și bântuite se găsesc pretutindeni, împrăștiate în toată Europa și America de Nord, ba chiar și în colțurile cândva izolate ale lumii pe care Occidentul le-a colonizat odinioară. Pe întinderi imense de teren neocupat, clădirile masive se năruie, mărturie mută a renunțării la entuziasmul generațiilor anterioare. Dat fiind că multe dintre ele se situau în comunități rurale izolate – pentru a se face economie cu costul terenului –, nu există nici un stimulent pentru a le reabilita. La fel de părăsite, distruse și degradate ca puținele suflete rătăcite cărora aceste locuri le servesc și astăzi drept cămin, muzeele victoriene ale nebuniei dispar cu repeziciune.

„Căci țărână ești și-n țărână te vei întoarce", ne anunță Geneza. În ultima jumătate de secol, imensa investiție de capital – intelectual și financiar deopotrivă – care susținuse anterior, timp de un secol și mai bine, extinderea aparent nelimitată a imperiului azilurilor a fost retrasă. Arhitectura morală distinctivă a spitalului de boli mintale a dispărut sau va dispărea curând, când distrugerile provocate de intemperii, insecte și animale își vor încheia sarcina demolării (**pl. 42**).

Chiar și relativ recent, în anii 1960, spitalul de stat Central de la Milledgeville (Georgia) continua să adăpostească peste douăsprezece mii de pacienți, fiind cel mai mare spital de psihiatrie din lume[3]. Acum, cele două sute de clădiri ale sale, împrăștiate pe aproape 800 de hectare, stau goale și multe se năruie. În viitor, nimeni nu va întâlni vreodată imaginile și sunetele care îi întâmpinau cândva pe cei care se aventurau pe coridoarele lui – și nici mirosurile caracteristice care marcau azilurile de acest fel: izul de neuitat al trupurilor și minților în degradare, al saloanelor impregnate cu excremente umane timp de decenii, al lăturilor servite drept mâncare vreme de generaţii, amestecul greţos de miasme care s-a infiltrat în structura clădirilor. Afară, pe terenul prost îngrijit, mii de morminte zac pe jumătate ascunse, nişte indicatoare metalice numerotate însemnând soarta finală a multora dintre cei cândva închişi aici ani la rând.

La sute de kilometri spre nord se află vechiul spital de stat Trenton din New Jersey, Mecca extracţiilor dentare şi a eviscerării, unde Henry Cotton a vânat cândva fără milă focarele de infecţie despre care susţinea că provoacă boli psihice. Şi el este acum în mare măsură pustiu, deşi în unele zone mai supravieţuiesc ceva rămăşiţe. Copacii cândva frumoşi care-i împodobesc terenul sunt năpădiţi de buruieni, neglijaţi şi crescuţi peste măsură. Umbra lor sepulcrală creează o atmosferă umedă şi mohorâtă în clădirile abandonate deasupra cărora se înalţă. Mucegaiul şi putrefacţia se găsesc pretutindeni. Gratiile de fier de la ferestre aştern pete maronii de rugină pe piatra şi cărămida de sub ele. Domnesc pustiul şi o linişte stranie. Obloanele metalice mâncate de vreme şi acoperite de mizerii fără nume ascund parţial ochiurile de geam sparte de sub ele, prin care vizitatorul ilegal poate să arunce o privire în saloanele pustii, lipsite de orice semne umane sau inanimate ale locuirii. În ghereta de pază care ţinea cândva curioşii la distanţă nu se află nici un paznic. Nimeni nu mai face eforturi să păstreze graniţa înainte de netrecut dintre lumea nebunilor şi aceea a celor sănătoşi psihic. Scenele de felul acesta pot fi regăsite pe tot cuprinsul lumii care-şi spune civilizată.

În Anglia şi Ţara Galilor, peste 150.000 de pacienţi puteau fi găsiţi închişi în spitale de psihiatrie în oricare zi a anilor 1950; în Statele Unite cifra era aproape de patru ori mai mare. Pe tot cuprinsul Europei, închiderea în masă a nebunilor fusese regula începând de la jumătatea secolului al XIX-lea, iar tiparul a fost copiat oriunde Occidentul şi-a făcut simţită prezenţa. La fel au stat lucrurile şi cu dispariţia azilurilor. Ea a pornit din Marea Britanie şi America de Nord şi au trecut decenii până când alte societăţi europene le-au urmat modelul.

Japonia încă n-a început să-l urmeze sau începe abia acum, fiind un caz aproape unic. De la o rată a internărilor foarte scăzută în 1945, populaţia spitalelor japoneze de psihiatrie a crescut spectaculos în următorii cincizeci de ani. Dacă proporţia pacienţilor spitalizaţi în 1945 era de aproximativ doi la 10.000 de locuitori, în 1995 era de peste zece ori mai mare şi a scăzut foarte puţin în următorii zece ani, de la 29 la 10.000 la 27 la 10.000[4]. În 1989, şederile pacienţilor în spitalele japoneze de psihiatrie aveau o durată medie de 496 de zile, adică de peste patruzeci de ori mai mult decât şederea medie în Statele Unite. După mai bine de două decenii, pacienții japonezi au continuat să fie spitalizați, în medie, timp de peste un an, deși în 2011 guvernul a anunțat unele planuri controversate de a reduce numărul pacienților internați cu 70.000 în următorul deceniu. Cum boala psihică este privită și astăzi ca un mare stigmat, se pare că mulți preferă în continuare politica îngrijirii într-o instituție. Cultura japoneză privilegiază ordinea publică, punând-o mai presus de drepturile individului, iar familiile fac apel la soluția internării pentru a-și ascunde membrii a căror nebunie este considerată o amenințare la adresa perspectivelor de căsătorie a rudelor și o sursă de rușine și stinghereală profundă. Guvernul japonez se teme însă de costurile crescânde ale instituționalizării, mai cu seamă că vârstnicii sunt închiși în spitale de psihiatrie într-un număr fără precedent[5]. Nu se știe cum se vor rezolva aceste presiuni conflictuale, dar semnele arată că Japonia, care a adoptat azilul practic la un secol după Europa și America de Nord, cunoaște acum, la cincizeci de ani după ele, începutul declinului acestuia[6].

Aproape imperceptibil inițial, populația spitalelor de psihiatrie din Marea Britanie și Statele Unite a început să scadă de la jumătatea anilor 1950. Ritmul s-a accelerat spectaculos de la jumătatea anilor 1960 și în ambele țări numărul pacienților internați s-a redus ulterior până aproape de dispariție. Dacă Statele Unite și-ar interna și în 2013 bolnavii psihici cei mai gravi în același ritm ca în 1955, spitalele de psihiatrie ar cuprinde în oricare zi aproape 1,1 milioane de oameni. Însă doar o mică rămășiță, mult sub 50.000 de pacienți, populează instituțiile rămase.

Oricum ar fi privită, aceasta este o extraordinară schimbare la 180 de grade. Odată apărut pe scenă azilul cu finanțare publică în secolul al XIX-lea, populația închisă în astfel de instituții a crescut implacabil an de an. Puținele inversări temporare ale acestei tendințe s-au produs în vreme de război. În Anglia, de exemplu, în timpul celui de-al Doilea Război Mondial, spitalele de psihiatrie au rămas fără o mare parte din personalul medical, iar bugetul, oricum sărac, le-a fost tăiat. În mod previzibil, pacienții au avut de pătimit; mulți au suferit de inaniție. Cifrele din comitatul englezesc Buckinghamshire, de pildă, arată că rata deceselor a crescut constant de-a lungul războiului, până când, în 1918, o treime dintre pacienții spitalului au murit. Conducerea spitalului „redusese rațiile pacienților sub nivelul de supraviețuire, încercând să economisească bani [...]. De îndată ce regimul alimentar a fost ameliorat (deși cu costuri considerabile) în 1919, rata deceselor a scăzut”[7].

În timpul celui de-al Doilea Război Mondial, în Franța ocupată, circa 45.000 de pacienți psihiatrici internați au murit de foame și din cauza bolilor infecțioase, rata deceselor aproape triplându-se în

Unitatea de hidroterapie a spitalului de stat părăsit de la Grafton (Massachusetts). Învelitorile din pânză groasă îi ţineau cândva pe pacienţii recalcitranţi cufundaţi în apă şi imobili, doar cu capul ieşind afară printr-o deschizătură în ţesătura rigidă.

spitalele de psihiatrie în anii războiului, un proces numit de unii program de „exterminare blândă"[8]. Numărul pacienţilor internaţi a scăzut rapid, chiar dacă temporar, de la 115.000 la 65.000. Naziştii au acţionat mai direct, omorându-i pe cei pe care îi numeau „consumatori de hrană inutili".

Dar, lăsând la o parte aceste circumstanţe extraordinare, tiparul istoric al creşterii implacabile a dimensiunii populaţiilor instituţionalizate a fost o trăsătură adânc înrădăcinată a peisajului psihiatric la jumătatea secolului al XX-lea. Mai mult chiar, la sfârşitul celui de-al Doilea Război Mondial, toate semnele păreau să indice continuarea a ceea ce devenise aproape pretutindeni reacția standard la psihoză. Imediat după război, majoritatea statelor americane au înlocuit eticheta „nebun" cu cea de „bolnav psihic"; legislația engleză din 1930 înlocuise termenul „nebun" cu acela mai greoi de „persoană nesănătoasă psihic"; în 1948, Ministerul Sănătății Publice din Franța a renunțat la termenul *aliénés* (folosit în documentele oficiale încă din 1838) și l-a înlocuit cu *malades mentaux*, iar italienii au ales *infirmi di mente* ca înlocuitor pentru *alienati di menti*. Azilurile, casele de nebuni, *établissements d'aliénés* și alte asemenea așezăminte aveau să se numească pe viitor spitale de psihiatrie[9]. Însă ideea că cei care și-au pierdut mințile trebuie instituționalizați a persistat, în ciuda cosmetizărilor verbale.

În perioada imediat postbelică, guvernul britanic a afirmat că „una dintre cele mai mari probleme cu care se confruntă serviciul [de sănătate psihică] este asigurarea unui număr mai mare de paturi în spitalele de psihiatrie"[10]. Guvernele statale de pe tot cuprinsul Statelor Unite au ajuns la concluzii similare. Ziariștii din presa de scandal și cei care refuzaseră serviciul militar din motive morale sau religioase și fuseseră trimiși să lucreze ca infirmieri în spitale de stat, ca pedeapsă pentru refuzul de a lupta, s-au întrecut care mai de care să dea în vileag viciile prevederilor existente privind sănătatea mintală[11]. Cea mai faimoasă dintre aceste critici i-a aparținut lui Albert Deutsch (1905-1961), un ziarist care scrisese prima istorie a tratamentului bolilor psihice în Statele Unite și fusese făcut membru onorific al Asociației Psihiatrilor Americani, ca semn de recunoștință din partea specialiștilor în domeniu. Eseurile lui pe tema condițiilor pe care le-a găsit în spitalele de psihiatrie americane, însoțite de fotografii grăitoare, au apărut mai întâi în paginile ziarului newyorkez militant *PM*, ulterior fiind republicate în cartea intitulată *The Shame of the States* (1948).

Multe alte eseuri au fost scrise de oameni care vizitaseră recent lagărele germane de exterminare, articolul „An American Death Camp" al lui Harold Orlansky comparând explicit situația saloanelor din azilurile americane cu Dachau, Belsen și Buchenwald. Deutsch a descris secția pentru bărbați incontinenți a spitalului de stat Byberry din Philadelphia drept „o scenă desprinsă din Infernul lui Dante. Trei sute de bărbați dezbrăcați stăteau în picioare, pe vine sau lungiți și cu membrele rășchirate în această încăpere goală, înconjurați de țipete ascuțite, gemete și râsete nepământene [...]. Unii zăceau pe pardoseala goală, în propriile excreții. Pereții acoperiți de mizerie putrezeau"[12].

Dar nici măcar puși în fața realităților cumplite ale vieții din multe spitale de psihiatrie statale, reformatorii din această generație n-au cerut renunțarea la respectivele instituții. Erau convinși că problemele pe care le observaseră erau rezultatul ignoranţei publicului şi al parcimoniei politicienilor. Relatările făcute de martori oculari ca ei aveau menirea de a deştepta o populaţie adormită prin dezvăluirea ororilor comise în numele ei şi de a-i determina pe alegători să ceară insistent ca spitalele de psihiatrie să primească suficienţi bani pentru a le asigura bolnavilor psihici o îngrijire corespunzătoare. După cum s-a exprimat Alfred Maisel (1909-1978) în paginile revistei *Life*, scoaterea adevărului la lumină avea să facă statele să încerce un sentiment de ruşine şi astfel să asigure fonduri suficiente. Acest lucru ar fi fost de ajuns „ca să se pună capăt lagărelor de concentrare care se dau drept spitale şi ca obiectivul să devină vindecarea, nu încarcerarea”[13].

În Europa postbelică, preferinţa pentru soluţia azilului părea să se fi păstrat la aceeaşi cotă ridicată. Majoritatea psihiatrilor germani care colaboraseră la programul de exterminare T-4 al lui Hitler şi-au păstrat funcţiile şi o nouă generaţie de pacienţi deranjaţi mintal a apărut ca să umple azilurile. În anii 1960, Germania de Vest avea 68 de spitale de psihiatrie statale, cu o medie de 1.200 de paturi fiecare. În Franţa, spitalele de psihiatrie erau şi mai mari,

Secţia pentru bărbaţi incontinenţi de la spitalul de stat Byberry din Philadelphia (Pennsylvania). Această fotografie şi altele înfăţişând spitalul au fost făcute pe ascuns în anul 1944 de Charles Lord, un quaker care refuzase serviciul militar din motive religioase şi care fusese trimis să lucreze acolo ca infirmier. Alături se afla o secţie pentru bărbaţi violenţi, numită de Lord şi colegii lui „casa morţii”.

cuprinzând până la 4.000 de paturi, pe când în Italia, chiar la o dată târzie ca anul 1982, 20 de spitale de psihiatrie adăposteau fiecare peste 1.000 de pacienţi. În anii 1950 şi 1960, autorităţile franceze au căutat cu disperare să elimine supraaglomerarea din instituţiile existente, construind altele noi. Chiar spre sfârşitul acestei perioade, guvernul francez avea în vedere adăugarea de 20.000 de paturi psihiatrice suplimentare. În timpul regimului fascist al lui Franco şi vreme de câţiva ani după moartea lui în 1975, Spania a continuat să extindă sectorul spitalelor de psihiatrie, dublând numărul instituţiilor, de la 54 în anul 1950 la 109 în 1981, populaţia internată crescând de la 24.586 la 61.474. La capătul opus al spectrului politic, sub regimurile social-democratice din Suedia şi Danemarca, populaţia spitalelor de psihiatrie a scăzut în anii 1970. Totuşi, în toate aceste ţări, ca şi în altele, a survenit în cele din urmă dezinstituţionalizarea. Aşa cum arată însă limpede această înşiruire, dacă privim lucrurile dintr-o perspectivă largă şi comparativă, până la dispariţia azilurilor a trecut mai mult timp decât ne-ar putea face să credem simpla cunoaştere superficială a progresului rapid al dezinstituţionalizării în ţările anglofone.

Un remediu tehnologic?

Scăderea populaţiei spitalelor de psihiatrie americane şi britanice a început la jumătatea anilor 1950, coincizând aproape perfect cu introducerea primului tratament medicamentos modern pentru bolile psihice majore. Clorpromazina, comercializată sub denumirea Thorazine în Statele Unite şi Largactil (adică „acţiune amplă") în Europa şi în alte părţi, a fost aprobată pentru punerea pe piaţă de către Administraţia Produselor Alimentare şi Farmaceutice a Statelor Unite în anul 1954 (vezi mai jos date suplimentare despre acest subiect). Treisprezece luni mai târziu era administrată la două milioane de oameni doar în această ţară. Majoritatea psihiatrilor au aplaudat progresul terapeutic pe care susţineau că îl reprezintă acest medicament. În loc să apeleze la tratamente empirice brutale, între care diferitele terapii de şoc, sau la intervenţia chirurgicală şi mai brutală care era lobotomia, specialiştii puteau acum să prescrie şi să administreze accesoriul simbolic al medicului modern: medicamentul.

În ochii observatorilor britanici şi americani, suprapunerea în timp a introducerii Thorazinei şi a inversării tendinţei ascendente a populaţiei spitalelor de psihiatrie a oferit o explicaţie tehnologică simplă pentru sfârşitul epocii azilurilor. În 1961, Comisia Comună pe Probleme de Boală şi Sănătate Psihică, înfiinţată de Congresul

Statelor Unite cu cinci ani înainte, a declarat: „Tranchilizantele au revoluționat controlarea pacienților psihotici din spitalele de psihiatrie americane și merită, probabil, să li se atribuie rolul principal în inversarea spiralei ascendente a populației spitalelor de stat"[14]. Două decenii mai târziu, sir Keith Joseph, secretar de stat pentru servicii sociale în primul guvern al lui Margaret Thatcher, s-a exprimat și mai tranșant. În introducerea Raportului guvernamental pe 1971 privind *Serviciile spitalicești pentru bolnavii psihici*, el a afirmat că „tratamentul psihozelor, nevrozelor și schizofreniei a fost complet transformat de revoluția medicamentoasă. Oamenii intră în spital cu boli psihice și sunt vindecați"[15]. Dar dacă ar fi fost într-adevăr atât de simplu – medicamente = dezinstituționalizare –, atunci francezii (care au inventat de fapt clorpromazina), germanii, italienii, olandezii, spaniolii, suedezii și finlandezii s-ar fi angajat și ei cu repeziciune pe același drum. A fost însă necesar un sfert de secol și mai bine pentru ca sistemele de sănătate psihică ale Europei continentale să înceapă să-și golească spitalele de psihiatrie. S-ar părea că medicamentele singure n-au fost de ajuns pentru a se produce dezinstituționalizarea.

Este foarte ușor să te lași sedus de statistici, mai cu seamă atunci când ele par să confirme concluzia la care vrei să ajungi pe alte baze. Tentația de a amesteca corelația cu cauzalitatea este una în privința căreia sunt avertizați toți neofiții statisticii, și totuși e o tentație căreia mulți îi cad pradă cu regularitate. Deși capacitatea psihofarmacologiei moderne de a influența cursul bolilor psihice a fost lăudată exagerat – Thorazine și medicamentele ce i-au urmat nu sunt nicidecum o penicilină psihiatrică –, medicația pe bază de rețetă a revoluționat într-adevăr practica psihiatriei și a influențat tot mai mult înțelegerea bolilor psihice la nivelul culturii în ansamblu. Multe milioane de oameni din întreaga lume fac zilnic uz de medicații psihotrope. Industria farmaceutică obține profituri uriașe din comercializarea acestor medicamente și promovează intensiv eficacitatea lor și ideea că ele „demonstrează" originile biologice ale bolii psihice. Așadar, nu e deloc de mirare că ideea potrivit căreia introducerea medicamentelor psihotrope a alimentat externarea pacienților psihiatrici a fost înghițită atât de ușor în cercurile anglo-americane.

Și totuși, chiar și fără contraexemplele din alte societăți, o cercetare mai atentă a dovezilor britanice și americane ar fi fost suficientă pentru a arăta că s-au adus elogii exagerate contribuției revoluției medicamentoase la externările din spital. Deși este adevărat că, la nivel național, tendința descrescătoare a populației spitalelor de psihiatrie a apărut abia la jumătatea anilor 1950, această scădere este observabilă în multe locuri încă din 1947 și 1948, cu mult înaintea intrării în scenă a noilor medicamente. După cum a arătat psihiatrul britanic Aubrey Lewis (1900-1975), cifrele naţionale referitoare la populaţiile spitalelor de psihiatrie, luate în sine, ar putea să inducă grav în eroare în ce priveşte debutul real al procesului de dezinstituţionalizare[16]. Ele tind să mascheze modificări anterioare la nivel local şi măsura în care scăderea numărului total de pacienţi, atunci când a survenit, a reprezentat o continuare a tendinţelor existente şi nu o deviere de la ele. Introducerea noilor medicamente nu poate să explice nici de ce, după mai bine de un deceniu, vârstnicii au fost externaţi brusc în număr foarte mare în Statele Unite sau de ce, după alţi cinci ani, tiparul scăderii însemnate a numărului de pacienţi internaţi s-a extins, cuprinzând grupe de vârstă mai tinere. Este cert că medicamentele psihotrope n-au devenit subit mai eficiente la zece sau cincisprezece ani după introducerea lor. Nici n-au fost produşi compuşi noi la sfârşitul anilor 1960, cu eficacitate mai mare pentru vârstnici, sau la începutul anilor 1970, cu rezultate mai bune pentru pacienţii mai tineri.

În primul deceniu după introducerea medicamentelor, unele spitale le-au folosit pe scară largă, iar altele cu măsură. Diferenţele de vârstă, sex şi diagnostic între pacienţi însemnau şi probabilitatea de a primi un tratament medicamentos diferit. Şi totuşi, chiar şi psihiatrii newyorkezi Henry Brill (1906-1990) şi Robert E. Patton (1921-2007), a căror activitate este invocată de obicei pentru a cimenta legătura dintre medicamente şi scăderea populaţiei spitalelor, au recunoscut în 1957 că „nu s-a putut evidenţia nici o corelaţie cantitativă între procentul pacienţilor beneficiari ai tratamentului medicamentos la un spital dat sau într-o categorie dată şi gradul de ameliorare concretizat în externări"[17]. Cinci ani mai târziu, un studiu retrospectiv asupra spitalelor de stat din California, între care existaseră la început diferenţe mari în ceea ce priveşte măsura în care prescriau fenotiazine (dintre care clorpromazina a fost prima), a comparat în mod direct pacienţii cărora li s-a administrat tratament medicamentos cu cei cărora nu li s-a administrat. Studiul a conchis că tratamentul medicamentos s-a asociat, de fapt, cu perioade mai lungi de spitalizare şi a constatat că spitalele de psihiatrie care trataseră cu Thorazine cel mai mare procent de pacienţi schizofrenici aflaţi la prima internare au avut rate mai mici de externări decât cele în care folosirea medicamentelor era mult mai redusă[18]. La scurt timp după aceea, prescrierea fenotiazinelor a intrat în rutină în asemenea măsură, încât a devenit greu sau imposibil să se efectueze noi studii de acest gen; însă mai mulţi savanţi care au analizat sistematic dovezile disponibile au ajuns la concluzii similare: influenţa noilor medicamente asupra dezinstituţionalizării a fost în cel mai bun caz indirectă și limitată, iar schimbările conștiente de politică socială au reprezentat un factor mult mai important în golirea spitalelor de psihiatrie[19].

Instituții sortite pieirii

Adresându-se Asociației Naționale pentru Sănătate Psihică în anul 1961, Enoch Powell, ministru al Sănătății în Guvernul Macmillan din Marea Britanie, a vorbit cu sinceritatea-i tipică. A anunțat că spitalele de psihiatrie sunt „instituții sortite pieirii". Guvernul plănuia să le închidă, iar el propunea ca pentru aceasta să se procedeze „cu toată severitatea". Azilurile tradiționale nu-și mai dovedeau utilitatea, iar el s-a declarat nerăbdător „să aprindă rugul funerar"[20]. A urmat o circulară a Ministerului Sănătății prin care consiliile de conducere ale spitalelor regionale au fost instruite să aibă grijă „să nu se cheltuiască nici o sumă pe îmbunătățirea sau recondiționarea spitalelor de psihiatrie care nu vor mai fi necesare peste zece sau cincisprezece ani [...] în cazul clădirilor mari, izolate și nesatisfăcătoare, închiderea va fi aproape de fiecare dată soluția corectă"[21]. Și, inevitabil, reducerea cheltuielilor pentru partea fizică a făcut ca multe alte spitale de psihiatrie să intre pe lista celor considerate „nesatisfăcătoare" și care, în consecință, trebuiau închise.

În Statele Unite, îngrijirea bolnavilor psihici cădea, după tradiție, în responsabilitatea fiecărui stat, și nu a guvernului federal. Ca urmare, închiderea spitalelor de psihiatrie statale a înregistrat mari variații în ceea ce privește momentul producerii și amploarea ei, deoarece nu toate statele au avansat în același ritm. Și alte caracteristici ale formei particulare pe care a îmbrăcat-o dezinstituționalizarea în Statele Unite au fost influențate de structura politică a țării. Azilurile-cazarmă dărăpănate pe care americanii le moșteniseră din secolul al XIX-lea se aflau într-o situație deosebit de dificilă când a început acest proces. Marea Depresiune fusese însoțită de internarea de noi pacienți, iar nevoile războiului răpiseră puținul personal medical calificat, medici și asistenți medicali deopotrivă, pe care îl avuseseră aceste medii numite terapeutice[22].

Statele „progresiste", ca New York, Massachusetts, Illinois și California, investiseră cel mai mult în soluția azilurilor, dar s-au confruntat cu cele mai mari dificultăți fiscale potențiale când s-a cerut îmbunătățirea spitalelor[23]. Pentru ca situația să fie și mai complicată, piața muncii postbelică, mai strictă, și sindicalizarea lucrătorilor statali (mult mai răspândită în statele nordice) au dus la creşterea semnificativă a costurilor instituţiilor, săptămâna de lucru reducându-se de la cele 65 sau 70 de ore obişnuite în anii 1930 la 45 de ore sau mai puţin. Tot mai convinşi că nu vor fi acoperite costurile de capital imense şi sumele necesare pentru operaţiunile cotidiene şi că, foarte probabil, condiţiile din spitale vor rămâne foarte proaste, cei cu poziţii de autoritate au început să analizeze alternativele. Milton Greenblatt (1914-1994), care fusese membrul comisiei de sănătate psihică a statului Massachusetts între anii 1967 şi 1972, a oferit o evaluare fără menajamente a situaţiei fără ieşire cu care se confruntau el şi omologii lui: „Într-un fel, nu avem scăpare. E timpul să pregătim *închiderea*, până nu ajungem la *faliment*”[24].

În anumite privinţe importante, mişcarea pentru externarea pacienţilor psihiatrici din Statele Unite a fost facilitată şi încurajată de modificări mai cuprinzătoare ale politicilor sociale la nivel federal, care au generat, poate fără voie, noi stimulente pentru ca statele să se îndrepte în această direcţie. Lărgirea programelor de asistenţă publică şi adoptarea Medicare şi Medicaid în cadrul programelor Great Society ale lui Lyndon Johnson, la sfârşitul anilor 1960, le-au oferit pentru prima oară unor pacienţi psihiatrici externaţi un venit garantat. Aceste subvenţii federale nu erau însă disponibile pentru cei care rămâneau închişi în spitale de psihiatrie, ei fiind în continuare o povară pentru bugetele statale. Când au început să înţeleagă că pot să transfere costurile externând pacienţi psihiatrici, statele au adoptat rapid această măsură. Aceste motivaţii explică în mare măsură atât reducerea tot mai accentuată a populaţiei spitalelor care a debutat la sfârşitul anilor 1960, cât şi faptul că majoritatea copleşitoare a celor externaţi a fost alcătuită la început din pacienţi vârstnici, transferaţi din spitale de stat în cămine de bătrâni şi cămine cu trai asistat private, ale căror taxe erau achitate cu bani federali. O nouă creştere bruscă a ratei externărilor a avut loc la jumătatea anilor 1970, de această dată în rândul pacienţilor mai tineri, după ce administraţia Nixon a adus modificări Programului de Asigurări Sociale, introducând Programul venitului suplimentar de siguranţă, care oferea ajutor social federal celor cu dizabilităţi, inclusiv psihice[25].

Zugrăvind trecerea de la azil la „comunitate” ca pe un pas înainte revoluţionar – o „reformă” benefică –, susţinătorii schimbării au fost ajutaţi de un val de critici savante şi polemice la adresa spitalelor de psihiatrie tradiţionale, multe dintre ele având autori din domeniul ştiinţelor sociale, dar altele fiind opera unor psihiatri apostaţi, mai cu seamă americanul Thomas Szasz şi psihiatrul scoţian R.D. Laing (vezi mai jos). Tonul acestor studii era unul pesimist.

Ivan Belknap (1914-1984), care studiase un spital de stat extrem de subfinanțat din Texas, a conchis că spitalele de psihiatrie „sunt probabil obstacole în calea elaborării unui program eficient pentru tratarea bolnavilor psihici" și a insistat că, „pe termen lung, renunțarea la spitalele de stat ar putea fi una dintre cele mai mari reforme umanitare și cea mai mare economie financiară făcută vreodată"[26]. H. Warren Dunham (1906-1985) și S. Kirson Weinberg (1912-2001), ale căror cercetări de teren se desfășuraseră la spitalul de stat din Cleveland, Ohio, s-au exprimat la fel de sumbru[27]. Era un „mediu [...] la care oricare om normal s-ar adapta numai cu greutate [...] [o organizație] caracterizată de conflicte la nivelul structurii sale, al personalului și al populației de pacienți ce duc la neglijarea și chiar la anihilarea obiectivului terapeutic"[28]. În ciuda propagandei oficiale, spitalul de psihiatrie era un loc în care „orice comportament din partea pacientului, rațional sau irațional, exprimat emoțional sau lipsit de emoționalitate, cu orientare pozitivă sau negativă, tinde să fie privit drept dovadă a deranjamentului mintal" și în care „se pune accent pe controlul asupra pacientului, în dauna ameliorării stării lui"[29].

Cea mai renumită și mai larg citită dintre aceste critici sociologice la adresa spitalului de psihiatrie a fost scrisă de Erving Goffman (1922-1982), sociolog educat la Chicago. Cartea sa *Aziluri: Eseuri despre situația socială a pacienților psihiatrici și a altor categorii de persoane instituționalizate* (1961) a fost în parte produsul a trei ani petrecuți în echipa Laboratorului de studii sociale și de mediu aparținând Institutului Național de Sănătate Psihică (NIMH), inclusiv un an de muncă de teren finanțată de institut la spitalul St Elizabeth din Washington, DC, considerat multă vreme unul dintre cele mai bune spitale de psihiatrie ale țării și singurul gestionat direct de guvernul federal. *Aziluri* era în multe privințe o carte idiosincratică – una care făcea apel la o varietate eclectică de surse, inclusiv romane și autobiografii, și care evita cu sârguință orice încercare de a oferi o descriere etnografică a unui anumit spital de psihiatrie. Și, într-adevăr, dacă nu consultau secțiunea de mulțumiri ce prefațează cartea, puțini ar fi ghicit că autorul își desfășurase singura activitate de teren la St Elizabeth și că aceasta era unica lui experiență directă privind viața într-un spital de psihiatrie. Goffman a căutat să realizeze ceva foarte diferit de descrierile dense ale altor sociologi, încercând în schimb să demonstreze că spitalele de psihiatrie sunt „instituții totale", după cum le-a denumit el, locuri în care munca, somnul și amuzamentul se desfășoară toate în același mediu plin de constrângeri. Viața în astfel de circumstanțe, afirma el, se dovedea profund vătămătoare pentru cei închiși. Unele comportamente ce păreau patologice pentru omul din afară erau, dimpotrivă, reacții lesne de înțeles la impactul extrem de deformator al existenței în spitalul de psihiatrie. Șederea prelungită în astfel de locuri tindea inexorabil să-i lezeze și să-i dezumanizeze pe pacienți, „striviți de greutatea" a ceea ce, la o cercetare mai amănunțită, se dovedea a fi practic „o servitute morală cu efect de autoalienare"[30]. Dacă ziariștii presei de scandal socotiseră neajunsurile spitalelor de psihiatrie remediabile, cu condiția să fie cheltuiți mai mulți bani, Goffman privea cu dispreț aceste idei, pentru el iluzii romantice. Defectele azilurilor erau structurale și inevitabile. Nimic nu putea să le modifice.

Un deceniu mai târziu, Goffman nu privea aceste locuri cu mai multă amabilitate. Le caracteriza drept

> depozite de deșeuri fără speranță de îndreptare, garnisite cu hârtii psihiatrice. Au servit la scoaterea pacientului de pe scena comportamentului său simptomatic [...] dar această funcție a fost îndeplinită de garduri, nu de medici. Iar prețul pe care a trebuit să-l plătească pacientul pentru acest serviciu a fost o dislocare considerabilă din viața civilă, înstrăinarea de cei dragi care au aranjat internarea, umilirea din cauza înregimentării și supravegherii din spital și stigmatizarea ireversibilă post-spitalizare. Afacerea nu a fost doar proastă, ci de-a dreptul grotescă[31].

Thomas Szasz, psihanalist american de origine maghiară care a predat psihiatria la Universitatea de Stat New York de la Syracuse, făcuse în anul 1961 afirmația faimoasă că boala psihică este „un mit"[32]. Bolile reale își au rădăcinile în organism și pot fi detectate fie prin analize de laborator și imagistice, fie pe masa de autopsie. În schimb, susținea el, bolile psihice sunt doar tipuri metaforice de „boală", în realitate simple etichete compromițătoare, care permit statului și agenților săi (psihiatrii) să folosească retorica terapeutică pentru a priva de libertate oameni incomozi, fără ca aceștia să beneficieze de un proces sau de protecția acordată unui infractor acuzat. În ochii lui Szasz, psihiatria instituțională era pur și simplu un instrument de oprimare. Practicanții ei erau temniceri, nu vindecători, în pofida declarațiilor lor contrare, iar spitalele de psihiatrie erau închisori abia mascate. Szasz a militat constant pentru abolirea internării forțate și pentru eliminarea instituțiilor în sine, unindu-și forțele în 1969 cu Biserica Scientologică pentru a forma Comisia Cetățenească pentru Drepturile Omului, care a acuzat psihiatria că este „o industrie a morții".

Dacă Szasz a fost un om al dreptei libertariene care protesta vehement contra tiraniei statului modern, psihiatrul scoțian Ronald (mai bine cunoscut ca R.D.) Laing era marxist declarat. Aceasta nu era singura diferență dintre ei. Laing considera boala psihică întru totul reală, dar sublinia că nebunia este produsul societății și mai ales al relațiilor de familie. Comportamentul aparent straniu și vorbirea confuză a pacientului psihiatric, interpretate de mulți ca lipsite de sens, erau de fapt pline de semnificații, o expresie a suferinței pe care a trăit-o și a situațiilor „fără ieșire" create de cei din jurul său – de exemplu, părinți care insistau să aibă intimitate emoțională cu copiii lor și totodată o respingeau, refuzând să conștientizeze ce făceau. Dar, la fel ca Szasz, Laing protesta vehement față de spitalul de psihiatrie, pe care îl considera un loc distructiv. El susținea că schizofrenia este o formă de supra-sănătate mintală în fața unei lumi pe care o declara nebună[33]. Pacienții trebuiau să fie lăsați în comunitate și convinși cu vorba bună să-și finalizeze călătoria terapeutică[34], nu instituționalizați și supuși cu ajutorul medicamentelor.

Szasz și Laing au fost ostracizați de colegii lor de profesie, puși laolaltă în categoria „anti-psihiatrilor" și respinși ca ideologi anti-știință. Însă concepția extrem de critică avansată de ei și de personalități ca Goffman cu privire la impactul spitalului de psihiatrie asupra pacienților internați a găsit cel puțin o oarecare rezonanță în rândul psihiatrilor din curentul principal. Psihiatrul britanic Russell Barton (1924-2002), directorul Spitalului de Psihiatrie Severalls din Kent și mai târziu al Centrului Psihiatric Rochester din New York, a inventat sintagma „nevroză instituțională" pentru a descrie impactul privării de libertate asupra pacientului psihiatric cu internare lungă, iar J.K. Wing (1923-2010) și George Brown (n. 1930) de la Institutul de Psihiatrie din Londra au scris o monografie foarte bine primită despre *Instituționalizare și schizofrenie*[35]. Psihiatrii americani și-au alăturat și ei vocile. Fritz Redlich (1910-2004), decanul catedrei de psihiatrie de la Yale, se întreba dacă nu cumva „pacienții sunt infantili [...] pentru că-i infantilizăm noi"[36]. Psihiatrul californian Werner Mendel s-a exprimat și mai tranșant: „Spitalul ca formă de tratament pentru pacientul psihiatric grav bolnav este întotdeauna costisitor și lipsit de eficacitate, adesea antiterapeutic și niciodată tratamentul preferabil"[37].

Aceste atitudini antiinstituționale au fost adoptate cu întârziere și de psihiatrii din Europa continentală. Italia, de exemplu, a adoptat pe neașteptate o lege în 1978, Legge 180, care interzicea orice internare viitoare în spitalele de psihiatrie tradiționale, precum și construirea unor noi instituții de acest fel. Legislația era numită neoficial Legea Basaglia, după Franco Basaglia (1924-1980), carismaticul psihiatru italian de stânga care a fost principalul ei autor și care fusese influențat, după cum a declarat chiar el, de Erving Goffman și de alți critici americani ai instituției totale[38]. Această schimbare a atras foarte mult atenția, în parte datorită poziției importante a lui Basaglia în cercurile intelectuale europene și în parte datorită simplității remarcabile a abordării pe care o concretiza legea. Basaglia a murit la doar doi ani după noua lege, însă aplicarea ei a continuat, deși a stârnit controverse. Numărul pacienților internați înregistrase o oarecare scădere în Italia chiar și înainte de 1978, dar eliminarea noilor internări a provocat, după cum și voiau autorii legislației, o nouă scădere constantă, de la 78.538 în anul 1978 la doar 11.803 în 1996. Patru ani mai târziu, toate spitalele de psihiatrie rămase și-au închis oficial porțile[39]. Italia s-a alăturat restului lumii occidentale, scoțându-i pe nebuni din azil și readucându-i în comunitate.

Soarta celor cu boli psihice cronice

Dar, așa cum s-a întâmplat pretutindeni, italienii își închiseseră spitalele de psihiatrie fără a-și da osteneala să asigure măsuri alternative pentru problemele ridicate de boala psihică gravă. O mare parte din povară a trecut asupra familiilor, care au protestat vehement din cauza dificultăților sociale cu care se confruntau[40]. Alți pacienți au fost pur și simplu mutați din spitalele de psihiatrie publice în instituții rezidențiale private, despre care autoritățile susțin că știu prea puține[41]. Iar alții au ajuns la închisoare sau pe străzi.

Problemele de felul acesta apăruseră deja în Marea Britanie și Statele Unite cu mult înainte ca italienii să înceapă dezinstituționalizarea. În plină încântare provocată de înlocuirea spitalului de psihiatrie și în toiul declarațiilor entuziaste privind virtuțile comunității, se pare că puțini au observat în ce măsură noile programe au rămas doar plăsmuiri ale imaginației celor care le-au conceput. La fel, o perioadă considerabil de lungă, puțini au părut să realizeze că, pe ambele maluri ale Atlanticului, în ciuda bogatei retorici privind „serviciile mai bune pentru handicapații mintali" (titlul unei declarații oficiale de politică britanică făcute acum mai bine de un sfert de secol)[42], realitatea era una mult mai sumbră, programele finanțate de stat pentru victimele formelor severe și cronice de boală psihică împuținându-se sau fiind chiar eliminate. Îngrijirea în comunitate era un fel de alba-neagra fără nimic ascuns sub pahar[43].

Unii dintre cei externați din spitalele de psihiatrie au beneficiat clar de modificarea de politică socială. Victime ale unei tendințe anterioare către ceea ce mulți au numit „spitalizare excesivă", au întâmpinat prea puține probleme în ce privește obținerea unui serviciu și a unei locuințe, menținerea legăturilor sociale și așa mai departe, contopindu-se aproape insesizabil cu populația generală. Aceste deznodăminte benefice sunt însă departe de a reprezenta norma.

Dintre cei cu afecțiuni mai observabile și persistente, nu surprinde deloc faptul că foștilor pacienți încredințați familiilor pare să le fi mers, în ansamblu, cel mai bine. Ar fi însă o greșeală gravă să presupunem, chiar și în cazul lor, că dezinstituționalizarea s-a desfășurat lin și s-a dovedit benefică fără rezerve[44]. O mare parte din suferință și nefericire a rămas ascunsă din cauza reticenței familiilor de a se plânge, tendință firească, dar care a contribuit la întreținerea unui optimism fals cu privire la efectele trecerii la tratamentul în comunitate[45]. Totuși, oricare ar fi dificultățile întâmpinate de acești foști pacienți și de familiile lor, ele pălesc în comparație cu experiențele celor, mai numeroși, care nu au familie ori a căror familie refuză pur și simplu să-și asume responsabilitatea lor. Psihoticul de pe trotuar a devenit o trăsătură familiară a peisajului urban: fără adăpost, nebun, părăsit[46]. Adunându-se în general în cele mai puțin dezirabile părți ale metropolelor, ai căror locuitori sunt prea săraci și prea neputincioși politic ca să se împotrivească, acești oameni trăiesc printre alți marginalizați – infractori, dependenți de droguri, alcoolici, cei ajunși la sărăcie lucie – și duc o existență precară, de pe azi pe mâine. În Statele Unite, începând de la finele anilor 1960, așa cum am arătat deja, întâi pentru vârstnici și apoi pentru oamenii mai tineri cu tulburări psihice grave, existența chiar și a unui ajutor social mic a încurajat înmulțirea căminelor de bătrâni și a căminelor cu trai asistat, în care au ajuns să fie închiși mulți dintre ei. A apărut astfel un domeniu de activitate antreprenorială care profită de pe urma acestei forme a suferinței umane și nu este reglementat aproape deloc de autoritățile statale.

Anchetele naționale au sugerat că peste 50% dintre cei plasați în cămine au ajuns în imobile cu peste 100 de rezidenți, iar alți 15% în unele adăpostind peste 200. La New York, de exemplu, presa a dezvăluit că mulți pacienți externați erau cazați în hoteluri sordide și dărăpănate și în „cămine" din jurul uriașelor spitale de psihiatrie, acum închise, din Long Island – Pilgrim și Central Islip. Printr-o ironie pe care poate că sufletele chinuite care le colindaseră cândva coridoarele n-au sesizat-o, aceste așezăminte aducătoare de profit erau gestionate adesea de foști angajați ai vechilor aziluri. Statele fie ignorau situațiile de acest fel, fie chiar le promovau. Hawaii, de exemplu, s-a confruntat cu o mare penurie de paturi când sistemul său birocratic de sănătate psihică a ales să accelereze externarea din spitalele de psihiatrie. Problema a fost rezolvată prin încurajarea explicită a proliferării de așezăminte neautorizate. Nebraska s-a ferit la început de o abordare atât de *laissez-faire* și a decis că sunt

Psihoticul de pe trotuar: după dezinstituționalizare, mulți bolnavi psihici fără adăpost trăiesc pe străzi.

necesare unele prevederi din partea statului. Ca urmare, printr-o variație minunat de originală a practicii străvechi de a-i trata pe nebuni ca pe vite, a pus autorizarea și inspectarea căminelor pentru bolnavi psihici în mâinile departamentului său de agricultură. Când au izbucnit scandaluri, a ridicat autorizațiile – dar nu și pe pacienți – a 320 dintre aceste cămine și i-a lăsat pe pacienți să se descurce cum vor putea. Alte state, de exemplu Maryland și Oregon, au optat pentru varianta cea mai sigură, poate: nici un fel de urmărire a celor externați, deci o fericită ignoranță oficială cu privire la soarta lor probabilă. Mult prea des, cei cu tulburări psihice sunt lăsați la mila speculanților, care au toate motivele să-i cazeze cât mai ieftin cu putință pe cei ajunși în grija lor, din moment ce profitul este invers proporțional cu sumele cheltuite pe pacienți.

Rețeaua precară a așezămintelor de acest fel, concepută ca alternativă ieftină la spitalul de stat, și prezența tot mai numeroasă a celor cu invaliditate psihică gravă în rândurile oamenilor fără adăpost constituie o acuzație la adresa politicilor americane contemporane privind sănătatea psihică. Ele reprezintă, poate, ilustrarea extremă a ceea ce a devenit noua ortodoxie, o „abdicare aproape unanimă de la sarcina de a propune și asigura măsuri pentru o formă umană și continuă de îngrijire pentru acei pacienți psihiatrici care au nevoie de mai mult decât de o terapie de scurtă durată într-o

36 *Sanatoriul Battle Creek din Michigan (SUA), pentru pacienți nevropați înstăriți. În anul 1933 intrase deja în grija unui executor judecătoresc, victimă a Marii Depresiuni.*

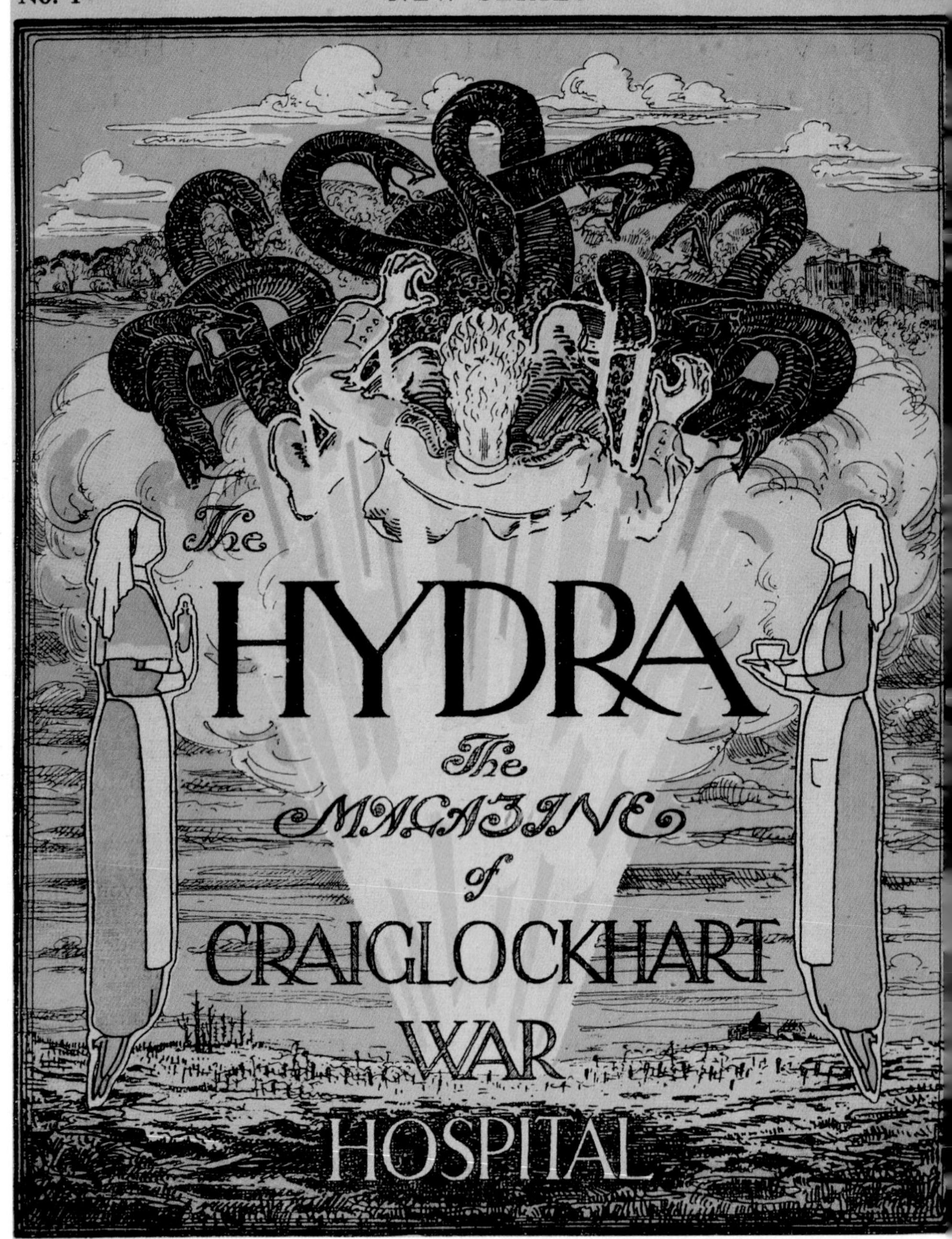

37 SUS The Hydra, *revistă realizată de pacienții spitalului de război Craiglockhart, unde au fost tratați ofițerii cu șoc de obuz din Primul Război Mondial, între care Siegfried Sassoon și Wilfred Owen.*

38 PAGINA ALĂTURATĂ, SUS Die Nacht (Noaptea) *(1918-1919) de Max Beckmann. O viziune sumbră a violenței într-o încăpere mică, cu trei torționari. Un bărbat este strâns de gât, o femeie violată e legată de un par, un copil e luat târâș ca să fie torturat sau ucis; orice sentiment al ordinii sau simț al perspectivei s-a năruit într-o lume a răului și nebuniei. Beckmann a spus că avusese intenția „de a oferi omenirii o imagine a sorții ei".*

39 PAGINA ANTERIOARĂ, JOS *Panoul central al* Tripticului de război *(1929-1932) de Otto Dix: cadavre germane umflate putrezind într-o tranșee, unul cu picioarele ciuruite de gloanțe; un schelet înfipt într-un copac; un cer arzător ce prevestește Apocalipsul. Nu e de mirare că naziștii l-au concediat pe Dix din postul lui de profesor la Dresda deoarece opera lui „risca să afecteze voința militară a poporului german".*

40 SUS Bedlam *(1975) de David Hockney: un model al proiectului lui Hockney pentru decorul ultimei scene a operei* Viața unui libertin *de Stravinski, la Glyndebourne.*

41 PAGINA ALĂTURATĂ *Cabinetul lui Freud de la Hampstead. În 1938, când a părăsit Austria, plecând în exil la Londra ca să scape de persecuțiile naziste, Freud și-a luat cu el canapeaua și obiectele personale și și-a recreat cabinetul de pe Berggasse nr. 19 din Viena în casa din Maresfield Gardens, în nordul Londrei. Încăperea este păstrată și astăzi în cadrul Muzeului Freud.*

PAGINA ALĂTURATĂ *Un coridor Spitalului de stat Grafton din assachusetts, închis în 1973 și răsit. Multe aziluri ca acesta, re au adăpostit cândva mii de meni, stau acum pustii și glijate, pradă distrugerii.*

43 SUS *O imagine aeriană a Insulei San Clemente din Veneția, acum complex hotelier de lux. Dar n-a fost întotdeauna o destinație atât de dezirabilă. Între 1844 și 1992 a fost azilul pentru femei nebune al orașului.*

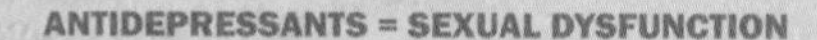

44 *O parodie de reclamă (2014) cu mesaj serios, creată de canadianul Billiam James, pict activist și „epileptic natural" autodeclarat, care și-a găsit inspirația vizuală în picturile textelor* Kama Sutra *și* Ragamala *din secolul al XVII-lea și inspirația verbală la Jefferson Airplane.*

etapă acută a bolii lor”[47]. Aici, separate și izolate ecologic de noi ceilalți, cele mai inutile și mai nedorite segmente ale societății noastre pot fi lăsate să se descompună în tăcere și, exceptând ocazionalele dezvăluiri din presă, practic invizibile.

Marea Britanie a avut propria experiență tristă și deprimantă în ce privește îngrijirea în comunitate. În perioada 1973-1974, de exemplu, când s-au cheltuit 300 de milioane de lire sterline pentru bolnavii psihici care continuau să beneficieze de tratament instituțional, doar 6,5 milioane de lire sterline au fost cheltuite pentru servicii rezidențiale și de îngrijire peste zi destinate celor „din comunitate”. Un deceniu și jumătate mai târziu, o investigație oficială asupra situației serviciilor de sănătate psihică a arătat că aceasta rămăsese aproape neschimbată: îngrijirea în comunitate era în continuare „o rudă săracă: rubedenia îndepărtată a tuturor, dar copilul nimănui”[48].

Cu această excepție, guvernele britanice succesive, asemenea omoloagelor lor americane, au evitat în mod intenționat să finanțeze vreun studiu sistematic asupra a ceea ce s-a întâmplat. Ba chiar par să fi făcut tot posibilul, metodic, să împiedice astfel de studii, nu în ultimul rând reducând accesul la informații statistice elementare, tactică justificată prin invocarea remarcabilei recomandări făcute de Rayner Review în 1981, potrivit căreia „informațiile nu ar trebui să fie culese în principal pentru publicare [...] ci pentru că guvernul are nevoie de ele pentru activitățile sale”[49]. Evident, guvernul a decis că nu are nevoie să știe (sau preferă să nu știe) ce au însemnat în practică politicile sale în acest domeniu: ce s-a întâmplat cu cei care nu mai sunt închiși în spitale de psihiatrie, când și de ce nu reușesc măsurile existente să răspundă nevoilor de bază și așa mai departe. În definitiv, în lipsa datelor sistematice, scandalurile individuale pot fi etichetate drept „accidentale” și ignorate, iar protestelor autorităților locale că li s-a încredințat o povară imposibilă și n-au primit resurse suplimentare pentru a acoperi măcar parțial nevoile li se poate răspunde în mod evaziv sau cu sfaturi referitoare la modalitățile de a evita aparentele obligații legale dictate de Legea privind persoanele bolnave cronic și cu dizabilități din 1970[50].

Însă unii bolnavi psihici se comportă în moduri ce creează perturbări aproape insuportabile în țesătura vieții cotidiene. Încălcările regulilor decenței publice, violența reală sau potențială, harababura și haosul pe care le prevestește prezența lor depășesc limitele toleranței comunităților. Fără azilurile care au îndeplinit cândva rolul de a aduna de pe străzi oamenii de felul acesta, trebuie găsită o alternativă. Și acea alternativă este adesea închisoarea. În America, de exemplu, cea mai mare concentrare a celor cu boli psihice grave este în Închisoarea Districtuală Los Angeles; la nivel național, estimările publicate în anul 2006 arătau că „15% dintre deținuții penitenciarelor de stat și 24% dintre cei din aresturi [...] [întrunesc] criteriile pentru o tulburare psihotică"[51]. În Franța, estimările plasează numărul bolnavilor psihici din închisori la peste 12.000 dintr-o populație totală a închisorilor de 63.000 de oameni[52]. Și în Marea Britanie, directorul general al Serviciului Penitenciarelor s-a plâns că „proporția populației din închisori care prezintă semne de boală psihică a crescut de șapte ori [de la sfârșitul anilor 1980 și până în 2002]. Pentru ea, îngrijirea în comunitate a devenit îngrijire în arest [...] problema este aproape copleșitoare"[53]. Întemnițarea nebunilor în închisori a șocat conștiința reformatorilor din secolul al XIX-lea și a contribuit la apariția epocii azilurilor. Închiderea acestor așezăminte, în secolul al XX-lea, pare să fi închis cercul.

Revoluția medicamentelor

Deși noile medicamente psihotrope n-au fost prima cauză a dezinstituționalizării, apariția lor a transformat totuși psihiatria, precum și concepțiile culturale generale despre nebunie. Introducerea Thorazinei în anul 1954 nu a fost nici pe departe primul caz de folosire a preparatelor farmaceutice pentru tratarea bolnavilor psihici și calmarea simptomelor psihiatrice. Unii psihiatri din secolul al XIX-lea, de exemplu, încercaseră să le dea pacienților marijuana, dar majoritatea au renunțat în scurt timp. Opiul era întrebuințat ca soporific în cazurile de manie. Ulterior, pe parcursul secolului al XIX-lea, cloralhidratul și bromurile și-au avut susținătorii lor entuziaști și au continuat să fie folosite și în secolul al XX-lea.

Excesul de bromuri provoca simptome psihotice, iar folosirea lor pe scară largă în afara azilului se solda cu reacții toxice care aduceau un număr substanțial de pacienți în spitalele de psihiatrie, diagnosticați ca nebuni; iar cloralul, deși eficient ca sedativ, crea dependență și folosirea lui îndelungată ducea la halucinații și simptome similare celor din delirium tremens. *The Ordeal of Gilbert Pinfold* (1957) de Evelyn Waugh oferă o descriere abia mascată ca ficțiune a halucinațiilor și tulburărilor psihice ce puteau urma. Dependent de alcool și fenobarbital, Waugh își administra cu generozitate bromuri și cloral și, după cum a recunoscut chiar el, portretul din carte al romancierului catolic de vârstă mijlocie clătinându-se în pragul nebuniei și apoi căzând în prăpastie oglindește ceea ce i s-a întâmplat în timpul „nebuniei [sale] târzii".

Sărurile de litiu păreau să calmeze agitația pacienților maniaci și unele așezăminte de hidroterapie le foloseau în tratarea pacienților nevropați. Însă litiul putea foarte ușor să se dovedească toxic, cauzând anorexie, depresie și chiar colaps cardiovascular și moarte. Valoarea lui avea să fie promovată mai târziu de psihiatrul australian John Cade (1912-1980), după al Doilea Război Mondial, iar efectele sale calmante în cazul maniei aveau să stimuleze și pe mai departe interesul clinic față de acești compuși în Europa și America de Nord.

Anii 1920 au fost martorii experimentelor cu barbiturice, inclusiv ai unor încercări de a le induce pacienților psihiatrici perioade de animație suspendată generată pe cale chimică, în speranța că astfel se va obține vindecarea (după cum am menționat la p. 282). Însă și barbituricele aveau dezavantaje majore: dădeau dependență, supradozele se puteau dovedi fatale, iar simptomele de sevraj la întreruperea lor erau extrem de neplăcute și chiar periculoase. În plus, la fel ca medicamentele anterioare prescrise de psihiatri, consumul lor cauza confuzie mintală, deficiențe de judecată și incapacitate de concentrare, precum și un întreg spectru de probleme fizice.

Partizanii noilor antipsihotice susțineau că aceste substanțe sunt diferite și, cu timpul, ele aveau să devină ultima speranță a psihiatriei moderne. La jumătatea secolului al XX-lea, psihoterapia psihanalitică ocupa poziția dominantă în cadrul psihiatriei americane, iar în alte părți ortodoxia consta în centrarea eclectică pe o combinație vagă de factori sociali, psihologici și biologici. Jumătate de secol mai târziu, puțini psihiatri nutreau vreun interes pentru psihoterapie, iar entitățile care îi plăteau, fie ele guverne sau companii de asigurări private, nu se arătau deloc înclinate să le deconteze aceste servicii dacă ei le ofereau.

Curele verbale de un tip nou, cum ar fi intervențiile relativ scurte caracteristice terapiei cognitiv-comportamentale (TCC), au devenit domeniul psihologiei clinice și al asistenței sociale, profesii puternic feminizate (și mai ieftine). Însăși identitatea psihiatriei este acum strâns legată de monopolul ei în prescrierea medicamentelor, iar în ce-i privește pe psihiatri, pastilele au înlocuit conversația ca soluție predominantă în cazul perturbărilor cognitive, afective și comportamentale. Pacienții și familiile acestora caută acum la medicii lor poțiunile magice care vor genera o viață mai bună prin intermediul chimiei. E posibil ca în viitor să se demonstreze că aceste asigurări au o bază solidă și durabilă, dar în prezent se întemeiază mai mult pe credință decât pe știință. Sau poate că nu se va întâmpla asta. Cel mai probabil, ele sunt doar o parte a poveștii, caz în care este foarte posibil ca dimensiunea socială și cea psihologică ale bolii psihice să fi fost înmormântate prematur.

Este întru totul posibil ca, la urma urmei, să se descopere că nebunia are într-adevăr unele rădăcini în semnificații, poate nu semnificații

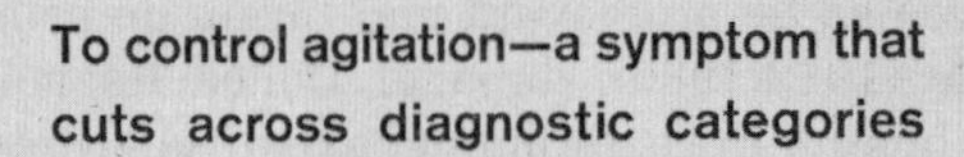

O primă reclamă la virtuțile Thorazinei, care îi promovează utilitatea în a-i potoli soțului agitat pornirile de a-și bate soția. Accentul pe capacitatea medicamentului de a-l face pe pacient mai accesibil la psihoterapie este o evidentă încercare de a-i atrage pe psihanaliștii care dominau pe atunci psihiatria americană, un grup ce nu era dispus să prescrie substanțe chimice pentru tratarea bolilor psihice.

freudiene, dar, oricum, semnificații. Mai presus de toate, nebunia rămâne remarcabil de misterioasă și greu de înțeles, deși nu asta ar vrea ideologia dominantă din psihiatrie să credem noi, ceilalți. Reducționismul biologic domină. Nu întâmplător, industria farmaceutică se îmbogățește.

Clorpromazina – prima dintre fenotiazinele care au revoluționat inițial practica psihiatrică – a fost sintetizată pe 11 decembrie 1950 de mica firmă farmaceutică franceză Rhône-Poulenc. Aplicațiile ei psihiatrice au fost o chestiune de serendipitate. Compania făcuse inițial experimente cu ea ca modalitate de a reduce doza de anestezic necesară în timpul intervențiilor chirurgicale, ca antiemetic și apoi ca tratament pentru iritațiile cutanate. În vremea aceea, controlul distribuirii medicamentelor și al experimentelor terapeutice cu substanțe noi era uimitor de lax. Un chirurg din marina militară franceză, Henri Laborit (1914-1995), care primise o mică cantitate, a utilizat-o pe niște pacienți psihiatrici și a fost surprins de efectele pe care le-a avut asupra lor. Pacienții au părut să-și piardă interesul față de mediul înconjurător, iar simptomele lor extravagante s-au potolit, fără mari manifestări de somnolență. Pierre Deniker (1917-1998) și Jean Delay (1907-1987), care practicau psihiatria la spitalul Sainte-Anne din Paris, au auzit de acest lucru și au început să le administreze pacienților medicamentul. După câteva luni, el a fost scos pe piață în Franța sub denumirea Largactil.

Medicii americani erau însă foarte sceptici față de cercetările medicale europene, astfel că Rhône-Poulenc a ales să vândă companiei americane Smith, Kline & French dreptul de punere pe piață a medicamentului. Schimbând denumirea medicamentului în Thorazine, aceasta a obținut în 1954 autorizația de scoatere pe piață din partea Food and Drug Administration. Cu o investiție inițială pentru cercetare și dezvoltare de numai 350.000 de dolari, corporația a obținut un profit imens. În decurs de un an de la introducerea în comerț, Thorazine a dus la creșterea cu 33% a volumului vânzărilor companiei, iar dezvoltarea ulterioară a Smith, Kline & French, de la vânzări nete de 53 de milioane de dolari în 1953 la 347 de milioane de dolari în 1970, s-a datorat în mare măsură, direct sau indirect, acestui produs extrem de profitabil.

Acest tipar exploziv de dezvoltare nu era întâmplător. El reflecta o campanie de promovare uriașă, susținută și costisitoare din partea companiei. În decurs de șapte ani, atât legislativele statale, cât și personalul medical din spitalele de stat au fost bombardate cu materiale de marketing sofisticate, menite să le convingă de avantajele medicamentului ca formă de tratament ieftină și eficace, potrivită pentru a fi administrată în masă pacienților psihiatrici din spitale. A fost unul dintre primele medicamente de mare succes, iar alte companii farmaceutice s-au grăbit să profite producând versiuni minimal diferite ale medicamentului original, pe care le puteau breveta în nume propriu. Revoluția psihofarmacologică începuse cu adevărat.

Thorazine și derivatele ei au oferit în premieră psihiatriei o modalitate terapeutică ușor de administrat și care semăna foarte bine cu maniera de tratare a bolilor aflată tot mai mult la baza autorității culturale a medicinei în general. Contrastul cu lobotomia și terapia de șoc era evident, iar Smith, Kline & French a anunțat imediat că unul dintre avantajele principale ale noului remediu

Deprimată? Noi avem soluția! Reclamă la „micul ajutor al mamei” – o pastilă pentru femeia casnică, prizoniera închisorii domestice.

era că „Thorazine reduce nevoia de terapie cu electroșocuri”[54]. Dar, în ciuda entuziasmului inițial provocat de introducerea lor, noile medicamente erau în cel mai bun caz un tratament care diminua simptomele psihiatrice. Acest lucru prezenta o atracție considerabilă. Însă ele nu vindecau boala subiacentă.

În scurt timp, industria farmaceutică a adus pe piață alte clase de medicamente psihoactive. Mai întâi au fost așa-numitele tranchilizante minore, Miltown și Equanil (meprobamat), care dădeau somnolență, și ulterior Valium și Librium (benzodiazepinele), despre care se spunea că nu dau. Odată cu apariția acestor medicamente, necazurile vieții cotidiene au fost redefinite fără efort drept boli psihiatrice. Apăruseră pastilele care ofereau o soluție la plictiseala femeii casnice captive și la deprimarea mamelor copleșite și a persoanelor de ambele sexe ajunse la vârsta mijlocie. Încă din 1956, statisticile sugerează că un american din douăzeci lua tranchilizante în fiecare lună. Părea că anxietatea, încordarea, nefericirea, toate puteau fi alinate de medicație. Totuși, și de această dată, avantajele erau obținute cu un preț: mulți dintre cei care luau medicamentele ajungeau la obișnuință fizică, până când le era greu sau imposibil să renunțe la ele, căci ar fi însemnat să accepte simptome și o suferință psihică mai rele decât cele care îi determinaseră inițial să le ia. Trupa Rolling Stones cânta rău-prevestitor despre „mica pilulă galbenă", „micul ajutor al mamei", care „o ajută [pe casnică] în drumul ei", până-n „ziua ocupată a morții". Dar consumatorii le cereau cu insistență și, în scurt timp, medicamentele cu rețetă, stimulatoare și calmante, n-au mai fost monopolul celor căsătoriți și al celor de vârstă mijlocie. Le înghițeau și starurile rock și adolescenții.

La sfârșitul anilor 1950 s-au creat alte substanțe care modificau dispoziția, începând cu Iproniazid, un inhibitor de monoamin oxidază, în 1957, și Tofranil și Elavil, așa-numitele antidepresive triciclice, în 1958 și, respectiv, 1961[55]. Poate în parte din cauză că mulți oameni deprimați suferă în tăcere, persista convingerea că depresia este relativ rară. Succesul Prozacului în anii 1990 a schimbat cu totul această perspectivă. Depresia a devenit o boală de proporții epidemice. Făcând aluzie la faimoasa remarcă a lui Auden cu privire la Freud (vezi *supra*, p. 319), psihiatrul american Peter Kramer (n. 1948) a comentat: „Cu timpul, bănuiesc că vom ajunge să descoperim că psihofarmacologia a devenit, asemenea lui Freud la vremea lui, un adevărat climat de opinie în care ne ducem fiecare propria viață"[56]. Și așa s-a dovedit a fi.

Refacerea psihiatriei

Așa cum am văzut în capitolul anterior, înainte de al Doilea Război Mondial majoritatea psihiatrilor americani, asemenea omologilor lor din alte părți, își făceau meseria în spitale de psihiatrie. Și cu toate că secolul al XX-lea fusese martorul apariției unui număr mic de practicieni care-și câștigau traiul lucrând cu pacienți mai puțin perturbați, la cabinet, în 1940 psihiatrii alcătuiau o specialitate periferică și disprețuită, rămânând cu precădere captivi între zidurile azilurilor.

Toate acestea s-au schimbat cu repeziciune în timpul războiului și imediat după aceea. Încă din 1947, printr-o întorsătură spectaculoasă, peste jumătate dintre psihiatrii americani lucrau în cabinete particulare sau în clinici ambulatorii; iar în 1958, doar 16% își practicau meseria în spitale de stat tradiționale. Mai mult chiar, această mutare rapidă a centrului de greutate al profesiei a survenit în contextul unei creșteri extraordinare a mărimii absolute a profesiei[57]. Și mulți dintre membrii ei practicau psihanaliza, fie în forma sa ortodoxă, fie într-una simplificată.

Delimitările între așa-numiții psihiatri dinamici și cei pe care noua elită profesională îi numea cu dispreț „psihiatri directiv-organici" (adică cei care le spuneau pacienţilor să se adune şi completau aceste îndemnuri cu terapii de şoc şi alte forme de intervenţie fizică) nu reflectau cu exactitate delimitarea între psihiatria instituţională şi cea de cabinet. Dar o reflectau destul de bine. Pe lângă faptul că erau mai înstăriţi, bolnavii psihici care căutau tratament în ambulator aveau în general, fireşte, tulburări mult mai uşoare. Dar cum aveau să reacţioneze freudienii şi tovarăşii lor de drum la toată zarva stârnită de noile medicamente?

Reacţia iniţială a multora a fost să ignore remediile farmaceutice. Respectivele medicamente nu făceau decât să trateze simptome psihiatrice, fără să ajungă la miezul psihodinamic al problemelor pacienţilor, afirmau aceşti practicieni. Erau un plasture, nu un leac. Dar, pe măsură ce medicamentele au proliferat şi ca număr, şi ca tip, această tactică a devenit mai greu de aplicat şi mulţi au adoptat o abordare alternativă a provocării farmaceutice: au recunoscut că medicamentele sunt un adjuvant util, o cale de a-l face pe pacientul perturbat, cu halucinaţii şi delir, mai calm şi, astfel, accesibil pentru psihoterapie. Acolo se desfăşura adevăratul travaliu terapeutic. Companiile farmaceutice, vigilente faţă de preferinţele şi prejudecăţile celor cărora trebuiau să le vândă produsele lor, şi-au adaptat materialele de marketing, astfel că reclamele la medicamente din această perioadă au pus accent pe utilizarea antipsihoticelor ca adjuvante pentru psihoterapie.

Celor mai mulţi psihanalişti americani care practicau în anii 1960, hegemonia lor asupra profesiei psihiatrice li se părea probabil asigurată. Ei aveau cei mai dezirabili şi mai profitabili pacienţi şi câştigau mult mai bine decât partea înapoiată a profesiei, rămasă captivă în spitalele de psihiatrie – ba chiar mai bine decât mulţi dintre colegii lor din alte specialităţi medicale. Ideile lor se găseau pretutindeni în cultura generală, adoptate cu înflăcărare de pictori, scriitori şi intelectuali. Portretul pe care Freud şi l-a făcut sieşi ca titan intelectual care a revoluţionat înţelegerea omenirii se bucura de un mare respect. Latura umanistă şi intelectuală a psihanalizei atrăgea spre psihiatrie recruţi talentaţi, iar catedrele universitare în cadrul cărora se formau aceşti studenţi erau dominate de cei cu orientare psihanalitică. Ce putea să meargă rău, ce putea să le perturbe dominaţia? De bună seamă, un lucru atât de consistent nu se putea topi în aer! Şi totuşi s-a topit.

Însăşi ambiţia psihanalizei de a fi o ştiinţă generală a psihicului a generat, în mod ciudat, un soi de vulnerabilitate. Dacă alte forme ale psihiatriei concepeau boala psihică în manieră categorială – lumea celor sănătoşi psihic şi lumea celor bolnavi fiind socotite entităţi discrete şi radical opuse –, psihanaliza aborda boala psihică în manieră dimensională. În locul discontinuităţilor nete între nebuni şi noi, ceilalţi, ea vedea în noi toţi nişte fiinţe într-o oarecare măsură viciate, patologice, iar originile tulburărilor mintale se găseau în psihicul fiecăruia. Criticile aduse psihiatriei ca instrument de control social au fost îndreptate iniţial către spitalul de psihiatrie, evident vulnerabil la afirmaţiile că ar fi o închisoare sau un lagăr de concentrare mascat. Dar această tendinţă a psihanalizei de a medicaliza diferenţele dintre oameni şi de a lărgi graniţele patologiei psihice – de a susţine că, de exemplu, criminalii sunt bolnavi, nu diabolici şi că defectele de personalitate sunt un fel de boală psihică –, aceste afirmaţii trezeau tot mai mult îngrijorare cu privire la rolul psihiatriei. Dacă diferenţele şi excentricitatea erau redefinite drept probleme medicale şi apoi supuse tratamentului obligatoriu, ce implicaţii avea acest lucru pentru libertatea umană?

Psihanaliştii nu luaseră niciodată prea în serios distincţiile diagnostice de genul acelora – celebre – formulate de Kraepelin şi alţii. Schizofrenie hebefrenică sau dezorganizată, schizofrenie paranoidă, schizofrenie nediferenţiată, psihoză maniaco-depresivă şi aşa mai departe: acestea erau simple categorii grosiere şi inutile. Pentru psihanalişti conta psihopatologia individului concret pe care îl tratau, nu un set abstract de etichete arbitrare. Însă alţi oameni credeau că etichete ca „schizofrenie" şi „boală maniaco-depresivă" se referă la boli reale şi, când a devenit evident că psihiatrii pur şi simplu nu puteau să cadă de acord asupra diagnosticelor, stânjeneala şi ameninţarea la adresa legitimităţii profesiei au fost profunde.

O serie de studii efectuate la sfârşitul anilor 1960 şi în anii 1970 demonstraseră că diagnosticele psihiatrice nu sunt de încredere[58]. Chiar şi în privinţa formelor celor mai grave de tulburări psihiatrice, diferiţi psihiatri cădeau de acord asupra diagnosticului doar în aproximativ 50% din cazuri. Multe dintre aceste studii fuseseră făcute chiar de membri ai profesiei, iar printre ele se număra şi un studiu de referinţă efectuat de psihiatrul britanic John Cooper şi asociaţii lui asupra diagnosticului diferenţial într-un context transnaţional[59]. Acea cercetare a arătat că simptomele pe care psihiatrii britanici le diagnosticau drept boală maniaco-depresivă erau etichetate de omologii lor americani drept schizofrenie şi invers.

Însă demersul care a atras cel mai mult atenţia publicului şi a afectat cel mai mult imaginea publică a psihiatriei a fost un experiment cu pseudopacienţi efectuat de David Rosenhan (1929-2012), psiholog social la Stanford, al cărui rezultat a fost publicat în anul 1973 în *Science*, una dintre cele mai citite reviste ştiinţifice din lume[60]. Subiecţii cercetării au mers la un spital de psihiatrie local, susţinând că aud voci. Aveau instrucţiuni ca după internare să se poarte absolut normal. Majoritatea au fost diagnosticaţi ca schizofrenici şi comportamentul lor ulterior a fost interpretat prin prisma acestui filtru, astfel că fişa unui subiect care îşi nota detalii despre secţie consemna „pacientul prezintă comportament de scris". Alţi pacienţi şi-au dat seama că pseudopacienţii se prefac, dar nu şi psihiatrii; când pseudopacienţii au fost externaţi, mulţi au fost clasificaţi drept „schizofrenici în remisie".

Imediat ce a apărut lucrarea lui Rosenhan, psihiatrii au protestat vehement că studiul a fost lipsit de etică şi cu vicii metodologice. Protestele lor nu erau cu totul neîntemeiate, dar „On Being Sane in Insane Places" a fost privit pe scară largă drept o nouă bilă neagră pentru profesie. Juriştii au început să ia făţiş în derâdere pretenţiile de competenţă clinică ale psihiatriei. Un articol dintr-o importantă revistă de drept sugera că mărturia „expertă" a psihiatrilor nu e câtuşi de puţin mărturie expertă, ci seamănă mai degrabă cu „datul cu banul în sala de judecată" – şi aduna o mulţime de referinţe pentru a dovedi acest lucru[61].

Imprecizia diagnostică a provocat la începutul anilor 1970 probleme tot mai mari pentru profesie şi din alt motiv, poate chiar mai important. Industria farmaceutică descoperise că găsirea de noi tratamente pentru bolile psihice înseamnă profituri potenţiale imense. Însă pentru a crea medicamente şi pentru ca autorităţile să permită scoaterea pe piaţă de noi preparate, era esenţial să aibă acces la grupuri omogene de pacienţi. Ca să demonstreze că un tratament este statistic superior altuia, avea nevoie de un număr tot mai mare de pacienţi care să poată fi repartizaţi în grupurile experimentale şi de control pe care se bazau studiile dublu-oarbe[62]. Dar dacă nu exista certitudinea că pacienţii au acelaşi diagnostic, cum se puteau face comparaţii? Iar atunci când se vădea că o substanţă nouă avea efect la unii pacienţi, dar nu şi la alţii, acest fapt declanşa la rândul lui o îngrijorare sporită în privinţa preciziei diagnosticului, din moment ce diferenţierea subpopulaţiilor era esenţială pentru a genera dovezile de eficacitate necesare.

Cum se poate decide cine e nebun şi cine e sănătos psihic? Aceasta era o întrebare care cerea imperios un răspuns. Nici un studiu radiografic sau RMN, nici o analiză a sângelui sau procedură de laborator nu veneau în ajutorul celor care trebuiau să facă această distincţie absolut elementară. Unii, urmând exemplul lui Thomas Szasz, au conchis că, în lipsa unor astfel de criterii diagnostice cu bază biologică, boala psihică e o simplă ficţiune, o etichetă înşelătoare aplicată celor care ne fac probleme. Dar majoritatea celorlalţi nu gândesc astfel: unii dintre semenii noştri – cu idei delirante, deprimaţi sau demenţi – sunt atât de înstrăinaţi de realitatea pe care părem s-o avem în comun noi, ceilalţi, încât concluzia că sunt nebuni (sau, mai politicos spus, bolnavi psihici) pare inevitabilă. În cazurile grave de alienare, am fi probabil tentaţi să punem la îndoială sănătatea psihică a cuiva care contrazice consensul. Dar în cazurile mai puțin vădite unde să trasăm limita? Poate că am râde citind depoziția la tribunal a lui John Haslam, unul dintre cei mai faimoși (sau rău famați) doctori de nebuni care au practicat în secolul al XIX-lea: „N-am văzut niciodată o ființă umană întreagă la minte". Dar adevărul este că, dincolo de miezul tulburărilor comportamentale sau psihice ușor de recunoscut, granița dintre normal și patologic rămâne extraordinar de vagă și nedefinită. Și totuși, se trasează limite, iar miza sunt viețile omenești. Nebun sau doar excentric? Contează foarte mult.

Luate laolaltă, aceste întrebări care se învârteau în jurul competenței diagnostice a psihiatriei au îndemnat Asociația Psihiatrilor Americani să inițieze un demers de standardizare a diagnosticelor. S-a format o echipă de lucru căreia i s-a încredințat misiunea de a elabora o nosologie mai demnă de încredere. Psihanaliștii au ignorat-o. Echipa era condusă de Robert Spitzer (n. 1932), psihiatru la Universitatea Columbia, care a recrutat rapid oameni cu aceeași viziune ca a lui, majoritatea de la Universitatea Washington din St Louis (Missouri)[63]. Membrii echipei de lucru înclinau puternic în favoarea modelelor biologice ale bolilor psihice și le plăcea să se numească „persoane orientate spre date concrete", deși, în realitate, munca lor a presupus mai mult târguieli politice decât știință[64]. Preferau pastilele conversațiilor și, în mâinile lor, o abordare nouă absolut distinctivă a procesului de diagnosticare a devenit o armă decisivă în bătălia pentru reorientarea profesiei.

Incapabilă să demonstreze înlănțuiri cauzale convingătoare pentru vreo formă majoră de tulburare psihică, echipa de lucru a lui Spitzer a renunțat la orice pretenție în acest sens. S-a concentrat în schimb pe maximizarea fidelității inter-evaluatori, astfel încât psihiatrii care examinau un anumit pacient să fie de acord care era problema. Aceasta a presupus elaborarea unor liste de simptome considerate că ar caracteriza diferitele forme de tulburare psihică și aplicarea lor la o abordare a diagnosticului de tipul „bifat căsuțe". În fața unui pacient nou, psihiatrii aveau să consemneze prezența sau absența unui set dat de simptome și, odată ce se ajungea la un număr-prag al acestora, persoana pe care o examinau primea o anumită etichetă diagnostică, fiind invocată „comorbiditatea" pentru a explica situațiile în care se putea diagnostica mai mult de o singură „boală". Controversele cu privire la ceea ce trebuia să-și găsească locul în manual au fost rezolvate prin voturi ale comisiei, la fel și decizia arbitrară privind stabilirea pragurilor: câte simptome din meniu trebuia să prezinte un pacient ca să se declare că suferă de o anumită formă de boală. Chestiunile de validitate – dacă noul sistem de clasificare a „bolilor" enumerate corespundea în vreun fel unor distincţii care să aibă sens din punct de vedere etiologic – au fost lăsate pur şi simplu deoparte. Dacă se putea face în aşa fel încât diagnosticele să fie mecanice şi previzibile, consecvente şi replicabile, era de ajuns. Manifestările „superficiale" ale bolilor psihice, pe care psihanaliştii le respinseseră de mult drept simple simptome ale tulburărilor psihodinamice subiacente ale personalităţii, au devenit acum jaloane ştiinţifice, elemente definitorii ale diferitelor forme de tulburări psihice. Iar controlarea respectivelor simptome, preferabil prin mijloace chimice, a devenit noul Sfânt Graal al profesiei.

În cele din urmă, a trebuit ca o nouă ediţie a *Manualului de diagnostic şi clasificare statistică a tulburărilor mintale* (DSM) să fie supusă votului membrilor Asociaţiei Psihiatrilor Americani. Psihanaliştii şi-au dat seama cu întârziere că, neglijând acest proces, au comis o greşeală catastrofală. Chiar şi categoria de boli în care se încadrau cei mai mulţi dintre pacienţii lor, nevroza, era pe cale să dispară din sistemul oficial de etichete al profesiei, cu efecte previzibile asupra mijloacelor lor de trai. Dar încercările psihanaliştilor de a-şi salva poziţia au fost blocate de o contramăsură iscusită şi cinică a lui Robert Spitzer: ca gest de aparent compromis, el a permis introducerea după anumite diagnostice, între paranteze, a sintagmei „reacţie nevrotică". Asociaţia a votat pozitiv şi, în 1980, a apărut a treia ediţie a *Manualului de diagnostic şi clasificare statistică* (în realitate, prima ediţie substanţială şi semnificativă), cu efecte spectaculoase asupra viitorului psihiatriei şi a concepţiilor culturale generale cu privire la boala psihică[65]. În afara Americii de Nord, mulţi psihiatri preferau un alt sistem de clasificare, parte a ICD (Clasificarea Internaţională a Bolilor), publicată de Organizaţia Mondială a Sănătăţii, iar unii continuă să îl prefere. Însă corelaţiile stabilite de industria farmaceutică multinaţională între categoriile diagnostice din DSM şi noile tratamente medicamentoase din psihiatrie au făcut ca influenţa DSM să fie mai profundă şi ca psihiatrii de pretutindeni să fie siliţi să se încline în cele din urmă în faţa autorităţii lui. Categoriile ICD şi DSM au devenit tot mai convergente şi, pe cât se pare, următoarea ediţie a ICD, a unsprezecea, va aduce o apropiere şi mai mare a celor două sisteme.

La relativ scurt timp după publicarea ediţiei a treia a manualului, în 1987, când a apărut o versiune revăzută, menţiunea referitoare la „reacţia nevrotică" a dispărut, aşa cum intenţionase Spitzer de la bun început[66]. În 1994, când a apărut a patra ediţie, DSM avea peste 900 de pagini, identifica aproape 300 de boli psihiatrice şi se vindea în sute de mii de exemplare a câte 85 de dolari bucata. Era articolul indispensabil de pe raftul cu cărţi al oricărui specialist american în sănătate psihică şi, în ultimă instanţă, s-a dovedit a fi berbecul de luptă care a asigurat hegemonia mondială a noii psihiatrii americane. Limbajul și categoriile pe care le folosim pentru a descrie suferința psihică, granițele oficiale ale patologiei psihice, chiar și experiența existențială a pacienților psihiatrici au primit amprenta de neșters a acestui document.

Triumful înregistrat de DSM-III a marcat începuturile unui sistem de clasificare ce corela tot mai mult categoriile diagnostice cu tratamente medicamentoase specifice. Aceasta a dus la acceptarea de către membrii profesiei și public deopotrivă a unei conceptualizări a bolilor psihice ca boli specifice, identificabil diferite, fiecare răspunzând unui tratament cu medicamente diferite. Cel mai important, întrucât industria asigurărilor medicale a început să ceară un diagnostic DSM înainte de a accepta să acopere costul tratamentului unui pacient (iar regimul de tratament și durata lui au ajuns să fie corelate cu categoriile diagnostice individuale), DSM-III a devenit un document pe care era imposibil să-l ignori și să nu-i confirmi validitatea. Dacă un specialist din domeniul sănătății psihice voia să fie plătit (și nu-și permitea să funcționeze în afara indemnizării prin sistemul de asigurări, ceea ce era, firește, cazul majorității), nu avea de ales, trebuia să accepte manualul.

În anii care au urmat, mai ales după lansarea antidepresivelor în anii 1990, limbajul biologic a ajuns să satureze discursul profesional și pe cel al publicului cu privire la bolile psihice. Steven Sharfstein (n. 1942), pe atunci președintele Asociației Psihiatrilor Americani, a descris rezultatul acestui proces drept trecerea de la „modelul bio-psiho-social [al bolii psihice] la [...] modelul bio-bio-bio". Aproape de la începutul acestei transformări, psihanaliștii americani s-au trezit că rămân în mare măsură fără pacienți și își pierd poziția dominantă în cadrul profesiei psihiatrice.

Decăderea lor a fost accelerată de o altă decizie fatidică pe care psihanaliștii o luaseră la începuturi, când au organizat formarea noilor generații ale profesiei în Statele Unite. Dornici să-și păstreze controlul absolut asupra formării psihanaliștilor și asupra trierii celor care aveau acces la profesie, fondaseră institute aflate cu totul în afara sistemului universităților. Însă apariția universității moderne de cercetare, rolul ei de receptacul al științei pure și prestigiul ei tot mai mare ca fabrică unde se producea și se disemina cunoașterea au sporit slăbiciunea structurală a grupărilor cărora le lipsea această formă de legitimare. Excluderea psihanalizei din aceste amfiteatre sacre – soartă pe care o căutase de bunăvoie și chiar înadins atunci când acest lucru părea să nu aibă importanță – a făcut-o mai ușor de respins ca sectă, nu ca știință.

Așadar, în mod paradoxal, tocmai în Statele Unite, țara în care se bucurase de cel mai mare succes, psihanaliza a ajuns cel mai aproape de căderea în uitare ca profesie. Odată ce ea și-a pierdut hegemonia, psihiatria biologică renăscută n-a mai vrut să știe de demersul freudian și a căutat rapid să-l înlăture. Dacă psihanaliza a supraviețuit cât de cât în Statele Unite, a făcut-o mai mult în amfiteatrele catedrelor de literatură și antropologie, cu adaosul câte unui filosof stingher. A rămas o piață minusculă, preponderent evreiască și limitată la câteva centre urbane majore, pentru oferta ei terapeutică, dar psihanaliza ca demers terapeutic a devenit în scurt timp o specie pe cale de dispariție[67].

În alte părți, soarta ei n-a fost la fel de sumbră. Niciodată dominantă profesional în țări ca Marea Britanie și Franța, psihanaliza și-a păstrat mare parte din numărul limitat de adepți de care se bucurase înainte și a continuat să exercite asupra multor intelectuali o fascinație care nu dă semne că ar păli. Este adevărat că, până recent, Freud al francezilor era întru câtva o caricatură. Psihanaliza pariziană era în general versiunea idiosincratică derivată din opera lui Jacques Lacan (1901-1981). Lacan începuse să atragă atenția în anii 1960 și ajunsese aproape să fie venerat în anumite cercuri înainte de moartea sa, în 1981[68]. (Versiunea de psihanaliză a lui Lacan era atât de stranie, încât el fusese deja expulzat din rândurile psihanalizei freudiene ortodoxe. La el, „ora de analiză", spre exemplu, dura uneori doar câteva minute, câteodată chiar mai puțin – un singur cuvânt [*parole*] șoptit pacientului în sala de așteptare fiind considerat [și taxat] ca o ședință de terapie. Astfel, Lacan putea să vadă [și să taxeze] chiar și zece pacienți într-o singură oră[69].) Totuși, popularitatea lui Lacan i-a încurajat cel puțin pe intelectualii francezi să-l abordeze pe Freud și o parte din acel interes sporit a persistat, chiar dacă moștenirea lacaniană pălește. Dincolo de Canalul Mânecii, pe pământ britanic, în ciuda diviziunilor interne și a controverselor sectare a căror origine poate fi urmărită în trecut până la al Doilea Război Mondial (și la scindarea incipientă între freudienii ortodocși, conduși de Anna, fiica lui Freud, și facțiunea apostată condusă de Melanie Klein), psihanaliza continuă să aibă o prezență publică foarte vizibilă. Cum nu s-au bucurat niciodată de importanța și puterea pe care au avut-o în profesia psihiatrică omologii lor americani, psihanaliștii britanici sunt, poate, mai puțin obsedați de sentimentul declinului și al prăbușirii iminente.

În plan terapeutic, se poate ca marginalizarea psihanalizei să nu fi fost o mare pierdere, mai ales în privința tratării celor grav bolnavi psihic. Deși unii psihanaliști americani ca Harry Stack Sullivan (1892-1949) și Frieda Fromm-Reichmann (1889-1957) și psihiatrul italian Silvano Arieti (1914-1981) au susținut că au obținut unele succese în tratarea psihozelor[70], iar în Europa adepții lui Melanie

Klein (1882-1960) și Jacques Lacan au menționat și ei posibilitatea adaptării tehnicilor psihanalitice pentru tratarea pacienților cu tulburări profunde, în afara adepților convinși, puțini au acordat credit acestor afirmații, atunci ca și azi[71].

Însă afirmația psihanaliștilor că nebunia are sens a stimulat atenția acordată individului, i-a încurajat pe psihiatri să asculte și să învețe de la bolnavi despre semnificația psihologică a tulburărilor psihice și s-a asociat cu accentul pus pe importanța observării atente a suferințelor lor. Într-o epocă a diagnosticelor DSM rapide și a tratamentului medicamentos prompt și aproape universal, fenomenologia psihopatologiei a suferit o neglijare aproape fatală, iar acest lucru este, fără îndoială, o mare pierdere. S-a ajuns în punctul în care Nancy Andreasen (n. 1938), eminent neurolog și multă vreme editoarea *American Journal of Psychiatry*, s-a simțit obligată să avertizeze că „se produce un declin constant în predarea și învățarea evaluării clinice atente, orientate spre problemele și contextul social individual al persoanei [...]. Studenții sunt învățați să memoreze DSM-ul, în loc să învețe despre aspectele complexe" ale bolilor psihice. *Manualul de diagnostic*, se plânge ea, „a avut un impact dezumanizant asupra practicii psihiatriei"[72]. Nerostit, dar cu siguranță mai important a fost impactul dezumanizant al acestor evoluții asupra pacienților care constituie obiectul atenției specialiștilor.

În dorința de a elabora o clasificare universală și obiectivă și de a asigura un pat al lui Procust la care psihopatologia fiecărui individ poate și trebuie să se potrivească, cei care lucrează între granițele paradigmei DSM au drept obiective principale să elimine în cât mai mare măsură posibil judecata clinică individuală, cu toate diferențele de opinie ce rezultă inevitabil din faptul că se sprijină pe ceva atât de schimbător, și într-un mod mai general să evacueze subiectivitatea umană. Această focalizare a psihiatrilor face posibilă etichetarea rapidă, rutinieră și replicabilă. Problemele pacienților sunt diagnosticate de regulă în mai puțin de jumătate de oră – o realizare remarcabilă, deși unora ar putea să le pară vădit îndoielnică, date fiind consecințele asupra întregii vieți care decurg adesea din asemenea decizii. Însăși logica abordării DSM preîntâmpină în mod voit orice atenție serioasă acordată complexității și trăsăturilor particulare ale cazului individual. În aceasta constă virtutea lui ca instrument pentru stabilizarea judecății profesionale – și, de asemenea, viciul lui, dacă punem la îndoială validitatea unei perspective atât de grosiere și de mecanizate asupra vastei game de suferințe omenești care este nebunia.

Biologia se răzbună

La sfârşitul secolului al XIX-lea, psihiatrii din lumea întreagă erau convinşi că boala psihică este o boală a creierului şi a corpului perturbat. Pacienţii cu probleme psihice erau o specie inferioară a omenirii, întruchiparea vie a proceselor degenerative care le explicau defectele: insensibilitatea afectivă, perturbările de gândire şi vorbire, lipsa iniţiativei sau opusul ei, o lipsă surprinzătoare de control asupra comportamentului, idei delirante, halucinaţii, manie furioasă ori depresie profundă. Sfârşitul secolului al XX-lea a asistat la o readoptare similară a biologiei ca bază a bolilor psihice şi la o neglijare tot mai mare a celorlalte dimensiuni ale lor. Proclamaţia prezidenţială emisă de George H.W. Bush în anul 1991, în numele Institutului Naţional de Sănătate Psihică, potrivit căreia anii 1990 sunt „deceniul creierului" nu a făcut decât să ratifice o transformare care prinsese deja rădăcini adânci în psihiatrie, şi nu doar în Statele Unite.

Pacienţii şi familiile lor au învăţat să pună boala psihică pe seama biochimiei cerebrale deficitare, a defectelor dopaminei sau a insuficienţei serotoninei[73]. Era un jargon biologic tot atât de profund amăgitor şi neştiinţific ca şi jargonul psihologic pe care-l înlocuia – în realitate, originile formelor majore de nebunie rămân aproape la fel de misterioase ca întotdeauna –, dar ca material de marketing era de nepreţuit[74]. Între timp, profesia psihiatrică a fost sedusă şi cumpărată cu fonduri imense pentru cercetare. Dacă psihiatrii se aflaseră cândva într-o zonă crepusculară, la periferia respectabilităţii profesionale (curele lor verbale şi obsesia faţă de sexualitatea infantilă slujind doar la amplificarea dispreţului cu care îi priveau majoritatea medicilor tradiţionalişti), acum erau preferaţii decanilor facultăţilor de medicină, milioanele aduse de granturile lor şi de recuperările costurilor indirecte contribuind la finanţarea extinderii complexului medical-industrial care constituie o evoluţie atât de remarcabilă de la al Doilea Război Mondial încoace.

O mare parte a acestor finanţări a venit de la industria farmaceutică, ce a atins maturitatea în ultimele trei sferturi de secol. Big Pharma este în prezent un fenomen internaţional. Produsele ei sunt comercializate pe tot cuprinsul globului. Căutarea de noi substanţe profitabile ignoră graniţele naţionale, mai puţin în situaţiile, frecvente, în care, pentru a-şi desfăşura cercetările, se retrage la periferia lumii, unde restricţiile etice sunt ocolite mai uşor, iar informaţiile obţinute din studii clinice efectuate în centre multiple sunt mai uşor de ţinut sub controlul companiei[75]. Şi profiturile sale sunt uluitoare, depăşindu-le cu mult pe cele ale multor altor segmente ale economiei. Faptul că grosul lor este obținut pe terenul medical dezorganizat, bogat și lipsit de reglementări al Statelor Unite este unul dintre principalele motive ale hegemoniei globale tot mai clare a psihiatriei americane[76].

Căci medicamentele psihiatrice au fost și rămân un element central al extinderii și profiturilor Big Pharma. Și asta nu pentru că am fi în posesia unei peniciline psihiatrice. Dimpotrivă: cu toată publicitatea exagerată din jurul psihofarmacologiei, pilulele și licorile ei sunt paliative, nu curative – și deseori nici măcar atât. Dar, în mod ironic, tocmai relativa neputință terapeutică a medicamentelor psihotrope a fost cea care le-a făcut să fie atât de prețioase și le-a propulsat atât de regulat în rândurile medicamentelor de succes, care aduc industriei profituri de peste un miliard de dolari. Medicamentele care vindecă sunt minunate pentru pacient. Pentru firmele farmaceutice, nu neapărat. Antibioticele, de exemplu, vindecă rapid infecțiile bacteriene – cel puțin până când utilizarea lor excesivă în zootehnia industrială le va face ineficiente. Bolile care în urmă cu un secol erau evenimente grave și chiar fatale sunt acum vindecate fără probleme printr-o singură rundă de tratament. Asta nu aduce foarte mulți bani, odată ce entuziasmul inițial scade, deși volumul vânzărilor aduce profituri deloc insignifiante. Prin urmare, bolile care pot fi ținute sub control, dar nu vindecate sunt ideale: diabetul de tip 1 și 2, hipertensiunea, acumularea de lipide în circulația sangvină și blocarea arterelor din cauza colesterolului, artrita, astmul, refluxul gastroesofagian, infecțiile cu HIV – acestea sunt afecțiuni care persistă cu anii și sunt sursa unor posibile câștiguri imense. Firește, profitul scade când brevetele expiră, dar există oricând posibilitatea de a aduce modificări minore unei formule și de a crea o variantă a produsului brevetat, poate o nouă clasă de medicamente care pot fi prescrise. Afecțiunile cronice au o profitabilitate cronică.

Intră în scenă psihiatria, cu tulburări ambigue și uneori controversate, care au o etiologie misterioasă și puțin înțeleasă chiar și azi, dar multe dintre ele persistente, incapacitante și supărătoare. Deși greu de înțeles și de tratat, sunt imposibil de ignorat. Odată ce au apărut noi clase de medicamente care aduc o oarecare ameliorare a simptomelor (sau se poate afirma că o aduc), s-a creat o piață potențială enormă.

Iar ea s-a dovedit enormă. Antipsihoticele și antidepresivele se clasează cu regularitate printre cele mai profitabile medicamente vândute pe planetă. Tranchilizantele nu sunt prea departe în urma lor. Abilify (un antipsihotic produs de Bristol-Meyers Squibb) se vinde într-un ritm de 6 miliarde de dolari pe an. Cymbalta (un antidepresiv și anxiolitic de la Eli Lilly) are vânzări anticipate la nivel mondial de 5,2 miliarde de dolari. Zoloft, Effexor, Seroquel, Zyprexa și Risperdal, medicamente folosite în tratamentul depresiei sau al schizofreniei, au avut în anul 2005 vânzări cuprinse între 2,3 și 3,1 miliarde de dolari și au generat profituri imense pe perioade lungi. Atât antipsihoticele, cât și antidepresivele se plasează cu regularitate în primele cinci clase de medicamente din Statele Unite după criteriul volumului vânzărilor[77]. În 2010, vânzările de medicamente antipsihotice la nivel mondial au însumat 22 de miliarde de dolari; cele de antidepresive, 20 de miliarde; cele de anxiolitice, 11 miliarde; cele de preparate stimulatoare, 5,5 miliarde; cele de medicamente pentru tratarea demenței, 5,5 miliarde. Și aceste cifre nu iau deloc în calcul faptul că multe rețete de medicamente anticonvulsive sunt eliberate pacienților cu diagnosticul de tulburare bipolară[78].

Dar, ca să cităm cuvintele nemuritoare atribuite adesea (în mod eronat) economistului Milton Friedman, „nu există prânz gratuit"; trebuie să ne amintim că tratamentele medicale de toate tipurile, chiar și cele mai eficiente, prezintă riscul unor efecte secundare (**pl. 44**). Acest avertisment trebuie avut în vedere atunci când evaluăm revoluția psihofarmacologică și impactul ei asupra psihiatriei. Ar fi o greșeală să facem pe ludditii, să disprețuim sau să negăm progresele care s-au înregistrat. Și totuși, problemele care au ieșit la iveală pe scena psihiatriei sunt multiple și profund tulburătoare. Prânzul oferit s-a dovedit într-adevăr a fi foarte costisitor și, în cazul multor consumatori, prețul lui nu merită să fie plătit.

Din nefericire, tratamentele medicamentoase în psihiatrie nu sunt întotdeauna deosebit de eficiente, iar eficacitatea pe care o au a fost supraevaluată cu regularitate de psihiatri și în literatura de specialitate. Prețul pe care e posibil să-l plătească pacienții pentru beneficiile pe care le oferă totuși medicamentele, pe de altă parte, a fost adesea subestimat sau chiar ascuns în mod voit. O parte a problemei, mai cu seamă în anii de început ai psihofarmacologiei, a constat în multitudinea de studii prost proiectate, care au produs în mod sistematic distorsionări ale rezultatelor în sens pozitiv. Ulterior, puterea tot mai mare a industriei farmaceutice și măsurile extreme la care a ajuns în căutarea profitului le-au trezit observatorilor bine informați temerea că ceea ce pare a fi „psihiatrie bazată pe dovezi" s-ar putea numi mai corect „psihiatrie distorsionată de dovezi".

Deși profesiei psihiatrice i-au trebuit douăzeci de ani ca să recunoască asta[79], antipsihoticele din prima generație, fenotiazinele, aveau adesea efecte secundare profunde și incapacitante. La unii pacienți apăreau simptome similare cu cele ale bolii Parkinson. Alții deveneau agitați în permanență, incapabili să stea într-un loc. Mai erau și cei care, invers, rămâneau imobili perioade îndelungate. Cea mai gravă dintre toate era o afecțiune care a ajuns să fie numită „dischinezie tardivă" sau dischinezie cu debut târziu, o tulburare, mascată adesea pe durata administrării medicamentului, care cauza mişcări de supt şi plescăit ale buzelor, legănare şi mişcări necontrolate ale extremităţilor – pe care, în mod ironic, nespecialiştii le interpretau adesea drept semne de tulburare psihică. Dischinezia tardivă afecta îndeosebi o proporţie însemnată dintre cei aflaţi sub tratament de lungă durată (estimările variază mult, între 15% şi 60%) şi în cele mai multe cazuri era o afecţiune iatrogenă (provocată de medic) dificil de corectat.

La mulţi pacienţi, fenotiazinele de primă generaţie au redus într-adevăr o simptomatologie complexă, făcând viaţa lor mai suportabilă, iar pe ei, mai uşor de tolerat de către cei din jur. Alţii însă, care alcătuiau o proporţie considerabilă din populaţia totală a pacienţilor, nu au avut nici o reacţie terapeutică la medicament. Pentru mulţi dintre pacienţii din primul grup, dar nu pentru toţi, compromisul între efectele secundare şi ameliorarea simptomelor a meritat. Pentru cei care nu au reacţionat, evident, nu a meritat, efectele secundare apărute la numeroşi pacienţi din ambele grupuri fiind grave, debilitante, stigmatizante şi adesea ireversibile.

Recunoaşterea treptată a acestor efecte secundare grave i-a făcut pe unii să acuze psihiatria de „toxicitate”[80], iar scientologia (care îşi promovează propriile forme bizare de terapie) a creat la Hollywood un muzeu numit „Psihiatria: o industrie a morţii”. Puţini observatori imparţiali acceptă această hiperbolă. Nici nu ar trebui s-o accepte. Este absurd să se susţină că noile tratamente medicamentoase nu sunt niciodată avantajoase, ba mai mult, că sunt întotdeauna dăunătoare. Afirmaţiile de felul acesta ne cer să ignorăm multe dovezi convingătoare contrare. Aceasta nu înseamnă însă că ar trebui să acceptăm fără discernământ afirmaţiile la fel de unilaterale şi de exagerate făcute de industria farmaceutică şi de aliaţii ei din profesia psihiatrică.

Tiparul instituit de prima generaţie de medicamente psihotrope s-a păstrat pentru cele care au urmat: diferitele antidepresive, a căror introducere a declanşat o creştere imensă a numărului celor diagnosticaţi cu depresie, făcând din aceasta răceala banală a psihiatriei, şi aşa-numitele „antipsihotice atipice” care au pătruns pe piaţă acum două decenii, o gamă eterogenă de pilule cu proprietăţi chimice diferite şi despre care se susţinea că evită multe din efectele secundare grave ce constituiau problema fenotiazinelor. Prozacul i-a făcut pe oameni „mai mult decât bine” şi apoi s-a dovedit contrariul. El şi antidepresivele înrudite numite ISRS (inhibitori selectivi ai reabsorbţiei de serotonină) nu sunt câtuşi de puţin panacee. Efectele pozitive pe care le au aceste medicamente cântăresc adesea mai puţin decât problemele pe care le creează[81], nu în ultimul rând pentru că o serie de studii sugerează că, exceptând cazul depresiilor grave, ele sunt minimal sau chiar deloc superioare unui placebo[82]. După cum rezumă Steven E. Hyman, psihiatru la Harvard, situaţia rămâne sumbră: chiar dacă „au fost create multe medicamente antidepresive începând din anii 1950 [...] nici unul dintre ele nu s-a dovedit mai eficace [decât prima generaţie de medicamente de acest fel], numeroşi pacienţi având beneficii modeste sau egale cu zero"[83].

Când ISRS au început să fie folosiţi în tratamentul copiilor, riscul crescut de idei suicidare şi suicid (efect secundar ascuns şi negat multă vreme de industria farmaceutică) a fost făcut public iniţial nu de psihiatri, ci de jurnalişti de investigaţie britanici care lucrau pentru BBC[84]. Institutul Naţional pentru Sănătate şi Excelenţă în Îngrijire (NICE), un organism guvernamental britanic însărcinat cu evaluarea valorii clinice a tratamentelor noi, fusese pe punctul de a sprijini folosirea ISRS la copii. S-a răzgândit şi, în 2004, s-a pronunţat împotriva utilizării lor. Cu timpul, au ajuns să fie făcute publice şi alte date negative din studiile clinice, care au determinat în cele din urmă Food and Drug Administration (FDA) să impună un aşa-numit „avertisment în chenar negru" privind pericolul sporit, cel mai serios semnal de alarmă existent, cu excepţia scoaterii medicamentelor de pe piaţă, iar FDA a refuzat să permită administrarea unor medicamente ca Paxil şi Zoloft tinerilor. Şi mai târziu a reieşit că, deşi studiile publicate sugerau că ISRS sunt eficienţi în tratarea depresiei la copii şi adolescenţi, cercetările în cauză „fuseseră manipulate, astfel că nişte studii în esenţă negative au fost transformate în studii pozitive, ascunzându-se faptul că medicamentele nu au efect şi mascându-se problemele tratamentului"[85]. Şi mai grav, au ieşit la iveală dovezi privind numărul mare de studii asupra ISRS care fuseseră ascunse – toate negative şi nici unul nefiind făcut public decât atunci când s-au făcut presiuni din exterior[86].

Antipsihoticele atipice sunt numite adesea antipsihotice de a doua generaţie. Eticheta induce în eroare, întrucât clozapina, probabil cel mai puternic dintre ele, nu a fost câtuşi de puţin un medicament nou. A fost sintetizată de compania germană Wander în 1958, fiind supusă unei serii de studii clinice în anii 1960 şi scoasă pe piaţă pentru prima oară în 1971, dar retrasă de producător patru ani mai târziu, deoarece utilizarea ei se asocia ocazional cu agranulocitoză, o scădere periculoasă şi uneori fatală a numărului de leucocite[87]. După mai bine de un deceniu, în 1989, a reintrat treptat în comerţ ca tratament pentru schizofrenicii care nu reacţionau la alte medicamente, un tratament aplicat ca ultimă soluţie şi care trebuia însoţit de măsuri de precauţie drastice. Preţul ei era ridicat. Sandoz cerea 9.000 de dolari pentru necesarul pe un an, în timp ce necesarul anual de clorpromazină (Thorazine) costa circa 100 de dolari. Totuşi, clozapina a fost utilizată pe scară tot mai largă, în parte pentru că se susţinea că efectele secundare, ca dischinezia tardivă, sunt mult mai rare decât în cazul altor medicamente antipsihotice.

În scurt timp, acest lucru a încurajat crearea altor pastile „atipice", precum Risperdal, Zyprexa şi Seroquel, care puteau fi brevetate. Deşi, din punct de vedere chimic, formau un grup eterogen, pentru marketing era util să fie numite toate antipsihotice de a doua generaţie – şi eticheta a prins. Ca grup – se declara că au beneficii suplimentare şi mult mai puţine efecte secundare –, au fost extrem de profitabile. Psihiatrii de pretutindeni le-au adoptat, în ciuda costului mult mai mare. În scurt timp au ajuns să fie lăudate şi ca remediu pentru tulburarea bipolară. Un deceniu mai târziu însă, un editorial din *Lancet* le-a denunţat drept „invenţie falsă": „Medicamentele de a doua generaţie nu au nici o caracteristică atipică specială care să le separe de antipsihoticele tipice sau de primă generaţie. Ca grup, nu sunt mai eficiente, nu ameliorează simptome specifice, nu au profiluri ale efectelor secundare clar diferite de cele ale antipsihoticelor de primă generaţie şi sunt mai scumpe"[88]. Numai clozapina, de exemplu, nu este asociată cu nici un caz declarat de dischinezie tardivă, dar crearea categoriei antipsihoticelor „atipice" a permis industriei farmaceutice să ascundă faptul că nu acesta este şi cazul celorlalte medicamente din această clasă creată artificial.

Epilog

Ca ființe umane civilizate, ne place să ne consolăm cu viziuni ale progresului, oricât de iluzoriu s-ar dovedi adesea acest concept. Poate că nu am văzut progrese în domeniul literaturii și artelor (deși unii ar combate această afirmație), dar, de bună seamă, știința merge înainte, la fel și medicina, în măsura în care este știință și nu artă. Cel puțin în țările dezvoltate, ne bucurăm acum de o viață mai lungă și cu siguranță mai îmbelșugată material, chiar dacă nu mai bogată cultural și mai fericită. Asta dacă nu suntem nebuni. Lăsând la o parte psihiatria modernă și remediile ei, una dintre realitățile de natură să ne dezmeticească în ceea ce privește boala psihică gravă în secolul al XXI-lea este faptul că cei pe care îi afectează mor mult mai tineri, în medie, decât noi, ceilalți (chiar cu douăzeci și cinci de ani mai devreme), și, în plus, incidența bolilor grave și a mortalității la nivelul acestei populații a crescut în ultimele decenii[1]. La acest nivel absolut elementar, se pare că regresăm.

Și psihiatria pare să aibă probleme. Abordarea neokraepeliniană pe care a adoptat-o în 1980, când a fost publicat DSM-III, a slujit-o bine la început. Fidelitatea și replicabilitatea diagnosticelor psihiatrice au crescut și controversele stânjenitoare cu privire la problemele unui pacient anume au ajuns de domeniul trecutului. Freudienii au pierdut în mod decisiv războiul profesional fratricid și psihiatrii au adoptat din nou o explicație biologică a bolilor psihice care la un nivel superficial li s-a părut logică confraților medici, oricât de schematică a rămas. Iar noua abordare s-a dovedit extraordinar de atractivă pentru companiile farmaceutice, care au finanțat demersurile de cercetare psihiatrică și, cu trecerea timpului, au influențat tot mai mult înșiși termenii în care era discutată boala psihică și chiar categoriile de boală ce se presupune că există în lume.

Fiecare nouă ediție a *Manualului de diagnostic și clasificare statistică* – ediția a treia revăzută (III-R din 1987), ediția a patra (IV din 1994) și „revizuirea textului” acesteia (IV-TR din 2000) – a aderat la abordarea fundamentală adoptată de psihiatrie în 1980, deși cu fiecare ocazie au fost adăugate noi „boli”, definițiile psihopatologiei au fost ajustate și numărul paginilor a crescut. Dar, pe măsură ce „bolile” proliferau cu fiecare revizuire și criteriile pentru punerea unui anumit diagnostic deveneau mai laxe, tocmai problema care dusese la inventarea versiunilor noi ale DSM reapărea și noi amenințări majore la adresa legitimității psihiatriei ieșeau la iveală.

Sporirea laxității criteriilor diagnostice a dus la o creștere extraordinară a numărului de oameni definiți drept bolnavi psihic. Acest lucru a fost deosebit de vizibil în rândul tinerilor, deși nu s-a limitat nicidecum la ei. „Tulburarea bipolară juvenilă", de exemplu, a devenit de patruzeci de ori mai frecventă într-un singur deceniu, între 1994 și 2004. A izbucnit o epidemie de autism, câtă vreme o afecțiune înainte rară, întâlnită la mai puțin de un copil din cinci sute la începutul aceluiași deceniu, a fost identificată la un copil din nouăzeci doar zece ani mai târziu. Povestea tulburării hiperactive, reetichetată ulterior ADHD, este similară, 10% dintre copiii americani de sex masculin luând acum zilnic pastile pentru „boala" lor. În rândul adulților, un american din șaptezeci și șase îndeplinea în 2007 criteriile pentru ajutor social pe baza dizabilității psihice.

Dacă incapacitatea psihiatrilor de a cădea de acord asupra unui diagnostic a riscat să-i facă de râs în anii 1970, reetichetarea unei multitudini de evenimente de viață obișnuite drept patologie psihiatrică a promis același efect. Astfel, când psihiatria americană a demarat o nouă revizuire a manualului la începutul secolului al XXI-lea, DSM-5 care urma să rezulte trebuia să fie diferit de predecesoarele sale. (Trecerea de la sistemul de numerație roman la cel arab a fost menită să permită actualizarea permanentă a manualului după modelul versiunilor de software: DSM 5.1, 5.2 și așa mai departe.) Cei cărora li s-a încredințat coordonarea demersului au anunțat că logica aflată la baza celor două ediții anterioare a fost profund defectuoasă și că ei vor remedia lucrurile. Folosindu-se de descoperirile neuroștiințelor și ale geneticii, aveau să se îndepărteze de sistemul bazat pe simptome, a cărui inadecvare o recunoșteau acum, și să elaboreze un manual care urma să coreleze tulburările psihice cu funcționarea creierului. Aveau să ia totodată în calcul faptul că boala psihică este o entitate dimensională, nu categorială: o chestiune de grad mai mare sau mai mic al sănătății psihice, nu o lume în alb și negru, cu sănătatea psihică într-un colț și boala psihică în celălalt. Era o ambiție măreață. Singura problemă a fost că acea ambiție era imposibil de împlinit. După ce s-au zbătut îndelung urmărind această himeră, conducătorii proiectului au fost obligați în cele din urmă să se recunoască învinși și, în 2009, au revenit la cârpăceala abordării descriptive.

Pe măsură ce au avansat, a reieșit că tulburării de anxietate socială, tulburării de opoziție la copil, fobiei școlare, tulburării de personalitate narcisică și celei de personalitate borderline li se vor alătura tulburări ca dependența de jocuri de noroc, hiperfagia bulimică, tulburarea de hipersexualitate, tulburarea de reglare emoțională, tulburarea mixtă anxios-depresivă, tulburarea neurocognitivă minoră și sindromul simptomelor psihotice atenuate. Totuși, suntem la fel de departe cum am fost întotdeauna de înțelegerea rădăcinilor etiologice ale tulburărilor psihiatrice majore și cu atât mai mult a acestor diagnostice mai controversate (despre care mulți ar spune că nici măcar nu-și au locul în sfera medicinei). Diagnosticele de acest fel oferă însă noi piețe profitabile pentru produsele psihofarmacologiei, fapt care i-a făcut pe unii critici să se întrebe dacă nu cumva interesele comerciale motivează în mod ilicit lărgirea universului psihiatric – și acești critici s-au desfătat din plin arătând că marea majoritate a membrilor echipei de lucru a DSM sunt destinatarii generozității firmelor farmaceutice.

Bazându-se strict pe simptome și comportament ca să-și construiască bolile și pe decretul organizațional ca să-și impună atât la nivelul profesiei, cât și al publicului categoriile delimitate prin negociere, psihiatria s-a trezit aproape imediat în fața unei revolte din interior. Robert Spitzer, principalul arhitect al DSM-III, și Allen Frances (n. 1942), coordonatorul DSM-IV, au început să atace credibilitatea științifică a celei mai noi ediții cu ani înainte de ieșirea ei de sub tipar[2]. Au susținut că ea patologizează trăsături cotidiene ale existenței omenești normale și că ar amenința să creeze noi epidemii de false boli psihiatrice. Spre deosebire de scientologi, astfel de critici n-au putut fi combătuți cu ușurință[3], ei reușind să amâne de două ori publicarea DSM-5.

În mai 2013, DSM-5 s-a materializat în cele din urmă. Debutul său n-a fost deloc promițător. Chiar înainte de publicare, doi psihiatri extrem de influenți și-au dat verdictul. Steven E. Hyman, fostul director al NIMH, a condamnat întregul demers. L-a declarat „complet greșit într-un mod pe care [autorii lui] nu și l-ar fi putut imagina. Astfel, produsul muncii lor s-a dovedit a fi un coșmar științific desăvârșit. Multor oameni cărora li se pune un diagnostic li se pun cinci, dar ei nu au cinci boli, ci o singură afecțiune subiacentă". Thomas R. Insel (n. 1951), directorul actual al Institutului Național de Sănătate Psihică, a dat un verdict similar. A declarat că manualul suferă de o „lipsă de validitate [științifică] [...]. Cât timp comunitatea cercetătorilor ia DSM drept biblie, nu vom progresa niciodată. Oamenii cred că totul trebuie să corespundă criteriilor din DSM, dar știți ceva? Biologia n-a citit acea carte". A afirmat de asemenea că NIMH își va „reorienta cercetările în alte direcții decât categoriile din DSM [deoarece] pacienții cu boli psihice merită mai mult"[4].

Cu câteva luni înainte, într-o conversaţie particulară despre care trebuie să fi fost conştient că va deveni publică, Insel exprimase o idee şi mai eretică. Colegii lui psihiatri, a afirmat el în derâdere, „cred sincer că [bolile pe care le diagnostichează cu ajutorul DSM] sunt reale. Dar nu e aşa. Sunt simple constructe. Schizofrenia sau depresia nu au nimic real [...] s-ar putea să fim siliţi să nu mai folosim termeni ca «depresie» sau «schizofrenie», pentru că ei ne încurcă şi ne derutează"[5]. Insel este dornic să înlocuiască psihiatria descriptivă cu un sistem de diagnosticare construit pe baze biologice. Dar în stadiul actual al cunoaşterii noastre această formulă e un vis zadarnic. Oricât de mult şi-ar dori psihiatria (şi mulţi dintre cei care suferă de tulburări psihice) ca lucrurile să stea altfel, nebunia rămâne o enigmă, un mister pe care se pare că nu-l putem elucida. Ravagiile ei rămân fenomene pe care le putem cel mult îngriji paliativ. În ultima jumătate de secol, dezvoltarea neuroştiinţelor a fost remarcabilă, iar descoperirile lor, nenumărate. Din nefericire, până acum nici una dintre ele nu s-a dovedit foarte utilă clinic în tratarea bolilor psihice. Iar specialiştii în neuroştiinţe nu au descoperit deocamdată rădăcinile etiologice ale nebuniei. În ultimele decenii au înflorit noi tehnologii imagistice. A fost utilizată imagistica prin rezonanţă magnetică funcţională (RMNf), datele ei digitale fiind transformate prin alchimia electronică modernă în imagini ale creierului care se luminează tehnicolor. Cu siguranţă că aceste minuni ale ştiinţei moderne vor dezvălui, în sfârşit, germenul nebuniei, nu-i aşa?

Încă nu l-au dezvăluit şi nu pare că o vor face prea curând. În ciuda progreselor importante ale înţelegerii noastre, suntem foarte departe de a putea pune în legătură chiar şi acţiunile omeneşti foarte simple cu structura şi funcţionarea subiacentă a creierului uman. În fond, ne despart decenii de cartografierea completă a creierului musculiţei-de-oţet – ca să nu mai pomenim de îndeplinirea cu succes a sarcinii infinit mai complexe de a dezlega misterele miliardelor de conexiuni care alcătuiesc creierul nostru.

Unii entuziaşti ai neuroştiinţelor fac mare caz de faptul că anumite arii cerebrale prezintă un nivel mai ridicat de activitate pe RMNf atunci când oamenii fac alegeri, de exemplu, sau spun minciuni. Cred că nici măcar episcopul Berkeley, filosof idealist, n-ar fi surprins de acest fapt. Când mă mişc, vorbesc, gândesc, încerc o emoţie, probabil că aceste lucruri se corelează cu modificări fizice la nivelul creierului meu, dar asemenea corelaţii nu dovedesc nimic cu privire la procesele cauzale, după cum existenţa unui anumit şir de evenimente nu demonstrează că un eveniment anterior din şir a cauzat în mod inevitabil un eveniment ulterior. *Post hoc ergo propter hoc* („după aceasta, deci din cauza aceasta") este un sofism elementar. Ceea ce măsoară rudimentar RMNf este circulaţia sangvină la nivelul creierului, iar faptul că se demonstrează existența unei activități intensificate de felul acesta este departe de a ne oferi revelații privind conținutul gândurilor oamenilor, ca să nu mai pomenim de instabilitatea și ambiguitatea rezultatelor când experimentele sunt replicate.

Asemenea bieților oameni care-l așteptau pe Godot (și care, întâmplător, așteptau foarte posibil un nebun), așteptăm în continuare să iasă la suprafață misterioasele și îndelung anunțatele cauze neuropatologice ale bolii psihice. Așteptarea e îndelungată și, cred, prost orientată pe mai multe planuri, dacă se așteaptă ca explicația supremă a nebuniei să se afle aici și numai aici.

De ce? Nu are nici o logică să privim creierul (așa cum fac adepții reducționismului biologic) ca pe un organ asocial sau presocial, pentru că structura și funcționarea lui sunt ele însele, în privințe importante, produsele mediului social. Căci cea mai remarcabilă caracteristică a creierului omenesc este extraordinara și profunda lui sensibilitate la informațiile psihosociale și senzoriale care îi parvin. Aceasta înseamnă, după cum s-a exprimat Bruce Wexler (n. 1947), specialist în neuroștiințe, că „biologia noastră este socială într-o manieră fundamentală și deplină, astfel că a vorbi despre o relație între cele două sugerează o delimitare nejustificată”[6].

Creierul uman continuă să se dezvolte postnatal într-un grad nemaiîntâlnit în tot regnul animal și elementele mediului care influențează cel mai puternic structura și funcționarea acestui creier sunt ele însele creația omului. Ființele umane prezintă o neuroplasticitate remarcabilă, cel puțin până la sfârșitul adolescenței, și, prin urmare, nu trebuie să pierdem din vedere importanța esențială a factorilor nebiologici în transformarea structurilor neurale cu care ne naștem, astfel fiind creat creierul matur. Însăși forma creierului, conexiunile neurale care se stabilesc și care constituie substratul fizic al afectivității și cogniției noastre sunt profund influențate de stimularea socială, ca și de mediul cultural și mai cu seamă de cel familial în care are loc dezvoltarea. În aceste contexte se face reglajul fin al structurii și organizării creierului. Practic, ca să-l citez din nou pe Bruce Wexler, „natura umană [...] permite și cere contribuția mediului pentru dezvoltarea normală”[7] – și, putem adăuga imediat, pentru dezvoltarea anormală. Și această dezvoltare continuă foarte mult timp, creșterile conectivității și modificările de organizare a creierului, îndeosebi la nivelul lobilor parietali și frontali, având loc chiar și în al treilea deceniu de viață. Ipotezele lui Freud cu privire la legăturile dintre mediul psihosocial inițial și psihopatologie s-ar putea să nu ni se mai pară câtuși de puțin plauzibile celor mai mulți dintre noi, dar ideea de bază că unele dintre rădăcinile nebuniei trebuie căutate în afara organismului nostru nu este în nici un caz deplasată.

Detaliu din Dulle Griet (Margareta cea Nebună) *de Pieter Bruegel cel Bătrân (aprox. 1562). Margareta cea Nebună ia cu asalt gura iadului, într-o lume nebună, monstruoasă, mistuită de violență.*

După părerea mea, cele mai bune neuroștiințe moderne subliniază că, în loc să fie localizate în anumite regiuni ale creierului sau să fie proprietățile unor neuroni individuali, gândirea, afectivitatea și memoria sunt produsele unor rețele și interconexiuni complexe, care se formează pe parcursul maturizării noastre. Acestea depind, la rândul lor, de supraviețuirea și creșterea selective ale celulelor și de trierea conexiunilor dintre celule – procese care depind în foarte mare măsură de mediul interacțional în care crește sugarul și care sunt deosebit de importante pentru dezvoltarea scoarței cerebrale, ale cărei dimensiuni relative le depășesc pe cele ale oricărei alte specii. Acest mediu este într-un grad fără precedent unul creat de om și-și exercită în mare măsură influențele prin intermediul limbajului. Dezvoltarea umană poate să nu se desfășoare întotdeauna lin și fără accidente și undeva în acel amestec neclar de biologie și social se află rădăcinile nebuniei.

În cele mai multe privințe, pariul metafizic pe care l-a acceptat cu secole în urmă o mare parte din medicina occidentală, că nebunia își are originea în organism, n-a adus încă câștigurile sperate. Poate că, așa cum am sugerat, n-o va face pe deplin niciodată. Este greu să ne imaginăm, cel puțin în cazul celor mai grave forme de aberație psihică, că nu se va dovedi că biologia are un rol important în geneza lor. Va fi însă posibil ca nebunia, cea mai solitară dintre suferințe și cea mai socială dintre maladii, să fie redusă în cele din urmă numai și numai la biologie? De acest lucru trebuie să ne îndoim profund. Este improbabil ca dimensiunea socială și cea culturală ale tulburărilor psihice, o parte indispensabilă a poveștii nebuniei în civilizațiile lumii de-a lungul secolelor, să dispară treptat sau să se dovedească a fi simple caracteristici epifenomenale ale unei trăsături atât de universale a existenței umane. Nebunia are într-adevăr semnificațiile ei, oricât de ambigue și de efemere au fost încercările noastre de a le surprinde. Ea rămâne o enigmă fundamentală, un reproș la adresa rațiunii, parte ineluctabil integrantă a civilizației.

Note

Capitolul 1

Față în față cu nebunia

1. Îmi pare semnificativ faptul că una dintre definițiile termenului *common sense*, „simț comun, bun-simț", din *Oxford English Dictionary* spune: „Zestrea de inteligență înnăscută pe care o posedă ființele raționale; capacitate de înțelegere obișnuită, normală sau medie; înțelepciunea simplă pe care o moștenesc toți oamenii. (Acesta este «bunul-simț» minim, fără de care omul este prost sau nebun.)".
2. C.-K. Chang *et al.*, 2011; C.W. Colton și R.W. Manderscheid, 2006; J. Parks, D. Svendsen, P. Singer și M.E. Foti (eds.), 2006. Un studiu anunță că rata sinuciderilor la cei diagnosticați cu schizofrenie a crescut de zece ori. Vezi D. Healy *et al.*, 2006.

Capitolul 2

Nebunia în lumea antică

1. *Deuteronomul* 25.18. Aceste citate și cele ulterioare sunt din Biblia regelui Iacob. [Pentru traducerea în limba română a citatelor biblice am folosit ediția *Biblia sau Sfânta Scriptură*, Editura Institutului Biblic și de Misiune al Bisericii Ortodoxe Române, București, 1995 – n.tr.]
2. *1 Samuel* 15.2-3 [*1 Regi* 15.3].
3. *1 Samuel* 15.8-9 [*1 Regi* 15.7-8].
4. *1 Samuel* 15.23 [*1 Regi* 15.23].
5. *1 Samuel* 31.1-5 [*1 Regi* 31.1-5].
6. *1 Samuel* 18.10-11; 19.9-10 [*1 Regi* 18.10-11; 19.9-10].
7. *1 Samuel* 20.30-34 [*1 Regi* 20.30-34].
8. Flavius Josephus, *The Antiquities of the Jews*, traducere în engleză de H.St.J. Thackeray, Ralph Marcus și Allen Wikgren, nouă volume, Cambridge, Massachusetts: Harvard University Press, vol. 5, 1968, p. 249. Referirea la „doctorii" lui Saul din acest paragraf este aproape cu siguranță un anacronism. Pasajele biblice se referă numai la servitorii lui Saul. Dar, așa cum vom vedea, Josephus a trăit într-o epocă în care explicațiile medicale ale nebuniei coexistau cu interpretări religioase mai vechi, iar în unele cazuri medicii educați în Grecia încercau să intervină și să trateze nebunia.
9. *1 Samuel* 16.23 [*1 Regi* 16.23].
10. *1 Samuel* 18.10-11 [*1 Regi* 18.10-11].

11. George Rosen, 1968, pp. 36, 42.
12. *1 Samuel* 19.24 [*1 Regi* 19.24].
13. Vezi, de exemplu, *Amos* 7.1-9; *Ieremia* 1.24; *Isaia* 22.14; 40.3, 6; *Iezechiel* 6.11; 8.1-4; 21.14-17; *Ieremia* 20.9.
14. *Ieremia* 20.1-4.
15. *Ieremia* 38, 39.
16. *Ieremia* 26.20-23.
17. Vezi, de exemplu, eseul lui Karl Jaspers care „demonstrează" că Iezechiel era schizofrenic: „Der Prophet Ezechiel: Eine patographische Studie", pp. 95-106, în cartea sa *Rechenschaft und Ausblick, Reden und Aufsätze*, München: Piper Verlag, 1951. Anterior, Jean-Martin Charcot (vezi capitolul 9) şi adepţii lui etichetaseră drept isterici numeroşi sfinţi creştini.
18. *Daniel* 4.30-33.
19. *Marcu* 16.9.
20. *Marcu* 5.1-13. *Cf. Luca* 8.26-33; *Matei* 8.28-34.
21. *Luca* 8.27, 34.
22. Pentru o discuţie nuanţată asupra unora dintre aceste chestiuni, vezi Robert Parker, 1983, capitolul 8.
23. Clark Lawlor, 2012, p. 37.
24. *Odyssey* 20, 345-349. Împrumut această traducere de la Debra Hershkowitz, a cărei carte *The Madness of Epic: Reading Insanity from Homer to Statius*, 1998, m-a influenţat foarte mult în înţelegerea lui Homer şi a altor autori clasici pe tema nebuniei [*Odiseea*, trad. rom. de George Murnu, Univers, Bucureşti, 1971, p. 421 – n.tr.].
25. *Iliad* xvii, 210-212.
26. *Iliad* xxii-xxiii [*Iliada*, trad. rom. de George Murnu, Univers, Bucureşti, 1985, pp. 478-479 – n.tr.].
27. *Iliad* xiv, 118.
28. Euripides, *Heracles*, în *Euripides III*, traducere de William Arrowsmith, Chicago: University of Chicago Press, 2013, p. 47, versurile 835-837.
29. Pentru discuţii, vezi R. Padel, 1995, şi E.R. Dodds, 1951.
30. Ruth Padel, 1992, capitolul 1, îndeosebi pp. 4-6. Vezi şi discuţia edificatoare din John R. Green, 1994.
31. Paul Cartledge, 1997, p. 11.
32. Ruth Padel, 1992, p. 6.
33. Pentru atitudinile complexe ale lui Herodot faţă de chestiunile de cauzalitate divină şi naturală, vezi G.E.R. Lloyd, 1979, pp. 30 şi urm.
34. Herodot, citat şi tradus în G.E.R. Lloyd, 2003, pp. 131, 133. Vezi şi discuţia din G. Rosen, 1968, pp. 71-72.
35. Citat în G.E.R. Lloyd, 2003, p. 133.
36. Herodot, citat şi tradus în G.E.R. Lloyd, 2003, pp. 133, 135; R. Parker, 1983, p. 242.
37. Citat în G.E.R. Lloyd, 2003, p. 118.
38. L. Targa (ed.), 1831, citat în Ilza Veith, 1970, p. 21.
39. Pentru o discuţie mai cuprinzătoare, vezi Andrew Scull, 2011, din care am preluat precedentele două paragrafe.
40. M-am inspirat aici din excelenta discuţie din G.E.R. Lloyd, 2003, îndeosebi din capitolul 3, „Secularizare şi sacralizare". Cu privire la Asclepios şi cultul lui, vezi Emma J. Edelstein şi Ludwig Edelstein, 1945.

41. Vezi discuția clasică în Oswei Temkin, 1994, partea I: „Antichitatea".
42. Citat în R. Parker, 1983, p. 244.
43. Hippocrates: *The Genuine Works of Hippocrates*, vol. 2, ed. Francis Adams, 1886, pp. 334-335.
44. *On the Sacred Disease*, tradus și citat în G.E.R. Lloyd, 2003, pp. 61, 63. Desigur, ar trebui să fie de la sine înțeles că aceleași critici, *mutatis mutandis*, puteau fi aduse explicației umorale date de hipocratici, care erau, am judeca acum, la fel de capabili – sau mai degrabă incapabili – să vindece boala pe care își propuneau să o trateze.
45. Hippocrates: *The Genuine Works of Hippocrates*, vol. 2, ed. Francis Adams, 1886, p. 344.
46. Hippocrates: *The Medical Works of Hippocrates*, trad. John Chadwick și W.N. Mann, 1950, pp. 190-191.
47. *Ibidem*, p. 191.
48. Pentru medicii antiflogistici, boala era în esență o problemă de inflamație și febră. De aici, întrebuințarea de remedii menite să contracareze aceste stări, ca lăsarea de sânge, purgația și folosirea emeticelor, toate având rolul de a contracara și epuiza organismul hiperactiv și supraîncălzit.
49. Vivian Nutton, 1992, p. 39.
50. *Ibidem*, pp. 41-42.
51. Peter Brown, 1971, p. 60.
52. Geoffrey Lloyd și Nathan Sivin, 2002, îndeosebi pp. 12-15, 243. În cele ce urmează m-am inspirat mult din această încercare de pionierat de a compara aceste două lumi, precum și din lucrarea lui Shigehisa Kuriyama citată mai jos. De asemenea, le sunt profund recunoscător lui Miriam Gross și Emily Baum, prietene și istorici ai medicinei chineze, pentru ajutorul lor generos.
53. D.E. Eichholz, 1950.
54. Geoffrey Lloyd și Nathan Sivin, 2002, p. 242.
55. *Ibidem*, p. 250.
56. Pentru o încercare ambițioasă de a analiza aceste informații fragmentare privind China din epoca imperială târzie, vezi Fabien Simonis, 2010, capitolul 13.
57. Foarte utilă pentru discuțiile privind aceste tradiții variate, concurente și parțial suprapuse este Paul D. Unschuld, 1985. Utilă în ceea ce privește religia și medicina în China medievală (aprox. 300-900) și îndeosebi influențele reciproce și întrepătrunderile practicilor budiste și taoiste este și Michel Strickmann, 2002.
58. Shigehisa Kuriyama, 1999, p. 222.
59. Shigehisa Kuriyama, 1999, explorează cu subtilitate existența unor mari variații pe fondul unei aparente continuități în discuția sa asupra ideilor chineze despre puls și a practicilor de diagnosticare bazate pe teze referitoare la ce se poate deduce din *qiemo*, cum este simțit pulsul. Pentru medicii chinezi, *mo* avea o foarte mare importanță. Se spunea că diferite puncte de la încheietura mâinii indică ce se petrece în diverse zone ale corpului, iar variațiile subtile în ceea ce se simțea în aceste puncte erau un element-cheie pentru surprinderea patologiei subiacente.

La nivel verbal, argumentația în favoarea continuității acestor practici este clară. Deși au existat câteva completări ulterioare, ele au adăugat foarte puțin celor douăzeci și patru de *mo* identificate cu două milenii în urmă și „palparea în China a fost practicată cu încredere și a înflorit constant timp de peste două mii de ani și continuă să înflorească și azi" (p. 71). Însă termenii folosiți pentru a descrie variații presupuse minuscule, dar însemnate în ceea ce era simțit se contopeau unii cu alții și erau strâns înrudiți. Descrierile erau metaforice și aluzive. În mod inevitabil, în ciuda pretențiilor de continuitate și stabilitate a semnificațiilor, realitatea este că variabilitatea în practică a fost inevitabilă atât la nivelul fiecărei epoci istorice, cât și de la una la alta.
60. Fabien Simonis, 2010, p. iii.
61. Acești termeni, deși denumeau forme de nebunie, nu erau considerați sinonimi. *Feng* era un termen general, pe când nebunia *kuang* presupunea hiperactivitate și furie și izvora dintr-un surplus de energie *yang*; iar nebunia *dian* aproxima ceea ce tindea să poarte în Occident numele de melancolie și era rezultatul unui surplus de energie *yin*. Alternativ, ultimul termen mai putea să însemne „a zgudui" sau „a cădea", sens în care se putea referi la epilepsie.
62. Fabien Simonis, 2010, p. 11.
63. *Ibidem*, p. 14.
64. *Ibidem*, capitolele 11 și 12. Pentru o altă perspectivă, mai puțin convingătoare, asupra acestor evoluții, vezi Vivien Ng, 1990.
65. F. Simonis, 2010, pp. 1-2.
66. Peter Brown, 1971, pp. 176-177.
67. Hakim A. Hameed și A. Bari, 1984.
68. Dominik Wujastyk, 1993.
69. R.B. Saper *et al.*, 2008; Edzard Ernst, 2002.

Capitolul 3

Bezna și zorile

1. Steven Runciman, 1966, pp. 506-508; după cum s-a exprimat el, a fost o distrugere „fără egal în istorie".
2. Cu privire la aceste evoluții, vezi http://www.iranicaonline.org/articles/Greece-x.
3. Peter Brown, 1971, p. 193; W. Montgomery Watt, 1972, pp. 7-8.
4. W. Montgomery Watt, 1972, capitolul 1.
5. Nu pot relua aici istoria îndelungată și complexă a revoltei Olandei spaniole. Începuse în ultimele patru decenii ale secolului al XVI-lea și a fost alimentată de o combinație complexă de factori religioși, financiari și politici. În 1598, când Filip al III-lea i-a urmat la tron tatălui său, Filip al II-lea, zarurile fuseseră deja aruncate în multe privințe. Deși noul rege și-a păstrat într-o anumită măsură controlul asupra sudului catolic, autoritatea spaniolă se dezintegrase în provinciile nordice, pronunțat calviniste. Foarte probabil, distragerea atenției de la armistițiul pe doisprezece ani pe care Spania fusese obligată să-l semneze fără

tragere de inimă pe 9 aprilie 1609 a fost unul dintre motivele care l-au făcut pe Filip să aleagă același moment pentru a-i expulza din Spania pe mauri și evrei. (Edictul de expulzare a maurilor creștinați este datat și el 9 aprilie 1609.) Dată fiind suprapunerea momentelor celor două acte, este greu de ajuns la o altă concluzie. Vezi Antonio Feros, 2006, p. 198. Războiul în Țările de Jos a reînceput după expirarea armistițiului, în 1621, dar la acea vreme Provinciile Unite din nord erau puternice și beneficiau de recunoaștere internațională, iar conflictul a fost subsumat conflagrației mai cuprinzătoare care a fost Războiul de Treizeci de Ani. În deceniile care au urmat, Spania s-a afundat în haos financiar și și-a pierdut statutul de mare putere europeană. Între timp, Olanda a devenit unul dintre cele mai bogate și mai puternice state europene, cu o flotă puternică și o creștere rapidă a avuțiilor prin demersurile comerciale și imperiale extinse în lume.

6. Aici mă inspir direct din lucrarea lui W. Montgomery Watt, care a oferit o prezentare sintetică a chestiunilor în cauză. Vezi *The Influence of Islam on Medieval Europe*, 1972, capitolul 2 și *passim*.
7. În această privință, vezi discuția de la http://www.iranicaonline.org/articles/Greece-x, din care m-am inspirat mult aici.
8. Manfred Ullmann, 1978, p. 4.
9. Michael W. Dols, 1992, p. 9.
10. Peter Brown, 1971, pp. 194-198.
11. Sir William Osler, considerat la rândul lui cel mai mare clinician din prima jumătate a secolului al XX-lea, a descris *Canonul* drept „cel mai faimos tratat de medicină din câte s-au scris vreodată", care a rămas „o biblie medicală vreme mai îndelungată decât oricare altă lucrare": 1921, p. 98.
12. Cu privire la mișcarea de traducere, vezi Dimitr Gutas, 1998.
13. Manfred Ullmann, 1978, p. 7.
14. Lawrence Conrad, 1993, p. 693.
15. *Ibidem*, p. 694. Michael Dols subliniază că medicii creștini vorbitori de siriacă traduseseră cu regularitate texte grecești înaintea cuceririlor arabe, înrădăcinând ferm ideile lui Galen în Siria, Irak și Persia: 1992, p. 38. Pentru o privire mai generală, vezi Franz Rosenthal, 1994.
16. Aici urmez îndeaproape discuția edificatoare a lui Lawrence Conrad cu privire la aceste chestiuni. Vezi și Manfred Ullmann, 1978, pp. 8-15.
17. Lawrence Conrad, 1993, p. 619.
18. Manfred Ullmann, 1978, p. 49.
19. Vezi în această privință discuția din Plinio Prioreschi, 2001, pp. 425-426.
20. Ishaq ibn Imran, *Maqala fi l-Maalihuliya*, citată și discutată în Michael W. Dols, 1987a.
21. Manfred Ullmann, 1978, pp. 72-77.
22. Timothy S. Miller, 1985.
23. Cu privire la istoria lor anterioară, vezi Michael W. Dols, 1987b.
24. Lawrence Conrad, 1993, p. 716.
25. Spre exemplu, Al-Hasan ibn Muhammad al-Wazzan (cunoscut și sub numele Leo Africanus) era administrator la spitalul din Fez (Maroc). Făcut prizonier și dus la Roma în 1517, a relatat că nebunii din spital erau legați cu lanțuri groase și închiși în încăperi ai căror pereți erau

întăriți cu grinzi solide din lemn și fier. Vezi Leo Africanus, 1896, vol. 2, pp. 425 și urm.
26. Michael W. Dols, 1992, p. 129.
27. Peter Brown, 1971, pp. 82-108.
28. Henry A. Kelly, 1985, capitolul 4; Peter Brown, 1972, p. 136.
29. Peter Brown, 1972, p. 122.
30. Darrel W. Amundsen și Gary B. Ferngren, „Medicine and Religion: Early Christianity through the Middle Ages", în Martin E. Marty și Kenneth L. Vaux (eds.), *Health/Medicine and the Faith Traditions: An Inquiry into Religion and Medicine*, Philadelphia: Fortress Press, 1982, p. 103, discutat în Michael W. Dols, 1992, p. 191.
31. Michael W. Dols, 1992, p. 191.
32. Peter Brown, 1972, p. 131.
33. Michael W. Dols, 1992, p. 206.
34. Vezi, de exemplu, Cyril Elgood, 1962.
35. Michael W. Dols, 1992, p. 10.
36. Toufic Fahd, 1971.
37. Michael W. Dols, 1992, p. 214.
38. Nizami, 1966, *The Story of Layla and Majnun*, traducere de R. Gelpke.
39. *Ibidem*, p. 38.
40. Jacques Le Goff, 1967, p. 290.
41. Paul Slack, 1985, p. 176.
42. Peter Brown, 1992.
43. Peter Brown, 1972, p. 67.
44. Richard Fletcher, 1997.
45. „The Life of St. Martin, by Sulpicius Severus", în Frederick R. Hoare, 1954, p. 29.
46. Peter Brown, 1972, p. 131.
47. *Matei* 10.1, 8.
48. Ronald C. Finucane, 1977, p. 17.
49. *Ibidem*, p. 19.
50. Edmund G. Gardner (ed.), 2010.
51. Peter Brown, 1981, p. 3.
52. În mod straniu, relicva se află acum în Capela Adormirii Maicii Domnului, pe Insula Enders, în largul coastei statului Connecticut (Statele Unite).
53. Abatele de la Abington a întocmit o listă lungă cu toate moaștele pe care le achiziționase mănăstirea până în anul 1116. Pentru fenomenul general al colecționării de moaște de către biserici, vezi Richard Southern, 1953.
54. Ronald C. Finucane, 1977, pp. 28-31.
55. Legenda spune că atunci când sacul care conținea craniul ei a fost controlat de gărzile romane, el conținea doar petale, dar când a fost introdus în Siena petalele se transformaseră iarăși în capul sfintei.
56. Andrew Marvell, „To His Coy Mistress", aprox. 1650.
57. Ronald C. Finucane, 1977, p. 76.
58. Citat în *ibidem*, pp. 91-92.
59. În secolul al XX-lea, asasinarea lui Becket a inspirat drama *Omor în catedrală* (1935) de T.S. Eliot.

60. Alban Butler, 1799, „Saint Genebrard, or Genebern, Martyr in Ireland", p. 217.
61. Vezi, de exemplu, J.P. Kirsch, 1909, „St Dymphna", în *The Catholic Encyclopedia*, vol. 5, New York: Appleton, 1909; William Ll. Parry-Jones, 1981.
62. Peter Brown, 1981, p. 107.
63. Un manuscris ajuns până la noi al ciclului Towneley, alcătuit cândva din circa 32 de piese de teatru jucate la Wakefield, în Yorkshire, se găsește acum la Biblioteca Huntington din California. Referirile la papă și la sfintele taine catolice sunt tăiate și douăsprezece pagini dinspre sfârșit au fost rupte și s-au pierdut, probabil deoarece conțineau prea multe referiri la catolicism pentru a fi păstrate.
64. Vezi discuția edificatoare din Penelope Doob, 1974, capitolul 3.
65. Citat în *ibidem*, p. 120.
66. Dante, *Inferno*, Canto 30:20-21. Traducerea pe care am folosit-o îi aparține lui Allen Mandelbaum: *The Divine Comedy of Dante Alighieri: Inferno*, New York: Random House, 1980. [Pentru traducerea în limba română am folosit ediția Dante, *Divina comedie*, traducere de George Coșbuc, ediție îngrijită de Ramiro Ortiz, Editura Polirom, Iași, 2000 – n.tr.]
67. *Ibidem*, Canto 30:22-27.
68. Penelope Doob, 1974, documentează consecvența cu care această legătură între nebunie și păcat și cele menționate în continuare alcătuiesc un laitmotiv al unei mari părți din literatura engleză medievală. În cele ce urmează sunt îndatorat analizei făcute de ea.
69. Dante, *Inferno*, Canto 28.
70. John Mirk, *Festial: A Collection of Homilies* (aprox. 1382), ed. Theodore Erbe, Londra: Early English Text Society, 1905, p. 56. Predicile lui Mirk au constituit probabil cea mai importantă colecție engleză de predici scrise în limba vernaculară înainte de Reformă, iar menirea lor a fost aceea de ghid pentru preoții parohi, deși au avut și o circulație mai largă, în rândul mirenilor educați.
71. Rabanus Maurus Magnentius, *De universo libri*, citat în Penelope Doob, 1974, p. 2.
72. Katherine Park, 1992, p. 66.
73. W. Montgomery Watt, 1971, p. 67.
74. Donald Lupton, *London and the Country Carbonadoed and Quartered into Several Characters*, Londra: Nicholas Okes, 1632, p. 75. Îi datorez lui Colin Gale această trimitere bibliografică.
75. Ronald C. Finucane, 1977, p. 64, referindu-se la disprețul mai răspândit al clericilor față de medici.

Capitolul 4

Melancolie și nebunie

1. În Portugalia, Ungaria, Polonia, Scandinavia, vânătoarea de vrăjitoare și procesele de vrăjitorie s-au prelungit considerabil în secolul al XVIII-lea.
2. George Gifford, 1587.

3. Martin Luther, citat în H.C. Erik Midelfort, 1999, p. 97.
4. Thomas Hobbes, *Leviathan*, 1968, p. 92 (ediția originală, 1651).
5. Joseph Glanvill, 1681, citat în Roy Porter, 1999, pp. 198-199.
6. Stuart Clark, 1997, p. 152.
7. Lambert Daneau, 1575, citat în Stuart Clark, 1997, pp. 163-164.
8. *Ibidem*, pp. 188-189.
9. „Nu se poate spune că principiul potrivit căruia demonii pot sălășlui în oameni a fost abandonat de o parte substanțială a claselor educate ale Europei, inclusiv de profesia medicală, până dincolo de sfârșitul secolului al XVII-lea" (*Ibidem*, pp. 390-391).
10. H.C. Erik Midelfort, 1999, p. 158. „Pentru medici, aceasta a fost cu adevărat «epoca melancoliei»."
11. Andrew Boorde, 1548, citat în Stanley W. Jackson, 1986, pp. 82-83.
12. Andreas Laurentius, 1598, pp. 88-89, 125. Originalul în franceză, apărut în 1594, a cunoscut peste douăzeci de ediții și a fost tradus în engleză, germană și italiană, precum și în latină.
13. Andreas Laurentius, 1598, p. 87.
14. Timothie Bright, 1586, pp. xii-xiii, 90, 102. Concepțiile lui Bright și ale lui Laurentius în această privință sunt foarte asemănătoare cu discuțiile despre melancolie din *Canonul medicinei* de Avicenna, care derivă, la rândul lor, de la Galen și Rufus din Efes.
15. Andreas Laurentius, 1598, pp. 107-108.
16. J. Dryden, *Absolom and Achitophel*, 1681, partea I, versurile 163-164.
17. Robert Burton, *The Anatomy of Melancholy*, 1948, pp. 148-149 (ediția originală Oxford, 1621).
18. Stanley W. Jackson, 1986, p. 97.
19. Robert Burton, *The Anatomy of Melancholy*, 1948, p. 970.
20. *Ibidem*, p. 384.
21. Robert Burton, *The Anatomy of Melancholy*, citat în Richard Hunter și Ida Macalpine, 1963, p. 96.
22. Timothie Bright, 1586, pp. i, iv, 187. În prezent, Bright este amintit în principal ca inventator al stenografiei.
23. Andrew Boorde, 1547.
24. Felix Platter, Abdiah Cole și Nicholas Culpeper, 1662, citați în Stanley W. Jackson, 1986, pp. 91-94.
25. Importantul, dar și controversatul medic elvețiano-german Paracelsus (1493-1541), unul dintre primii critici serioși ai medicinei galenice, a fost și el îndrăgostit de astrologie și alchimie, pe care le folosea cu regularitate în practica sa medicală.
26. Citat în Michael MacDonald, 1981, p. 213.
27. *Ibidem*, p. 141.
28. John Cotta, 1616, citat în Richard Hunter și Ida Macalpine, 1963, p. 87.
29. John Cotta, 1612, pp. 86, 88.
30. *Ibidem*, p. 51.
31. Edward Jorden, 1603, The Epistle Dedicatorie (nepaginată).
32. Pentru o discutare mai amplă a acestui caz, vezi Andrew Scull, 2011, pp. 1-23. Interpretarea potrivit căreia intervenția lui Jorden a avut motivație religioasă și nu a exprimat un laicism deziluzionat, cum a

părut uneori, a fost avansată și documentată pentru prima oară de Michael MacDonald, 1991.
33. Samuel Harsnett, 1599.
34. Samuel Harsnett, 1603.
35. Kenneth Muir, 1951, susține că a identificat peste cincizeci de fragmente din polemica lui Harsnett încorporate în textul *Regelui Lear*.
36. Tommaso Campanella (1568-1639) a fost liderul spiritual al unui complot împotriva regelui Spaniei, care domnea pe atunci asupra provinciei Calabria (unde Campanella fusese exilat în urma unor bănuieli de tendințe eretice). Mulți dintre ceilalți conspiratori au fost spânzurați sau dezmembrați în public, dar Campanella, dând foc celulei sale și prefăcându-se în mod convingător că e nebun, chiar și când a fost supus la tortură și privare de somn, a evitat execuția. Judecătorii au ezitat să execute un nebun, din moment ce nu era în măsură să se pocăiască, astfel că ei ar fi fost răspunzători pentru condamnarea lui la osândă veșnică. Întemnițat peste un sfert de secol într-o serie de castele napoletane, Campanella a fost eliberat, în cele din urmă, în 1626, dar nu înainte de a fi publicat cu curaj (în 1616) o apărare a lui Galilei în fața Inchiziției. La câțiva ani după eliberare, amenințat cu noi persecuții, Campanella a fugit la Paris, unde a rămas sub protecția regelui francez până la moarte, în 1639.
37. T.S. Eliot, 1964, „Seneca in Elizabethan Translation”, pp. 51-88.
38. *Every Man in His Humour* a lui Ben Johnson, jucată pentru prima oară de Lord Chamberlain's Men în 1598, cu William Shakespeare în rolul lui Kno'well (gentilomul a cărui dorință de a-și spiona fiul servește drept element central al intrigii), a respectat îndeaproape modelul oferit de comedia clasică, nu în ultimul rând prin descrierea unor versiuni foarte puțin anglicizate ale personajelor preferate de Plaut.
39. *Hercules Furens*, în *Seneca, Tragedies*, traducere de Frank Justus Miller, Loeb Classical Library Volumes. Cambridge, MA, Harvard University Press; Londra, William Heinemann Ltd: 1917, versurile 1006 și urm., 1023 și urm.
40. *Titus Andronicus*, Actul 2, Scena 4, versul 22. [Pentru traducerea în limba română am folosit ediția *Titus Andronicus*, traducere de Dan Duțescu, în William Shakespeare, *Opere complete*, vol. 2, Editura Univers, București, 1983 – n.tr.]
41. Faptul că unii puritani, chinuiți de vinovăție, corespundeau stereotipului personajului melancolic, deprimat și uneori sinucigaș este atestat de însemnările literare abundente lăsate de un oarecare Nehemiah Wallington (1598-1658), strungar în lemn londonez. Într-o epocă în care majoritatea bărbaților din clasa și mediul lui erau analfabeți, Wallington a lăsat în urmă peste două mii de pagini de note, jurnale și scrisori care îi consemnau lupta cu îndoieli religioase, ideile delirante cum că diavolul i-a vorbit timp de o oră și mai mult sub chipul unui corb și accesele repetate de melancolie, toate analizate minunat în Paul S. Seaver, 1988.
42. Îi datorez această idee (și multe alte lucruri) prietenului și colegului meu John Marino.
43. Miguel de Cervantes, *Don Quixote*, traducere de John Rutherford, Londra: Penguin Classics, 2003, pp. 142-143. [Pentru traducerea în

limba română am folosit ediţia *Don Quijote de la Mancha*, 2 vol., traducere de Ion Frunzetti şi Edgar Papu, Editura Polirom, Iaşi, 2016 – n.tr.]

44. Ar trebui remarcat însă că una dintre cele mai importante asemenea inovaţii, dezvoltarea perspectivei liniare începând din anii 1420, avea la rândul ei origini clasice. Studierea Panteonului de la Roma a fost cea care l-a condus pe Filippo Brunelleschi (1377-1446) la crearea domului catedralei din Florenţa şi la dezvoltarea unui nou simţ al perspectivei liniare care a fost teoretizat matematic rapid de Leon Battista Alberti (1404-1472) şi aproape la fel de rapid a transformat arta occidentală.
45. Pentru privirea omului din secolul al XXI-lea, multe dintre imaginile care înţesează peisajul au în ele ceva de Dalí.
46. Sebastian Brant, *Daß Narrenschyff ad Narragoniam*, Basel, 1494.
47. Michel Foucault, 2006, pp. 8-9.
48. Erasmus, *The Praise of Folly*, ed. Clarence Miller, 1979, p. 65. [Fragmentele în limba română au fost preluate din ediţia Erasmus din Rotterdam, *Elogiul nebuniei sau discurs spre lauda prostiei*, traducere de Robert Adam, Editura Antet, Bucureşti, 1995 – n.tr.]
49. „Ce să mai zic de cei care se bizuie aşa de mult pe puterile indulgenţelor că socotesc timpul cât vor rămâne în purgatoriu până la picăturile unui ceas cu apă [...]? Sau de ceştilalţi care, încrezători în niscaiva amulete ori închinăciuni pe care le-a izvodit vreun şarlatan evlavios spre a-şi râde sau spre a trage foloase [...]?" (*Ibidem*, p. 64).
50. „Un obicei la fel de alăturea cu calea şi de caraghios este acela potrivit căruia fiecare ţinut îşi alege sfântul lui. Orice palmă de loc îşi are patronul ei, care este cinstit doar într-un anume fel şi care la rândul său are puteri numai ale lui: unul vindecă durerile de dinţi, altul uşurează chinurile femeilor ce stau să nască, al treilea înapoiază lucrurile furate. Şi mai sunt protectori ai marinarilor, ai păstorilor şi tot aşa. [...] Se află câte unii ce au mai multe însuşiri, ca de pildă Maica Domnului, căreia norodul îi pune în seamă mai multe minuni decât fiului ei" (*Ibidem*, p. 65).
51. Scrisoarea introductivă a lui Erasmus către Thomas Morus, retipărită în *The Praise of Folly*, 1979, p. 4.
52. *Ibidem*, pp. 64-65.
53. Acesta este un paradox întipărit profund în creştinism încă de la începuturile sale. *Cf.*, de exemplu, unele pasaje din Epistola întâia către corinteni a Sfântului Apostol Pavel (*1 Corinteni* 1.20, 25, 27-28), unde el scrie pe larg despre acest subiect:

    > Au n-a dovedit Dumnezeu nebună înţelepciunea lumii acesteia? [...] Pentru că fapta lui Dumnezeu, socotită de oameni nebunie, este mai înţeleaptă decât înţelepciunea lor şi ceea ce pare ca slăbiciune a lui Dumnezeu, mai puternică decât tăria oamenilor. [...] Ci Dumnezeu Şi-a ales pe cele nebune ale lumii, ca să ruşineze pe cei înţelepţi; Dumnezeu Şi-a ales pe cele slabe ale lumii, ca să ruşineze pe cei tari; Dumnezeu Şi-a ales pe cele de neam jos ale lumii, pe cele nebăgate în seamă, pe cele ce nu sunt, ca să nimicească pe cele ce sunt.

54. Erasmus, *The Praise of Folly*, 1979, pp. 129-130.
55. *Ibidem*, p. 132.

56. Trimiterile la Antichitatea clasică ce pot fi găsite în *Elogiul nebuniei* nu se rezumă la Platon și Socrate. Vergiliu, Horațiu, Homer și Pliniu sunt doar câțiva dintre ceilalți autori greci și latini care apar în paginile ei.
57. Trimiterea este la Plato, *The Symposium*, traducere de M.C. Howatson, 2008, 216c-217a. [Pentru traducerea în limba română, vezi *Banchetul*, în Platon, *Banchetul și alte dialoguri*, traducere de Șt. Bezdechi și C. Papacostea, Editura Mondero, București, 2008, pp. 142-143 – n.tr.]
58. Erasmus, *The Praise of Folly*, traducere de Thomas Chaloner, Londra: Thomas Berthelet, 1549, retipărită de Early English Text Society, nr. 257, Londra, Oxford University Press, 1965, p. 37.

Capitolul 5

Case de nebuni și doctori de nebuni

1. Jacques Tenon, 1778, p. 85.
2. Montpellier nu pare atipic pentru măsurile luate în privința nebunilor în Franța provincială. La Dijon, de exemplu, în vremea Revoluției Franceze, Bon Pasteur adăpostea nouă femei bolnave psihic.
3. Colin Jones, 1980, p. 272. Această secțiune se bazează pe cercetările de pionierat ale lui Jones.
4. *Ibidem*, p. 380.
5. *Ibidem*.
6. Sade a fost eliberat de la Charenton în 1790, când Adunarea Constituantă a abolit *lettres de cachet*, și ulterior a devenit delegat la Convenția Națională, lepădându-se în mod convenabil de trecutul său aristocratic. În 1801 a fost întemnițat iarăși la Bicêtre (Napoleon constatând că detenția arbitrară este o armă prea prețioasă pentru a renunța la ea) și apoi transferat înapoi la Charenton după o intervenție a rudelor lui, unde a murit în 1814 ca „alienat mintal". Cu totul, a stat închis peste un sfert de secol.
7. Jacques Tenon, 1778, consemnează șase case de nebuni în Faubourg St Jacques, alte nouă în Faubourg St Antoine și trei în Montmartre. Cea mai mare dintre ele, condusă de o domnișoară Laignel în fundătura Des Vignes, conținea 36 de femei nebune; luate laolaltă, aceste așezăminte adăposteau mai puțin de 300 de internați, majoritatea fiind înregistrați ca imbecili sau senili. Cei violenți și cei agitați erau găzduiți altundeva, majoritatea în instituții municipale.
8. Robert Castel, 1988, estimează că „«prizonierii de familie» alcătuiau aproximativ nouă zecimi dintre cei închiși prin *lettres de cachet* emise de *l'ancien régime*" (p. 16).
9. Neil McKendrick, John Brewer și J.H. Plumb, 1982.
10. Aici îi sunt îndatorat lui Fabrizio Della Setta, 2013, iar la un mod mai general, pe tot cuprinsul discuției mele despre nebunie și operă, prietenei mele Amy Forrest și cumnatului meu Michael Andrews, pentru sugestiile și intuițiile lor. Delilah Forrest, fiica lui Amy, m-a ajutat și ea foarte mult prin faptul că mi-a atras atenția asupra anumitor caracteristici ale partiturilor lui Händel și Mozart pentru *Orlando* și *Idomeneo*.

11. Michael Robinson, 2013, sugerează: „Mesajul pe care Händel pare să-l transmită aici în mod subtil este acela că oricine îndrăzneşte să cânte în ritm de cinci bătăi pe măsură ori delirează, ori vrea să pară nebun".
12. Compară, de exemplu, cu *Macbeth* (1847) a lui Verdi, cu lady Macbeth cea somnambulă şi bântuită, sau cu *Hamlet* (1868) al compozitorului francez Ambroise Thomas, cu utilizarea nebuniei autentice şi prefăcute deopotrivă şi cu locul îmbunătăţit pe care îl asigură Ofeliei nebune într-o intrigă simplificată radical. Şi mai îndepărtată de sursa iniţială de inspiraţie este *Lady Macbeth din districtul Mtsensk* a lui Dmitri Şostakovici, o operă din 1934 care a trezit furia lui Stalin şi a fost cât pe ce să-l coste pe compozitor viaţa, în parte din cauza portretului înţelegător făcut unei ucigaşe şi a referirilor la exilul în Siberia, dar în şi mai mare măsură din cauza idiomurilor muzicale explicit moderniste şi a ceea ce un critic american a numit „pornofonia" muzicii care însoţea scenele sexuale.
13. Pentru o discuţie excelentă despre *Idomeneo*, căreia îi sunt îndatorat aici, vezi David Cairns, 2006, capitolul 2. Daniel Heartz, 1992, a avut de asemenea o discuţie foarte utilă despre *Idomeneo*.
14. Daniel Heartz, citat în Kristi Brown-Montesano, 2007, p. 225.
15. *Médée* [Medea] (1693) a lui Charpentier a precedat cu patru decenii *Orlando* şi a adoptat cu necesitate tema nebuniei, dar între alte exemple se numără *Hercules* (1744) a lui Händel, *Idomeneo* (1781) a lui Mozart, *Anna Bolena* (1830), *Lucia di Lammermoor* (1835) şi *Linda di Chamounix* (1842) ale lui Donizetti, *Il Pirata* (1827), *I Puritani* (1835) şi *La sonnambula* (1831) ale lui Bellini, *Hamlet* (1868) a lui Thomas, *Boris Godunov* (1868) a lui Mussorgski, *Nabucco* (1842) şi *Macbeth* (1847) ale lui Verdi şi *Tosca* (1900) de Puccini.
16. *European Magazine* 6, 1784, p. 424.
17. Ambii citaţi în Christine Stevenson, 2000, p. 7.
18. Alexander Cruden, 1739.
19. Daniel Defoe, 1728.
20. William Belcher, 1796.
21. William Pargeter, 1792, p. 123.
22. Samuel Johnson, şi el de pe Grub Street, l-a descris pe locatarul tipic al uneia dintre mansardele acesteia drept „un om fără curaj, care scrie acasă minciuni pentru profitul propriu. Pentru aceste compoziţii nu sunt necesare nici geniul, nici cunoştinţele, nici hărnicia, nici vioiciunea; dar dispreţuirea ruşinii şi indiferenţa faţă de adevăr sunt absolut necesare" (*The Idler*, 30, noiembrie 1758). Şi, desigur, *Dunciad* de Alexander Pope a fost scrisă în mod explicit ca satiră la adresa „rasei de Grub Street" a scriitorilor comerciali.
23. Eliza Haywood, 1726.
24. Pentru un alt exemplu de roman englezesc de la sfârşitul secolului al XVIII-lea având ca temă casa de nebuni, vezi *The Young Philosopher* de Charlotte Smith, Londra: Cadell and Davies, 1798.
25. Se poate menţiona aici o ironie a istoriei: Donizetti însuşi a murit nebun, probabil victima unui sifilis terţiar. Vezi Enid Peschel şi Richard Peschel, 1992.

26. Pentru exemple clare ale acestui tip de distanțare ideologică, vezi Samuel Richardson, 1741, îndeosebi scrisorile nr. 153 și 160.
27. Henry Mackenzie, 1771, capitolul 20.
28. Nicholas Robinson, 1729, p. 43.
29. John Brydall, 1700, p. 53.
30. Blaise Pascal, *Pensées* (1669), retipărită în *Œuvres complètes*, Paris: Gallimard, 1954, p. 1156.
31. Andrew Snape, 1718, p. 15.
32. Thomas Willis, 1683, p. 206, subliniere în original.
33. *Cf.* Molière, *Le Malade imaginaire*, Paris, 1673.
34. Nicholas Robinson, 1729, pp. 400-401.
35. Citat în Ida Macalpine și Richard Hunter, 1969, p. 281.
36. Citat în *ibidem*, p. 275.
37. Citat în *ibidem*, p. 281.
38. Colonelul Greville, slujitorul personal al lui George al III-lea, în *The Diaries of Colonel the Hon. Robert Fulke Greville*, 1930, p. 186.
39. Joseph Guislain, 1826, pp. 43-44. Traducerea îi aparține autorului.
40. Benjamin Rush către John Rush, 8 iunie 1810, retipărită în *The Letters of Benjamin Rush*, vol. 2, 1951, p. 1052.
41. Joseph Mason Cox, 1813, pp. 159, 163, 164, 165. Pe lângă publicarea a trei ediții în engleză de-a lungul a nouă ani, tratatul lui Cox a fost tradus rapid în franceză și germană, iar în 1811 a apărut o ediție americană. Inovația lui a ajuns la urechi receptive.
42. George Man Burrows, 1828, p. 601.
43. *Ibidem*.
44. William Saunders Hallaran, 1810, p. 60.
45. J.H. Plumb, 1975, p. 69.
46. John Locke, în *Educational Writings of John Locke*, 1968, pp. 152-153, 183.
47. John Ferriar, 1795, pp. 111-112.
48. Thomas Bakewell, 1815, pp. 55-56.
49. Samuel Tuke, 1813, p. 148.
50. Dora Weiner, 1994, p. 232. Vezi și Gladys Swain, 1977.
51. Vezi Jan Goldstein, 2001, capitolul 3.

Capitolul 6

Nervi și nevropați

1. Richard Blackmore, 1726, p. 96.
2. *Ibidem*, p. 97.
3. Alexander Pope, *Epistle to Arbuthnot*.
4. Citat în George Rousseau, 1993, p. 167.
5. Jonathan Swift, „Verses on the Death of Dr Swift" și „The Seventh Epistle of the First Book of Horace Imitated".
6. George Cheyne, 1733, p. 260.
7. *Ibidem*, p. 262.
8. *Ibidem*, p. ii.

9. Thomas Willis, 1674, p. 124. Publicată inițial în latină, la Londra, în 1644, de Thomas Grigg. Traducerea de față a apărut în Thomas Willis, *The Practice of Physick*, traducere de Samuel Pordage, 1684.
10. Thomas Willis, 1681.
11. Thomas Sydenham, 1742, pp. 367-375.
12. George Cheyne, 1733, p. 174.
13. *Ibidem*, pp. 49-50.
14. *Ibidem*, pp. i-ii.
15. *Ibidem*, pp. 52, 262.
16. *Ibidem*, p. 262.
17. David Hume, *A Treatise on Human Nature*, partea a treia, „Of the Will and Direct Passions", secțiunea I, „Of Liberty and Necessity", 2007; Thomas Boswell, 1951, pp. 42-43.
18. Nicholas Robinson, 1729, pp. 181-183, 407-408.
19. *Ibidem*, p. 102.
20. *Ibidem*, p. 406.
21. Thomas Willis, 1683, p. 206.
22. Hermanni Boerhaave, 1761.
23. În vremurile victoriene, școlarii aveau obiceiul să înfigă un ac într-o elitră a unui cărăbuș și să-l privească învârtindu-se.
24. Vezi John Wesley, 1906, vol. 1, pp. 190, 210, 363, 412, 551; vol. 2, pp. 225, 461, 489.
25. William Black, 1811, pp. 18-19; John Haslam, 1809, pp. 266-267; William Pargeter, 1792, p. 134.
26. În cele ce urmează mă bazez mult pe cercetările lui H.C. Erik Midelfort, distins istoric al vrăjitoriei și bolii psihice în Germania, a cărui disecție a fenomenului Gassner a fost publicată sub titlul *Exorcism and the Enlightenment*, 2005.
27. Citat în Henri Ellenberger, 1970, p. 58. În cele ce urmează m-am inspirat în parte din prezentarea făcută de Ellenberger carierei lui Mesmer, precum și din *Mesmerism and the End of the Enlightenment in France*, 1968, a lui Robert Darnton.
28. După unele surse, Mozart și-a compus Concertul pentru pian nr. 18 în si bemol major (K. 456) pentru ea.
29. Citat în Gloria Flaherty, 1995, p. 278.
30. Istoricii au afirmat că Mesmer a fost de față la concert, ceea ce ar părea o mutare deloc înțeleaptă din partea lui. Frank Pattie, 1979, a susținut însă că aceasta a fost o născocire.
31. Pentru viața sa de apoi din Anglia victoriană, vezi Alison Winter, 1998.

Capitolul 7

Marea Închidere

1. William Shakespeare, *Hamlet*, Actul 4, Scena 5.
2. Andrew Snape, 1718, p. 15.
3. *The World*, 7 iunie 1753.

4. Nicholas Robinson, 1729, p. 50; Richard Mead, 1751, p. 74; William Arnold, 1786, p. 320; Thomas Pargeter, 1792, p. 122. Compară cu raportul Comisiei privind cerșetoria a Adunării Constituante franceze imediat după Revoluția Franceză, care deplânge „cele mai mari, mai cumplite dintre suferințele omenești care se pot abate asupra acestor persoane nefericite, degradate în cea mai nobilă parte a ființei lor" (citat în Robert Castel, 1988, p. 50).
5. Fanny Burney, 1854, vol. 4, p. 239.
6. Contesa de Harcourt, 1880, vol. 4, pp. 25-28.
7. J.-É.D. Esquirol, 1819, citat în Dora Weiner, 1994, p. 234.
8. House of Commons, *Report of the Select Committee on Madhouses*, 1815, p. 3.
9. House of Commons, *First Report of the Select Committee on Madhouses*, 1816, pp. 7 și urm.; Edward Wakefield, 1814.
10. Azilul York a fost înființat în 1772 ca azil caritabil, condus după principii tradiționale. Nu a avut nici o legătură cu azilul quaker de mai târziu, Refugiul York, înființat în 1796 și prezentat mai jos. Mai mult chiar, zvonurile despre maltratarea pacienților la Azilul York s-au numărat printre motivele lui William Tuke de a crea un azil separat, al quakerilor, în York.
11. House of Commons, *Report of the Select Committee on Madhouses*, 1815, pp. 1, 4-5.
12. *Report of the Metropolitan Commissioners in Lunacy to the Lord Chancellor*, Londra: Bradbury and Evans, 1844.
13. Textul este reprodus în întregime în Robert Castel, 1988, pp. 243-253.
14. Vezi Jan Goldstein, 2001, capitolele 6, 8 și 9.
15. Helmut Gröger, Eberhard Gabriel și Siegfried Kasper (eds.), 1997.
16. Eric J. Engstrom, 2003, pp. 17-23.
17. Percy Bysshe Shelley, „Julian and Maddalo: A Conversation" (1818-1819).
18. Carlo Livi, „Pinel o Chiarugi? Lettera al celebre Dott. Al Brierre de Boismont...", *La Nazione*, VI, 18, 19, 20 septembrie 1864, citat în Patrizia Guarnieri, 1994, p. 249.
19. Silvio Tonnini, 1892, p. 718.
20. Vezi Julie V. Brown, 1981.
21. Dorothea Lynde Dix, 1843, p. 4. Descrierea captivantă (1995) pe care David Gollaher o face carierei lui Dix atrage atenția asupra împrumuturilor directe făcute de ea de la reformatorii britanici din domeniul nebuniei. În cele ce urmează m-am inspirat din biografia lui exemplară.
22. *Ibidem*, pp. 8-9. Cu siguranță nu este o coincidență faptul că această descriere oglindește relatarea celor care dăduseră în vileag starea pacienților ascunși în măruntaiele Azilului York.
23. Pentru descrierea incursiunii lui Dix în Scoția, vezi Andrew Scull, Charlotte MacKenzie și Nicholas Hervey, 1996, pp. 118-121.
24. Dorothea Lynde Dix, 1845, pp. 28-29.
25. George E. Paget, 1866, p. 35.
26. Vezi, de exemplu, Stephen Garton, 1988; Catherine Coleborne, 2001; Thomas Brown, 1980.
27. Harriet Deacon, 2003, pp. 20-53.
28. Vezi Jonathan Sadowsky, 1999.

29. Rauvolfia este folosită în continuare la scară redusă în medicina occidentală, pentru tratarea hipertensiunii.
30. Waltraud Ernst, 1991.
31. Pentru primul studiu complet asupra unei astfel de instituţii, vezi Waltraud Ernst, 2013.
32. Richard Keller, 2007; Claire Edington, 2013; şi, la un nivel mai general, Sloan Mahone şi Megan Vaughan (eds.), 2007.
33. Jonathan Ablard, 2003; E.A. Balbo, 1991.
34. Pentru o splendidă şi amănunţită dezvoltare a acestor idei, vezi Emily Baum, 2013.
35. Akihito Suzuki, 2003.
36. John Ferriar, 1795, pp. 111-112. (Ferriar era medic la Azilul de nebuni Manchester.) Pentru sentimente similare ale altui îngrijitor de casă de nebuni, vezi Thomas Bakewell, 1805, pp. 56-57, 59, 171.
37. Vezi îndeosebi Samuel Tuke, 1813. (O ediţie americană a fost publicată la Philadelphia după câteva luni.)
38. *Ibidem*, pp. 133-134, 151-152.
39. *Ibidem*, p. 156.
40. *Ibidem*, p. 177.
41. William A.F. Browne, 1837.
42. Andrew Scull, 1981b.
43. Pentru unul dintre numeroasele tributuri aduse activităţii doamnei Pussin, vezi Philippe Pinel, 2008 [1809], pp. 83-84.
44. *Ibidem*, p. xxiii, n. 2.
45. *Ibidem*, pp. 101-102.
46. *Ibidem*, p. 140.
47. J.-É.D. Esquirol, 1818, p. 84.
48. William A.F. Browne, 1837, pp. 50, 180.
49. Anonim, 1836-1837, p. 697.
50. John Conolly, 1847, p. 143.
51. Vezi, de exemplu, Dorothea Lynde Dix, 1845, pp. 9-10.
52. William A.F. Browne, 1864, pp. 311-312.
53. Azilul Regal Crichton, *7th Annual Report*, 1846, p. 35.
54. Azilul Regal Crichton, *10th Annual Report*, 1849, p. 38.
55. Citat în Jan Goldstein, 2001, p. 86.
56. Philippe Pinel, 1801, pp. xlv-xlvi.
57. Philippe Pinel, 2008 [1809], pp. 123-130, 136.
58. *Ibidem*, p. 139.
59. Vezi discuţia din Jan Goldstein, 2001, pp. 113-116.
60. Samuel Tuke, 1813, p. 110.
61. *Ibidem*, p. 111, citând cuvintele lui Thomas Fowler, primul medic venit în vizită la Refugiul York.
62. William F. Bynum, 1974, p. 325.
63. Philippe Pinel, 1801, pp. 158-159.
64. William Lawrence, 1819, p. 112.
65. Pierre Cabanis, 1823, pp. 23-25.
66. William A.F. Browne, 1837, p. 4; pentru o concepţie aproape identică, vezi Andrew Halliday, 1828, p. 4.

67. John Conolly, 1830, p. 62.
68. William A.F. Browne, 1837, p. 4.
69. William Newnham, 1829, p. 265.
70. John P. Gray, 1871.
71. Georges Lantéri-Laura, 2000, pp. 126-127.
72. Franz Gall și Johann Spurzheim, 1812, pp. 81-82.
73. Johann Spurzheim, 1813, p. 101.
74. Mark Twain, 2013, p. 336.
75. Deși observase modificări morbide la nivelul creierului pacienților săi, Bayle tot mai credea că originile bolii pot foarte bine să fie de natură socială. De exemplu, recunoștea că aceste simptome erau deosebit de răspândite în rândul celor care luptaseră în armatele lui Napoleon, dar punea faptul pe seama traumelor trăite de soldați și a dezamăgirii suferite la prăbușirea imperiului. În mod similar, Esquirol observase că prostituatele păreau deosebit de predispuse la boală, dar a atribuit acest fapt imoralității vieții lor.
76. *Journal of Mental Science*, 2, octombrie 1858.
77. Pinel insistase asupra adoptării noului termen *„aliénation”* în locul celui popular, *„folie”*, pe care l-a declarat vulgar (*Nosographie philosophique*, vol. 1, Paris: Crapelet, 1798), iar *„aliéniste”* era corolarul firesc. În manieră similară, Esquirol încercase să modifice limbajul folosit de concetățenii lui pentru locurile în care alieniștii îi închideau pe nebuni: „Mi-ar plăcea ca aceste așezăminte să primească o denumire specifică și care să nu deștepte în minte idei dureroase; mi-ar plăcea să fie numite aziluri” (J.-É.D. Esquirol, 1819, p. 26).
78. Robert Gardiner Hill, 1839, pp. 4-6.
79. Joseph Mortimer Granville, 1877, vol. 1, p. 15.
80. Citat în Dorothea Lynde Dix, 1850, p. 20.
81. *The Times*, 5 aprilie 1877.
82. *The Scotsman*, 1 septembrie 1871.
83. „Heilungsaussichten in der Irrenstalten”, 10, septembrie 1908, p. 223.
84. James Crichton-Browne, *Annual Report of the West Riding Lunatic Asylum*, 1873.
85. „Lunatic Asylums”, *Quarterly Review*, 101, 1857.

Capitolul 8

Degenerare și disperare

1. Philippe Pinel, „Aux auteurs du journal”, *Journal de Paris*, 18 ianuarie 1790, p. 71.
2. Philippe Pinel, 1805, p. 1158.
3. J.-É.D. Esquirol, 1805, p. 15.
4. J.-É.D. Esquirol, 1838, vol. 2, p. 742.
5. H. Girard, 1846, pp. 142-143.
6. Benjamin Rush, 1947, p. 168.
7. *Ibidem*, p. 333.

8. *Tenth Annual Report of the State Lunatic Hospital at Worcester*, 1842, Boston: Dutton and Wentworth, p. 62.
9. Spitalul de nebuni Butler, *Annual Report*, 1854, p. 13.
10. Pliny Earle, 1868, p. 272.
11. *Thirteenth Annual Report of the State Lunatic Hospital at Worcester*, 1845, Boston: Dutton and Wentworth, 1846, p. 7. Vezi și Amariah Brigham, 1833, p. 91.
12. Thomas Beddoes, 1802, p. 40.
13. Alexander Morison, 1825, p. 73.
14. William A.F. Browne, 1837, pp. 56, 59.
15. David Uwins, 1833, p. 51.
16. Silas Weir Mitchell, 1894.
17. Azilul regal Crichton, *9th Annual Report*, 1848, p. 5.
18. Azilul regal Crichton, *13th Annual Report*, 1852, p. 40.
19. Azilul regal Crichton, *18th Annual Report*, 1857, pp. 24-26.
20. John C. Bucknill, 1860, p. 7.
21. Charlotte MacKenzie, 1985.
22. Ebenezer Haskell, 1869.
23. Vincent van Gogh către Theo van Gogh, mai 1890.
24. Când Clare trimitea scrisori la ziare, le semna „A Northamptonshire Pheasant"*; nu a ajuns niciodată să stăpânească ortografia convențională.
25. Textul poeziilor citate aici este preluat din *The Poems of John Clare*, redactat și cu o introducere de J.W. Tibble, Londra: J.M. Dent & Sons Ltd și New York: E.P. Dutton & Co. Inc, 1935. Cu mulțumiri către Linda Curry, președinta Societății John Clare, pentru ajutorul oferit.
26. Charles Reade, 1864. După cum Reade știa foarte bine, Conolly fusese dat în judecată cu puțin timp înainte pentru daune în urma închiderii domnului Ruck, alcoolic închis pe baza unui certificat de nebunie eliberat de Conolly, într-un azil de la care el primea „onorarii de consultant". Juriul de la proces a concluzionat că aceste sume constituiau mită și lui Conolly i s-a impus să plătească daune drastice în valoare de 500 de lire sterline. Cazul s-a bucurat de o publicitate deosebită, dată fiind vizibilitatea lui Conolly ca omul care abolise imobilizarea mecanică în azilurile londoneze. Nu a fost ultima ciocnire a lui Conolly cu legea. În ce-l privește pe Hamlet, nebunia prințului era o *idée fixe* cunoscută a doctorului Conolly.
27. Romanul conține, desigur, portretul memorabil al unui personaj dus la nebunie obsesivă de aparițiile repetate ale avocaților lordului cancelar, în persoana blândei domnișoare Flite.
28. John T. Perceval, 1838, 1840, pp. 175-176, 179. Cu privire la Societate, vezi Nicholas Hervey, 1986.
29. Vezi discuția despre Conolly și Hill în Andrew Scull, Charlotte MacKenzie și Nicholas Hervey, 1996, pp. 70-72.
30. Vezi Rosina Bulwer Lytton, 1880, pentru descrierea polemică a chinurilor suportate de ea, și Sarah Wise, 2012, pp. 208-251, pentru o evaluare mai echilibrată a cazului.

---

* „Un fazan din Northamptonshire" – greșeală de scriere: *pheasant*, „fazan", în loc de *peasant*, „țăran" (n.tr.).

31. Prezentat în *Annales médico-psychologiques* 5, 1865, p. 248. Vezi Ian Dowbiggin, 1985a.
32. Daniel Hack Tuke, 1878, p. 171.
33. Henry Maudsley, 1871, pp. 323-324.
34. Henry Maudsley, 1895, p. 30.
35. W.A.F. Browne, în Azilul regal Crichton, *18th Annual Report*, 1857, pp. 12-13.
36. S.A.K. Strahan, 1890, pp. 337, 334.
37. Max Nordau, 1893. Cartea lui Nordau a apărut în engleză în anul 1895 și s-a bucurat de un succes internațional, în primul rând pentru că denunța arta degenerată și pe artiștii plastici degenerați.
38. William Greenslade, 1994, p. 5.
39. Unii savanți moderni au pus la îndoială sifilisul lui Nietzsche. Poate că au dreptate, deși pericolele diagnosticului retrospectiv sunt clare. La vremea respectivă, medicii lui de la azil erau convinși că suferă de paralizia generală a alienaților, adică sifilis terțiar.
40. William Booth, 1890, pp. 204-205.
41. Edward Spitzka, 1878, p. 210.
42. Refugiul York, *Annual Report*, 1904.
43. Citat în Henry C. Burdett, 1891, vol. 2, pp. 186, 230.
44. Charles G. Hill, 1907, p. 6. Compară cu comentariile făcute doi ani mai târziu de președintele Asociației Neurologilor Americani, Silas Weir Mitchell, 1909, p. 1: „Pe fundalul progreselor imense ale artei noastre, trebuie să mărturisim, din păcate, impasul absolut al tratamentului nebuniei și eșecul relativ în ce privește diagnoza în maladiile psihice întâmpinat chiar și de cel mai capabil diagnostician, chirurgul post-mortem".
45. Citat în Edward Shorter, 1997, p. 76.
46. Hideyo Noguchi și J.W. Moore, 1913.
47. James Cowles Prichard, 1835, p. 6.
48. Henry Maudsley, 1895, p. vi.
49. S.A.K. Strahan, 1890, p. 334.
50. Henry Maudsley, 1883, pp. 241, 321.
51. S.A.K. Strahan, 1890, p. 331.
52. Anunțat în *Annales médico-psychologiques*, 12, 1868, p. 288, citat în Ian Dowbiggin, 1985, p. 193.
53. *Buck v. Bell*, 247 US 200, 1927.
54. Pentru o discuție a legăturilor între susținătorii naziști ai „igienei rasiale" și adepții americani ai eugeniei, vezi Stefan Kühl, 1994. Potrivit lui Margaret Smyth, absolventă a Facultății de Medicină Stanford și directoarea Spitalului de stat California de la Stockton, „liderii mișcării germane de sterilizare afirmă în mod repetat că legislația lor a fost formulată după studierea atentă a experimentului californian". Margaret Smyth, 1938, p. 1234.
55. Vezi Robert Proctor, 1988; Aly Götz, Peter Chroust și Christian Pross, 1994.
56. Vezi M. von Cranach, 2003; Michael Burleigh, 1994.

Capitolul 9

Demi-fous

1. Akihito Suzuki, 2006, p. 103.
2. Vezi, de exemplu, discuția cu privire la practica psihiatrică domestică a lui Morison din Andrew Scull, Charlotte MacKenzie și Nicholas Hervey, 1996, capitolul 5.
3. Pentru exemple comparabile din Elveția, vezi cazurile citate în Edward Shorter, 1990, p. 178.
4. Registrul nr. 5 al pacienților de la Azilul Ticehurst, 2 iulie 1858, Arhive medicale contemporane, Biblioteca medicală Wellcome, Londra.
5. Edward Shorter, 1990, pp. 190-192.
6. Edward Hare, 1983; Edwin Fuller Torrey, 2002.
7. Andrew Scull, 1984; David Healy, 2008; Michael A. Taylor. 2013; Gary Greenberg, 2013.
8. Andrew Wynter, 1875; J. Mortimer Granville, în Andrew Wynter, 1877, p. 276: Granville a contribuit cu cinci capitole la ediția a doua.
9. John C. Bucknill, 1860, p. 7, unde se plânge că medicul de azil este silit să locuiască „într-o atmosferă de gânduri și simțăminte morbide [...] de idei delirante sinistre [care îl expune la un risc grav] de aparentă contagiune a bolii mintale". Cum stăteau atunci lucrurile, ne întrebăm, pentru pacienți? (Întâmplător, noaptea valpurgică era, potrivit tradiției, momentul în care vrăjitoarele se adunau laolaltă.)
10. William Goodell, 1881, p. 640.
11. Andrew Scull, 2011.
12. George M. Beard, 1881, p. 17.
13. Într-adevăr, în 1893, boala descrisă de Beard a primit omagiul contemporan suprem, apariția lucrării *Handbuch der Neurasthenie*, coordonată de Franz Carl Müller.
14. Virginia Woolf, *Mrs Dalloway* (1925). Sir William Bradshaw este o reprezentare dură a lui sir George Savage, a cărui practică psihiatrică era centrată pe clasele vorbărețe.
15. *Cf. The Yellow Wallpaper* de Charlotte Perkins Gilman, o povestire în care un Mitchell (care îi administrase personal lui Gilman cura de odihnă) abia mascat își scoate pacienta din minți. Edith Wharton a fost o altă pacientă a lui Mitchell, tratamentul ei încheindu-se cu un an înainte să-și publice primul roman.
16. Anne Stiles (pagină web). Suzanne Poirier, 1983, susține că „fostele paciente îi inundau corespondența cu scrisori pline de elogii și admirație" (pp. 21-22).
17. Deși cura de odihnă era administrată și bărbaților, aceștia erau rareori imobilizați complet, cum erau femeile. Scrierile lui Mitchell folosesc predominant pronume feminine când se referă la pacienți nevropați. În calitate de chirurg în timpul Războiului Civil, îi tratase cu duritate pe bărbații pe care îi suspecta că se prefac bolnavi. Comentariile lui cu privire la femeile neurastenice și isterice sugerează că aceeași atitudine persista și în privința lor, abia mascată de aparența superficială

a medicului grijuliu. Insistând ca pacientele să fie luate din propriile case, de exemplu, observa că „pentru capacitatea deplină de a face nefericit un cămin nu există o mai bună rețetă umană completă decât femeia săracă cu duhul, cu un grad înalt de nervozitate și debilitate și care tânjește după compătimire și agreează puterea" (Silas Weir Mitchell, 1888, p. 117). Freud avea să inventeze mai târziu termenul „beneficiu secundar". Evident, Mitchell era deja conștient de faptul că rolul de bolnav putea fi exploatat ca sursă de putere.

18. Silas Weir Mitchell, 1894.
19. Pentru o discuție cu privire la această ultimă evoluție, vezi Andrew Scull, Charlotte MacKenzie și Nicholas Hervey, 1996, capitolele 7-9. Cel puțin la început, „funcțional" nu a însemnat „psihologic", ci se referea la modificări fiziologice, nu structurale, la nivelul sistemului nervos. George Beard, 1880, p. 114, a formulat deosebirea astfel: „Ceea ce vede microscopul numim structural – ceea ce nu vede microscopul numim funcțional". Ambele erau afecțiuni somatice.
20. Cariera lui Jean-Martin Charcot este analizată în biografia magistrală scrisă de Christopher Goetz, Michel Bonduelle și Toby Gelfand, 1995.
21. Jean-Martin Charcot, „Preface", în Alex Athanassio, 1890, p. i.
22. James Braid, 1843.
23. Citat în Christopher Goetz, Michel Bonduelle și Toby Gelfand, 1995, pp. 235-236.
24. Celine Renooz, 1888.
25. Anonimă, 1877 – textul prelegerii susținute de ea la o conferință din august 1887 despre vivisecție.
26. Axel Munthe, 1930, pp. 296, 302-303.
27. Cu unele modificări, ultimele două paragrafe sunt preluate din Andrew Scull, 2011, pp. 122-123.
28. Axel Munthe, 1930, p. 302.
29. Horatio Donkin, 1892, pp. 625-626; Charcot își articulase pentru publicul vorbitor de limbă engleză concepțiile proprii în această chestiune ceva mai devreme, în același volum influent: J.-M. Charcot și Gilles de la Tourette, 1892.
30. Vezi Hippolyte Bernheim, 1886.
31. Savanții moderni au arătat că această descriere a tratamentului Annei O. este falsă în cele mai multe privințe. Nu numai că metoda cathartică a lui Breuer n-a reușit să o vindece, dar, mai mult, tulburarea ei a persistat peste un deceniu după ce a ieșit de sub îngrijirea lui, necesitând mai multe perioade prelungite de internare într-un sanatoriu din Elveția. Când și-a revenit, în cele din urmă, ea n-a avut nimic bun de spus despre cura verbală. Cel dintâi caz al psihanalizei este o legendă – un simplu șir de născociri la mai multe niveluri.
32. Josef Breuer și Sigmund Freud, 1957, p. 255 (subliniere în original).
33. *Ibidem*, p. 7 (subliniere în original).
34. Vezi prefața la a doua ediție a lucrării *Studies on Hysteria* publicată în *The Standard Edition of the Complete Psychological Works of Sigmund Freud*, vol. 2, Londra: Hogarth Press, 1981.
35. Sigmund Freud, 1963, pp. 15-16.
36. Citat în Jeffrey Masson, 1985, p. 9.

Capitolul 10

Remedii disperate

1. Wilfred Owen, „Mental Cases”, 1918.
2. Wilfred Owen, „Anthem for Doomed Youth”, 1917.
3. Sunt profund îndatorat aici, ca și în mai multe alte locuri de pe tot cuprinsul textului, revelațiilor și îndemnurilor prietenei mele Amy Forrest.
4. Otto Dix, *Jurnal de război, 1915-1916*, citat în Eva Karcher, 1987, p. 14; Dix citat în catalogul expoziției *Otto Dix 1891-1969*, Tate Gallery, 1992, pp. 17-18.
5. Wilfred Owen, „Dulce et Decorum Est” (1917-1918).
6. Charles Mercier, 1914, p. 17.
7. Căutând să profite de mai marele prestigiu al neurologiei, unii psihiatri foloseau termenul hibrid „neuropsihiatrie”, ce întărea la nivel simbolic percepția că boala psihică este cu certitudine o tulburare organică.
8. Pentru relatarea lui Rivers, vezi lucrarea lui „An Address On the Repression of War Experience”, *Lancet* 96, 1918. Activitatea lui Rivers la Craiglockhart este centrală în trilogia de romane a lui Pat Baker *Regeneration* (1991), *The Eye in the Door* (1993) și *The Ghost Road* (1995), iar el apare cu propriul nume în memoriile semiromanțate ale lui Sassoon, *Sherston's Progress*, 1936.
9. Citat în Paul Lerner, 2001, p. 158.
10. Citat în Marc Roudebush, 2001, p. 269.
11. E.D. Adrian și L.R. Yealland, 1917, citați în Ben Shephard, 2000, p. 77.
12. Citat în Elaine Showalter, 1985, pp. 176-177.
13. Când naziștii au finalizat Anschuß-ul în 1938, absorbind în al Treilea Reich ce mai rămăsese din Austria, antisemitul Wagner-Jauregg a intrat în partidul care în scurt timp avea să-l împingă pe Freud în exil și să facă tot posibilul pentru a extermina psihanaliza și pe psihanaliști ca adepți ai unei științe evreiești degenerate. În calitate de președinte al Ligii Austriece pentru Regenerare Rasială și Ereditate, Wagner-Jauregg a urmărit totodată energic sterilizarea celor din „material rasial inferior”.
14. Alături de infecția cutanată cu apariție rapidă numită „focul sfântului Anton”, această infecție streptococică era asociată cu dureri, frisoane și tremurături și putea să cauzeze deteriorări limfatice durabile sau chiar moartea.
15. August von Wassermann crease o analiză a sângelui pentru sifilis în anul 1906, la Institutul de boli infecțioase Robert Koch; șapte ani mai târziu, Hideyo Noguchi și J.W. Moore și-au publicat lucrarea clasică în *Journal of Experimental Medicine*, 1913, demonstrând că creierul celor afectați de GPI era infectat cu *Treponema pallidum*, spirochetul care provoacă sifilisul.
16. Frederick Mott, patologul spitalelor de psihiatrie londoneze, spunea că întâlnește cu regularitate paralitici în stadiu terminal, „epave omenești șezând înșirate, cu capul în piept, scrâșnind din dinți, cu saliva curgând pe la colțurile gurii, orbi la ceea ce-i înconjoară, cu fața lipsită de orice expresie și mâini reci, livide”. Citat în Hugh Pennington, 2003, p. 31.

17. Vezi Honorio F. Delgado, 1922; Nolan D.C. Lewis, Lois D. Hubbard și Edna G. Dyar, 1924, pp. 176-221; Julius Wagner-Jauregg, 1946, pp. 577-578.
18. Această practică a ridicat probleme etice serioase. Analiza Wassermann nu este specifică pentru sifilis. O reacție pozitivă poate să apară, de exemplu, la pacienții cu lupus eritematos sistemic, tuberculoză și (ca o ironie) malarie. Așadar, exista o posibilitate deloc neglijabilă ca, pe lângă contractarea malariei, un pacient diagnosticat greșit să fie contaminat și cu sifilis. Între puținii psihiatri tulburați de această posibilitate s-a numărat William Alanson White, directorul spitalului de psihiatrie federal din Washington, DC. White a interzis pe acest temei folosirea tratamentului, dar a fost aproape singur în această inițiativă.
19. J.R. Driver, J.A. Gammel și L.J. Karnosh, 1926.
20. Vezi Joel Braslow, 1997, pp. 71-94.
21. *Treponema pallidum* este vulnerabil *in vitro* la temperaturi de circa 41 °C, ceea ce sugerează un mecanism posibil prin care tratamentul putea să aibă efect, dar nu este clar dacă asta s-a întâmplat *in vivo*. Wagner-Jauregg a argumentat că infecția malarică a stimulat sistemul imunitar și că acest lucru explica într-un fel sau altul reușita tratamentului său, dar era o pură speculație, neîntemeiată pe vreo dovadă.
22. Henry Maudsley, 1879, p. 115.
23. Christopher Lawrence, 1985.
24. John B. Sanderson, 1885.
25. Vezi, de exemplu, Emil Kraepelin, 1896, pp. 36-37, 439; de asemenea, ediția a șasea, p. 154; ediția a opta, vol. 3, p. 931.
26. Henry A. Cotton, 1923, pp. 444-445.
27. Henry A. Cotton, 1919, p. 287.
28. Henry A. Cotton, 1921, p. 66.
29. În „Notes and News", *Journal of Mental Science*, 69, 1923, pp. 553-559. Goodall a lăudat activitatea lui Cotton ca antidot la doctrinele pernicioase propagate de Sigmund Freud: activitatea americanului „ar fi trebuit să aibă rolul de a-i atrage pe membri, de pe pășunile ademenitoare și ispititoare ale psihogenezei, pe cărările mai înguste, mai abrupte, mai accidentate și dificile, dar mai drepte ale medicinei generale".
30. Sir Berkeley Moynihan, 1927, pp. 815, 817. Moynihan nu era singurul care compara activitatea lui Cotton cu introducerea chirurgiei aseptice de către Lister; publicului i se amintea că anul 1927 însemna centenarul nașterii lui Lister și că activitatea de pionierat a acestuia fusese inițial primită cu scepticism de colegii săi chirurgi.
31. „Colectomia totală a fost efectuată [...] în 133 de cazuri, cu 33 de recuperări și 44 de decese. Rezecția parțială pe partea dreaptă a fost făcută în 148 de cazuri, cu 44 de recuperări și 59 de decese" – rezultate despre care Cotton afirma relaxat că se datorau „în mare măsură stării fizice foarte proaste a majorității pacienților" (Henry A. Cotton, 1923, pp. 454, 457).
32. Vezi A.T. Hobbs, 1924, p. 550.
33. Pentru o descriere amănunțită a episodului focarelor septice, vezi Andrew Scull, 2005.
34. *Dauernarkose*, introdusă de unul dintre acoliții lui Eugen Bleuler de la Zürich, Jakob Kläsi, cauza un somn artificial care dura între șase și opt zile. Avea o rată a mortalității declarată de 6%.

35. Robert S. Carroll, 1923; E.S. Barr și R.G. Barry, 1926, p. 89.
36. J.H. Talbott și K.J. Tillotson, 1926. Doi dintre cei zece pacienți ai lor au murit în timpul „tratamentului".
37. Departamentul Asistenței Publice al Statului Illinois, *Annual Report* 11, 1927-1928, pp. 12, 23; 1928-1929, p. 23. T.C. Graves, 1919.
38. La această întrunire, la care au participat psihiatri din întregul Occident, au fost prezentate șaizeci și opt de lucrări despre tratamentul cu insulină, în fața unui public de peste 200 de oameni. Vezi discuția din Edward Shorter și David Healy, 2007, capitolul 4.
39. Manfred Sakel, 1937, p. 830.
40. O anchetă americană pe bază de chestionar, de exemplu, a revelat că în anul 1941, din cele 365 de instituții psihiatrice publice și private, 72% foloseau deja terapia prin comă insulinică. Vezi Serviciul Sănătății Publice al SUA, 1941. Penuria de glucoză din Marea Britanie, în timpul războiului, a dus la limitarea utilizării tratamentului și a impus folosirea amidonului de porumb ca mijloc înlocuitor de a-i scoate pe pacienți din comă. Numeroase spitale au abandonat temporar tratamentul, deoarece insuficiența personalului medical îl făcea imposibil de administrat.
41. Benjamin Wortis, traducere a unei prelegeri susținute de Manfred Sakel la Paris, pe 21 iulie 1937, Registrul de tratament al Spitalului St Elizabeth, Poziția nr. 18, Arhivele Naționale, Washington, DC.
42. Vezi Harold Bourne, 1953, și discuția cu privire la reacția specialiștilor din Michael Shephard, 1994, pp. 90-92.
43. Sylvia Nasar, 1998, pp. 288-294.
44. L. von Meduna și Emerick Friedman, 1939, p. 509.
45. L. von Meduna, 1938, p. 50. (Cardiazol era denumirea comercială europeană a metrazolului.)
46. Solomon Katzenelbogen, 1940, pp. 412, 419.
47. Nathaniel J. Berkwitz, 1940, p. 351.
48. Cu privire la adoptarea rapidă a TEC la nivel internațional, vezi Edward Shorter și David Healy, 2007, pp. 73-82.
49. Deși confundată uneori cu tratamentele electrice similare terapiei Kaufmann, utilizate în Primul Război Mondial, TEC se deosebea net de acele tehnici de provocare intenționată a durerii, fiind folosită pentru a declanșa convulsii și inconștiență temporară, nu durere, frică și aversiune la pacientul conștient.
50. Stanley Cobb, 1938, p. 897.
51. M.J. Sakel, 1956.
52. Pentru o argumentație recentă oferită de doi susținători ai TEC, vezi Edward Shorter și David Healy, 2007, pp. 132-135. Nu toată lumea le împărtășește perspectiva optimistă.
53. Egas Moniz, 1936.
54. *Baltimore Sun*, 21 noiembrie 1936.
55. Interesul tot mai mare față de lobotomie înregistrat în spitalele de stat „progresiste" la începutul anilor 1940 este urmărit în Jack D. Pressman, 1998, capitolul 4.
56. Colegul său Wylie McKissock și-a efectuat în aprilie 1946 operația cu numărul 500, iar până în 1950 a făcut în total peste 1.300.
57. A.M. Fiamberti, 1937.

58. Pentru o descriere făcută de un martor ocular prezent la una dintre aceste demonstrații de lobotomie în masă, vezi Alan W. Scheflin și Edward Opton Jr., 1978, pp. 247-249. Într-o scrisoare către Moniz, Freeman s-a lăudat că în Virginia de Vest, într-o singură zi, a „operat 22 de pacienți în 135 de minute, circa șase minute per operație". În douăsprezece zile operase circa 228 de pacienți. Walter Freeman către Egas Moniz, 9 septembrie 1952, Colecția de psihochirurgie, Universitatea George Washington, Washington, DC.
59. Freeman a anunțat cu mândrie că un oarecare doctor J.S. Walen reușise să efectueze aproape 200 de operații transorbitale la Spitalul de stat din Evanston (Wyoming), strict pe baza instrucțiunilor scrise oferite de el, și că, la Spitalul de stat nr. 4 (denumire revelatoare în sine), dr. Paul Schrader „a rezolvat practic problemele secției de turbulenți din acel spital" efectuând peste 200 de operații transorbitale. Walter Freeman, „Adventures in Lobotomy", manuscris nepublicat, Biblioteca medicală a Universității George Washington, Colecția de psihochirurgie, capitolul 6, p. 59.
60. *Mental Hygiene News*, citat în Jack D. Pressman, 1998, pp. 182-183.
61. „Medicine: Insulin for Insanity", *Time*, 25 ianuarie 1937. Și ziarul *New York Times* și-a manifestat aprobarea. Vezi editorialul publicat pe 14 ianuarie 1937, p. 20.
62. „Insulin Therapy", *New York Times*, 8 august 1943, E9.
63. *Washington Evening Star*, 20 noiembrie 1936.
64. Waldemar Kaempffert, 1941, pp. 18-19, 69, 71-72, 74. Și-a repetat elogiile pentru un public cititor mai elevat în *New York Times*, 11 ianuarie 1942. Fotografiile în care apăreau Freeman și Watts – dar, trebuie remarcat, nu operația pe creier – aproape că au avut ca urmare ridicarea autorizațiilor medicale ale acestora, căci reprezentau o formă de „publicitate medicală" interzisă.
65. Stephen McDonough, 1941.
66. Împreună cu premiul anterior primit de Wagner-Jauregg pentru tratamentul malaric al GPI, acestea rămân singurele Premii Nobel acordate până în prezent în domeniul psihiatriei, deși Eric Kandel, neuropsihiatru la Columbia, a obținut în anul 2000 Premiul Nobel pentru fiziologie sau medicină, pentru activitatea lui în domeniul fiziologiei memoriei.
67. Elliot Valenstein, 1985, p. 229.
68. Hemingway i-a adresat această remarcă biografului său. Vezi A.E. Hotchner, *Papa Hemingway: A Personal Memoir*, New York: Random House, 1966, p. 280.
69. Sylvia Plath, 2005, p. 143 [*Clopotul de sticlă*, trad. rom. de Alexandra Coliban, Polirom, Iași, 2012, p. 157 – n.tr.].

Capitolul 11

Un interludiu semnificativ

1. Vezi, de exemplu, Jonathan Sadowsky, 1999; Jock McCulloch, 1995; Waltraud Ernst, 1991 și 2013.
2. Catharine Coleborne, în curs de apariție; Roy Porter și David Wright (eds.), 2003.

3. Emily Baum, 2013. Neil Diamant, 1993, subliniază faptul că chinezii au adoptat în măsură limitată spitalele de psihiatrie, continuând să se bazeze pe familie ca mediul principal în care erau îngrijiți, atât cât erau, bolnavii psihici, și că exista o cooperare între poliție și azilurile din Canton și Beijing, spitalele de psihiatrie mici fiind folosite în principal ca mijloc de a controla și restricționa indivizi problematici și perturbatori. Pentru argumente similare în linii mari, vezi Veronica Pearson, 1991.
4. Neurologul american Silas Weir Mitchell i-a acuzat pe oamenii de acest fel că sunt „pacostea multor cămine, care îi aduc la disperare pe medici", iar alienistul britanic James Crichton-Browne bombănea sumbru despre „psihopații și nevropații [...] care nu pot fi declarați oficial nebuni, satisfac criteriile de ființă umană cu autoreglare, adesea una lezată și neînțeleasă, dar care este periodic ori mai mult sau mai puțin anormală, dificilă, iritabilă, deprimată, suspicioasă, capricioasă, excentrică, impulsivă, nerezonabilă, țâfnoasă, amăgită și victima a tot felul de maladii imaginare și agitații nervoase". Ambii citați în Janet Oppenheim, 1991, p. 293.
5. Citat în Peter Gay, 1988, p. 215.
6. Jones a plecat la Toronto, unde a rămas cinci ani, după care s-a întors în Anglia. Scandalurile sexuale au izbucnit din nou în perioada petrecută de el în Canada: a cumpărat cu bani tăcerea unei femei care îl acuzase de agresiune sexuală; și se vorbea mult despre relația lui ilicită (adică în afara căsătoriei) cu Loe Kann, o fostă pacientă, care era dependentă de morfină. Acestea au fost doar câteva dintre micile lui păcate, căci Jones era un seducător în serie. A fost însă un militant neobosit pentru ideile freudiene în acești ani și a avut o contribuție însemnată în atragerea mai multor nord-americani spre perspectiva psihanalitică.
7. James Crichton-Browne, 1930, p. 228.
8. Janet Oppenheim, 1991, p. 307.
9. Michael Clark, 1988. Primul profesor de psihiatrie al Marii Britanii, Joseph Shaw Bolton de la Universitatea Leeds, a respins psihanaliza, declarând-o „otravă insidioasă" (1926), iar Charles Mercier, 1916, a prezis că sistemul lui Freud se va alătura în scurt timp „broaștelor râioase pisate și laptelui acru în purgatoriul remediilor abandonate".
10. Succesorul lui Mapother la conducerea Institutului de Psihiatrie londonez, Aubrey Lewis, a fost la fel de hotărât să marginalizeze psihanaliza. Politician universitar magistral și nemilos, Lewis era decis să se asigure că nici o catedră de psihiatrie britanică nu va avea în frunte un psihanalist. Așa a și fost. *Cf.* David Healy, 2002, p. 297.
11. În broșura de zece pagini care promova conferința, Freud apare aproape ca o completare ulterioară. Dușmanul lui declarat, William Stern, ține capul de afiș între invitații străini, iar participarea lui Freud este amintită abia la sfârșit, acordându-i-se în total două rânduri.
12. Freud către Ferenczi, în Peter Gay, 1988, p. 564. (Gay discută pe larg antiamericanismul violent al lui Freud la pp. 553-570, din care am extras citatele ce urmează.) Sándor Ferenczi, psihanalistul maghiar care-l însoțise de asemenea pe Freud în călătoria la Clark, era pe deplin conștient de ironia situației. Își imagina reflecțiile lui Freud pe

această temă („Cum pot să mă bucur atât de mult de onorurile pe care mi le-au adus americanii, când simt față de ei un dispreț atât de mare?"). Ferenczi comenta: „Nu lipsită de importanță este emoția care mi s-a părut întru câtva ridicolă chiar și mie, spectator reverențios, când, aproape cu lacrimi în ochi, i-a mulțumit rectorului universității pentru doctoratul onorific" (Sándor Ferenczi, 1985, p. 184).

13. Zweig era un scriitor și pacifist german cunoscut la nivel internațional, care a purtat o corespondență amplă cu Freud timp de peste doisprezece ani. După urcarea lui Hitler la putere a emigrat în Palestina. Acolo a fost psihanalizat și, o vreme, a constituit principala verigă de legătură între comunitatea psihanalitică palestiniană și Freud însuși. Freud către Jung, 17 ianuarie 1909, în William McGuire (ed.), 1974, p. 196.
14. *Boston Evening Transcript*, 11 septembrie 1909.
15. Citat în Ralph B. Perry, 1935, pp. 122-123.
16. Edith Rockefeller McCormick, fiica risipitoare a lui John D. Rockefeller și soția unuia dintre moștenitorii marii averi aduse de combina agricolă, s-a mutat la Zürich pentru a fi tratată de Jung, nereușind să-l mituiască să se mute în America. S-a „calificat" ca psihanalistă jungiană, a avut o serie de aventuri amoroase și a înzestrat cu un sfert de milion de dolari un centru de formare jungian. Mary Mellon, căsătorită cu Paul Mellon, moștenitorul marii averi bancare Mellon, și-a convertit la cauză soțul și împreună au creat Fundația Bollingen, care încearcă și astăzi să promoveze versiunea mistică de psihanaliză a lui Jung.
17. Capitolul 7 din George Makari, 2008, oferă o discuție utilă cu privire la aceste evoluții.
18. Situația îi părea lui Freud înjositoare și neplăcută. Îi mărturisea lui Heinrich Meng: „Din nefericire, sunt obligat [...] să vând scump ce-mi rămâne din puținul meu timp de lucru. Ar trebui să cer 250 de mărci germane pe oră și, de aceea, îi prefer pe englezii și americanii care plătesc onorariile pe oră obișnuite în țările lor. Adică nu îi prefer, dar sunt nevoit să-i accept [...]". Freud către Meng, 21 aprilie 1921, Biblioteca Congresului, Washington, DC.
19. Vezi, de exemplu, Stephen Farber și Marc Green, 1993; și Krin Gabbard și Glen O. Gabbard, 1987. Voi examina mai pe larg acest fenomen ulterior, în acest capitol.
20. Isador Coriat către Ernest Jones, 4 aprilie 1921, Documentele Otto Rank, Sala cărților rare, Universitatea Columbia, New York City.
21. Tendința de concentrare în New York și în alte câteva centre urbane își avea originea nu doar în vechile tipare comune tuturor grupurilor de imigranți, ci și în faptul că doar șase din cele patruzeci și opt de state de pe atunci le permiteau medicilor străini să-și practice profesia.
22. Cu privire la aceste evoluții, vezi George Makari, 2012.
23. Unul dintre adepții lui s-a exprimat astfel: „daß Freud allzeit ein grimmer Hasser war. Stets hat er weitaus mächtiger hassen als lieben können" („Freud a fost întotdeauna specialist în ură. Era capabil să urască mult mai intens decât putea iubi"). Isidor Sadger, 2005 (publicată inițial sub titlul *Sigmund Freud: Persönliche Erinnerungen*, în 1929). Sadger era un discipol devotat, care audiase prelegerile lui Freud încă din 1895, unul dintre primii trei oameni care au făcut acest lucru, și,

ulterior, un participant fidel la întâlnirile așa-numitei Societăți psihologice de miercurea. Este unul dintre cei care n-au scăpat de amenințarea nazistă. A fost omorât în lagărul de concentrare Theresienstadt, pe 21 decembrie 1942.

24. Doar 48 de soldați germani fuseseră împușcați în Primul Război Mondial. În schimb, până la sfârșitul anului 1944 fuseseră executați 10.000 și alții 5.000 au fost uciși ca măsură disciplinară în primele patru luni ale anului 1945. Ben Shephard, 2000, p. 305. Dureroasa „terapie" Kaufmann a revenit și ea la ordinea zilei.
25. Ben Shephard, 2000, p. 166.
26. R.J. Phillips, „Psychiatry at the Corps Level", Biblioteca Wellcome de istorie a medicinei, Londra, GC/135/B1/109.
27. Edgar Jones și Simon Wessley, 2001.
28. Ben Shephard, 2000, p. 328.
29. Edgar Jones și Simon Wessley, 2001, pp. 244-245.
30. Spike Milligan, 1980, pp. 276-288, citat în Ben Shephard, 2000, p. 220.
31. Roy S. Grinker și John P. Spiegel, 1945; Abram Kardiner și Herbert Spiegel, 1947.
32. Gerald Grob, 1990, p. 54.
33. Ben Shephard, 2000, p. 219.
34. Ellen Herman, 1995, p. 9.
35. Ben Shephard, 2000, p. 330.
36. Vezi D.W. Millard, 1996; T.P. Rees, 1957; Edgar Jones, 2004.
37. H.V. Dicks, 1970, p. 6.
38. Ben Shephard, 2000, p. 325.
39. Nathan Hale, Jr., 1998, p. 246.
40. Psihanaliștii dominau cele mai prestigioase funcții din domeniu. În anul 1961 dețineau 32 din cele 44 de posturi de profesor la facultățile de medicină din zona orașului Boston, iar acest lucru se încadra într-o tendință națională. Din cele 91 de facultăți de medicină din țară, la 90 se preda psihanaliza; aproape toți rezidenții cei mai buni urmăreau să se formeze ca psihanaliști, iar în 1962, din cele 89 de catedre de psihiatrie, 52 erau conduse de membri ai diferitelor institute de psihanaliză. Nathan G. Hale, Jr., 1998, pp. 246-253.
41. Cel mai folosit tratat era Arthur P. Noyes și Lawrence Kolb, 1935, urmat de Jack R. Ewalt, Edward A. Strecker și Franklin G. Ebaugh, 1957 – text care reflectase înainte de anii 1950 învățăturile lui Adolf Meyer, dar acum adopta o poziție freudiană. Lucrarea *American Handbook of Psychiatry*, editată de Silvano Arieti și care a apărut pentru prima oară în 1959, într-o ediție în două volume, cuprindea referiri la alte teorii și maniere de abordare, dar era în esență încă un text psihanalitic.
42. Nathan G. Hale, Jr., 1998, îndeosebi capitolul 14; Joel Paris, 2005.
43. Vezi A. Michael Sulman, 1973.
44. Bowlby a redactat un raport deosebit de influent, cerut de Organizația Mondială a Sănătății (OMS), *Maternal Care and Mental Health*, care a fost publicat în 1951.
45. Donald Winnicott, 1964, p. 11.
46. E. Rous și A. Clark, 2009.

47. Franz Alexander, 1943, p. 209; pentru ideile lui de început pe această temă, vezi Franz Alexander, 1933.
48. *Cf.* Franz Alexander, 1950, pp. 134-135; Margaret Gerard, 1946, p. 331; și Harold Abramson (ed.), 1951, îndeosebi pp. 632-654.
49. Leo Kanner, 1943.
50. Leo Kanner, 1949.
51. „The Child is Father", *Time*, 25 iulie 1960. Ulterior, Kanner avea să se dezică de aceste poziții și să afirme că a crezut întotdeauna că autismul este într-un anumit sens o tulburare „înnăscută".
52. Bruno Bettelheim, 1967 și 1974. După moartea sa, în 1990, reputația lui Bettelheim a fost ținta unor atacuri susținute. A fost denunțat drept molestator de copii sălbatic și violent, falsificator al istoricului său academic și mincinos inveterat. Comunitatea academică de care fusese înconjurat și care îl susținuse a fost acuzată de complicitate la o domnie a terorii. Totuși, timp de peste trei decenii, se bucurase de un renume mondial de mare clinician și model de umanism.
53. Peter Gay, 1968.
54. Citat în Andrew Solomon, 2012, p. 22.
55. *The New Yorker*, 32, 28 aprilie 1956, p. 34.
56. W.H. Auden, „In Memory of Sigmund Freud" (1940).
57. Josef Breuer și Sigmund Freud, 1957 [1895], p. 160.
58. Este o mare favorită a lui James Levine și a Operei Metropolitane, care o pune în scenă cu regularitate, în producția lui Jonathan Miller.
59. După cum s-a exprimat Philip Hensher, criticul de teatru al ziarului *Guardian*, Auden „apare acum cu claritate drept cel mai mare poet de limbă engleză de la Tennyson încoace" (*Guardian*, 6 noiembrie 2009).
60. Hogarth, *Credulity, Superstition and Fanaticism: A Medley* (1762); vezi p. 175.
61. Donald Mitchell (ed.), 1987, conține o serie excepțională de eseuri pe tema acestei opere, multe dintre ele scrise de cei care colaboraseră cu Britten în perioada compunerii partiturii sau fuseseră implicați în prima ei punere în scenă.
62. Nebunia pândește în operele de mai târziu ale lui Wagner; nu întâmplător și-a botezat vila de la Bayreuth *Wahnfried* („Eliberare de nebunie"). Wagner s-a exprimat astfel: „Hier wo mein Wähnen Frieden fand – Wahnfried – sei dieses Haus von mir bennant" („Aici, delirurile mele și-au găsit pacea; fie ca această casă să poarte numele Eliberării de nebunie").
63. Contrastul a apărut pentru prima oară în eseul din 1920 *Dincolo de principiul plăcerii* (Freud, 1922) și a fost dezvoltat în *Disconfort în cultură* din 1930 (Freud, 1961). Freud însuși n-a folosit termenul *Thanatos*. L-a introdus discipolul său, Wilhelm Stekel (1868-1940), și de atunci a devenit maniera standard a freudienilor de a trasa contrastul.
64. Vezi, de exemplu, David Lomas, 2000.
65. Vezi, de exemplu, scrisorile lui din 4 decembrie 1921 și 19 februarie 1924, retipărite în *The Letters of D.H. Lawrence*, 1987, vol. 4.
66. James Joyce, *Finnegan's Wake*, 1939, pp. 378, 411.
67. Spectacolul cu *Orfeu în infern* s-a încheiat pe Broadway abia după 68 de reprezentații.

68. Steven Marcus, 1965.
69. Steven Marcus, 1974.
70. Frederick C. Crews, 1975, p. 4.
71. Frederick C. Crews (ed.), 1998.
72. Norman O. Brown, 1959 și 1966.
73. Philip Rieff, 1959 și 1966.
74. Herbert Marcuse, 1955.
75. Ernest Jones, 1953-1957, vol. 3, p. 114. Dintr-un anumit motiv, faptul că Freud a respins această sumă generoasă a produs senzație la New York. Se pare că dorința de dolari bine documentată a lui Freud avea limitele ei sau poate că și-a dat seama, evident, spre deosebire de Goldwyn, că nu e nici pe departe genul scenaristului de Hollywood.
76. Moguli ca Samuel Goldwyn și Joseph Mankiewicz căutau iertarea pentru multitudinea păcatelor lor pe canapeaua psihanalitică, deși comportamentul lor nu părea să se schimbe câtuși de puțin. Regizorii erau și ei consumatori la fel de vădiți. Lista actorilor, de la Cary Grant la Jason Robards și Montgomery Clift, de la Judy Garland la Jennifer Jones și Vivien Leigh (fără s-o uităm pe Marilyn Monroe), pare aproape nesfârșită. Pentru unele detalii sordide, vezi Stephen Farber și Marc Green, 1993.
77. Joseph Menninger către Karl Menninger, 13 iulie 1944, în Karl A. Menninger, 1988, p. 402.
78. Le datorez aceste trimiteri lui Stephen Farber și Marc Green, 1993, p. 36.
79. Vezi Edward Dimendberg, 2004.
80. Huston a anunțat că filmul era „o obsesie veche de optsprezece ani, întemeiată pe convingerea că prea puține dintre marile aventuri ale omului, nici chiar călătoriile lui dincolo de orizontul pământului, pot să întreacă în statură călătoria lui Freud în adâncurile neexplorate ale sufletului uman" (John Huston, „Focus on Freud", *New York Times*, 9 decembrie 1962).

Capitolul 12

O revoluție psihiatrică?

1. Percy Bysshe Shelley, „Julian and Maddalo: A Conversation" (1818-1819).
2. De fapt, mulți cred că au fost căsătoriți și că Mussolini a încercat din răsputeri să distrugă toate dovezile.
3. Spitalul de stat Pilgrim din Long Island (New York) deținea recordul în deceniul anterior, cu 13.875 de pacienți și o incintă care se întindea peste granițele a patru suburbii. În apropiere, Spitalul de stat Kings Park și Spitalul de stat Central Islip cuprindeau încă 9.303 și, respectiv, 10.000 de pacienți. La acest din urmă azil, pacienții obișnuiau să sosească cu un tren special, pe o linie separată a căii ferate Long Island, vagoanele fiind dotate cu gratii la ferestre pentru a împiedica evadarea. Dar statul New York a început să-și golească spitalele mai devreme decât

Georgia, permițând spitalului de la Milledgeville să dobândească, o vreme, privilegiul îndoielnic de a fi cel mai mare azil din lume.

4. Îi sunt recunoscător lui Akihito Suzuki de la Universitatea Keio pentru că mi-a furnizat aceste cifre, care au fost compilate de Ando Michihito și Goto Motoyuki.
5. E. Landsberg, 2011. Vezi și Hiroto Ito și Lloyd I. Sederer, 1999.
6. Ascunderea pacienților de către familii la începutul secolului al XIX-lea, în Europa, era un fenomen pe care reformatorii l-au comentat la acea vreme, astfel că și în această privință practicile japoneze din secolul al XX-lea au avut omoloage anterioare în istorie.
7. John Crammer, 1990, pp. 127-128.
8. F. Chapireau, 2009; Marc Masson și Jean-Michel Azorin, 2002.
9. Simon Goodwin, 1997, p. 8.
10. Ministerul Sănătății, 1952, p. iv.
11. Pentru declarații ale celor care au refuzat satisfacerea serviciului militar din motive morale sau religioase, vezi Frank L. Wright (ed.), 1947.
12. H. Orlansky, 1948.
13. Alfred Q. Maisel, 1946.
14. Comisia Comună pe Probleme de Boală și Sănătate Psihică, 1961, 39.
15. Departamentul Sănătății și Protecției Sociale [Anglia], 1971.
16. Aubrey Lewis, 1959.
17. Henry Brill și Robert A. Patton, 1957. Nici în această lucrare, nici în cele care i-au urmat, Brill și Patton n-au reușit să demonstreze mai mult decât o coincidență temporală între introducerea tratamentului medicamentos și reducerea numărului de pacienți internați.
18. Leon J. Epstein, Richard D. Morgan și Lynn Reynolds, 1962. Studiile asupra datelor din Washington, DC și Connecticut din aceeași perioadă realizate de alți savanți au oglindit aceste constatări.
19. Andrew Scull, 1977; Paul Lerman, 1982; William Gronfein, 1985; Gerald Grob, 1991.
20. Enoch Powel, conform prezentării făcute de Asociația Națională pentru Sănătate Psihică (actualmente MIND) în *Annual Report*, 1961.
21. Circulară a Ministerului Sănătății, 1961, citată în Kathleen Jones, 1972, p. 322.
22. Conferința Guvernatorilor, care i-a adus laolaltă pe conducătorii statelor, a solicitat un raport care documenta amploarea problemelor. Vezi Consiliul Guvernelor Statale, 1950.
23. În statul New York, în 1951, o treime din suma cheltuită cu operațiuni statale a fost alocată acoperirii costurilor spitalelor de psihiatrie, față de media națională de 8%. Gerald Grob, 1991, p. 161. Statele sudice cheltuiau cel mai puțin și, în general, au avut cel mai lent ritm de dezinstituționalizare.
24. Milton Greenblatt, 1974, p. 8 (subliniere în original).
25. Rata externărilor a crescut de două ori și jumătate între anii 1964 și 1972, comparativ cu perioada 1960-1964, iar între 1972 și 1977 s-a dublat din nou.
26. Ivan Belknap, 1956, pp. xi, 212.
27. H. Warren Dunham și S. Kirson Weinberg, 1960. În mod curios, cercetările prezentate de această monografie fuseseră întreprinse cu mai bine

de doisprezece ani înainte și finanțate nu de NIMH, ci de Divizia de Boli Psihice a statului Ohio, probabil din cauza poverii financiare pe care o reprezentau spitalele sale de psihiatrie și a controverselor care se învolburau pe atunci în jurul lor. O formă completă a raportului privind această activitate a fost finalizată în iunie 1948 și apare în mare măsură nemodificată față de varianta publicată în 1960. Prezentând aceste date (vezi pp. 260-261), autorii nu oferă nici o explicație pentru lunga amânare până la publicarea cărții lor.
28. *Ibidem*, pp. xiii, 4.
29. *Ibidem*, p. 248.
30. Erving Goffman, 1961. Alte exemple de instituție totală erau închisorile și lagărele de concentrare, p. 386.
31. Erving Goffman, 1971, Anexă: „The Insanity of Place", p. 336.
32. Thomas Szasz, 1961.
33. R.D. Laing, 1967, p. 107.
34. R.D. Laing și Aaron Esterson, 1964.
35. Russell Barton, 1965; John K. Wing și George W. Brown, 1970.
36. F.C. Redlich, „Preface" la William Caudill, 1958, p. xi.
37. Werner Mendel, 1974.
38. G. de Girolamo *et al.*, 2008, p. 986.
39. Marco Piccinelli *et al.*, 2002; Giovanna Russo și Francesco Carelli, 2009; G. de Girolamo *et al.*, 2007.
40. G.B. Palermo, 1991.
41. G. de Girolamo *et al.*, 2007, p. 88.
42. Departamentul Sănătății și Protecției Sociale [Anglia], 1971.
43. P. Sedgwick, 1981, p. 9.
44. Vezi studiul de început al lui Jacqueline Grad de Alarcon și Peter Sainsbury, 1963; și Clare Creer și John K. Wing, 1974.
45. G.W. Brown *et al.*, 1966, p. 59. Pentru nemulțumirile de acest tip în Italia, vezi A.M. Lovell, 1986, p. 807. Pentru situația din Canada, vezi E. Lightman, 1986.
46. H. Richard Lamb (ed.), 1984; Richard C. Tessler și Deborah L. Dennis, 1992. Pentru Danemarca, vezi M. Nordentoft, H. Knudsen și F. Schulsinger, 1992.
47. Peter Sedgwick, 1982, p. 213.
48. *Community Care: Agenda for Action: A Report to the Secretary of State*, 1988. Acțiunea, se înțelege de la sine, era ultimul lucru care se întrevedea în viitorul imediat.
49. *Government Statistical Service* Cmnd. 8236, 1981, anexa 2, paragraful 17.
50. Vezi raportul unuia dintre birocrații doamnei Bottomley, citat și discutat în Kathleen Jones, 1993, pp. 251-252. (Virginia Bottomley a fost secretarul britanic de stat al Sănătății în cabinetul conservator al lui John Major, la începutul anilor 1990.)
51. *Mental Health Problems of Prison and Jail Inmates*, Departamentul Justiției din SUA, Biroul de Statistică în Justiție, 2006, p. 1.
52. *The Economist*, 14 mai 2009.
53. Serviciul Regal al Penitenciarelor, *The Mental Health of Prisoners*, Londra: octombrie 2007, p. 5.

54. Reclamă la Thorazine, în *Diseases of the Nervous System*, 16, 1955, p. 227.
55. Iproniazidul fusese introdus în 1952 ca tratament pentru tuberculoză, însă ulterior s-a observat că are efect stimulator asupra sistemului nervos central și a început să fie utilizat ca modulator al dispoziției. S-a emis ipoteza că acțiunea lui terapeutică în tratarea bolilor psihiatrice derivă din capacitatea de a crește concentrația cerebrală de monoamine prin inhibarea reabsorbției lor. El și medicamentele înrudite au fost numite inhibitori de monoaminoxidază (IMAO). Aceste preparate cauzau uneori creșteri extreme ale tensiunii arteriale și chiar hemoragii intracraniene fatale, ulterior dovedite a fi urmarea interacțiunii medicamentelor cu alimentele sau alte medicamente. Antidepresivele triciclice sunt o clasă diferită de medicamente, cu o structură chimică dispusă în forma a trei cercuri, de unde și denumirea lor. Și descoperirea lor a fost în mare măsură întâmplătoare. Aveau un mod de acțiune diferit, inhibând reabsorbția neurotransmițătorilor norepinefrină (noradrenalină) și serotonină, și erau însoțite de un alt set de efecte secundare: transpirație, constipație și uneori confuzie mintală. Ambele clase de medicamente au fost înlocuite în anii 1990 de inhibitorii selectivi ai reabsorbției de serotonină (ISRS) ca Prozac, în mare măsură pe baza promovării abile de către industria farmaceutică, întrucât eficacitatea superioară a ISRS este o născocire.
56. Peter Kramer, 1993.
57. Nathan G. Hale Jr., 1998, p. 246.
58. Aaron T. Beck, 1962; Aaron T. Beck *et al.*, 1962; R.E. Kendell *et al.*, 1971; R.E. Kendell, 1974.
59. John E. Cooper, Robert E. Kendell și Barry J. Gurland, 1972. Pentru a cita un exemplu deosebit de izbitor al constatărilor lor, psihiatrilor britanici și americani li s-au arătat înregistrări video cu doi pacienți britanici, după care li s-a cerut să le diagnosticheze problema: 85% și, respectiv, 69% dintre psihiatrii americani au diagnosticat schizofrenie; 7% și, respectiv, 2% dintre colegii lor britanici au pus același diagnostic.
60. David Rosenhan, 1973.
61. Bruce J. Ennis și Thomas R. Litwack, 1974.
62. Semnificația statistică, singura pe care o solicită organismele de reglementare, se deosebește foarte mult de semnificația clinică (constatarea că un medicament aduce o schimbare în bine autentică și considerabilă în starea pacientului). Cu cât schimbarea reală adusă de un anumit tratament este mai slabă, cu atât este mai necesară folosirea unui eșantion mai mare pentru generarea semnificației statistice (adică o „ameliorare” superioară celei întâmplătoare, indiferent cum ar fi măsurată ea). Acesta este unul dintre motivele care au făcut ca studiile clinice ample, cu centre multiple, să devină norma.
63. Ronald Bayer și Robert L. Spitzer, 1985.
64. Stuart A. Kirk și Herb Kutchins, 1992; Herb Kutchins și Stuart A. Kirk, 1999; Allan V. Horwitz, 2002.
65. După cum indică titlul, DSM-III a avut predecesori. Psihiatrii americani au elaborat două sisteme de diagnoză oficiale anterioare – mici broșuri care au apărut în 1952 și, respectiv, în 1968. Ambele făceau o distincție

generală între psihoze și nevroze (în termeni generali, între bolile psihice care presupuneau o rupere de realitate și cele care presupuneau, mai puțin grav, o percepere deformată a realității) și împărțeau multe dintre cele circa o sută de feluri de boală psihică recunoscute în funcție de presupusa lor etiologie psihodinamică. În această privință, reflectau dominația perspectivelor psihanalitice în psihiatria americană de după al Doilea Război Mondial. Însă distincțiile diagnostice de tip larg și general pe care le făceau aceste prime două ediții aveau prea puțină însemnătate pentru majoritatea psihanaliștilor, întrucât ei se concentrau asupra dinamicii individuale a pacientului pe care îl tratau. Așadar, primele două DSM-uri erau consultate rareori, fiind considerate simple prespapieruri – dar, la drept vorbind, destul de ineficiente. DSM-II era o broșură mică, legată cu spirală, care nu avea mai mult de 134 de pagini și cuprindea numai o sută de diagnostice, enumerate împreună cu cele mai superficiale descrieri. Costa doar trei dolari și cincizeci de cenți și majoritatea psihiatrilor considerau că nu merită nici măcar atât.

66. Robert Spitzer, 2001, p. 558.
67. Simptomatice pentru acest mediu schimbat au fost falimentul și închiderea a două instituții care fuseseră decenii la rând centre de frunte ale tratamentului psihanalitic al formelor grave de boală psihică, Chestnut Lodge din Maryland și Clinica Menninger din Kansas, odinioară însăși rampa de lansare a dominației psihanalitice asupra psihiatriei americane.
68. Pentru o perspectivă necritică asupra lui Lacan și a mașinațiilor lui, scrisă de o discipolă adoratoare, vezi Elisabeth Roudinesco, 1990; și pentru o evaluare nemiloasă și minunat de amuzantă a cărții și a omului pe care îl descrie ea, vezi Raymond Tallis, 1997. Vezi și ultimul capitol din Sherry Turkle, 1992, pentru o discuție despre prăbușirea demersului lacanian în controverse sectare.
69. Se spune, de fapt, că Lacan vedea *în medie* zece pacienți pe oră în practica sa clinică, între anii 1970 și 1980, ceea ce înseamnă că în bună parte din timp numărul acestora era mult mai mare.
70. Silvano Arieti, 1955. Ediția revăzută din 1974 a câștigat National Book Award pentru știință.
71. Vezi, de exemplu, Kim T. Mueser și Howard Berenbaum, 1990. Concluzia lor este categoric negativă. Trecând în revistă încercările de a-i testa efectele, nu au găsit dovezi că ar da rezultate și au descoperit unele indicii cum că, de fapt, ar înrăutăți lucrurile, ceea ce i-a făcut să afirme că „dacă un medicament ar avea «profilul de eficacitate» al psihanalizei, cu siguranță nu ar fi prescris și nimeni n-ar avea nici cea mai mică problemă să-l trimită la «coșul de gunoi al istoriei»". Pentru perspectiva contradictorie a unei paciente care insistă că psihanaliza a fost esențială în a o salva de la nebunie, vezi Barbara Taylor, 2014.
72. Nancy Andreasen, 2007.
73. Despre dopamină și schizofrenie, vezi Solomon H. Snyder, 1982; Arvid Carlsson, 1988; despre serotonină și depresie, vezi Jeffrey R. Lacasse și Jonathan Leo, 2005.
74. Vezi îndeosebi scrierile psihiatrului anglo-irlandez David Healy, 1997, 2002 și 2012.

75. Adriana Petryna, Andrew Lakoff și Arthur Kleinman (eds.), 2006; Adriana Petryna, 2009.
76. În anul 2002, vânzările de medicamente pe bază de rețetă la nivel mondial s-au ridicat la aproximativ 400 de miliarde de dolari, vânzările din Statele Unite reprezentând mai bine de jumătate din total. Există zece companii farmaceutice pe lista Fortune 500 a celor mai mari corporații. În acel an, profiturile acestor zece companii (35,7 miliarde de dolari) au depășit profiturile totale (33,7 miliarde) ale celorlalte 490 de corporații adunate la un loc.
77. În Statele Unite, vânzările de antidepresive au crescut de la 5,1 miliarde de dolari în 1997 la 12,1 miliarde în 2004.
78. Steven E. Hyman, 2012.
79. George Crane, 1973.
80. Peter Breggin, 1991.
81. Între acestea se pot număra, printre altele, disfuncțiile sexuale, insomnia, agitația și scăderea în greutate.
82. NICE, 2010; A. John Rush *et al.*, 2006; J.C. Fournier *et al.*, 2010; Irving Kirsch *et al.*, 2008; J. Horder, P. Matthews și R. Waldmann, 2011; Irving Kirsch, 2010.
83. Steven E. Hyman, 2012.
84. Rezultatul a fost o serie de emisiuni Panorama bazate în principal pe cercetările efectuate de Shelley Joffre, un jurnalist fără instruire medicală, care a făcut săpături în studiile clinice și a demascat un lucru pe care GlaxoSmithKline, producătoarea Paxil, făcuse eforturi să-l ascundă, și anume că medicamentele din această clasă nu aduc nici un beneficiu care să compenseze riscurile care le însoțesc. Vezi David Healy, 2012.
85. David Healy, p. 146.
86. E.H. Turner *et al.*, 2008; C.J. Whittington *et al.*, 2004.
87. Sunt posibile și alte efecte secundare cu potențial letal, între care obstrucția intestinală, crizele convulsive, deprimarea măduvei osoase, problemele cardiace și diabetul.
88. Peter Tyrer și Tim Kendall, 2009. Pentru concluzii similare, vezi J.A. Lieberman *et al.*, 2005.

Epilog

1. Estimările britanice spun că, în funcție de natura bolii psihice grave, viața bărbaților este scurtată, în medie, cu 8-14,6 ani, iar a femeilor, cu 9,8-17,5 ani. C.-K. Chang *et al.*, 2011. Pentru SUA, discrepanțele între bolnavii psihici și populația generală sunt considerabil mai mari. Vezi J. Parks *et al.* (eds.), 2006.
2. Pentru o descriere a controversei încă neîncheiate, vezi Gary Greenberg, 2013.
3. Protestele lor au fost întâmpinate însă cu un atac *ad hominem* din partea unor psihiatri americani de frunte, care au susținut că Spitzer și Frances au fost motivați de invidie, după ce și-au văzut creațiile date la

o parte, sau poate, au sugerat ei, chiar de pierderea drepturilor de autor pe care o va suferi coordonatorul DSM-IV când versiunea sistemului de clasificare realizată de el va deveni demodată. Vezi Alan Schatzberg *et al.*, 2009.

4. Ambii citaţi în Pam Belluck şi Benedict Carey, 2013.
5. Interviu cu Gary Greenberg, citat în Gary Greenberg, 2013, p. 340.
6. Bruce E. Wexler, 2006, pp. 3, 13.
7. *Ibidem*, p. 16. Aceste paragrafe sunt inspirate în bună măsură din revelaţiile lui Wexler.

Bibliografie

Ablard, Jonathan, 2003. „The Limits of Psychiatric Reform in Argentina, 1890-1946", în Roy Porter și David Wright (eds.), *The Confinement of the Insane: International Perspectives, 1800-1965*, Cambridge: Cambridge University Press, 226-247.

Abramson, Harold (ed.), 1951. *Somatic and Psychiatric Treatment of Asthma*, Baltimore: Williams and Wilkins.

Adrian, E.D. și L.R. Yealland, 1917. „The Treatment of Some Common War Neuroses", *Lancet*, 189, 867-872.

Africanus, Leo, 1896. *The History and Description of Africa Done Into English in the Year 1600 by John Pory, and now edited, with an introduction and notes, by Dr. Robert Brown*, 3 vol., Londra: Hakluyt Society.

Alexander, Franz, 1933. „Functional Disturbances of Psychogenic Nature", *Journal of the American Medical Association*, 100, 469-473.

Alexander, Franz, 1943. „Fundamental Concepts of Psychosomatic Research: Psychogenesis, Conversion, Specificity", *Psychosomatic Medicine*, 5, 205-210.

Alexander, Franz, 1950. *Psychosomatic Medicine*, New York: Norton.

Andreasen, Nancy, 2007. „DSM and the Death of Phenomenology in America: An Example of Unintended Consequences", *Schizophrenia Bulletin*, 33, 108-112.

Ankarloo, Bengt și Stuart Clark (eds.), 1999. *Witchcraft and Magic in Europe: The Eighteenth and Nineteenth Centuries*, Philadelphia: University of Pennsylvania Press.

Anonim, 1836-1837. „Review of *What Asylums Were, Are, and Ought to Be*", *Phrenological Journal*, 10 (53), 687-697.

Anonim, 1857. „Lunatic Asylums", *Quarterly Review*, 101, 353-393.

Anonim, 1877. „Madame Huot's Conference on Vivisection", *The Animal's Defender and Zoophilist*, 7, 110.

Arieti, Silvano, 1955. *The Interpretation of Schizophrenia*, New York: Brunner.

Arieti, Silvano, 1959. *American Handbook of Psychiatry*, 2 vol., New York: Basic Books.

Arnold, William, 1786. *Observations on the Nature, Kinds, Causes, and Prevention of Insanity, Lunacy, or Madness*, 2 vol., Leicester: Robinson and Caddell.

Athanassio, Alex, 1890. *Des troubles trophiques dans l'hystérie*, Paris: Lescrosnier et Babé.

Bakewell, Thomas, 1805. *The Domestic Guide in Cases of Insanity*, Stafford: în regim de autor.

Bakewell, Thomas, 1816. *A Letter Addressed to the Chairman of the Select Committee of the House of Commons, Appointed to Enquire into the State of Mad-houses*, Stafford: în regim de autor.

Balbo, E.A., 1991. „Argentine Alienism from 1852-1918", *History of Psychiatry*, 2, 181-192.

Barr, E.S. și R.G. Barry, 1926. „The Effect of Producing Aseptic Meningitis upon Dementia Praecox", *New York State Journal of Medicine*, 26, 89-92.

Barton, Russell, 1965. *Institutional Neurosis*, ediția a doua, Bristol: J. Wright.

Baum, Emily, 2013. „Spit, Chains, and Hospital Beds: A History of Madness in Republican Beijing, 1912-1938", teză de doctorat nepublicată, University of California, San Diego.

Bayer, Ronald și Robert K. Spitzer, 1985. „Neurosis, Psychodynamics, and DSM-III", *Archives of General Psychiatry*, 42, 187-196.

Beard, George M., 1880. *A Practical Treatise on Nervous Exhaustion*, New York: E.B. Treat.

Beard, George M., 1991. *American Nervousness; its Causes and Consequences*, New York: G.P. Putnam's Sons.

Beck, Aaron T., 1962. „Reliability of Psychiatric Diagnoses: 1. A Critique of Systematic Studies", *American Journal of Psychiatry*, 119, 210-216.

Beck, Aaron T., Ward, C.H., Mendelson, M., Mock, J.E. și J.K. Erbaugh, 1962. „Reliability of Psychiatric Diagnoses: 2. A Study of Consistency of Clinical Judgments and Ratings", *American Journal of Psychiatry*, 119, 351-357.

Beddoes, Thomas, 1802. *Hygeia*, vol. 2, Bristol: J. Mills.

Belcher, William, 1796. *Belcher's Address to Humanity: Containing... a receipt to make a lunatic, and seize his estate*, Londra: în regim de autor.

Belknap, Ivan, 1956. *Human Problems of a State Mental Hospital*, New York: McGraw-Hill.

Belluck, Pam și Benedict Carey, 2013. „Psychiatry's Guide is Out of Touch with Science, Experts Say", *New York Times*, 6 mai.

Berkwitz, Nathaniel J., 1940. „Faradic Shock in the Treatment of Functional Mental Disorders: Treatment by Excitation Followed by Intravenous Use of Barbiturates", *Archives of Neurology and Psychiatry*, 44, 760-775.

Bernheim, Hippolyte, 1886. *De la Suggestion et de ses applications à la thérapeutique*, Paris: L'Harmattin.

Bettelheim, Bruno, 1967. *The Empty Fortress: Infantile Autism and the Birth of the Self*, New York: Free Press.

Bettelheim, Bruno, 1974. *A Home for the Heart*, New York: Knopf.

Black, William, 1811. *A Dissertation on Insanity*, ediția a doua, Londra: D. Ridgeway.

Blackmore, Richard, 1726. *A Treatise of the Spleen and Vapours; or, Hypochondriacal and Hysterical Affections*, Londra: J. Pemberton.

Boerhaave, Hermanni, 1761. *Praelectiones academicae de morbis nervorum*, 2 vol., ed. Jakob Van Eems, Leiden.

Bolton, Joseph Shaw, 1926. „The Myth of the Unconscious Mind", *Journal of Mental Science*, 72, 25-38.

Boorde, Andrew, 1547. *The Breviary of Helthe*, Londra: W. Middleton.

Booth, William, 1890. *In Darkest England and the Way Out*, Londra: Salvation Army.

Boswell, James, 1951. *Boswell's Column*, introducere și note de Margery Bailey, Londra: Kimber.

Bourne, Harold, 1953. „The Insulin Myth", *Lancet*, 262, 964-968.
Bowlby, John, 1951. *Maternal Care and Mental Health*, Geneva: World Health Organization.
Braid, James, 1843. *Neurypnology: or the Rationale of Nervous Sleep Considered in Relation with Animal Magnetism*, Londra: Churchill.
Brant, Sebastian, 1494. *Daß Narrenschyff ad Narragoniam*, Basel.
Braslow, Joel, 1997. *Mental Ills and Bodily Cures: Psychiatric Treatment in the First Half of the Twentieth Century*, Berkeley și Londra: University of California Press.
Breggin, Peter, 1991. *Toxic Psychiatry: Why Therapy, Empathy, and Love Must Replace the Drugs, Electroshock, and Biochemical Theories of the „New Psychiatry"*, New York: St Martin's Press.
Breuer, Josef și Sigmund Freud, 1957. *Studies on Hysteria*, trad. și ed. James Strachey, New York: Basic Books; Londra: Hogarth Press.
Brigham, Amariah, 1833. *Remarks on the Influence of Mental Cultivation and Mental Excitement upon Health*, Boston: Marsh, Capen & Lyon.
Bright, Timothie, 1586. *A Treatise of Melancholie*, Londra: Vautrollier.
Brill, Henry și Robert E. Patton, 1957. „Analysis of 1955-1956 Population Fall in New York State Mental Hospital in First Year of Large-Scale Use of Tranquilizing Drugs", *American Journal of Psychiatry*, 114, 509-517.
Brown, George W., Bone, Margaret, Dalison, Bridget și J.K. Wing, 1966. *Schizophrenia and Social Care*, Londra și New York: Oxford University Press.
Brown, Julie V., 1981. „The Professionalization of Russian Psychiatry, 1857-1911", teză de doctorat nepublicată, University of Pennsylvania.
Brown, Norman O., 1959. *Life Against Death: The Psychoanalytical Meaning of History*, Middletown, Connecticut: Wesleyan University Press.
Brown, Norman O., 1966. *Love's Body*, New York: Random House.
Brown, Peter, 1971. *The World of Late Antiquity*, Londra: Thames & Hudson; New York: Harcourt, Brace, Jovanovich.
Brown, Peter, 1972. *Religion and Society in the Age of Saint Augustine*, Londra: Faber and Faber; New York: Harper & Row.
Brown, Peter, 1981. *The Cult of the Saints: Its Rise and Function in Latin Christianity*, Chicago: University of Chicago Press.
Brown, Peter, 1992. *Power and Persuasion in Late Antiquity: Toward a Christian Empire*, Madison: University of Wisconsin Press.
Brown, Thomas, 1980. „«Living with God's Afflicted»: A History of the Provincial Lunatic Asylum at Toronto, 1830-1911", teză de doctorat nepublicată, Queen's University, Kingston, Ontario.
Brown-Montesano, Kristi, 2007. *Understanding the Women of Mozart's Operas*, Berkeley: University of California Press.
Browne, William A.F., 1837. *What Asylums Were, Are, and Ought to Be*, Edinburgh: A. & C. Black.
Browne, William A.F., 1864. „The Moral Treatment of the Insane", *Journal of Mental Science*, 10, 309-337.
Brydall, John, 1700. *Non Compos Mentis: or, the Law Relating to Natural Fools, Mad-Folks, and Lunatick Persons*, Londra: Isaac Cleave.
Bucknill, John C., 1860. „The President's Address to the Association of Medical Officers of Asylums and Hospitals for the Insane", *Journal of Mental Science*, 7, 1-23.

Burdett, Henry C., 1891. *Hospitals and Asylums of the World*, vol. 2, Londra: J. & A. Churchill.

Burleigh, Michael, 1994. *Death and Deliverance: „Euthanasia" in Germany, c. 1900-1945*, Cambridge și New York: Cambridge University Press.

Burney, Fanny, 1854. *Diary and Letters of Madame D'Arblay*, ed. Charlotte F. Barrett, Londra: Colburn, Hurst and Blackett.

Burnham, John C. (ed.), 2012. *After Freud Left: A Century of Psychoanalysis in America*, Chicago: University of Chicago Press.

Burrows, George Man, 1828. *Commentaries on the Causes, Forms, Symptoms, and Treatment, Moral and Medical, of Insanity*, Londra: T. & G. Underwood.

Burton, Robert, 1948 [1621]. *The Anatomy of Melancholy*, New York: Tudor.

Butler, Alban, 1799. *The Lives of Primitive Fathers, Martyrs, and Other Principal Saints*, 12 vol., ediția a treia, Edinburgh: J. Moir.

Bynum, William F., 1974. „Rationale for Therapy in British Psychiatry, 1780-1835", *Medical History*, 18, 317-334.

Bynum, William F. și Roy Porter (eds.), 1993. *Companion Encyclopedia of the History of Medicine*, 2 vol., Londra: Routledge.

Bynum, William F., Porter, Roy și Michael Shepherd (eds.), 1985-1988. *The Anatomy of Madness*, 3 vol., Londra: Routledge.

Cabanis, Pierre, 1823-1825. *Rapports du physique et du moral de l'homme* (1802), retipărită în lucrarea postumă *Œuvres complètes*, Paris: Bossagen Frères.

Cairns, Davis, 2006. *Mozart and His Operas*, Berkeley: University of California Press; Londra: Allen Lane.

Carlsson, Arvid, 1988. „The Current Status of the Dopamine Hypothesis in Schizophrenia", *Neuropsychopharmacology*, 1, 179-186.

Carroll, Robert S., 1923. „Aseptic Meningitis in Combating the Dementia Praecox Problem", *New York Medical Journal*, 3, octombrie, 407-411.

Cartledge, Paul, 1997. „«Deep Plays»: Theatre as Process in Greek Civic Life", în Patricia E. Easterling (ed.), *The Cambridge Companion to Greek Tragedy*, Cambridge: Cambridge University Press, 3-35.

Castel, Robert, 1988. *The Regulation of Madness: The Origins of Incarceration in France*, Berkeley: University of California Press; Cambridge: Polity.

Caudill, William, 1958. *The Psychiatric Hospital as a Small Society*, Cambridge, Massachusetts: Harvard University Press.

Chang, C.K., Hayes, R.D., Perera, G., Broadbent, M.T.M., Fernandes, A.C., Lee, W.E., Hotopf, M. și R. Stewart, 2011. „Life Expectancy at Birth for People with Serious Mental Illnesses and Other Disorders from a Secondary Mental Health Care Register in London", *PLoS One*, 18 mai, 6 (5):e19590. Doi:10.1371/journal.pone.0019590.

Chapireau, F., 2009. „La mortalité des malades mentaux hospitalisés en France pendant la deuxième guerre mondiale: étude démographique", *L'Encéphale*, 35, 121-128.

Charcot, J.-M. și Gilles de la Tourette, 1892. „Hypnotism in the Hysterical", în Daniel Hack Tuke (ed.), *A Dictionary of Psychological Medicine*, 2 vol., Londra: J. & A. Churchill, 606-610.

Cheyne, George, 1733. *The English Malady*, Londra: G. Strahan.

Clark, Michael, 1988. „«Morbid Introspection», Unsoundness of Mind, and British Psychological Medicine c. 1830 – c. 1900", în William F. Bynum, Roy Porter și Michael Shepherd (eds.), *The Anatomy of Madness*, 3 vol., Londra: Routledge, 71-101.

Clark, Stuart, 1997. *Thinking with Demons: The Idea of Witchcraft in Early Modern Europe*, Oxford: Clarendon Press.

Cobb, Stanley, 1938. „Review of Neuropsychiatry", *Archives of Internal Medicine*, 62, 883-899.

Coleborne, Catharine, 2001. „Making «Mad» Populations in Settler Colonies: The Work of Law and Medicine in the Creation of the Colonial Asylum", în Diane Kirkby și Catharine Coleborne (eds.), *Law, History, Colonialism: The Reach of Empire*, Manchester: Manchester University Press, 106-124.

Coleborne, Catharine, sub tipar. *Insanity, Identity and Empire*, Manchester: Manchester University Press.

Colton, C.W. și R.W. Manderscheid, 2006. „Congruencies in Increased Mortality Rates, Years of Potential Life Lost, and Causes of Death Among Public Mental Health Clients in Eight States", *Preventing Chronic Disease*, 3:26, online, PMCID: PMC1563985.

Conolly, John, 1830. *An Inquiry Concerning the Indications of Insanity*, Londra: John Taylor.

Conolly, John, 1847. *The Construction and Government of Lunatic Asylums and Hospitals for the Insane*, Londra: John Churchill.

Conrad, Lawrence, 1993. „Arabic-Islamic Medicine", în William F. Bynum și Roy Porter (eds.), *Companion Encyclopedia of the History of Medicine*, vol. 1, Londra: Routledge, 676-727.

Cooper, John E., Kendell, Robert E. și Barry J. Gurland, 1972. *Psychiatric Diagnosis in New York and London: A Comparative Study of Mental Hospital Admissions*, Londra: Oxford University Press.

Cotta, John, 1612. *A Short Discoverie of the Unobserved Dangers of Several Sorts of Ignorant and Unconsiderate Practisers of Physicke in England*, Londra: Jones and Boyle.

Cotta, John, 1616. *The Triall of Witch-craft, Shewing the True and Right Methode of the Discovery*, Londra.

Cotton, Henry A., 1919. „The Relation of Oral Infection to Mental Diseases", *Journal of Dental Research*, 1, 269-313.

Cotton, Henry A., 1921. *The Defective Delinquent and Insane*, Princeton: Princeton University Press.

Cotton, Henry A., 1923. „The Relation of Chronic Sepsis to the So-Called Functional Mental Disorders", *Journal of Mental Science*, 69, 434-465.

Council of State Governments, 1950. *The Mental Health Programs of the Forty-Eight States*, Chicago: Council of State Governments.

Cox, Joseph Mason, 1813. *Practical Observations on Insanity*, ediția a treia, Londra: R. Baldwin și Thomas Underwood.

Crammer, John, 1990. *Asylum History: Buckinghamshire County Pauper Lunatic Asylum – St John's*, Londra: Gaskell.

Cranach, M. von, 2003. „The Killing of Psychiatric Patients in Nazi Germany between 1939 and 1945", *The Israel Journal of Psychiatry and Related Sciences*, 40, 8-18.

Crane, George E., 1973. „Clinical Psychopharmacology in Its Twentieth Year", *Science*, 181, 124-128.

Creer, Clare și John K. Wing, 1974. *Schizophrenia at Home*, Londra: Institute of Psychiatry.

Crews, Frederick C., 1975. *Out of My System: Psychoanalysis, Ideology, and Critical Method*, New York: Oxford University Press.

Crews, Frederick C. (ed.), 1998. *Unauthorized Freud: Doubters Confront a Legend*, New York: Viking.

Crichton-Browne, James, 1930. *What the Doctor Thought*, Londra: E. Benn.

Cruden, Alexander, 1739. *The London-Citizen Exceedingly Injured: Or, a British Inquisition Display'd... Addressed to the Legislature, as Plainly Shewing the Absolute Necessity of Regulating Private Madhouses*, Londra: Cooper and Dodd.

Daneau, Lambert, 1575. *A Dialogue of Witches*, Londra: R. Watkins.

Dante Alighieri, 1980. *The Divine Comedy of Dante Alighieri: Inferno*, trad. Allen Mandelbaum, New York: Random House.

Darnton, Robert, 1968. *Mesmerism and the End of the Enlightenment in France*, Cambridge, Massachusetts: Harvard University Press.

Deacon, Harriet, 2003. „Insanity, Institutions and Society: The Case of Robben Island Lunatic Asylum, 1846-1910", în Roy Porter și David Wright (eds.), *The Confinement of the Insane: International Perspectives, 1800-1965*, Cambridge: Cambridge University Press, 20-53.

Defoe, Daniel, 1728. *Augusta Triumphans: Or, the Way to Make London the Most Flourishing City in the Universe*, Londra: J. Roberts.

de Girolamo, G., Barale, F., Politi, P. și P. Fusar-Poli, 2008. „Franco Basaglia, 1924-1980", *American Journal of Psychiatry*, 165, 968.

de Girolamo, G., Bassi, M., Neri, G., Ruggeri, M., Santone, G. și A. Picardi, 2007. „The Current State of Mental Health Care in Italy: Problems, Perspectives, and Lessons to Learn", *European Archives of Psychiatry and Clinical Neuroscience*, 257, 83-91.

Delgado, Honorio F., 1922. „The Treatment of Paresis by Inoculation with Malaria", *Journal of Nervous and Mental Disease*, 55, 376-389.

Della Seta, Fabrizio, 2013. *Not Without Madness: Perspectives on Opera*, trad. Mark Weir, Chicago: University of Chicago Press.

Department of Health and Social Security [Anglia], 1971. *Better Services for the Mentally Handicapped*, Cmnd 4683, Londra: HMSO.

Diamant, Neil, 1993. „China's «Great Confinement»?: Missionaries, Municipal Elites and Police in the Establishment of Chinese Mental Hospitals", *Republican China*, 19:1, 3-50.

Dicks, H.V., 1970. *Fifty Years of the Tavistock Clinic*, Londra: Routledge & Kegan Paul.

Dimendberg, Edward, 2004. *Film Noir and the Spaces of Modernity*, Cambridge, Massachusetts și Londra: Harvard University Press.

Dix, Dorothea Lynde, 1843. *Memorial to the Legislature of Massachusetts*, Boston: Monroe and Francis.

Dix, Dorothea Lynde, 1845. *Memorial to... New Jersey*, Trenton: fără editură.

Dix, Dorothea Lynde, 1845. *Memorial Soliciting a State Hospital for the Insane, Submitted to the Legislature of Pennsylvania*, Harrisburg: J.M.G. Lescure.

Dix, Dorothea Lynde, 1850. *Memorial Soliciting Adequate Appropriations for the Construction of a State Hospital for the Insane, in the State of Mississippi*, Jackson, Mississippi: Fall and Marshall.

Dodds, Eric R., 1951. *The Greeks and the Irrational*, Berkeley: University of California Press.

Dols, Michael W., 1987a. „Insanity and Its Treatment in Islamic Society", *Medical History*, 31, 1-14.

Dols, Michael W., 1987b. „The Origins of the Islamic Hospital: Myth and Reality", *Bulletin of the History of Medicine*, 61, 367-390.

Dols, Michael W., 1992. *Majnun: The Madman in Medieval Islamic Society*, Oxford: Clarendon Press.

Donkin, Horatio B., 1892. „Hysteria", în Daniel Hack Tuke (ed.), *A Dictionary of Psychological Medicine*, 2 vol., Londra: J. & A. Churchill, 618-627.

Doob, Penelope, 1974. *Nebuchadnezzar's Children: Conventions of Madness in Middle English Literature*, New Haven: Yale University Press.

Dowbiggin, Ian, 1985a. „French Psychiatry, Hereditarianism, and Professional Legitimacy, 1840-1900", *Research in Law, Deviance and Social Control*, 7, 135-165.

Dowbiggin, Ian, 1985b. „Degeneration and Hereditarianism in French Mental Medicine, 1840-1890 – Psychiatric Theory as Ideological Adaptation", în William F. Bynum, Roy Porter și Michael Shepherd (eds.), *The Anatomy of Madness*, vol. 1, Londra: Tavistock, 188-232.

Driver, J.R., Gammel, J.A. și L.J. Karnosh, 1926. „Malaria Treatment of Central Nervous System Syphilis. Preliminary Observations", *Journal of the American Medical Association*, 87, 1821-1827.

Dunham, H. Warren și S. Kirson Weinberg, 1960. *The Culture of the State Mental Hospital*, Detroit: Wayne State University Press.

Earle, Pliny, 1868. „Psychologic Medicine: Its Importance as a Part of the Medical Curriculum", *American Journal of Insanity*, XXIV, 257-280.

Easterling, Patricia E. (ed.), 1997. *The Cambridge Companion to Greek Tragedy*, Cambridge: Cambridge University Press.

Edelstein, Emma J. și Ludwig Edelstein, 1945. *Asclepius: A Collection and Interpretation of the Testimonies*, 2 vol., Baltimore: Johns Hopkins University Press.

Edington, Claire, 2013. „Going In and Getting Out of the Colonial Asylum: Families and Psychiatric Care in French Indochina", *Comparative Studies in Society and History*, 55, 725-755.

Eichholz, D.E., 1950. „Galen and His Environment", *Greece and Rome*, 20 (59), 60-71.

Elgood, Cyril, 1962. „Tibb ul-Nabbi or Medicine of the Prophet, Being a Translation of Two Works of the Same Name", *Osiris*, 14, 33-192.

Eliot, T.S., 1932. *Selected Essays*, Londra: Faber and Faber; New York: Harcourt, Brace.

Ellenberger, Henri F., 1970. *The Discovery of the Unconscious: The History and Evolution of Dynamic Psychiatry*, New York: Basic Books.

Engstrom, Eric J., 2003. *Clinical Psychiatry in Imperial Germany: A History of Psychiatric Practice*, Ithaca: Cornell University Press.

Ennis, Bruce J. și Thomas R. Litwack, 1974. „Psychiatry and the Presumption of Expertise: Flipping Coins in the Courtroom", *California Law Review*, 62, 693-752.

Epstein, Leon J., Morgan, Richard D. și Lynn Reynolds, 1962. „An Approach to the Effect of Ataraxic Drugs on Hospital Release Dates", *American Journal of Psychiatry*, 119, 36-47.

Erasmus, Desiderius, 1979 [1511]. *The Praise of Folly*, ed. Clarence Miller, New Haven: Yale University Press.

Ernst, Edzard, 2002. „Ayurvedic Medicines", *Pharmacoepidemiology and Drug Safety*, 11, 455-456.

Ernst, Waltraud, 1991. *Mad Tales from the Raj: The European Insane in British India, 1800-1858*, Londra: Routledge.

Ernst, Waltraud, 2013. *Colonialism and Transnational Psychiatry: The Development of an Indian Mental Hospital in British India, c. 1925-1940*, Londra: Anthem Press.

Esquirol, J.-É.D., 1805. *Des Passions, considérées comme causes, symptômes et moyens curatifs de l'aliénation mentale*, Paris: Thèse de médecin.

Esquirol, J.-É.D., 1818. „Maisons d'aliénés", *Dictionnaire des sciences médicales*, vol. 30, Paris: Panckoucke, 47-95.

Esquirol, J.-É.D., 1819. *Des Établissments des aliénés en France et des moyens d'améliorer le sort de ces infortunés*, Paris: Huzard.

Esquirol, J.-É.D., 1838. *Des Maladies mentales considérées sous les rapports médical, hygiénique et médico-légal*, 2 vol., Paris: Baillière.

Ewalt, Jack R., Strecker, Edward A. și Franklin G. Ebaugh, 1957. *Practical Clinical Psychiatry*, ediția a opta, New York: McGraw-Hill.

Exhibition Catalogue, 1992. *Otto Dix 1891-1969*, Londra: Tate Gallery.

Fahd, Toufic, 1971. „Anges, demons et djinns en Islam", *Sources orientales*, 8, 153-214.

Farber, Stephen și Marc Green, 1993. *Hollywood on the Couch: A Candid Look at the Overheated Love Affair Between Psychiatrists and Moviemakers*, New York: W. Morrow.

Ferenczi, Sándor, 1985. *The Clinical Diary of Sándor Ferenczi,* ed. J. Dupont, Cambridge, Massachusetts: Harvard University Press.

Feros, Antonio, 2006. *Kingship and Favoritism in the Spain of Philip III, 1598-1621*, Cambridge și New York: Cambridge University Press.

Ferriar, John, 1795. *Medical Histories and Reflections*, vol. 2, Londra: Cadell and Davies.

Fiamberti, A.M., 1937. „Proposta di una tecnica operatoria modificata e semplificata per gli interventi alla Moniz sui lobi prefrontali i malati di mente", *Rassegna di Studi Psichiatrici*, 26, 797-805.

Finucane, Ronald C., 1977. *Miracles and Pilgrims: Popular Beliefs in Medieval England*, Londra: J.M. Dent.

Flaherty, Gloria, 1995. „The Non-Normal Sciences: Survivals of Renaissance Thought in the Eighteenth Century", în Christopher Fox, Roy Porter și Robert Wokler (eds.), *Inventing Human Science: Eighteenth-Century Domains*, Berkeley: University of California Press, 271-291.

Fletcher, Richard, 1997. *The Barbarian Conversion: From Paganism to Christianity*, New York: Holt.

Foucault, Michel, 1964. *Madness and Civilization: A History of Insanity in the Age of Reason*, New York: Pantheon; Londra: Tavistock.
Foucault, Michel, 2006. *History of Madness*, ed. Jean Khalfa, trad. Jonathan Murphy. Londra: Routledge.
Fournier, J.C., DeRubeis, R.J., Hollon, S.D., Dimidjian, S. și J.D. Amsterdam, 2010. „Antidepressant Drug Effects and Depression Severity", *Journal of the American Medical Association*, 303, 47-53.
Freeman, Hugh și German E. Berrios (eds.), 1996. *Years of British Psychiatry*, vol. 2: *The Aftermath*, Londra: Athlone.
Freud, Sigmund, 1922. *Beyond the Pleasure Principle*, Londra și Viena: The International Psycho-Analytical Press.
Freud, Sigmund, 1961. *Civilization and Its Discontents*, trad. și ed. James Strachey, New York: W.W. Norton.
Freud, Sigmund, 1963. *An Autobiographical Study*, trad. James Strachey, New York: W.W. Norton.
Gabbard, Krin și Glen O. Gabbard, 1987. *Psychiatry and the Cinema*, Chicago: University of Chicago Press.
Gall, Franz și Johann Spurzheim, 1812. *Anatomie et physiologie du système nerveux en général*, vol. 2, Paris: F. Schoell.
Garner, Edmund G. (ed.), 2010. *The Dialogues of Saint Gregory the Great*, Merchantville, Jew Jersey: Evolution Publishing.
Garton, Stephen, 1988. *Medicine and Madness: A Social History of Insanity in New South Wales, 1880-1940*, Kensington, New South Wales: New South Wales University Press.
Gay, Peter, 1968. „Review of Bruno Bettelheim, *The Empty Fortress*", *The New Yorker*, 18 mai, 160-172.
Gay, Peter, 1988. *Freud: A Life for Our Time*, New York: Norton.
Gerard, Margaret W., 1946. „Bronchial Asthma in Children", *Nervous Child*, 5, 327-331.
Gifford, George, 1587. *A Discourse of the Subtill Practises of Devilles by Witches and Sorcerers*, Londra: Cooke.
Gilman, Sander L., 1982. *Seeing the Insane*, New York și Londra: John Wiley.
Gilman, Sander L., King, Helen, Porter, Roy, Showalter, Elaine și G.S. Rousseau, 1993. *Hysteria Beyond Freud*, Berkeley: University of California Press.
Girard [de Cailleux], H., 1846. „Rapports sur le service des aliénés de l'asile de Fains (Meuse), 1842, 1843 et 1844 par M. Renaudin", *Annales médico-psychologiques*, 8, 136-148.
Glanvill, Joseph, 1681. *Sadducismus triumphatus: or, a full and plain evidence concerning witches and apparitions*, Londra.
Goetz, Christopher G., Bonduelle, Michel și Toby Gelfand, 1995. *Charcot: Constructing Neurology*, New York și Oxford: Oxford University Press.
Goffman, Erving, 1961. *Asylums: Essays on the Social Situation of Mental Patients and Other Inmates*, Garden City, New York: Anchor Books.
Goffman, Erving, 1971. *Relations in Public: Microstudies of the Public Order*, New York: Basic Books.
Goldstein, Jan, 2001. *Console and Classify: The French Psychiatric Profession in the Nineteenth Century*, ed. rev., Chicago: University of Chicago Press.

Gollaher, David, 1995. *Voices for the Mad: The Life of Dorothea Dix*, New York: Free Press.

Goodell, William, 1881. „Clinical Notes on the Extirpation of the Ovaries for Insanity", *Transactions of the Medical Society of the State of Pennsylvania*, 13, 638-643.

Goodwin, Simon, 1997. *Comparative Mental Health Policy: From Institutional to Community Care*, Londra: Sage.

Götz, Aly, Chroust, Peter și Christian Pross, 1994. *Cleansing the Fatherland: Nazi Medicine and Racial Hygiene*, trad. Belinda Cooper, Baltimore: Johns Hopkins University Press.

Grad de Alarcon, Jacqueline și Peter Sainsbury, 1963. „Mental Illness and the Family", *Lancet*, 281, 544-547.

Granville, Joseph Mortimer, 1877. *The Care and Cure of the Insane*, 2 vol., Londra: Hardwicke and Bogue.

Graves, Thomas C., 1919. „A Short Note on the Use of Calcium in Excited States", *Journal of Mental Science*, 65, 109.

Gray, John P., 1871. *Insanity: Its Dependence on Physical Disease*, Utica și New York: Roberts.

Green, John R., 1994. *Theatre in Ancient Greek Society*, Londra: Routledge.

Greenberg, Gary, 2013. *The Book of Woe: The DSM and the Unmaking of Psychiatry*, New York: Blue Rider Press.

Greenblatt, Milton, 1974. „Historical Factors Affecting the Closing of State Hospitals", în Paul I. Ahmed și Stanley C. Plog (eds.), *State Mental Hospitals: What Happens When They Close*, New York și Londra: Plenum Medical Book Company, 9-20.

Greenslade, William, 1994. *Degeneration, Culture, and the Novel, 1880-1940*, Cambridge: Cambridge University Press.

Greville, Robert F., 1930. *The Diaries of Colonel the Hon. Robert Fulke Greville*, ed. Frank M. Bladon, Londra: John Lane.

Grinker, Roy S. și John P. Spiegel, 1945. *War Neuroses*, Philadelphia: Blakiston.

Grob, Gerald, 1990. „World War II and American Psychiatry", *Psychohistory Review*, 19, 41-69.

Grob, Gerald, 1991. *From Asylum to Community: Mental Health Policy in Modern America*, Princeton: Princeton University Press.

Gröger, Helmut, Eberhard, Gabriel și Siegfried Kasper (eds.), 1997. *On the History of Psychiatry in Vienna*, Viena: Verlag Christian Brandstätter.

Gronfein, William, 1985. „Psychotropic Drugs and the Origins of Deinstitutionalization", *Social Problems*, 32, 437-454.

Guarnieri, Patrizia, 1994. „The History of Psychiatry in Italy: A Century of Studies", în Mark S. Micale și Roy Porter (eds.), *Discovering the History of Psychiatry*, New York și Oxford: Oxford University Press, 248-259.

Guislain, Joseph, 1826. *Traité sur l'aliénation mentale*, Amsterdam: J. van der Hey.

Gutas, Dimitri, 1998. *Greek Thought, Arabic Culture: The Graeco-Arabic Translation Movement in Baghdad and Early Abbasid Society*, Londra: Routledge.

Hale, Nathan G. Jr., 1971. *Freud and the Americans: The Beginnings of Psychoanalysis in the United States, 1876-1917*, Oxford: Oxford University Press.

Hale, Nathan G. Jr., 1998. *The Rise and Crisis of Psychoanalysis in the United States: Freud and the Americans, 1917-1985*, New York: Oxford University Press.

Hallaran, William Saunders, 1810. *An Enquiry into the Causes Producing the Extraordinary Addition to the Number of Insane*, Cork: Edwards and Savage.

Hallaran, William Saunders, 1818. *Practical Observations on the Causes and Cures of Insanity*, Cork: Hodges and M'Arthur.

Halliday, Andrew, 1828. *A General View of the Present State of Lunatics, and Lunatic Asylums in Great Britain and Ireland...*, Londra: Underwood.

Hameed, Hakim A. și A. Bari, 1984. „The Impact of Ibn Sina's Medical Work in India", *Studies in the History of Medicine*, 8, 1-12.

Harcourt, Countess of, 1880. „Memoirs of the Years 1788-1789 by Elizabeth, Countess of Harcourt", în Edward W. Harcourt (ed.), *The Harcourt Papers*, vol. 4, Oxford: Parker, 25-28.

Hare, Edward, 1983. „Was Insanity on the Increase?", *British Journal of Psychiatry*, 142, 439-455.

Harsnett, Samuel, 1599. *A Discovery of the Fraudulent Practises of John Darrel, Bachelor of Artes, In His Proceedings Concerning the Pretended Possession and Dispossession of William Somers... Detecting In Some Sort the Deceitful Trade in These Latter Dayes of Casting Out Devils*, Londra: Wolfe.

Harsnett, Samuel, 1603. *A Declaration of Egregious Popish Impostures, To Withdraw the Harts of Her Maisties Subjects from... the Truth of the Christian Religion... Under the Pretence of Casting Out Devils*, Londra: Roberts.

Haskell, Ebenezer, 1869. *The Trial of Ebenezer Haskell...*, Philadelphia: în regim de autor.

Haslam, John, 1809. *Observations on Madness and Melancholy*, Londra: J. Callow.

Haywood, Eliza, 1726. *The Distress'd Orphan, or Love in a Mad-house*, ediția a doua, Londra: Roberts.

Healy, David, 1997. *The Anti-Depressant Era*, Cambridge, Massachusetts: Harvard University Press.

Healy, David, 2002. *The Creation of Psychopharmacology*, Cambridge, Massachusetts: Harvard University Press.

Healy, David, 2008. *Mania: A Short History of Bipolar Disorder*, Baltimore: Johns Hopkins University Press.

Healy, David, 2012. *Pharmaggedon*, Berkeley: University of California Press.

Healy, D., Harris, M., Tranter, R., Gutting, P., Austin, R., Jones-Edwards, G. și A.P. Roberts, 2006. „Lifetime Suicide Rates in Treated Schizophrenia: 1875-1924 and 1994-1998 Cohorts Compared", *British Journal of Psychiatry*, 188, 223-228.

Heartz, Daniel, 1992. *Mozart's Operas*, Berkeley: University of California Press.

Herman, Ellen, 1995. *The Romance of American Psychology: Political Culture in the Age of Experts, 1940-1970*, Berkeley: University of California Press.

Hershkowitz, Debra, 1998. *The Madness of Epic: Reading Insanity from Homer to Statius*, Oxford și New York: Oxford University Press.

Hervey, Nicholas, 1986. „Advocacy or Folly: The Alleged Lunatics' Friend Society, 1845-1863", *Medical History*, 30, 245-275.

Hill, Charles G., 1907. „Presidential Address: How Can We Best Advance the Study of Psychiatry", *American Journal of Insanity*, 64, 1-8.

Hill, Robert Gardiner, 1839. *Total Abolition of Personal Restraint in the Treatment of the Insane. A Lecture on the Management of Lunatic Asylums*, Londra: Simpkin, Marshall.

Hippocrates, 1886. *The Genuine Works of Hippocrates*, vol. 2, ed. Francis Adams, New York: William Wood.

Hippocrates, 1950. *The Medical Works of Hippocrates*, trad. John Chadwick și W.N. Mann, Oxford: Blackwell.

Hoare, Frederick R. (trad. și ed.), 1954. *The Western Fathers*, New York și Londra: Sheed and Ward.

Hobbes, Thomas, 1968. *Leviathan*, Harmondsworth: Penguin.

Hobbs, A.T., 1924. „A Survey of American and Psychiatric Opinion as to Focal Infections (or Chronic Sepsis) as Causative Factors in Functional Psychoses", *Journal of Mental Science*, 70, 542-553.

Horder, J., Matthews, P. și R. Waldmann, 2011. „Placebo, Prozac, and PLoS: Significant Lessons for Psychopharmacology", *Journal of Psychopharmacology*, 25, 1277-1288.

Horwitz, Allan V., 2002. *Creating Mental Illness*, Chicago: University of Chicago Press.

Hume, David, 2007. *A Treatise of Human Nature*, Oxford: Clarendon.

Hunter, Richard și Ida Macalpine, 1963. *Three Hundred Years of Psychiatry, 1535-1860*, Londra: Oxford University Press.

Hyman, Steven E., 2012. „Psychiatric Drug Discovery: Revolution Stalled", *Science Translational Medicine*, 4, 155, 10 octombrie.

Ito, Hiroto și Lloyd I. Sederer, 1999. „Mental Health Services Reform in Japan", *Harvard Review of Psychiatry*, 7, 208-215.

Jackson, Stanley W., 1986. *Melancholia and Depression: From Hippocratic Times to Modern Times*, New Haven: Yale University Press.

Joint Commission on Mental Illness and Health, 1961. *Action for Mental Health*, New York: Basic Books.

Jones, Colin, 1980. „The Treatment of the Insane in Eighteenth- and Early Nineteenth-Century Montpellier", *Medical History*, 24, 371-390.

Jones, Edgar, 2004. „War and the Practice of Psychotherapy: The UK Experience 1939-1960", *Medical History*, 48, 493-510.

Jones, Edgar și Simon Wessely, 2001. „Psychiatric Battle Casualties: An Intra- and Interwar Comparison", *British Journal of Psychiatry*, 178, 242-247.

Jones, Ernest, 1953-1957. *The Life and Work of Sigmund Freud*, 3 vol., New York: Basic Books.

Jones, Kathleen, 1972. *A History of the Mental Health Services*, Londra: Routledge and Kegan Paul.

Jones, Kathleen, 1993. *Asylums and After*, Londra: Athlone Press.

Jorden, Edward, 1603. *A Brief Discourse of a Disease Called the Suffocation of the Mother*, Londra: Windet.

Joyce, James, 1939. *Finnegan's Wake*, New York: Viking.

Kaempffert, Waldemar, 1941. „Turning the Mind Inside Out”, *Saturday Evening Post*, 213, 24 mai, 18-74.

Kanner, Leo, 1943. „Autistic Disturbances of Affective Contact”, *Nervous Child*, 2, 217-250.

Kanner, Leo, 1949. „Problems of Nosology and Psychodynamics of Early Infantile Autism”, *American Journal of Orthopsychiatry*, 19, 416-426.

Karcher, Eva, 1987. *Otto Dix*, New York: Crown.

Kardiner, Abraham și Herbert Spiegel, 1947. *War Stress and Neurotic Illness*, New York: Hoeber.

Katzenelbogen, Solomon, 1940. „A Critical Appraisal of the Shock Therapies in the Major Psychoses and Psychoneuroses, III – Convulsive Therapy”, *Psychiatry*, 3, 409-420.

Keller, Richard, 2007. *Colonial Madness: Psychiatry in French North Africa*, Chicago: University of Chicago Press.

Kelly, Henry A., 1985. *The Devil at Baptism: Ritual, Theology and Drama*, Ithaca: Cornell University Press.

Kendell, R.E., 1974. „The Stability of Psychiatric Diagnoses”, *British Journal of Psychiatry*, 124, 352-356.

Kendell, R.E., Cooper, J.E., Gourlay, A.J., Copeland, J.R., Sharpe, L. și B.J. Gurland, 1971. „Diagnostic Criteria of American and British Psychiatrists”, *Archives of General Psychiatry*, 25, 123-130.

Kirk, Stuart A. și Herb Kutchins, 1992. *The Selling of DSM: The Rhetoric of Science in Psychiatry*, New York: Aldine de Gruyter.

Kirsch, Irving, 2010. *The Emperor's New Drugs: Exploding the Antidepressant Myth*, New York: Basic Books.

Kirsch, Irving, Deacon, B.J., Huedo-Medina, T.B., Scoboria, A., Moore, T.J. și B.T. Johnson, 2008. „Initial Severity and Antidepressant Benefits: A Meta-Analysis of Data Submitted to the Food and Drug Administration”, *PLoS Medicine*, 5, 260-268.

Kraepelin, Emil, 1896. *Psychiatrie: Ein Lehrbuch für Studierende und Ärzte*, ediția a cincea, Leipzig: Barth.

Kramer, Peter D., 1993. *Listening to Prozac*, New York: Viking.

Kühl, Stefan, 1994. *The Nazi Connection: Eugenics, American Racism, and German National Socialism*, New York: Oxford University Press.

Kuriyama, Shigehisa, 1999. *The Expressiveness of the Body and the Divergence of Greek and Chinese Medicine*, New York: Zone Books.

Kutchins, Herb și Stuart A. Kirk, 1999. *Making Us Crazy: DSM: The Psychiatric Bible and the Creation of Mental Disorders*, New York: Free Press.

Lacasse, Jeffrey R. și Jonathan Leo, 2005. „Serotonin and Depression: A Disconnect between the Advertisements and the Scientific Literature”, *PLoS Medicine*, 2, 211-216.

Laing, R.D., 1967. *The Politics of Experience*, New York: Ballantine.

Laing, R.D. și Aaron Esterson, 1964. *Sanity, Madness and the Family*, Londra: Tavistock.

Lamb, H. Richard (ed.), 1984. *The Homeless Mentally Ill*, Washington DC: American Psychiatric Press.

Landsberg, E., 2011. „Japan's Mental Health Policy: Disaster or Reform?”, *Japan Today*, 14 octombrie.

Lantéri-Laura, Georges, 2000. *Histoire de la phrenologie*, Paris: Presses Universitaires de France.

Laurentius, A., 1598. *A Discourse of the Preservation of the Sight: of Melancholike Diseases: of Rheumes, and of Old Age*, trad. Richard Surphlet, Londra: Theodore Samson.

Lawlor, Clark, 2012. *From Melancholia to Prozac: A History of Depression*, Oxford: Oxford University Press.

Lawrence, Christopher, 1985. „Incommunicable Knowledge: Science, Technology and the Clinical Art in Britain 1850-1910", *Journal of Contemporary History*, 20, 503-520.

Lawrence, D.H., 1987. *The Letters of D.H. Lawrence*, vol. 4, Warren Roberts, James T. Boulton și Elizabeth Mansfield (eds.), Cambridge: Cambridge University Press.

Lawrence, William, 1819. *Lectures on Physiology, Zoology, and the Natural History of Man*, Londra: J. Callow.

Le Goff, Jacques, 1967. *La civilisation de l'Occident médiéval*, Paris: Arthaud.

Lerman, Paul, 1982. *Deinstitutionalization and the Welfare State*, New Brunswick, New Jersey: Rutgers University Press.

Lerner, Paul, 2001. „From Traumatic Neurosis to Male Hysteria: The Decline and Fall of Hermann Oppenhein, 1889-1919", în Mark S. Micale și Paul Lerner (eds.), *Traumatic Pasts: History, Psychiatry and Trauma in the Modern Age, 1870-1930*, 140-171. Cambridge: Cambridge University Press.

Lewis, Aubrey, 1959. „The Impact of Psychotropic Drugs on the Structure, Function and Future of the Psychiatric Services", în P. Bradley, P. Deniker și C. Radouco-Thomas (eds.), *Neuropsychopharmacology*, vol. 1, 207-212. Amsterdam: Elsevier.

Lewis, Nolan D.C., Hubbard, Lois D. și Edna G. Dyar, 1924. „The Malarial Treatment of Paretic Neurosyphilis", *American Journal of Psychiatry*, 4, 175-225.

Lieberman, J.A., Stroup, T.S., McEvoy, J.P., Swartz, M.S., Rosenheck, R.A., Perkins, D.O., Keefe, R.S., Davis, S.M., Davis, C.E., Lebowitz, B.D., Severe, J. și J.K. Hsiao, 2005. „Effectiveness of Antipsychotic Drugs in Patients with Chronic Schizophrenia", *New England Journal of Medicine*, 353, 1209-1223.

Lightman, E., 1986. „The Impact of Government Economic Restraint on Mental Health Services in Canada", *Canada's Mental Health*, 34, 24-28.

Lloyd, G.E.R., 1979. *Magic, Reason and Experience: Studies in the Origin and Development of Greek Science*, Cambridge și New York: Cambridge University Press.

Lloyd, G.E.R., 2003. *In the Grip of Disease: Studies in the Greek Imagination*, Oxford: Oxford University Press.

Lloyd, Geoffrey și Nathan Sivin, 2002. *The Way and the Word: Science and Medicine in Early China and Greece*, New Haven: Yale University Press.

Locke, John, 1968. *Educational Writings of John Locke*, ed. James L. Axtell, Cambridge: Cambridge University Press.

Lomas, David, 2000. *The Haunted Self: Surrealism, Psychoanalysis, Subjectivity*, New Haven: Yale University Press.

Lovell, A.M., 1986. „The Paradoxes of Reform: Re-Evaluating Italy's Mental Health Law of 1978", *Hospital and Community Psychiatry*, 37, 802-808.

Lytton, Rosina Bulwer, 1880. *A Blighted Life: A True Story*, Londra: London Publishing Office.

Macalpine, Ida și Richard Hunter, 1969. *George III and the Mad-Business*, Londra: Allen Lane.

MacDonald, Michael, 1981. *Mystical Bedlam: Madness, Anxiety, and Healing in the Seventeenth-Century England*, Cambridge și New York: Cambridge University Press.

MacDonald, Michael (ed.), 1991. *Witchcraft and Hysteria in Elizabethan London: Edward Jorden and the Mary Glover Case*, Londra: Routledge.

MacKenzie, Charlotte, 1985. „«The Life of a Human Football»? Women and Madness in the Era of the New Woman", *The Society for the Social History of Medicine Bulletin*, 36, 37-40.

Mackenzie, Henry, 1771. *The Man of Feeling*, Londra: Cadell.

Mahone, Sloan și Megan Vaughan (eds.), 2007. *Psychiatry and Empire*, Basingstoke: Palgrave Macmillan.

Maisel, Alfred Q., 1946. „Bedlam 1946", *Life*, 20, 6 mai, 102-118.

Makari, George, 2008. *Revolution in Mind: The Creation of Psychoanalysis*, New York: Harper Collins; Londra: Duckworth.

Makari, George, 2012. „Mitteleuropa on the Hudson: On the Struggle for American Psychoanalysis after the Anschluß", în John Burnham (ed.), *After Freud Left: A Century of Psychoanalysis in America*, Chicago: University of Chicago Press, 111-124.

Marcus, Steven, 1965. *Dickens: From Pickwick to Dombey*, New York: Basic Books; Londra: Chatto & Windus.

Marcus, Steven, 1974. *The Other Victorians: A Study of Sexuality and Pornography in Mid-Nineteenth Century England*, New York: Basic Books; Londra: Weidenfeld & Nicolson.

Marcuse, Herbert, 1955. *Eros and Civilization: A Philosophical Inquiry into Freud*, Boston: Beacon Press.

Masson, Jeffrey, 1985. *The Assault on Truth*, New York: Penguin.

Masson, Marc și Jean-Michel Azorin, 2002. „La surmortalité des malades mentaux à la lumière de l'Histoire", *L'Évolution Psychiatrique*, 67, 456-479.

Maudsley, Henry, 1871. „Insanity and its Treatment", *Journal of Mental Science*, 17, 311-334.

Maudsley, Henry, 1879. *The Pathology of Mind*, Londra: Macmillan.

Maudsley, Henry, 1883. *Body and Will*, Londra: Kegan Paul and Trench.

Maudsley, Henry, 1895. *The Pathology of Mind*, ediție nouă, Londra și New York: Macmillan.

McCulloch, Jock, 1995. *Colonial Psychiatry and „the African Mind"*, Cambridge: Cambridge University Press.

McDonough, Stephen, 1941. „Brain Surgery Is Credited with Cure of 50 «Hopelessly» Insane Persons", *Houston Post*, 6 iunie.

McGuire, William (ed.), 1974. *The Freud/Jung Letters: The Correspondence between Sigmund Freud and C.G. Jung*, Princeton: Princeton University Press.

McKendrick, Neil, Brewer, John și J.H. Plumb, 1982. *The Birth of a Consumer Society: The Commercialization of Eighteenth-Century England*, Bloomington: Indiana University Press.

Mead, Richard, 1751. *Medical Precepts and Cautions*, traducere din latină de Thomas Stack. Londra: Brindley.

Meduna, L. von, 1938. „General Discussion of the Cardiazol [Metrazol] Therapy", *American Journal of Psychiatry*, 94, 40-50.

Meduna, L. von și Emerick Friedman, 1939. „The Convulsive-Irritative Therapy of the Psychoses", *Journal of the American Medical Association*, 112, 501-509.

Mendel, Werner, 1974. „Mental Hospitals", *Where Is My Home*, șapirografiată, Scottsdale: NTIS.

Menninger, Karl A., 1988. *The Selected Correspondence of Karl A. Menninger, 1919-1945*, Howard J. Faulkner și Virginia D. Pruitt (eds.), New Haven: Yale University Press.

Mercier, Charles, 1914. *A Text-Book of Insanity and Other Nervous Diseases*, ediția a doua, Londra: George Allen & Unwin.

Mercier, Charles, 1916. „Psychoanalysis", *British Medical Journal*, 2, 897-900.

Micale, Mark S. și Paul Lerner (eds.), 2001. *Traumatic Pasts: History, Psychiatry and Trauma in the Modern Age, 1870-1930*, Cambridge: Cambridge University Press.

Micale, Mark S. și Roy Porter (eds.), 1994. *Discovering the History of Psychiatry*, New York și Oxford: Oxford University Press.

Midelfort, H.C. Erik, 1999. *A History of Madness in Sixteenth-Century Germany*, Stanford: Stanford University Press.

Midelfort, H.C. Erik, 2005. *Exorcism and Enlightenment: Johann Joseph Gassner and the Demons of Eighteenth-Century Germany*, New Haven: Yale University Press.

Millard, David W., 1996. „Maxwell Jones and the Therapeutic Community", în Hugh Freeman și German E. Berrios (eds.), *150 Years of British Psychiatry*, vol. 2: *The Aftermath*, Londra: Athlone, 581-604.

Miller, Timothy S., 1985. *The Birth of the Hospital in the Byzantine Empire*, Baltimore: Johns Hopkins University Press.

Milligan, Spike, 1980. *Mussolini: His Part in My Downfall*, Harmondsworth: Penguin.

Mitchell, Donald (ed.), 1987. *Benjamin Britten: Death in Venice*, Cambridge: Cambridge University Press.

Mitchell, Silas Weir, 1888. *Doctor and Patient*, Philadelphia: J.B. Lippincott.

Mitchell, Silas Weir, 1894. „Address Before the Fiftieth Annual Meeting of the American Medico-Psychological Association", *Journal of Nervous and Mental Disease*, 21, 413-437.

Mitchell, Silas Weir, 1909. „Address to the American Neurological Association", *Transactions of the American Neurological Association*, 35, 1-17.

Moniz, Egas, 1936. *Tentatives opératoires dans le traitement de certaines psychoses*, Paris: Masson.

Morison, Alexander, 1825. *Outlines of Lectures on Mental Diseases*, Edinburgh: Lizars.

Moynihan, Berkeley, 1927. „The Relation of Aberrant Mental States to Organic Disease", *British Medical Journal*, 2, 815-817. [Cuprinsă în Addresses on Surgical Subjects, Philadelphia și Londra: W.B. Saunders, 1928.]

Mueser, Kim T. și Howard Berenbaum, 1990. „Psychodynamic Treatment of Schizophrenia: Is There a Future?”, *Psychological Medicine*, 20, 253-262.

Muir, Kenneth, 1951. „Samuel Harsnett and King Lear”, *Review of English Studies*, 2, 11-21.

Müller, Franz Carl (ed.), 1893. *Handbuch der Neurasthenie*, Leipzig: Vogel.

Munthe, Axel, 1930. *The Story of San Michele*, Londra: John Murray.

Nasar, Sylvia, 1998. *A Beautiful Mind*, New York: Simon and Schuster; Londra: Faber.

Newnham, William, 1829. „Essay on Superstition”, *The Christian Observer*, 29, 265-275.

Ng, Vivien W., 1990. *Madness in Late Imperial China: From Illness to Deviance*, Norman: University of Oklahoma Press.

NICE, 2010. *Depression: The NICE Guide on the Treatment and Management of Depression in Adults*, Londra: Royal College of Psychiatry Publications.

Nizami, 1966. *The Story of Layla and Majnun*, tradusă din persană și redactată de R. Gelpke, Oxford: Bruno Cassirer.

Noguchi, Hideyo și J.W. Moore, 1913. „A Demonstration of *Treponema pallidum* in the Brain in Cases of General Paralysis”, *Journal of Experimental Medicine*, 17, 232-238.

Nordau, Max, 1893. *Entartung*, Berlin: C. Duncker.

Nordentoft, M., Knudsen, H. și F. Schulsinger, 1992. „Housing Conditions and Residential Needs of Psychiatric Patients in Copenhagen”, *Acta Psychiatrica Scandinavica*, 85, 385-389.

Noyes, Arthur P. și Lawrence Kolb, 1935. *Modern Clinical Psychiatry*, Philadelphia: W.B. Saunders.

Nutton, Vivian, 1992. „Healers in the Medical Marketplace: Towards a Social History of Graeco-Roman Medicine”, în Andrew Wear (ed.), *Medicine in Society: Historical Essays*, Cambridge: Cambridge University Press, 15-58.

Oppenheim, Janet, 1991. *„Shattered Nerves”: Doctors, Patients, and Depression in Victorian England*, New York și Oxford: Oxford University Press.

Orlansky, Harold, 1948. „An American Death Camp”, *Politics*, 5, 162-168.

Osler, William, 1921. *The Evolution of Modern Medicine: A Series of Lectures Delivered at Yale University on the Silliman Foundation in April 1913*, New Haven: Yale University Press; Londra: Oxford University Press.

Padel, Ruth, 1992. *In and Out of the Mind: Greek Images of the Tragic Self*, Princeton: Princeton University Press.

Padel, Ruth, 1995. *Whom Gods Destroy: Elements of Greek and Tragic Madness*, Princeton: Princeton University Press.

Paget, George E., 1866. *The Harveian Oration*, Cambridge: Deighton, Bell and Co.

Palermo, G.B., 1991. „The Italian Mental Health Law – A Personal Evaluation: A Review”, *Journal of the Royal Society of Medicine*, 84, 101.

Pargeter, William, 1792. *Observations on Maniacal Disorders*, Reading: în regim de autor.

Paris, Joel, 2005. *The Fall of an Icon: Psychoanalysis and Academic Psychiatry*, Toronto: University of Toronto Press.

Park, Katherine, 1992. „Medicine and Society in Medieval Europe 500-1500", în Andrew Wear (ed.), *Medicine in Society: Historical Essays*, Cambridge: Cambridge University Press, 59-90.

Parker, Robert, 1983. *Miasma: Pollution and Purification in Early Greek Religion*, Oxford: Clarendon Press.

Parks, Joe, Svendsen, Dale, Singer, Patricia și Mary Ellen Foti (eds.), 2006. *Morbidity and Mortality in People with Serious Mental Illness*, Alexandria, VA: Asociația Națională a Directorilor de Programe Statale de Sănătate Psihică.

Parry-Jones, William Ll., 1972. *The Trade in Lunacy*, Londra: Routledge.

Parry-Jones, William Ll., 1981. „The Model of the Geel Lunatic Colony and its Influence on the Nineteenth-Century Asylum System in Britain", în Andrew Scull (ed.), *Madhouses, Mad-Doctors, and Madmen*, Philadelphia: University of Pennsylvania Press, 201-217.

Pattie, Frank, 1979. „A Mesmer-Paradis Myth Dispelled", *American Journal of Clinical Hypnosis*, 22, 29-31.

Pearson, Veronica, 1991. „The Development of Modern Psychiatric Services in China, 1891-1949", *History of Psychiatry*, 2, 133-147.

Pennington, Hugh, 2003. „Can You Close Your Eyes Without Falling Over?", *London Review of Books*, 11 septembrie, 30-31.

Perceval, John T., 1838, 1840. *A Narrative of the Treatment Experienced by a Gentleman During a State of Mental Derangement*, 2 vol., Londra: Effingham, Wilson.

Perry, Ralph B., 1935. *The Thought and Character of William James*, Boston: Little, Brown.

Peschel, Enid și Richard Peschel, 1992. „Donizetti and the Music and Mental Derangement: *Anna Bolena*, *Lucia di Lammermoor*, and the Composer's Neurobiological Illness", *Yale Journal of Biology and Medicine*, 65, 189-200.

Petryna, Adriana, 2009. *When Experiments Travel: Clinical Trials and the Global Search for Human Subjects*, Princeton: Princeton University Press.

Petryna, Adriana, Lakoff, Andrew și Arthur Kleinman (eds.), 2006. *Global Pharmaceuticals: Ethics, Markets, Practices*, Durham, North Carolina: Duke University Press.

Piccinelli, Marco, Politi, Pierluigi și Francesco Barale, 2002. „Focus on Psychiatry in Italy", *British Journal of Psychiatry*, 181, 538-544.

Pinel, Philippe, 1801. *Traité médico-philosophique sur l'aliénation mentale ou La manie*, Paris: Richard, Caille et Ravier.

Pinel, Philippe, 1805. „Recherches sur le traitement générale des femmes alienées", *Le Moniteur universel*, 281, 30 iunie, 1158-1160.

Pinel, Philippe, 2008 [1809]. *Medico-Philosophical Treatise on Mental Alienation. Second Edition: Entirely Reworked and Extensively Expanded (1809)*, trad. Gordon Hickish, David Healy și Louis C. Charland, Oxford: Wiley.

Plath, Sylvia, 2005. *The Bell Jar*, New York: Harper.

Plato, 2008. *The Symposium*, ed. Frisbee Sheffield, trad. M. Howatson, Cambridge: Cambridge University Press.

Platter, Felix, Cole, Abdiah și Nicholas Culpeper, 1662. *A Golden Practice of Physick*, Londra: Peter Cole.

Plumb, J.H., 1975. „The New World of Children in Eighteenth Century England", *Past and Present*, 67, 64-95.

Poirier, Suzanne, 1983. „The Weir Mitchell Rest Cure: Doctor and Patients", *Women's Studies*, 10, 15-40.

Porter, Roy, 1999. „Witchcraft and Magic in Enlightenment, Romantic and Liberal Thought", în Bengt Ankarloo și Stuart Clark (eds.), *Witchcraft and Magic in Europe*, vol. 5: *The Eighteenth and Nineteenth Centuries*, Philadelphia: University of Pennsylvania Press, 191-282.

Porter, Roy și David Wright (eds.), 2003. *The Confinement of the Insane: International Perspectives, 1800-1965*, Cambridge: Cambridge University Press.

Pressman, Jack D., 1998. *Last Resort: Psychosurgery and the Limits of Medicine*, Cambridge: Cambridge University Press.

Prichard, James Cowles, 1835. *A Treatise on Insanity, and Other Disorders Affecting the Mind*, Londra: Sherwood, Gilbert, and Piper.

Prioreschi, Plinio, 2001. *A History of Medicine: Byzantine and Islamic Medicine*, Omaha, Nebraska: Horatius Press.

Proctor, Robert, 1988. *Racial Hygiene: Medicine Under the Nazis*, Cambridge, Massachusetts: Harvard University Press.

Reade, Charles, 1864. *Hard Cash: A Matter-of-Fact Romance*, Leipzig: Tachnitz.

Rees, T.P., 1957. „Back to Moral Treatment and Community Care", *British Journal of Psychiatry*, 103, 303-313.

Renooz, Celine, 1888. „Charcot Dévoilé", *Revue Scientifique des Femmes*, 1, decembrie, 241-247.

Richardson, Samuel, 1741. *Letters Written to and for Particular Friends, on the Most Important Occasions*, Londra: Rivington.

Rieff, Philip, 1959. *Freud: The Mind of the Moralist*, New York: Viking.

Rieff, Philip, 1966. *The Triumph of the Therapeutic: Uses of Faith After Freud*, New York: Harper and Row.

Rivers, William H.R., 1918. „An Address on the Repression of War Experience", *Lancet*, 96, 173-177.

Robinson, Michael, 2013. *Time in Western Music*, e-book: Acorn Independent Press.

Robinson, Nicholas, 1729. *A New System of the Spleen, Vapours, and Hypochondriack Melancholy*, Londra: Bettesworth, Innys, and Rivington.

Rosen, George, 1968. *Madness in Society: Chapters in the Historical Sociology of Mental Illness*, New York: Harper and Row.

Rosenhan, David, 1973. „On Being Sane in Insane Places", *Science*, 179, 250-258.

Rosenthal, Franz, 1994. *The Classical Heritage in Islam*, trad. E. și J. Marmorstein, Londra și New York: Routledge.

Roudebush, Marc, 2001. „A Battle of Nerves: Hysteria and Its Treatment in France During World War I", în Mark S. Micale și Paul Lerner (eds.), *Traumatic Pasts: History, Psychiatry and Trauma in the Modern Age, 1870-1930*, Cambridge: Cambridge University Press, 253-279.

Roudinesco, Elisabeth, 1990. *Jacques Lacan and Co.: A History of Psychoanalysis in France, 1925-1985*, trad. Jeffrey Mehlman, Londra: Free Association Books.

Rous, E. și A. Clark, 2009. „Child Psychoanalytic Psychotherapy in the UK National Health Service: An Historical Analysis", *History of Psychiatry*, 20, 442-456.

Rousseau, George, 1993. „A Strange Pathology: Hysteria in the Early Modern World, 1500-1800", în Sander L. Gilman, Helen King, Roy Porter, Elaine Showalter și G.S. Rousseau, *Hysteria Beyond Freud*, Berkeley: University of California Press, 91-223.

Runciman, Steven, 1966. *A History of the Crusades*, vol. 3, Cambridge: Cambridge University Press.

Rush, Benjamin, 1947. *The Selected Writings*, ed. Dagobert D. Runes, New York: Philosophical Library.

Rush, Benjamin, 1951. *The Letters of Benjamin Rush*, ed. Lyman H. Butterfield, vol. 2, Princeton: Princeton University Press.

Rush, A. John, Trivedi, M.H., Wisniewski, S.R., Stewart, J.W., Nierenberg, A.A., Thase, M.E., Ritz, L., Biggs, M.M., Warden, D., Luther, J.F., Shores-Wilson, K., Niederehe, G. și M. Fava, 2006. „Bupropion-SR, Sertraline, or Venlafaxine-XR After Failure of SSRIs for Depression", *New England Journal of Medicine*, 354, 1231-1242.

Russo, Giovanna și Francesco Carelli, 2009. „Dismantling Asylums: The Italian Job", *London Journal of Primary Care*, 2, aprilie.

Sadger, Isidor, 2005. *Recollecting Freud*, ed. Alan Dundes și trad. Johanna Jacobsen Madison: University of Wisconsin Press. [Publicată inițial cu titlul *Sigmund Freud: Persönliche Erinnerungen*, în 1929.]

Sadowsky, Jonathan, 1999. *Imperial Bedlam: Institutions of Madness in Colonial Southwest Nigeria*, Berkeley: University of California Press.

Sakel, Manfred, 1937. „A New Treatment of Schizophrenia", *American Journal of Psychiatry*, 93, 829-841.

Sakel, M.J., 1956. „The Classical Sakel Shock Treatment: A Reappraisal", în Arthur M. Sackler (ed.), *The Great Physiodynamic Therapies in Psychiatry*, New York: Hoeber-Harper, 13-75.

Sanderson, John B., 1885. „The Cholera and the Comma-Bacillus", *British Medical Journal*, 1 (1273), 1076-1077.

Saper, R.B., Phillips, R.S., Sehgal, A., Khouri, N., Davis, R.B., Paquin, J., Thuppil, V. și S.N. Kales, 2008. „Lead, Mercury, and Arsenic in US- and Indian-Manufactured Ayurvedic Medicines Sold via the Internet", *Journal of the American Medical Association*, 300, 915-923.

Sassoon, Siegfried, 1936. *Sherston's Progress*, Londra: Faber and Faber.

Schatzberg, Alan F., Scully, James H., Kupfer, David J. și Darrel A. Regier, 2009. „Setting the Record Straight: A Response to Frances [sic] Commentary on DSM-V", *Psychiatric Times*, 1 iulie.

Scheflin, Alan W. și Edward Opton Jr., 1978. *The Mind Manipulators*, New York: Paddington.

Scull, Andrew, 1977. *Decarceration: Community Treatment and the Deviant: A Radical View*, Englewood Cliffs, New Jersey: Prentice-Hall.

Scull, Andrew (ed.), 1981a. *Madhouses, Mad-Doctors, and Madmen: The Social History of Psychiatry in the Victorian Era*, Philadelphia: University of Pennsylvania Press.

Scull, Andrew, 1981b. „The Discovery of the Asylum Revisited: Lunacy Reform in the New American Republic”, în Andrew Scull (ed.), *Madhouses, Mad-Doctors, and Madmen: The Social History of Psychiatry in the Victorian Era*, Philadelphia: University of Pennsylvania Press, 144-165.

Scull, Andrew, 1984. „Was Insanity Increasing? A Response to Edward Hare”, *British Journal of Psychiatry*, 144, 432-436.

Scull, Andrew, 2005. *Madhouse: A Tragic Tale of Megalomania and Modern Medicine*, Londra și New Haven: Yale University Press.

Scull, Andrew, 2011. *Hysteria: The Disturbing History*, Oxford: Oxford University Press.

Scull, Andrew, MacKenzie, Charlotte și Nicholas Hervey, 1996. *Masters of Bedlam: The Transformation of the Mad-Doctoring Trade*, Princeton: Princeton University Press.

Seaver, Paul S., 1988. *Wallington's World: A Puritan Artisan in Seventeenth-Century London*, Palo Alto: Stanford University Press.

Sedgwick, Peter, 1981. „Psychiatry and Liberation”, articol nepublicat, Leeds University.

Sedgwick, Peter, 1982. *Psychopolitics*, Londra: Pluto Press.

Shephard, Ben, 2000. *A War of Nerves: Soldiers and Psychiatrists in the Twentieth Century*, Londra: Jonathan Cape; Cambridge, Massachusetts: Harvard University Press.

Shepherd, Michael, 1994. „Neurolepsis and the Psychopharmacological Revolution: Myth and Reality”, *History of Psychiatry*, 5, 89-96.

Shorter, Edward, 1990. „Private Clinics in Central Europe, 1850-1933”, *Social History of Medicine*, 3, 159-195.

Shorter, Edward, 1997. *A History of Psychiatry*, New York: Wiley.

Shorter, Edward și David Healy, 2007. *Shock Treatment: A History of Electroconvulsive Treatment in Mental Illness*, New Brunswick: Rutgers University Press.

Showalter, Elaine, 1985. *The Female Malady*, New York: Pantheon.

Simonis, Fabien, 2010. „Mad Acts, Mad Speech, and Mad People in Late Imperial Chinese Law and Medicine”, lucrare de doctorat nepublicată, Princeton University.

Slack, Paul, 1985. *The Impact of Plague in Tudor and Stewart England*, Londra și Boston: Routledge & Kegan Paul.

Smyth, Margaret H., 1938. „Psychiatric History and Development in California”, *American Journal of Psychiatry*, 94, 1223-1236.

Snape, Andrew, 1718. *A Sermon Preach'd before the Right Honourable the Lord-Mayor... and Gouvernors of the Several Hospitals of the City of London*, Londra: Bowyer.

Snyder, Solomon H., 1982. „Schizophrenia”, *Lancet*, 320, 970-974.

Solomon, Andrew, 2012. *Far From the Tree: Parents, Children and the Search for Identity*, New York: Simon & Shuster; Londra: Chatto and Windus.

Southern, Richard, 1953. *The Making of the Middle Ages*, New Haven: Yale University Press; Londra: Hutchinson.

Spitzer, Robert L., 2001. „Values and Assumptions in the Development of DSM-III and DSM-IIIR”, *Journal of Nervous and Mental Disease*, 181, 351-359.

Spitzka, Edward, 1878. „Reform in the Scientific Study of Psychiatry", *Journal of Nervous and Mental Disease*, 5, 201-229.

Spurzheim, Johann, 1813. *Observations on the Deranged Manifestations of Mind, or Insanity*, Londra: Baldwin, Craddock and Joy.

Stevenson, Christine, 2000. *Medicine and Magnificence: British Hospital and Asylum Architecture, 1660-1815*, New Haven: Yale University Press.

Stiles, Anne, „The Rest Cure, 1873-1925", *BRANCH: Britain, Representation and Nineteenth-Century History*. Ed. Dino Franco Felluga. Extensie a *Romanticism and Victorianism on the Net*. 2 noiembrie 2012. Pagină web accesată pe 9 septembrie 2013.

Strahan, S.A.K., 1890. „The Propagation of Insanity and Allied Neuroses", *Journal of Mental Science*, 36, 325-338.

Strickmann, Michel, 2002. *Chinese Magical Medicine*, Palo Alto: Stanford University Press.

Sulman, A. Michael, 1973. „The Humanization of the American Child: Benjamin Spock as a Popularizer of Psychoanalytic Thought", *Journal of the History of Behavioral Sciences*, 9, 258-265.

Suzuki, Akihito, 2003. „The State, Family, and the Insane in Japan, 1900-1945", în Roy Porter și David Wright (eds.), *The Confinement of the Insane: International Perspectives, 1800-1965*, Cambridge: Cambridge University Press, 193-225.

Suzuki, Akihito, 2006. *Madness At Home: The Psychiatrist, the Patient, and the Family in England, 1820-1860*, Berkeley: University of California Press.

Swain, Gladys, 1977. *Le sujet de la folie: Naissance de la psychiatrie*, Toulouse: Privat.

Sydenham, Thomas, 1742. *The Entire Works of Dr Thomas Sydenham, Newly Made English from the Originals*, ed. John Swan, Londra: Cave.

Szasz, Thomas, 1961. *The Myth of Mental Illness*, New York: Harper and Row.

Talbott, J.H. și K.J. Tillotson, 1941. „The Effects of Cold on Mental Disorders", *Diseases of the Nervous System*, 2, 116-126.

Tallis, Raymond, 1997. „The Shrink from Hell", *Times Higher Education Supplement*, 31 octombrie, 20.

Targa, Leonardo (ed.), 1831. *Aur. Cor. Celsus on Medicine*, trad. A. Lee, vol. 1, Londra: Cox.

Taylor, Barbara, 2014. *The Last Asylum: A Memoir of Madness in Our Times*, Londra: Hamish Hamilton.

Taylor, Michael A., 2013. *Hippocrates Cried: The Decline of American Psychiatry*, New York: Oxford University Press.

Temkin, Oswei, 1994. *The Falling Sickness: A History of Epilepsy from the Greeks to the Beginnings of Modern Neurology*, Baltimore: Johns Hopkins University Press.

Tenon, Jacques, 1778. *Mémoires sur les hôpitaux de Paris*, Paris: Pierres.

Tessler, Richard C. și Deborah L. Dennis, 1992. „Mental Illness Among Homeless Adults", în James R. Greenley și Philip J. Leaf (eds.), *Research in Community and Mental Health*, 7, Greenwich, Connecticut: JAI Press, 3-53.

Tonnini, Silvio, 1892. „Italy, Historical Notes upon the Treatment of the Insane in", în Daniel Hack Tuke (ed.), *A Dictionary of Psychological Medicine*, 2 vol., Londra: J. & A. Churchill, 715-720.

Torrey, Edwin Fuller, 2002. *The Invisible Plague: The Rise of Mental Illness from 1750 to the Present*, New Brunswick, New Jersey: Rutgers University Press.

Tuke, Daniel Hack, 1878. *Insanity in Ancient and Modern Life*, Londra: Macmillan.

Tuke, Daniel Hack (ed.), 1892. *A Dictionary of Psychological Medicine*, 2 vol., Londra: J. & A. Churchill.

Tuke, Samuel, 1813. *Description of the Retreat: An Institution near York for Insane Persons of the Society of Friends*, York: Alexander.

Turkle, Sherry, 1992. *Psychoanalytic Politics*, ediţia a doua, Londra: Free Association Books.

Turner, E.H., Matthews, A.M., Linardatos, E., Tell, R.A. şi R. Rosenthal, 2008. „Selective Publication of Antidepressant Trials and Its Influence on Apparent Efficacy", *New England Journal of Medicine*, 358, 252-260.

Twain, Mark, 2013. *The Autobiography of Mark Twain*, vol. 2, ed. Benjamin Griffin şi Harriet Elinor Smith, Berkeley: University of California Press.

Tyrer, Peter şi Tim Kendall, 2009. „The Spurious Advance of Antipsychotic Drug Therapy", *Lancet*, 373, 4-5.

Ullmann, Manfred, 1978. *Islamic Medicine*, trad. Jean Watt, Edinburgh: Edinburgh University Press.

Unschuld, Paul D., 1985. *Medicine in China: A History of Ideas*, Berkeley: University of California Press.

US Public Health Service, 1941. *Shock Therapy Survey*, Washington, D.C.: Government Printing Office.

Unwins, David, 1833. *A Treatise on Those Disorders of the Brain and Nervous System, Which Are Usually Considered and Called Mental*, Londra: Renshaw and Rush.

Valenstein, Elliot, 1985. *Great and Desperate Cures: The Rise and Decline of Psychosurgery and Other Radical Treatments for Mental Illness*, New York: Basic Books.

Veith, Ilza, 1970. *Hysteria: The History of a Disease*, Chicago: University of Chicago Press.

Wagner-Jauregg, Julius, 1946. „The History of the Malaria Treatment of General Paralysis", *American Journal of Psychiatry*, 102, 577-582.

Wakefield, Edward, 1814. „Extracts from the Report of the Committee Employed to Visit Houses and Hospitals for the Confinement of Insane Persons. With Remarks. By Philantropus", *The Medical and Physical Journal*, 32, 122-128.

Watt, W. Montgomery, 1972. *The Influence of Islam on Medieval Europe*, Edinburgh: Edinburgh University Press.

Wear, Andrew (ed.), 1992. *Medicine in Society: Historical Essays*, Cambridge: Cambridge University Press.

Weiner, Dora, 1994. „«Le geste de Pinel»: The History of a Psychiatric Myth", în Mark S. Micale şi Roy Porter (eds.), *Discovering the History of Psychiatry*, New York şi Oxford: Oxford University Press, 232-247.

Wesley, John, 1906. *The Journal of John Wesley*, ed. Ernest Rhys, Londra: Everyman.

Wexler, Bruce E., 2006. *Brain and Culture: Neurobiology, Ideology, and Social Change*, Cambridge, Massachusetts și Londra: MIT Press.

Whittington, C.J., Kendall, T., Fonagy, P., Cottrell, D., Cotgrove, A. și E. Boddington, 2004. „Selective Serotonin Reuptake Inhibitors in Childhood Depression: Systematic Review of Published Versus Unpublished Data", *Lancet*, 363, 1341-1345.

Willis, Thomas, 1674. *Cerebri anatome*, Londra: Jo. Martyn.

Willis, Thomas, 1681. *An Essay of the Pathology of the Brain and Nervous Stock*, trad. Samuel Pordage, Londra: Dring, Harper and Leigh.

Willis, Thomas, 1683. *Two Discourses Concerning the Soul of Brutes...*, trad. Samuel Pordage, Londra: Dring, Harper and Leigh.

Willis, Thomas, 1684. *The Practice of Physick*, trad. Samuel Pordage, Londra: Dring, Harper, Leigh and Martyn. [Traducerea lucrării *Cerebri anatome*.]

Wing, John K. și George W. Brown, 1970. *Institutionalism and Schizophrenia; A Comparative Study of Three Mental Hospitals 1960-1968*, Cambridge: Cambridge University Press.

Winnicott, Donald, 1964. *The Child, the Family and the Outside World*, Londra: Penguin.

Winter, Alison, 1998. *Mesmerized: Powers of Mind in Victorian Britain*, Chicago: University of Chicago Press.

Wise, Sarah, 2012. *Inconvenient People: Lunacy, Liberty and the Mad-Doctors in Victorian England*, Londra: Bodley Head.

Wright, Frank L. (ed.), 1947. *Out of Sight, Out of Mind*, Philadelphia: National Mental Health Foundation.

Wujastyk, Dominik, 1993. „Indian Medicine", în William F. Bynum și Roy Porter (eds.), *Companion Encyclopedia of the History of Medicine*, vol. 1, Londra: Routledge, 755-778.

Wynter, Andrew, 1875. *The Borderlands of Insanity*, Londra: Hardwicke.

Wynter, Andrew, 1877. *The Borderlands of Insanity*, ediția a doua, Londra: Hardwicke.

Sursele ilustrațiilor

Ilustrații alb-negru (numărul paginii)

akg-images: © DACS 2015 267 (Dix); DeAgostini Picture Library 67; Imagno 253; Erich Lessing 380; Prisma/Kurwenal/Album 66; ullstein bild 164
Amsterdam City Archives 118
Prin bunăvoința Bethlem Art & History Collections Trust 116, 117, 216
Prin bunăvoința U.S. National Library of Medicine, Bethesda, Maryland 139
British Library (12403.11.34.(2.)) 132
United States Holocaust Memorial Museum. Prin bunăvoința National Archives and Records Administration, College Park, Maryland 240
© Ian Ference 2010 339
Chicago History Museum/Getty Images 304
Din *Gespräch über die heilsamen Beschwörungen und Wunderkuren des Herrn Gassners*, 1775 160
Foto Tonee Harbert 352
Kansas State Historical Society 315
Knebworth Estates (www.knebworthhouse.com) 223
Kobal Collection: Selznick/United Artists © Salvador Dalí, Fundació Gala-Salvador Dalí, DACS, 2015 330; United Artists/Fantasy Films 295; Warner Bros 324
© Drew Farrell/Lebrecht Music & Arts 135
Bernard Lens și John Sturt, „Digression on Madness”, din Jonathan Swift, *A Tale of the Tub*, 1710 105
London Borough of Hackney Archives, Londra 126
National Gallery, Londra 108
Foto Charles Lord © The Estate of Charles Lord 341
Beinecke Rare Book and Manuscript Library, Yale University, New Haven 95, 101
Harvey Cushing/John Hay Whitney Medical Library, Yale University, New Haven 213, 255
New Jersey State Archives 280
China Medical Board, Inc. Photograph Collection. Prin bunăvoința Rockefeller Archive Center, New York 297
Din *Sapere*, nr. 154 (mai 1941) 285
Science Photo Library: Jean-Loup Charmet 165; Otis Historical Archives, National Museum of Health and Medicine, Maryland 272
NMPFT/Royal Photographic Society/Science & Society Picture Library 227
Seattle Post-Intelligencer Collection, Museum of History & Industry (MOHAI), Seattle. Foto Ken Harris (1986.5.25616) 288

City Archives, 's-Hertogenbosch, Olanda 114
Din *Tempo* (martie 1948) 286
Din Kure Shuzo și Kaida Goro, *The situation of the home-confinement of the mentally ill and the statistical observation*, Tokyo, Home Office, 1920. Foto Kure Shuzo, Komine Archive, Tokyo 183
Universitätsarchiv Tübingen 259
Fondazione San Servolo IRSESC, Venice 334
Institute of the History of Medicine, University of Vienna 273
După o litografie de J. Vollweider/C. Kiefer, 1865 177
Library of Congress, Washington, D.C. (LC-USZ62-9797) 179
Wellcome Library, Londra 4, 14, 28, 31, 34, 43, 44, 57, 74, 78, 84, 122, 128, 129, 141, 146, 152, 157, 166, 185, 189, 196, 200, 206, 210, 235, 238, 250, 258, 290, 310, 336, 356
Willard Library Photo Archive, Evansville, IN 245
Archives and Special Collections, Clark University, Worcester, MA 303

Planșe color (numărul planșei)

© Guy Christian/hemis/agefotostock 43
akg-images 25; © DACS 2015 38 (Beckmann), 39 (Dix); Florilegius 26; Erich Lessing 3, 18, 23, 28
Rijksmuseum, Amsterdam 21
Art Archive: Ashmolean Museum 15; British Library 8; CCI/Private Collection 30; Electa/Mondadori Portfolio/Muzeul Pușkin, Moscova 33
Walters Art Museum, Baltimore 9
The Tichnor Brothers Collection, Boston Public Library 36
Bridgeman Art Library: Bibliothèque des Arts Décoratifs, Paris/Archives Charmet 24; Foto © Zev Radovan 5
Musée Condé, Chantilly 11
© Peter Aprahamian/Corbis 41
Meadows Museum, Dallas 29
Scottish National Portrait Gallery, Edinburgh 32
© Ian Ference 2010 42
© Sonia Halliday Photographs 12, 13, 14
Collection The David Hockney Foundation © David Hockney. Foto Richard Schmidt 40
© 2014 Billiam James 44
Wellcome Library, Londra 7, 22, 27, 31
J. Paul Getty Museum, Los Angeles (Ms. 33, fol. 215v) 2
Museo del Prado, Madrid 20
Museo Arqueológico Nacional, Madrid (N.I. 11094). Foto Antonio Trigo Arnal 4
The Bodleian Library, University of Oxford. Cu amabila permisiune a curatorilor Wilfred Owen Estate 37
Scala, Florența: DeAgostini Picture Library 10; National Gallery, Londra 16
NYPL/Science Source/Science Photo Library 6
Tate, Londra 1, 17
Art Gallery of Ontario, Toronto. Dix © DACS 2015 34
Museum Catharijneconvent, Utrecht 19
Oskar Reinhart Collection, Winterthur 35

Indice

Numerele de pagină scrise cu caractere *cursive* trimit la legendele ilustrațiilor din text; numerele scrise cu **aldine** trimit la numărul planșei color.

B

C

G

M

N

O

P

Ș

T

U

V

www.polirom.ro

Coperta: Radu Răileanu

Bun de tipar: martie 2023. Apărut: 2023
Editura Polirom, B-dul Carol I nr. 4 • P.O. BOX 266
700505, Iaşi, Tel. & Fax: (0232) 21.41.00; (0232) 21.41.11;
(0232) 21.74.40 (difuzare); E-mail: office@polirom.ro
Bucureşti, Splaiul Unirii nr. 6, bl. B3A, sc. 1, et. 1,
sector 4, 040031, O.P. 53
Tel.: (021) 313.89.78; E-mail: office.bucuresti@polirom.ro